"基础数学应用"丛书

湖北省工业与应用数学学会规划教材

科学出版社"十四五"普通高等教育本科规划教材

高等代数

主　编　罗文强　魏周超

副主编　王　毅　刘智慧　郭万里　张　玲

科学出版社图书类重大项目

科学出版社

北京

内 容 简 介

本书共 12 章, 主要内容包括预备知识、一元多项式、行列式、线性方程组、矩阵、二次型、线性空间、线性变换、λ-矩阵、欧几里得空间、线性函数及双线性函数、数学实验. 每章配有小结(扫二维码)查看和较为丰富的例题、习题和习题答案, 第 2 章～第 11 章配有应用实例.

本书可作为数学与应用数学、信息与计算科学、统计学等相关专业高等代数课程低年级学生的教材, 也可以作为同类课程的教学参考书.

图书在版编目(CIP)数据

高等代数 / 罗文强, 魏周超主编. --北京: 科学出版社, 2024.6

(“基础数学应用”丛书)

科学出版社“十四五”普通高等教育本科规划教材　湖北省工业与应用数学学会规划教材

ISBN 978-7-03-076785-1

Ⅰ. ①高…　Ⅱ. ①罗…　②魏…　Ⅲ. ①高等代数－高等学校－教材　Ⅳ. ①O15

中国国家版本馆 CIP 数据核字(2023)第 203287 号

责任编辑: 王　晶　李香叶 / 责任校对: 杨聪敏
责任印制: 彭　超 / 封面设计: 苏　波

科学出版社 出版
北京东黄城根北街 16 号
邮政编码: 100717
http://www. sciencep. com
武汉精一佳印刷有限公司印刷
科学出版社发行　各地新华书店经销
*
2024 年 6 月第　一　版　开本: 787×1092　1/16
2024 年 6 月第一次印刷　印张: 25 1/4
字数: 629 000

定价: 98. 00 元

(如有印装质量问题, 我社负责调换)

“基础数学应用”丛书编委会

丛书序

数学本身就是生产力. 众所周知, 数学是一门重要的基础学科, 也是其他学科的重要基础, 几乎所有学科都依赖于数学的知识和理论, 几乎所有重大科技进展都离不开数学的支持. 数学也是一门关键的技术. 数学的思想和方法与计算技术的结合已经形成了一种关键性的、可实现的技术, 称为“数学技术”. 在当代, 数学在航空航天、人工智能、生物医药、能源开发等领域发挥着关键性, 甚至决定性作用. 数学技术已成为高技术的突出标志和不可或缺的组成部分, 从而也可以直接地产生生产力. “高技术本质上是一种数学技术”的观点现已被越来越多的人认同.

人工智能(AI)时代是人类历史上最伟大的时代, 它已经对人们的生产、生活、思维方式产生深刻的影响. 在这个时代, 人工智能技术被广泛应用到人类生活的各个方面, 加速了各行各业的智能化进程, 同时也带来了许多挑战和机遇. 世界正飞速进入人工智能时代. 我们需要积极应对这一时代的挑战和机遇, 更好地发挥人工智能技术的优势, 推动人类社会的进步和发展.

在大数据技术和人工智能时代, 数学的作用更为突出. 一方面数学提供了人工智能算法和大模型的理论基础、工具和方法, 同时也为人工智能的思维方式和表达提供了一种规范和统一的描述方式. 另一方面, 人工智能的发展也对数学学科本身产生了深远的影响, 驱动了数学理论的创新, 加速了数学与其他学科的交叉融合, 为数学提供了新的研究方向和挑战. 数学与人工智能的深入结合给人工智能的发展和应用带来更大的潜力和机遇.

为适应新形势, 满足高等数学教育对教学内容和教学方式的新需求, 湖北省工业与应用数学学会在各位同仁的共同努力下推出了这套系列教材. 本套教材中既有经典内容的新写法, 也有新的数学理论、思想和方法的呈现, 注重体系性与协调性统一, 注重理论与实践相结合, 具体生动、图文并茂、逻辑性强, 便于学生自主学习, 也便于教师使用.

作为一种新的尝试, 希望本套丛书能为湖北省乃至全国的数学教育贡献一点湖北力量.

杨志坚

2024 年 5 月

前　言

高等代数是数学相关专业最重要的基础课之一，它不仅是应用学科的重要工具，也是近代数学理论的重要基础. 通过这门课程的学习，学生初步掌握基本的、系统的代数知识、逻辑推理与抽象思维能力、会用代数原理和方法解决实际问题，并为后续的课程学习提供必备的基础，高等代数同时也是数学等相关专业硕士研究生入学考试的一门必考科目. 高等代数的主要内容为一元多项式、行列式、线性方程组、矩阵、二次型、线性空间、线性变换、λ-矩阵、欧几里得空间、线性函数及双线性函数. 这门课程的主要特点是概念多、有大量的论证与推理、内容比较抽象且前后联系紧密. 在这门课程学习过程中，不少学生反映有些内容抽象不易理解，部分习题难以完成，所学内容不知在哪些方面有所应用. 针对上述问题和本课程的教学特点，我们参阅近年来出版的有关教材，结合我们的教学实践，编写本书. 主要有以下几个方面的特色.

(1) 在内容安排上，将集合、映射、数域、数学归纳法、复数及其运算作为预备知识写成一章，弥补中学数学与大学数学部分教学内容的脱节，为教学提供方便；将若尔当标准形和若尔当标准形的理论推导及应用放在同一章里，使得若尔当标准形的理论及应用更加系统化.

(2) 由于高等代数有些内容比较抽象，在编写过程中，增加相关例题，帮助学生加深对课程内容的理解、提高解题的能力. 习题按章配备，配有习题答案与提示，增加国内部分高校的考研原题，帮助学生提高应试能力，为顺利地通过研究生考试打下良好的基础.

(3) 为加强高等代数的应用性，第 2 章～第 11 章配有应用实例，方便学生了解所学内容的应用领域和方法. 第 12 章介绍运用 MATLAB 数学软件解决高等代数中相关计算问题的方法和实例，包括行列式的计算及应用、矩阵生成及其运算、向量组的线性相关性、线性方程组的求解、矩阵的对角化和二次型.

本书由罗文强、魏周超任主编，王毅、刘智慧、郭万里、张玲任副主编. 具体分工为：罗文强负责编写第 1 章和第 2 章；魏周超负责编写第 7 章、第 10 章；王毅负责编写第 3 章(3.5～3.8 节)、第 4 章；刘智慧负责编写第 6 章、第 12 章；郭万里负责编写第 3 章(3.1～3.4 节)、第 5 章、第 11 章；张玲负责编写第 8 章和第 9 章. 本书为科学出版社“十四五”普通高等教育本科规划教材，并且得到了中国地质大学(武汉)本科教学工程项目资助和中国地质大学(武汉)数学与应用数学国家级一流本科专业建设经费资助. 在编写出版过程中得到了中国地质大学(武汉)本科生院、数理学院的领导和教师的大力支持，在此表示感谢.

本书可作为数学与应用数学、信息与计算科学、统计学等相关专业高等代数课程低年级学生的教材使用，全书教学内容约需 132 学时完成(不包括第 11 章和第 12 章).

由于编者水平所限，书中难免有不妥之处，敬请读者批评指正.

编　者

2023 年 7 月

目　录

第1章

预备知识

集合、映射、数域、数学归纳法、复数及其运算是高等代数学习的基础.本章主要介绍集合、映射、数域的基本概念、数学归纳法的基本原理、复数及其运算.

第1章知识导图

1.1 集合

集合是数学中最基本的概念之一，其定义如下.

定义 1.1.1

集合是指表示一定事物属性的集体，组成集合的每一个事物叫作这个集合的元素.

例如，某不等式的全部解组成一个集合；某曲线上的全部的点组成一个集合. 某个班的全体学生组成一个集合，某个教室里的全部桌椅组成一个集合. 我们通常用大写字母 $A,B,C,\cdots$ 表示集合，用小写字母 $a,b,c,\cdots$ 表示元素.

我们用

$$a \in M$$

表示 a 是集合 M 的元素，读作 a 属于 M. 用

$$a \notin M$$

表示 a 不是集合 M 的元素，读作 a 不属于 M.

所谓给出一个集合就是规定这个集合是由哪些元素组成的. 因此给出一个集合的方式有两种：一种是列举法，即列举出这个集合的全部的元素；另一种是描述法，即给出这个集合的元素所具有的特征属性.

例如，M 是由数 1, 2, 3, 4, 5 组成的集合，记为

$$M=\{1,2,3,4,5\}$$

这就列出了它的全部元素，用的是列举法；记

$$M=\{(x,y)\,|\,x^2+y^2=1\}$$

表示直角坐标系下圆 $x^2+y^2=1$ 上全体点的集合，用的是描述法.

一般地，具有某些性质的元素全体所组成的集合 M 可写成

$$M=\{a\,|\,a\text{ 具有的性质}\}.$$

不包含任何元素的集合称为空集，记作 $\varnothing$. 例如，方程 $x^2+1=0$ 实根的集合是一个空集合.

定义 1.1.2

如果两个集合 M 与 N 含有完全相同的元素，即 $a\in M$ 当且仅当 $a\in N$，那么它们就称为**相等**，记为 $M=N$.

定义 1.1.3

如果集合 M 的元素全是集合 N 的元素，即由 $a\in M$ 可以推出 $a\in N$，那么 M 就称为 N 的**子集**，记为 $M\subset N$ 或 $N\supset M$.

例如，全体自然数组成的集合是全体有理数组成集合的子集. 由定义可知，每个集合都是它自身的子集. 我们规定，空集是任意集合的子集.

性质 1.1.1

两个集合 M 和 N 如果同时满足 $M\subset N$ 和 $N\subset M$，那么 M 和 N **相等**.

定义 1.1.4

设 M 和 N 是两个集合，既属于 M 又属于 N 的全体元素所成的集合称为 M 与 N 的**交**，记为 $M\cap N$.

例如，$\{1,2,3,4\}\cap\{2,3,5\}=\{2,3\}$. 显然有 $M\cap N\subset M, M\cap N\subset N$.

定义 1.1.5

属于集合 M 或者属于集合 N 的全体元素所成的集合称为 M 与 N 的**并**，记为 $M\cup N$.

例如，$\{1,2,3,4\}\cup\{2,3,5\}=\{1,2,3,4,5\}$. 显然有 $M\cup N\supset M, M\cup N\supset N$.

两个以上的集合的交和并可以类似地定义，关于交和并的一个重要性质是分配律.

性质 1.1.2

$A\cap(B\cup C)=(A\cap B)\cup(A\cap C)$.

性质 1.1.3

$A\cup(B\cap C)=(A\cup B)\cap(A\cup C)$.

证明留作习题.

下面介绍笛卡儿积.

定义 1.1.6

设 A,B 是两个集合，令

$$A\times B=\{(a,b)\mid a\in A,b\in B\}$$

称其为 A 与 B 的**笛卡儿积**，简称为 A 与 B 的积.

由定义 $A\times B$ 表示一切有序对 (a,b) 的集合，其中 $a\in A,b\in B$. 例如，把全体实数的集合记为 $\mathbf{R}$，则

$$\mathbf{R}\times\mathbf{R}=\mathbf{R}^2=\{(x,y)|x,y\in\mathbf{R}\}$$

表示直角坐标平面上全体点的集合. 有序数对 (a,b) 表示平面上横坐标为 x，纵坐标为 y 的一个点.

两个集合的积可以推广到多个集合的积.

定义 1.1.7

集合 $A_1,A_2,\cdots,A_n$ 的积为

$$A_1\times A_2\times\cdots\times A_n=\{(a_1,a_2,\cdots,a_n)\mid a_1\in A_1,a_2\in A_2,\cdots,a_n\in A_n\}$$

n 个实数集合的积 $\mathbf{R}\times\mathbf{R}\times\cdots\times\mathbf{R}$ 是由 n 个实数的有序组 $(a_1,a_2,\cdots,a_n)$ 的全体组成的集合，记为 $\mathbf{R}^n$，即 $\mathbf{R}^n=\{(a_1,a_2,\cdots,a_n)|a_1,a_2,\cdots,a_n\in\mathbf{R}\}$，其中每一个元素 $(a_1,a_2,\cdots,a_n)$ 叫作一个 n 维实向量，每个实数 $a_k(k=1,2,\cdots,n)$ 称为这个 n 维实向量的分量.

1.2 映　射

映射是数学中最基本的概念之一，在中学已学过，本节进一步讨论这个概念和简单性质.

定义 1.2.1

设 M 和 M' 是两个集合，所谓集合 M 到集合 M' 的一个**映射**就是指一个法则，它使 M 中每一个元素 a 都有 M' 中一个确定的元素 a' 与之对应. 如果映射 σ 使元素 $a'\in M'$ 与元素 $a\in M$ 对应，那么就记为

$$\sigma(a)=a'$$

a' 称为 a 在映射 σ 下的**像**，而 a 称为 a' 在映射 σ 下的一个**原像**.

定义 1.2.2

M 到 M 自身的映射，称为 M 到自身的**变换**.

定义 1.2.3

集合 M 到集合 M' 的两个映射 σ 及 τ，若对 M 的每个元素 a 都有 $\sigma(a)=\tau(a)$，则称它们**相等**，记作 $\sigma=\tau$.

定义 1.2.4

设 M 是一个集合，

$$\sigma(a)=a,\quad a\in M$$

即 σ 把 M 的每个元素都映到它自身，称为集合 M 的**恒等映射**或**单位映射**，记为 $\mathbf{1}_M$.

例 1.2.1 M 是全体整数的集合，M' 是全体偶数的集合，定义

$$\sigma(n)=2n,\quad n\in M$$

这是 M 到 M' 的一个映射.

例 1.2.2 令 $\mathbf{R}$ 是一切实数的集合，B 是一切非负实数的集合，定义

$$\sigma(x)=x^2,\quad x\in\mathbf{R}$$

这是 $\mathbf{R}$ 到 B 的一个映射.

例 1.2.3 令 $\mathbf{C}$ 是一切复数的集合，定义

$$\sigma(a+b\mathrm{i})=a-b\mathrm{i},\quad a,b\in\mathbf{R}$$

这是 $\mathbf{C}$ 到 $\mathbf{C}$ 的一个映射.

例 1.2.4 定义

$$\tau(a+b\mathrm{i})=b,\quad a,b\in\mathbf{R}$$

这是 $\mathbf{C}$ 到 $\mathbf{R}$ 的一个映射.

例 1.2.5 设 M，M' 是两个非空的集合，a_0 是 M' 中一个固定的元素，定义

$$\sigma(a)=a_0,\quad a\in M$$

即 σ 把 M 的每个元素都映到 a_0，这是 M 到 M' 的一个映射.

例 1.2.6 令 $A=B$ 等于一切正整数的集合，定义

$$\sigma(n)=n-1,\quad n\in A$$

则 σ 不是 A 到 B 的映射，因为 $\sigma(1)=1-1=0\notin B$.

对于映射我们可以定义乘法.

定义 1.2.5

设 σ 及 τ 分别是集合 M 到 M'，M' 到 M'' 的映射，乘积 $\tau\sigma$ 定义为

$$(\tau\sigma)(a)=\tau(\sigma(a)),\quad a\in M$$

即相继施行 σ 和 τ 的结果，$\tau\sigma$ 是 M 到 M'' 的一个映射.

例如，例 1.2.3 和例 1.2.4 的映射乘积 $\tau\sigma$，就是把每一个复数 $a+bi$ 映到实数 $-b$，是 $\mathbf{C}$ 到 $\mathbf{R}$ 的一个映射.

性质 1.2.1

对于集合 M 到 M' 的任何一个映射 σ，显然都有

$$\mathbf{1}_{M'}\sigma=\sigma 1_M=\sigma$$

性质 1.2.2

(映射乘法的结合律)设 σ,τ,φ 分别是集合 M 到 M'，M' 到 M''，M'' 到 M''' 的映射，则

$$(\varphi\tau)\sigma=\varphi(\tau\sigma)$$

证明　等式两端显然都是 M 到 M''' 的映射，要证明它们相等，只需要证明它们对于 M 中每个元素的作用都相同，即对每个 $a\in M$，$(\varphi\tau)\sigma(a)=\varphi(\tau\sigma)(a)$ 成立. 由定义知

$$(\varphi\tau)\sigma(a)=(\varphi\tau)(\sigma(a))=\varphi(\tau(\sigma(a)))$$
$$\varphi(\tau\sigma)(a)=\varphi((\tau\sigma)(a))=\varphi(\tau(\sigma(a)))$$

这就证明了结合律.

定义 1.2.6

设 σ 是集合 M 到 M' 的一个映射，用 $\sigma(M)$ 代表 M 在映射 σ 下像的全体，称为 M 在映射 σ 下的像集合.

显然 $\sigma(M)\subset M'$.

定义 1.2.7

如果 $\sigma(M)=M'$，即对每个 $a'\in M'$，必定存在一个元素 $a\in M$，使 $\sigma(a)=a'$ 成立，那么映射 σ 称为满射.

可以验证例 1.2.1～例 1.2.4 的映射都是满射.

定义 1.2.8

如果在映射 σ 下，M 中不同元素的像也一定不同，即由 $a_1\neq a_2$ 一定有 $\sigma(a_1)\neq\sigma(a_2)$，那么映射 σ 称为单射.

同样可以验证例 1.2.1 和例 1.2.3 的映射都是单射.

定义 1.2.9

一个映射如果既是单射又是满射就称 1–1 对应或双射.

例 1.2.1 和例 1.2.3 中的映射都是双射. 显然有如下性质成立.

性质 1.2.3

有限集之间存在双射的充要条件是它们所含的元素个数相同，无限集则不一定如此.

类似反函数问题，可进一步讨论逆映射的存在问题.

定理 1.2.1

设 σ 是 M 到 M' 的双射，则 σ 存在 M' 到 M 的逆映射 σ^{-1}，且 σ^{-1} 是双射.

证明 对于 M 到 M' 的双射 σ，因为 σ 为满射，所以 M' 中每个元素都有原像. 又因为 σ 是单射，所以每个元素只有一个原像，定义

$$\tau(a') = a, \quad 当\sigma(a) = a'时$$

显然，τ 是 M' 到 M 的一个双射，并且

$$\tau\sigma = \mathbf{1}_M, \quad \sigma\tau = \mathbf{1}_{M'}$$

即 τ 为 σ 的逆映射，记为 σ^{-1}.

不难证明下述定理成立.

定理 1.2.2

如果 σ,τ 分别是 M 到 M'，M' 到 M'' 的双射，那么乘积 $\tau\sigma$ 就是 M 到 M'' 的一个双射.

1.3 数　域

已知在整数范围内可进行加法、减法、乘法三种运算，但不一定能进行除法运算，其原因是两个整数的商不一定是整数. 而在有理数范围内，不仅可以进行加法、减法、乘法三种运算，而且还可以施行除法(只要除数不为零). 在实数和复数范围内，也同样可以施行这四种运算. 除上述数集外，还有很多数集，在其中也可以进行加法、减法、乘法、除法四种运算. 具有这样性质的数集称为数域，具体定义如下.

定义 1.3.1

设 P 是由一些复数组成的集合，其中包括 0 与 1. 如果 P 中任意两个数的和、差、积、商(除数不为零)仍然是 P 中的数，那么 P 称为一个数域.

显然全体有理数组成的集合、全体实数组成的集合、全体复数组成的集合都是数域，这三个数域分别用字母 $\mathbf{Q},\mathbf{R},\mathbf{C}$ 来代表，而全体整数组成的集合不是数域.

如果数的集合 P 中任意两个数作某一种运算的结果都仍在 P 中，就说数集 P 对这个运算是封闭的. 因此，数域的定义也可以说成，如果一个包含 0, 1 在内的数集 P 对于加法、减法、乘法与除法(除数不为零)是封闭的，那么 P 称为一个数域.

例 1.3.1 所有具有形式

$$a + b\sqrt{2}$$

的数(其中 a,b 是任何有理数)构成一个数域，通常用 $\mathbf{Q}(\sqrt{2})$ 来表示这个数域. 显然，数集 $\mathbf{Q}(\sqrt{2})$ 包含 0 与 1 并且对于加法、减法是封闭的，下面证明对乘法、除法也封闭.

$$(a + b\sqrt{2})(c + d\sqrt{2}) = (ac + 2bd) + (ad + bc)\sqrt{2}$$

因为a,b,c,d都是有理数，所以$ac+2bd,ad+bc$也是有理数，即乘积$(a+b\sqrt{2})(c+d\sqrt{2})$仍在$\mathbf{Q}(\sqrt{2})$内，所以$\mathbf{Q}(\sqrt{2})$对乘法封闭. 设$a+b\sqrt{2}\neq 0$，则$a-b\sqrt{2}\neq 0$，而

$$\frac{c+d\sqrt{2}}{a+b\sqrt{2}}=\frac{(c+d\sqrt{2})(a-b\sqrt{2})}{(a+b\sqrt{2})(a-b\sqrt{2})}=\frac{ac-2bd}{a^2-2b^2}+\frac{ad-bc}{a^2-2b^2}\sqrt{2}$$

因为a,b,c,d都是有理数，所以$\frac{ac-2bd}{a^2-2b^2},\frac{ad-bc}{a^2-2b^2}$也是有理数，因此$\mathbf{Q}(\sqrt{2})$对除法封闭.

例 1.3.2 所有奇数组成的数集，对乘法是封闭的，但对加法、减法不是封闭的. $\sqrt{2}$的整倍数的全体组成的数集，对加法、减法是封闭的，但对乘法不封闭. 所以以上两个数集都不是数域.

最后证明数域的一个重要性质.

定理 1.3.1

任何数域都包含有理数域.

证明 设P是一个数域，由定义 1.3.1，P含有 1. 根据P对加法的封闭性，$1+1=2$，$2+1=3,\cdots,n+1=n+1,\cdots$全在$P$中，即$P$包含全体自然数. 又因 0 在$P$中，再由$P$对减法的封闭性，$0-n=-n$也在$P$中，故$P$包含全体整数. 任何一个有理数都可以表示成两个整数的商，由P对除法的封闭性即得上述结论.

1.4 数学归纳法

数学归纳法是数学证明中的一种重要方法，在中学已学过，本节进一步讨论这一方法的理论和应用.

数学归纳法所依据的原理是正整数集的一个最基本的性质：最小数原理. 设$\mathbf{N}=\{0,1,2,\cdots\}$表示全体非负整数的集合，$\mathbf{N}^*=\{1,2,\cdots\}$表示全体正整数的集合.

最小数原理 正整数集$\mathbf{N}^*$的任意一个非空子集S必含有一个最小数，即存在这样一个数$a\in S$，对于任意$c\in S$都有$a\leqslant c$.

最小数原理需要注意以下两个问题：

(1) 最小数原理并不是对任意数集都成立的. 例如，全体整数的集合就没有最小数，又如全体正的有理数所成的集合也没有最小数.

(2) 设c是一个整数，令

$$M_c=\{x\in\mathbf{Z}\mid x\geqslant c\}$$

其中$\mathbf{Z}$为全体整数的集合，以M_c代替正整数集$\mathbf{N}^*$，最小数原理对于M_c仍然成立，即M_c的任意一个非空子集必含有一个最小数. 特别地，N的任意一个非空子集必含有一个最小数.

根据最小数原理可以得到如下的数学归纳法.

定理 1.4.1 (第一数学归纳法)

设有一个与正整数n有关的命题，如果

(1) 当$n=1$时，命题成立；

(2) 假设$n=k$时命题成立，则$n=k+1$时命题也成立，

那么这个命题对一切正整数 n 都成立.

证明 假设命题不是对一切正整数都成立. 令 S 表示使命题不成立的正整数所成的集合. 则 $S\neq\varnothing$. 由最小数原理, S 中有最小数 h. 因为命题对于 $n=1$ 成立, 所以 $h\neq1$, 故 $h-1$ 是一个正整数. 因为 h 是 S 中的最小数, 所以 $h-1\notin S$, 即当 $n=h-1$ 时, 命题成立, 于是由(2), 当 $n=h$ 时命题也成立, 所以 $h\notin S$, 矛盾.

由最小数原理第 2 个注意问题, 我们可以用 M_c 来代替正整数集 $\mathbf{N}^*$. 也就是说, 如果某个命题从某一个整数 c 开始成立, 这时仍然可用数学归纳法来证明, 只要将定理 1 中条件(1)的 $n=1$ 换成 $n=c$ 就可以了.

例 1.4.1 用数学归纳法证明等式 $1^2+2^2+\cdots+n^2=\dfrac{n(n+1)(2n+1)}{6}$ 对任何自然数 n 皆成立.

证明 当 $n=1$ 时, 等式成立. 设当 $n=k$ 时等式成立, 即

$$1^2+2^2+\cdots+k^2=\frac{k(k+1)(2k+1)}{6}$$

则当 $n=k+1$ 时

$$\begin{aligned}1^2+2^2+\cdots+k^2+(k+1)^2&=\frac{k(k+1)(2k+1)}{6}+(k+1)^2\\&=\frac{(k+1)((k+1)+1)(2(k+1)+1)}{6}\end{aligned}$$

即 $n=k+1$ 时等式也成立. 所以对任何自然数 n, 等式 $1^2+2^2+\cdots+n^2=\dfrac{n(n+1)(2n+1)}{6}$ 成立.

在有些情况下, 归纳法假定"命题对于 $n=k$ 成立"还不够, 需要更强的假定, 我们有如下定理.

定理 1.4.2 (第二数学归纳法)

设有一个与正整数 n 有关的命题, 如果

(1) 当 $n=1$ 时, 命题成立;

(2) 假设命题对于一切小于 k 的自然数成立, 则命题对于 k 也成立, 那么命题对于一切自然数 n 都成立.

证明留作练习.

例 1.4.2 设 a,b 是方程 $x^2-(p+1)x+1=0$ (p 是整数)的两个根, 求证对于任意自然数 n, a^n+b^n 为整数.

证明 由根与系数的关系, $a+b=p+1, ab=1$, 得到当 $n=1$ 时, $a+b=p+1$ 为整数. 假设 $n\leqslant k$ 时命题成立, 考察当 $n=k+1$ 时, 有

$$a^{k+1}+b^{k+1}=(a+b)(a^k+b^k)-ab(a^{k-1}+b^{k-1})$$

根据归纳假设, $a^k+b^k, a^{k-1}+b^{k-1}$ 均为整数, 所以 $a^{k+1}+b^{k+1}$ 也为整数, 即当 $n=k+1$ 时, 命题也成立. 根据定理 1.4.2, 本题得证.

1.5 复数及其运算

1.5.1 复数的概念

定义 1.5.1

形如 $z=x+\mathrm{i}y$ 或 $z=x+y\mathrm{i}$ 的数为复数. 其中 i 为虚数单位, 满足 $\mathrm{i}^2=-1$; x 和 y 为任意实数, 分别称为 z 的实部和虚部, 记为 $x=\mathrm{Re}\,z, y=\mathrm{Im}\,z$.

当 $y=0$ 时, $z=x$ 可看作实数, 可见实数集是复数集的一部分; 当 $x=0, y\neq 0$ 时, $z=\mathrm{i}y$ 称为纯虚数.

对于两个复数 $z_1=x_1+\mathrm{i}y_1$, $z_2=x_2+\mathrm{i}y_2$, 当且仅当 $x_1=x_2, y_1=y_2$ 时, $z_1=z_2$. 一般来说两个复数不能比较大小.

1.5.2 复数的代数运算

根据复数的定义, 复数是实数的推广, 类比实数的四则运算可定义复数的四则运算.

定义 1.5.2

两个复数 $z_1=x_1+\mathrm{i}y_1$, $z_2=x_2+\mathrm{i}y_2$ 的加法、减法、乘法和除法定义如下:

$$z_1+z_2=(x_1+\mathrm{i}y_1)+(x_2+\mathrm{i}y_2)=(x_1+x_2)+\mathrm{i}(y_1+y_2)$$

$$z_1-z_2=(x_1+\mathrm{i}y_1)-(x_2+\mathrm{i}y_2)=(x_1-x_2)+\mathrm{i}(y_1-y_2)$$

$$z_1z_2=(x_1+\mathrm{i}y_1)(x_2+\mathrm{i}y_2)=(x_1x_2-y_1y_2)+\mathrm{i}(x_1y_2+x_2y_1)$$

$$\frac{z_1}{z_2}=\frac{x_1+\mathrm{i}y_1}{x_2+\mathrm{i}y_2}=\frac{x_1x_2+y_1y_2}{x_2^2+y_2^2}+\mathrm{i}\frac{x_2y_1-x_1y_2}{x_2^2+y_2^2}\qquad (z_2\neq 0)$$

由复数四则运算的定义, 容易验证复数运算满足如下算律:

(1) **交换律** $z_1+z_2=z_2+z_1, z_1z_2=z_2z_1$;

(2) **结合律** $z_1+(z_2+z_3)=(z_1+z_2)+z_3, z_1(z_2z_3)=(z_1z_2)z_3$;

(3) **分配律** $z_1(z_2+z_3)=z_1z_2+z_1z_3$.

定义 1.5.3

设复数 $z=x+\mathrm{i}y$, 称 $x-\mathrm{i}y$ 为 z 的共轭复数, 记为 $\overline{z}$.

由共轭复数的定义, 容易证明共轭复数如下的性质.

性质 1.5.1

$\overline{z_1\pm z_2}=\overline{z_1}\pm\overline{z_2}$.

性质 1.5.2

$\overline{z_1z_2}=\overline{z_1}\,\overline{z_2}$.

性质 1.5.3

$$\overline{\left(\frac{z_1}{z_2}\right)}=\frac{\overline{z_1}}{\overline{z_2}}\ (z_2\neq 0).$$

性质 1.5.4

$$\overline{\overline{z}}=z.$$

性质 1.5.5

$$z+\overline{z}=2\operatorname{Re}z.$$

性质 1.5.6

$$z-\overline{z}=2\mathrm{i}\operatorname{Im}z.$$

性质 1.5.7

$$z\overline{z}=(\operatorname{Re}z)^2+(\operatorname{Im}z)^2.$$

例 1.5.1 证明：$-\mathrm{i}=\mathrm{i}^{-1}=\overline{\mathrm{i}}$（i 为虚数单位）.

证明 $-\mathrm{i}=\dfrac{-\mathrm{i}^2}{\mathrm{i}}=\dfrac{1}{\mathrm{i}}=\mathrm{i}^{-1},\overline{\mathrm{i}}=-\mathrm{i}$，所以 $-\mathrm{i}=\mathrm{i}^{-1}=\overline{\mathrm{i}}$.

例 1.5.2 设 $z_1=1-2\mathrm{i}$，$z_2=5+2\mathrm{i}$，求 $\overline{\left(\dfrac{z_1}{z_2}\right)}$.

解 $\dfrac{z_1}{z_2}=\dfrac{1-2\mathrm{i}}{5+2\mathrm{i}}=\dfrac{(1-2\mathrm{i})(5-2\mathrm{i})}{(5+2\mathrm{i})(5-2\mathrm{i})}=\dfrac{1-12\mathrm{i}}{29}=\dfrac{1}{29}-\dfrac{12}{29}\mathrm{i}$，所以 $\overline{\left(\dfrac{z_1}{z_2}\right)}=\dfrac{1}{29}+\dfrac{12}{29}\mathrm{i}$.

1.5.3 复数的表示方法

1. 点表示

复数 $z=x+\mathrm{i}y$ 与有序实数对 (x,y) 一一对应，在平面直角坐标系中，(x,y) 表示平面上一个点，由此可见复数 $z=x+\mathrm{i}y$ 与平面直角坐标系上点 (x,y) 一一对应，所以复数 $z=x+\mathrm{i}y$ 可用平面坐标上点 (x,y) 来表示，这种表示称为点表示. 用来表示复数的坐标平面称为复平面或 z 平面. 在复平面上 x 轴称为实轴，y 轴称为虚轴.

2. 向量表示

在复平面上，复数 $z=x+\mathrm{i}y$ 还与从坐标原点指向点 $P(x,y)$ 的平面向量一一对应，因此复数 $z=x+\mathrm{i}y$ 能用向量 $\overrightarrow{OP}$ 来表示，这种表示称为向量表示. 向量的长度称为复数 z 的模或绝对值，记作 $|z|=r=\sqrt{x^2+y^2}$.

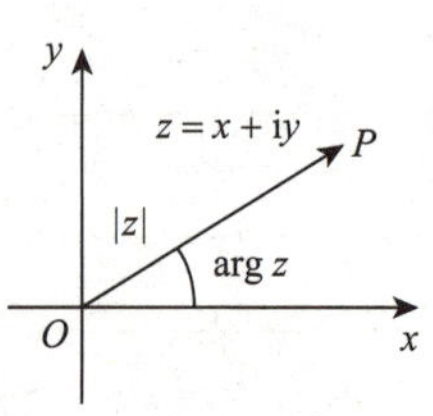

图 1.5.1

当 $z\neq 0$ 时，向量 $\overrightarrow{OP}$ 与 x 轴正向间的夹角称为复数的辐角，记为 $\operatorname{Arg}z=\theta$. 显然 $\operatorname{Arg}z$ 是多值的，它们之间的差为 2π 的整数倍. 称在区间 $(-\pi,\pi]$ 内的辐角为 $\operatorname{Arg}z$ 的主值，记为 $\arg z$（图 1.5.1），于是

$$\operatorname{Arg}z=\arg z+2k\pi,\quad k=0,\pm1,\pm2,\cdots$$

当 $z=0$ 时，$|z|=0$，辐角不确定.

辐角主值 $\arg z$（$z\neq 0$）可由下列关系确定:

$$\arg z=\begin{cases}\arctan\dfrac{y}{x}, & x>0,\\ \dfrac{\pi}{2}, & x=0,y>0,\\ -\dfrac{\pi}{2}, & x=0,y<0,\\ \arctan\dfrac{y}{x}+\pi, & x<0,y\geqslant 0,\\ \arctan\dfrac{y}{x}-\pi, & x<0,y<0,\end{cases}$$

例 1.5.3 求复数 $1+\mathrm{i}$ 的模和辐角.

解 $|1+\mathrm{i}|=\sqrt{2},\arg(1+\mathrm{i})=\dfrac{\pi}{4},\mathrm{Arg}(1+\mathrm{i})=\dfrac{\pi}{4}+2k\pi,k=0,\pm1,\pm2,\cdots$.

3. 三角表示

根据直角坐标与极坐标的转换关系

$$x=r\cos\theta,\quad y=r\sin\theta\quad (r=|z|,\theta=\mathrm{Arg}\,z)$$

可将复数表示成 $z=r(\cos\theta+\mathrm{i}\sin\theta)$ 的形式，这种形式称为复数的三角表示式.

例 1.5.4 将复数 $1+\sqrt{3}\mathrm{i}$ 化为三角表示.

解 $|1+\sqrt{3}\mathrm{i}|=2=r,\arg(1+\sqrt{3}\mathrm{i})=\arctan\dfrac{\sqrt{3}}{1}=\dfrac{\pi}{3}$.

所以 $1+\sqrt{3}\mathrm{i}$ 三角表示式为

$$1+\sqrt{3}\mathrm{i}=2\left(\cos\frac{\pi}{3}+\mathrm{i}\sin\frac{\pi}{3}\right)$$

例 1.5.5 设 $z_1=r_1(\cos\theta_1+\mathrm{i}\sin\theta_1)\neq 0$，$z_2=r_2(\cos\theta_2+\mathrm{i}\sin\theta_2)\neq 0$，证明:

(1) $z_1z_2=r_1r_2[\cos(\theta_1+\theta_2)+\mathrm{i}\sin(\theta_1+\theta_2)]$;

(2) $\dfrac{z_1}{z_2}=\dfrac{r_1}{r_2}[\cos(\theta_1-\theta_2)+\mathrm{i}\sin(\theta_1-\theta_2)]$.

证明 先证式(1).

$$\begin{aligned}z_1z_2&=r_1(\cos\theta_1+\mathrm{i}\sin\theta_1)r_2(\cos\theta_2+\mathrm{i}\sin\theta_2)\\&=r_1r_2[(\cos\theta_1\cos\theta_2-\sin\theta_1\sin\theta_2)+\mathrm{i}(\sin\theta_1\cos\theta_2+\cos\theta_1\sin\theta_2)]\\&=r_1r_2[\cos(\theta_1+\theta_2)+\mathrm{i}\sin(\theta_1+\theta_2)]\end{aligned}$$

式(2)由商的定义同理可证.

4. 指数表示

由复数的三角表示式 $z=r(\cos\theta+\mathrm{i}\sin\theta)$ 及欧拉公式 $\mathrm{e}^{\mathrm{i}\theta}=\cos\theta+\mathrm{i}\sin\theta$ 得到

$$z=r\mathrm{e}^{\mathrm{i}\theta}$$

这种形式称为复数的指数表示式.

例 1.5.6 将复数 $1+\sqrt{3}\mathrm{i}$ 化为指数表示.

解 $\left|1+\sqrt{3}\mathrm{i}\right|=2=r,\arg(1+\sqrt{3}\mathrm{i})=\arctan\dfrac{\sqrt{3}}{1}=\dfrac{\pi}{3}$，所以指数表达式为

$$1+\sqrt{3}\mathrm{i}=2\mathrm{e}^{\frac{\pi}{3}\mathrm{i}}$$

例 1.5.7 设 $z_1=r_1\mathrm{e}^{\mathrm{i}\theta_1}\neq 0$，$z_2=r_2\mathrm{e}^{\mathrm{i}\theta_2}\neq 0$，证明:

(1) $z_1z_2=r_1r_2\mathrm{e}^{\mathrm{i}(\theta_1+\theta_2)}$;

(2) $\dfrac{z_1}{z_2}=\dfrac{r_1}{r_2}\mathrm{e}^{\mathrm{i}(\theta_1-\theta_2)}$.

证明 (1)
$$\begin{aligned}z_1z_2&=r_1\mathrm{e}^{\mathrm{i}\theta_1}r_2\mathrm{e}^{\mathrm{i}\theta_2}=r_1r_2(\cos\theta_1+\mathrm{i}\sin\theta_1)(\cos\theta_2+\mathrm{i}\sin\theta_2)\\&=r_1r_2[\cos(\theta_1+\theta_2)+\mathrm{i}\sin(\theta_1+\theta_2)]=r_1r_2\mathrm{e}^{\mathrm{i}(\theta_1+\theta_2)}\end{aligned}$$

(2)
$$\begin{aligned}\frac{z_1}{z_2}&=\frac{r_1\mathrm{e}^{\mathrm{i}\theta_1}}{r_2\mathrm{e}^{\mathrm{i}\theta_2}}=\frac{r_1(\cos\theta_1+\mathrm{i}\sin\theta_1)}{r_2(\cos\theta_2+\mathrm{i}\sin\theta_2)}=\frac{r_1}{r_2}(\cos\theta_1+\mathrm{i}\sin\theta_1)(\cos\theta_2-\mathrm{i}\sin\theta_2)\\&=\frac{r_1}{r_2}(\cos\theta_1+\mathrm{i}\sin\theta_1)(\cos(-\theta_2)+\mathrm{i}\sin(-\theta_2))\\&=\frac{r_1}{r_2}[\cos(\theta_1-\theta_2)+\mathrm{i}\sin(\theta_1-\theta_2)]=\frac{r_1}{r_2}\mathrm{e}^{\mathrm{i}(\theta_1-\theta_2)}\end{aligned}$$

1.5.4 复数的乘幂与方根

定义 1.5.4

n 个相同复数 z 的乘积称为 z 的 n 次幂，记为 z^n，即 $z^n=\underbrace{z\cdot z\cdot\cdots\cdot z}_{n个}$. 设

$$z_i=r_i(\cos\theta_i+\mathrm{i}\sin\theta_i)\quad(i=1,2,\cdots,n)$$

对例 1.5.5 可归纳证明:

$$z_1z_2\cdots z_n=r_1r_2\cdots r_n[\cos(\theta_1+\theta_2+\cdots+\theta_n)+\mathrm{i}\sin(\theta_1+\theta_2+\cdots+\theta_n)]$$

如果 $z_1=z_2=\cdots=z_n=r(\cos\theta+\mathrm{i}\sin\theta)$，则上式为

$$z^n=[r(\cos\theta+\mathrm{i}\sin\theta)]^n=r^n(\cos n\theta+\mathrm{i}\sin n\theta)\tag{1.5.1}$$

当 n 为负整数时，定义 $z^n=\dfrac{1}{z^{-n}}$，式(1.5.1)亦成立.

特别地，当 $|z|=r=1$ 时，由式(1.5.1)得到棣莫弗(De Moivre)公式

$$(\cos\theta+\mathrm{i}\sin\theta)^n=\cos n\theta+\mathrm{i}\sin n\theta$$

例 1.5.8 计算 $\left(\dfrac{1+\sqrt{3}\mathrm{i}}{1-\sqrt{3}\mathrm{i}}\right)^{10}$ 的值.

解 先将复数化成三角式

$$1+\sqrt{3}\mathrm{i}=2\left(\cos\frac{\pi}{3}+\mathrm{i}\sin\frac{\pi}{3}\right),\quad 1-\sqrt{3}\mathrm{i}=2\left[\cos\left(-\frac{\pi}{3}\right)+\mathrm{i}\sin\left(-\frac{\pi}{3}\right)\right]$$

则

$$\left(\frac{1+\sqrt{3}i}{1-\sqrt{3}i}\right)^{10}=\left(\frac{2\left(\cos\frac{\pi}{3}+i\sin\frac{\pi}{3}\right)}{2\left[\cos\left(-\frac{\pi}{3}\right)+i\sin\left(-\frac{\pi}{3}\right)\right]}\right)^{10}$$

$$=\left[\cos\left(\frac{\pi}{3}+\frac{\pi}{3}\right)+i\sin\left(\frac{\pi}{3}+\frac{\pi}{3}\right)\right]^{10}=\left(\cos\frac{2\pi}{3}+i\sin\frac{2\pi}{3}\right)^{10}$$

$$=\cos\frac{20\pi}{3}+i\sin\frac{20\pi}{3}=-\frac{1}{2}+\frac{\sqrt{3}}{2}i$$

定义 1.5.5

对于复数 z，若存在复数 ω 满足等式：$\omega^n=z$（n 为大于 1 的整数），则称 ω 为 z 的 n 次方根，记为 $\omega=\sqrt[n]{z}$.

设 $z=r(\cos\theta+i\sin\theta)$，$\omega=\rho(\cos\varphi+i\sin\varphi)$，由 $\omega^n=z$ 及式(1.5.1)得

$$\rho^n(\cos n\varphi+i\sin n\varphi)=r(\cos\theta+i\sin\theta)$$

即

$$\rho^n=r,\quad \cos n\varphi=\cos\theta,\quad \sin n\varphi=\sin\theta$$

考虑辐角的多值性得到

$$\rho^n=r,\quad n\varphi=\theta+2k\pi\quad (k=0,\pm1,\pm2,\cdots)$$

即

$$\rho=\sqrt[n]{r},\quad \varphi=\frac{\theta+2k\pi}{n}\quad (k=0,\pm1,\pm2,\cdots)$$

所以

$$\omega=\sqrt[n]{z}=\sqrt[n]{r}\left(\cos\frac{\theta+2k\pi}{n}+i\sin\frac{\theta+2k\pi}{n}\right)\quad (k=0,\pm1,\pm2,\cdots)$$

当 $k=0,1,2,\cdots,n-1$ 时得到 n 个不同的根，分别为

$$\omega_0=\sqrt[n]{r}\left(\cos\frac{\theta}{n}+i\sin\frac{\theta}{n}\right)$$

$$\omega_1=\sqrt[n]{r}\left(\cos\frac{\theta+2\pi}{n}+i\sin\frac{\theta+2\pi}{n}\right)$$

$$\cdots\cdots$$

$$\omega_{n-1}=\sqrt[n]{r}\left[\cos\frac{\theta+2(n-1)\pi}{n}+i\sin\frac{\theta+2(n-1)\pi}{n}\right]$$

当 k 取其他整数值时，上述根重复出现，因此一个非零复数的 n 次方根共有 n 个.

例 1.5.9 计算 $\sqrt[3]{1}$.

解 因为

$$1=1\cdot(\cos 0+i\sin 0)$$

所以

$$\sqrt[3]{1}=\cos\frac{2k\pi}{3}+\mathrm{i}\sin\frac{2k\pi}{3}\quad (k=0,1,2)$$

由此得到 1 的三次方根分别为

$$\omega_0=\cos 0+\mathrm{i}\sin 0=1$$

$$\omega_1=\cos\frac{2\pi}{3}+\mathrm{i}\sin\frac{2\pi}{3}=\frac{-1+\sqrt{3}\mathrm{i}}{2}$$

$$\omega_2=\cos\frac{4\pi}{3}+\mathrm{i}\sin\frac{4\pi}{3}=\frac{-1-\sqrt{3}\mathrm{i}}{2}$$

习 题 1

1. 设 $A\subset B$，证明:

$$A\cap B=A,\quad A\cup B=B$$

2. 证明:

$$A\cap(B\cup C)=(A\cap B)\cup(A\cap C),\quad A\cup(B\cap C)=(A\cup B)\cap(A\cup C)$$

3. 写出含有四个元素集合 $\{a_1,a_2,a_3,a_4\}$ 的一切子集.

4. 设 a,b 是任意两个实数且 $a<b$，试找出一个 $[0,1]$ 到 $[a,b]$ 的双射.

5. 令 σ 是一个集合 A 到 B 的一个映射，那么以下两个条件等价:

(i) σ 是一个双射;

(ii) 存在 B 到 A 的一个映射 τ，使得

$$\tau\sigma=1_A,\quad \sigma\tau=1_B$$

再者，当条件 (ii) 成立时，映射 τ 是由 σ 唯一确定的.

6. 设 f 定义如下:

$$f(x)=\begin{cases}x, & x<0,\\ 1, & 0\leqslant x<1,\\ 2x-1, & x\geqslant 1\end{cases}$$

判断 f 是否 $\mathbf{R}$ 到 $\mathbf{R}$ 的映射，是否单射，是否满射？

7. 设 σ 是 A 到 B 的一个映射，τ 是 B 到 C 的一个映射，令 $h=\tau\sigma$，证明:

(i) 如果 h 是单射，那么 σ 也是单射;

(ii) 如果 h 是满射，那么 τ 也是满射;

(iii) 如果 σ,τ 都是双射，那么 h 也是双射，并且 $h^{-1}=(\tau\sigma)^{-1}=\sigma^{-1}\tau^{-1}$.

8. 证明两个数域的交还是一个数域.

9. 证明 $P=\{a+b\mathrm{i}\mid a,b\in\mathbf{Q}\}$ 是数域.

10. 证明所有可以表示成形式

$$\frac{a_0+a_1\pi+\cdots+a_n\pi^n}{b_0+b_1\pi+\cdots+b_m\pi^m}$$

的数组成一数域，其中 n,m 为任意非负整数，$a_i,b_j\,(i=0,1,\cdots,n;\ j=0,1,\cdots,m)$ 是整数.

11. 证明对于任意自然数n，等式$1^3+2^3+\cdots+n^3=(1+2+\cdots+n)^2$成立.

12. 证明不等式$\frac{1}{2}\cdot\frac{3}{4}\cdot\cdots\cdot\frac{2n-1}{2n}<\frac{1}{\sqrt{2n+1}}$，$n$为自然数.

13. 用数学归纳法证明：含有n个元素的集合共有2^n个子集.

14. 证明第二数学归纳法.

15. 证明：$z+\overline{z}=2\operatorname{Re}z$.

16. 计算$\sqrt[4]{1+\mathrm{i}}$.

本章小结

习题答案1

第2章

多　项　式

多项式是代数学中最基本的研究对象之一，是其他数学分支的重要基础，在许多领域中都有广泛的应用. 本章主要介绍一元多项式的基本理论和应用.

第 2 章知识导图

2.1 一元多项式的概念

在中学代数中，我们学过关于未知数的多项式. 为了统一研究未知数和其他数学对象的多项式，我们对多项式进行形式化定义. 并且总在一个给定的数域 P 上进行多项式问题的讨论.

2.1.1 一元多项式

定义 2.1.1

设 x 是一个符号(或称文字)，n 是一非负整数，形式表达式

$$a_nx^n+a_{n-1}x^{n-1}+\cdots+a_1x+a_0 \tag{2.1.1}$$

称为系数在数域 P 中的一元多项式，或者简称为数域 P 上的一元多项式，其中 $a_0,a_1,\cdots,a_n$ 属于数域 P.

在多项式(2.1.1)中，a_ix^i 称为 i 次项，a_i 称为 i 次项的系数. 通常用 $f(x),g(x),\cdots$ 或 $f,g,\cdots$ 表示一元多项式.

定义 2.1.2

在式(2.1.1)中，如果 $a_n\neq 0$，那么 a_nx^n 称为多项式(2.1.1)的首项，n 称为多项式(2.1.1)的次数. 多项式 $f(x)$ 的次数简单地记为 $\partial(f(x))$.

系数全为零的多项式称为零多项式，记为 0. 零多项式是唯一不定义次数的多项式. 特别注意，零多项式与零次多项式不同，零次多项式是不为 0 的常数.

定义 2.1.3

如果在多项式 $f(x)$ 与 $g(x)$ 中，除去系数为零的项外，同次项的系数全相等，那么 $f(x)$ 与 $g(x)$ 就称为相等，记为 $f(x)=g(x)$.

2.1.2 多项式的运算

1. 运算的定义

设

$$f(x)=a_nx^n+a_{n-1}x^{n-1}+\cdots+a_1x+a_0$$
$$g(x)=b_mx^m+b_{m-1}x^{m-1}+\cdots+b_1x+b_0$$

是数域 P 上两个多项式，并且设 $n\geqslant m$. 为便于计算和讨论，常用和号来表示多项式，这样多项式 $f(x),g(x)$ 可以写成

$$f(x)=\sum_{i=0}^{n}a_ix^i$$

$$g(x)=\sum_{j=0}^{m}b_jx^j$$

$f(x)$ 与 $g(x)$ 的和，记为 $f(x)+g(x)$，可定义为

$$f(x)+g(x)=(a_n+b_n)x^n+(a_{n-1}+b_{n-1})x^{n-1}+\cdots+(a_1+b_1)x+(a_0+b_0)$$
$$=\sum_{i=0}^{n}(a_i+b_i)x^i$$

这里当 $m<n$ 时，取 $b_n=b_{n-1}=\cdots=b_{m+1}=0$.

$f(x)$ 与 $g(x)$ 的乘积，记为 $f(x)g(x)$，可定义为

$$\begin{aligned}&f(x)g(x)\\=&a_nb_mx^{n+m}+(a_nb_{m-1}+a_{n-1}b_m)x^{n+m-1}+\cdots+(a_sb_0+a_{s-1}b_1+\cdots+a_1b_{s-1}+a_0b_s)x^s+\cdots\\&+(a_1b_0+a_0b_1)x+a_0b_0\\=&\sum_{s=0}^{n+m}\left(\sum_{i+j=s}a_ib_j\right)x^s\end{aligned}$$

利用多项式的加法运算可以定义多项式的减法运算. 设 $h(x)$ 是 P 上的任一多项式. 我们用 $-h(x)$ 表示 $h(x)$ 中每一个系数都变号后所得多项式. 例如，$h(x)=-x^2+2x-3$，则 $-h(x)=x^2-2x+3$. $f(x)$ 与 $g(x)$ 的差，记为 $f(x)-g(x)$，定义为

$$f(x)-g(x)=f(x)+(-g(x))$$

由于减法运算可以利用加法运算来定义，所以减法运算不是一个独立的运算.

显然，数域 P 上的两个多项式经过加法、减法、乘法运算后，所得结果仍然是数域 P 上的多项式，即多项式对加法、减法、乘法运算封闭. 由此，可以引入下述定义.

定义 2.1.4

所有系数在数域 P 中的一元多项式的全体，称为数域 P 上的一元多项式环，记为 $P[x]$，P 称为 $P[x]$ 的系数域.

2. 运算规律

多项式的运算满足以下规律.

(1) 加法交换律：$f(x)+g(x)=g(x)+f(x)$；

(2) 加法结合律：$(f(x)+g(x))+h(x)=f(x)+(g(x)+h(x))$；

(3) 乘法交换律：$f(x)g(x)=g(x)f(x)$；

(4) 乘法结合律：$(f(x)g(x))h(x)=f(x)(g(x)h(x))$；

(5) 分配律：$f(x)(g(x)+h(x))=f(x)g(x)+f(x)h(x)$；

(6) 乘法消去律：若 $f(x)g(x)=f(x)h(x)$ 且 $f(x)\neq 0$，则 $g(x)=h(x)$.

根据多项式相等的定义，现在验证乘法结合律. 其他性质请读者自己验证.

设

$$f(x)=\sum_{i=0}^{n}a_ix^i;\quad g(x)=\sum_{j=0}^{m}b_jx^j;\quad h(x)=\sum_{k=0}^{l}c_kx^k$$

现在来证

$$(f(x)g(x))h(x)=f(x)(g(x)h(x))$$

等式左边，$f(x)g(x)$ 的 s 次项的系数为

$$\sum_{i+j=s} a_i b_j$$

故 $(f(x)g(x))h(x)$ 的 t 次项的系数为

$$\sum_{s+k=t}\left(\sum_{i+j=s} a_i b_j\right)c_k = \sum_{i+j+k=t} a_i b_j c_k$$

在右边，$g(x)h(x)$ 中 r 次项的系数为

$$\sum_{j+k=r} b_j c_k$$

因此右边 t 次项的系数为

$$\sum_{i+r=t} a_i\left(\sum_{j+k=r} b_j c_k\right) = \sum_{i+j+k=t} a_i b_j c_k$$

从而，$(f(x)g(x))h(x)$ 与 $f(x)(g(x)h(x))$ 的 t 次项的系数对应相等，所以左、右两边相等，从而乘法结合律成立.

2.1.3 多项式运算的次数关系

定理 2.1.1

设 $f(x)$ 和 $g(x)$ 是数域 P 上两个多项式，并且 $f(x)\neq 0, g(x)\neq 0$，那么

(1) 当 $f(x)\pm g(x)\neq 0$ 时，$\partial(f(x)\pm g(x))\leqslant \max(\partial(f(x)),\partial(g(x)))$；

(2) $\partial(f(x)g(x))=\partial(f(x))+\partial(g(x))$.

证明 设

$$f(x)=a_n x^n + a_{n-1}x^{n-1}+\cdots+a_1 x + a_0,\quad a_n\neq 0$$

$$g(x)=b_m x^m + b_{m-1}x^{m-1}+\cdots+b_1 x + b_0,\quad b_m\neq 0$$

并且设 $n\geqslant m$. 当 $m<n$ 时，取 $b_n=b_{n-1}=\cdots=b_{m+1}=0$，那么

$$f(x)\pm g(x)=(a_n\pm b_n)x^n+(a_{n-1}\pm b_{n-1})x^{n-1}+\cdots+(a_1\pm b_1)x+(a_0\pm b_0) \tag{2.1.2}$$

$$f(x)g(x)=(a_n b_m)x^{n+m}+\cdots+(a_0 b_1+a_1 b_0)x+a_0 b_0 \tag{2.1.3}$$

由式(2.1.2)可知，$f(x)\pm g(x)$ 的次数不会超过 n. 另一方面 $a_n\neq 0$，$b_m\neq 0$，所以 $a_n b_m\neq 0$. 于是由式(2.1.3)得 $f(x)g(x)$ 的次数是 $n+m$.

由以上证明看出，多项式乘积的首项系数就等于因子首项系数的乘积，但多项式和的首项系数不一定等于因子首项系数的和. 显然上面的结果都可以推广到多个多项式的情形.

例 2.1.1 设 $f(x)$，$g(x)$ 与 $h(x)$ 均为实数域上的多项式. 证明：如果

$$f^2(x)=xg^2(x)+xh^2(x)$$

则 $f(x)=g(x)=h(x)=0$.

证明 用反证法. 若 $f(x)\neq 0$，则 $f^2(x)\neq 0$. 由

$$f^2(x)=xg^2(x)+xh^2(x)=x(g^2(x)+h^2(x))$$

知 $g^2(x)+h^2(x)\neq 0$. 因此

$$\partial(f^2(x))=\partial(x(g^2(x)+h^2(x)))$$

显然 $\partial(f^2(x))$ 为偶数，而 $\partial(x(g^2(x)+h^2(x)))$ 为奇数，因此 $f^2(x)\neq xg^2(x)+xh^2(x)$. 这与已

知矛盾，故 $f(x)=0$．于是 $x(g^2(x)+h^2(x))=0$，由 $x\neq 0$ 知 $g^2(x)+h^2(x)=0$．因为 $g(x)$ 与 $h(x)$ 均为实数域上的多项式，从而必有 $g(x)=h(x)=0$．于是 $f(x)=g(x)=h(x)=0$．

2.2 整除的概念

本节及后面各节讨论的多项式都是属于某一固定的数域 P 上的多项式环 $P[x]$，以后就不重复说明了．

在 2.1 节中，已知在一元多项式环中，可以作加法、减法、乘法三种运算，但是多项式一般不能作除法运算．因此整除就成了两个多项式之间的一种特殊的关系．类似于用一个非零整数去除另一个整数得到商和余数，下面介绍用一个非零多项式去除另一个多项式的计算方法．

2.2.1 带余除法

定理 2.2.1（带余除法）

设 $f(x)$ 与 $g(x)$ 是 $P[x]$ 中任意两个多项式，并且 $g(x)\neq 0$，那么在 $P[x]$ 中存在多项式 $q(x),r(x)$，使

$$f(x)=q(x)g(x)+r(x) \tag{2.2.1}$$

成立．这里要么 $\partial(r(x))<\partial(g(x))$ 要么 $r(x)=0$，并且 $q(x),r(x)$ 是唯一决定的．

证明 先证 $q(x),r(x)$ 的存在性．

(1) 如果 $f(x)=0$，取 $q(x)=0,r(x)=0$ 即可．

(2) 如果 $f(x)\neq 0$．令 $f(x)$，$g(x)$ 的次数分别为 n,m．

当 $n<m$ 时，显然取 $q(x)=0,r(x)=f(x)$，式 (2.2.1) 成立．

当 $n\geqslant m$ 时，对 $f(x)$ 的次数 n 作数学归纳法．

假设当次数小于 n 时，$q(x),r(x)$ 的存在已证．现在讨论次数等于 n 的情形．

令 ax^n,bx^m 分别是 $f(x)$，$g(x)$ 的首项，显然 $b^{-1}ax^{n-m}g(x)$ 的首项是 ax^n．从而多项式

$$f_1(x)=f(x)-b^{-1}ax^{n-m}g(x)$$

的次数小于 n．根据归纳假设，存在多项式 $q_1(x),r_1(x)$，使得

$$f_1(x)=q_1(x)g(x)+r_1(x)$$

其中 $\partial(r_1(x))<\partial(g(x))$ 或者 $r_1(x)=0$．于是

$$f(x)=(q_1(x)+b^{-1}ax^{n-m})g(x)+r_1(x)$$

取 $q(x)=q_1(x)+b^{-1}ax^{n-m}$，$r(x)=r_1(x)$ 使

$$f(x)=q(x)g(x)+r(x)$$

成立．由定理 1.4.2，存在性就证明了．

下面证明唯一性．

设另有多项式 $q'(x),r'(x)$ 使

$$f(x)=q'(x)g(x)+r'(x)$$

其中 $\partial(r'(x))<\partial(g(x))$ 或者 $r'(x)=0$．于是

$$q(x)g(x)+r(x)=q'(x)g(x)+r'(x)$$

即

$$(q(x)-q'(x))g(x)=r'(x)-r(x)$$

假设$q(x)-q'(x)\neq 0$，又根据假设$g(x)\neq 0$，那么$r'(x)-r(x)\neq 0$，由定理 2.1.1 知

$$\partial(q(x)-q'(x))+\partial(g(x))=\partial(r'(x)-r(x))$$

但是

$$\partial(g(x))>\partial(r'(x)-r(x))$$

所以$q(x)-q'(x)=0$，从而$r'(x)-r(x)=0$. 于是 $q(x)=q'(x)$，$r'(x)=r(x)$.

带余除法中所得的$q(x)$和$r(x)$分别称为$g(x)$除$f(x)$的商式和余式.

例 2.2.1 设$f(x)=3x^3+4x^2-5x+6, g(x)=x^2-3x+1$. 用$g(x)$除$f(x)$，求商式$q(x)$和余式$r(x)$.

解 运用带余除法求之，如表 2.2.1 所示.

表 2.2.1

$g(x)=x^2-3x+1$	$f(x)=3x^3+4x^2-5x+6$ $3x^3-9x^2+3x$	$q(x)=3x+13$
	$13x^2-8x+6$ $13x^2-39x+13$	
	$r(x)=31x-7$	

于是求得商$q(x)=3x+13$，余式$r(x)=31x-7$. 所得结果可以写成

$$3x^3+4x^2-5x+6=(3x+13)(x^2-3x+1)+(31x-7)$$

以上格式称为竖式除法.

2.2.2 整除

1. 整除的概念

定义 2.2.1

数域P上的多项式$g(x)$称为整除$f(x)$，如果有数域P上的多项式$h(x)$使等式

$$f(x)=g(x)h(x)$$

成立. 用“$g(x)\mid f(x)$”表示$g(x)$整除$f(x)$；如果$g(x)\neq 0$，还可用“$\dfrac{f(x)}{g(x)}$”表示$g(x)$整除$f(x)$. 用“$g(x)\nmid f(x)$”表示$g(x)$不能整除$f(x)$.

当$g(x)\mid f(x)$时，$g(x)$就称为$f(x)$的因式，$f(x)$称为$g(x)$的倍式.

2. 整除的充分必要条件

定理 2.2.2

如果$g(x)\neq 0$，那么$g(x)\mid f(x)$的充要条件是$g(x)$除$f(x)$的余式$r(x)=0$.

证明 令$r(x)=0$，那么$f(x)=q(x)g(x)$，即

$$g(x) \mid f(x)$$

反之，如果 $g(x) \mid f(x)$，那么存在多项式 $q(x)$，使

$$f(x)=q(x)g(x)=q(x)g(x)+0$$

由带余除法的唯一性可知，$g(x)$ 除 $f(x)$ 的余式 $r(x)=0$.

注 整除概念与带余除法有密切的联系，但我们不能用带余除法来定义整除，即不能用余式为零定义整除. 因为这样定义整除，将会遗漏零多项式整除零多项式的情况(带余除法中要求 $g(x)\neq 0$).

3. 整除的基本性质

性质 2.2.1

任一多项式 $f(x)$ 一定整除它自身.

因为 $f(x)=1\cdot f(x)$，由定义可知 $f(x) \mid f(x)$.

性质 2.2.2

任一多项式 $f(x)$ 都能整除零多项式 0.

因为 $0=0\cdot f(x)$，由定义可知 $f(x) \mid 0$.

性质 2.2.3

零次多项式，即非零常数，能整除任一个多项式.

当 $a\neq 0$ 时，$f(x)=a(a^{-1}f(x))$，即 $a \mid f(x)$.

性质 2.2.4

若 $f(x) \mid g(x), g(x) \mid f(x)$，则 $f(x)=cg(x)$，其中 c 为非零常数.

事实上，由 $f(x) \mid g(x), g(x) \mid f(x)$，可设

$$g(x)=h_1(x)f(x),\quad f(x)=h_2(x)g(x)$$

于是

$$f(x)=h_1(x)h_2(x)f(x)$$

若 $f(x)=0$，则 $g(x)=0$，此时结论成立. 若 $f(x)\neq 0$，则 $h_1(x)h_2(x)=1$，从而由定理 2.2.1 知 $\partial(h_1(x))+\partial(h_2(x))=0$，即

$$\partial(h_1(x))=\partial(h_2(x))=0$$

这就是说 $h_2(x)$ 是一非零常数.

性质 2.2.5

若 $f(x) \mid g(x), g(x) \mid h(x)$，则 $f(x) \mid h(x)$ (整除的传递性).

事实上，由整除条件可设

$$g(x)=g_1(x)f(x),\quad h(x)=h_1(x)g(x)$$

即得

$$h(x)=(h_1(x)g_1(x))f(x)$$

性质 2.2.6

若 $f(x)\mid g_i(x), i=1,2,\cdots,r$，则

$$f(x)\mid(u_1(x)g_1(x)+u_2(x)g_2(x)+\cdots+u_r(x)g_r(x))$$

其中 $u_i(x)$ 是 $P[x]$ 的任意多项式.

事实上，由整除条件可设

$$g_i(x)=h_i(x)f(x),\quad i=1,2,\cdots,r$$

即得

$$u_1(x)g_1(x)+u_2(x)g_2(x)+\cdots+u_r(x)g_r(x)=(u_1(x)h_1(x)+u_2(x)h_2(x)+\cdots+u_r(x)h_r(x))f(x)$$

通常，$u_1(x)g_1(x)+u_2(x)g_2(x)+\cdots+u_r(x)g_r(x)$ 称为 $g_1(x),g_2(x),\cdots,g_r(x)$ 的一个组合.

例 2.2.2 若 $g(x)\mid f(x), g(x)\nmid h(x)$，则 $g(x)\nmid(f(x)+h(x))$.

证明 用反证法证明. 假设 $g(x)\mid(f(x)+h(x))$. 由整除条件可设

$$f(x)+h(x)=h_1(x)g(x)$$

又 $g(x)\mid f(x)$，可设

$$f(x)=h_2(x)g(x)$$

于是

$$(h_1(x)-h_2(x))g(x)=h(x)$$

这与 $g(x)\nmid h(x)$ 矛盾.

例 2.2.3 设多项式 $f(x)=(x+1)^{k+n}+2x(x+1)^{k+n-1}+\cdots+(2x)^k(x+1)^n$，其中 k,n 都是正整数，证明：$x^{k+1}\mid[(x-1)f(x)+(x+1)^{k+n+1}]$.

证明 $f(x)=(x+1)^n[(x+1)^k+2x(x+1)^{k-1}+\cdots+(2x)^k]$，两端同乘以 $[(x+1)-2x]$ 得到

$$[(x+1)-2x]f(x)=(x+1)^n[(x+1)^{k+1}-(2x)^{k+1}]$$

即

$$(x-1)f(x)+(x+1)^{k+n+1}=(2x)^{k+1}(x+1)^n$$

所以 $x^{k+1}\mid[(x-1)f(x)+(x+1)^{k+n+1}]$.

例 2.2.4 如果 $[x^2+x+1]\mid[f(x^3)+xg(x^3)]$. 证明：$(x-1)\mid f(x)$ 且 $(x-1)\mid g(x)$.

证明 由题意可设

$$f(x)=q_1(x)(x-1)+r_1,\quad g(x)=q_2(x)(x-1)+r_2$$

其中 r_1,r_2 为常数，则

$$f(x^3)=q_1(x^3)(x^3-1)+r_1,\quad g(x^3)=q_2(x^3)(x^3-1)+r_2$$

于是

$$f(x^3)+xg(x^3)=(x^2+x+1)(x-1)(q_1(x^3)+xq_2(x^3))+r_2x+r_1$$

已知 $(x^2+x+1)\mid[f(x^3)+xg(x^3)]$，所以 $r_2x+r_1=0$. 从而 $r_2=r_1=0$，故 $(x-1)\mid f(x)$ 且 $(x-1)\mid g(x)$.

最后说明：两个多项式之间的整除关系不因系数域的扩大而改变.

定理 2.2.3

设 $f(x), g(x)$ 是 $P[x]$ 的两个多项式，$\overline{P}$ 是包含 P 的一个较大的数域. 若在 $P[x]$ 中 $g(x)\nmid f(x)$，那么在 $\overline{P}[x]$ 中 $g(x)$ 也不能整除 $f(x)$.

证明 若 $g(x)=0$，则由于在 $P[x]$ 中 $g(x)$ 不能整除 $f(x)$，$f(x)$ 不能等于 0. 因此在 $\bar{P}[x]$ 中 $g(x)$ 显然也不能整除 $f(x)$.

若 $g(x)\neq 0$，那么在 $P[x]$ 中，

$$f(x)=q(x)g(x)+r(x)$$

并且 $r(x)\neq 0$. 但是 $P[x]$ 的多项式 $q(x),r(x)$ 都是 $\bar{P}[x]$ 的多项式，因而在 $\bar{P}[x]$ 中，这一等式仍然成立. 于是由 $r(x)$ 的唯一性，在 $\bar{P}[x]$ 中，$g(x)$ 也不能整除 $f(x)$.

2.3 多项式的最大公因式

如果多项式 $\varphi(x)$ 既是 $f(x)$ 的因式，又是 $g(x)$ 的因式，那么 $\varphi(x)$ 称为 $f(x)$ 与 $g(x)$ 的一个公因式. 多项式的公因式总是存在的，因为根据性质 2.2.3，任意零次多项式就是两个多项式的公因式. 在公因式中，最大公因式占有特殊重要的地位.

2.3.1 最大公因式

定义 2.3.1

设 $f(x)$ 与 $g(x)$ 是 $P[x]$ 中两个多项式. $P[x]$ 中多项式 $d(x)$ 称为 $f(x)$，$g(x)$ 的一个最大公因式，如果它满足下面两个条件：

(1) $d(x)$ 是 $f(x)$ 与 $g(x)$ 的公因式；

(2) 若 $d_1(x)\mid f(x),d_1(x)\mid g(x)$，则 $d_1(x)\mid d(x)$.

根据最大公因式定义，任意一个多项式 $f(x)$ 是 $f(x)$ 与 0 的一个最大公因式. 如果 $d_1(x),d_2(x)$ 是 $f(x)$，$g(x)$ 的两个最大公因式，那么由定义 2.3.1，一定有 $d_1(x)\mid d_2(x)$ 与 $d_2(x)\mid d_1(x)$，这样 $d_1(x)=cd_2(x),c\neq 0$. 这就说明：两个多项式的最大公因式在相差一个非零常数倍的意义下是唯一确定的. 而且两个不全为零的多项式的最大公因式总是一个非零多项式. 在这个情形下，约定用

$$(f(x),g(x))$$

来表示首项系数是 1 的那个最大公因式.

下面讨论多项式的最大公因式的存在性，首先给出下面的引理.

引理 2.3.1

如果有等式

$$f(x)=q(x)g(x)+r(x) \tag{2.3.1}$$

成立，那么 $f(x)$，$g(x)$ 和 $g(x)$，$r(x)$ 有相同的公因式，从而 $(f(x),g(x))=(g(x),r(x))$.

证明 设 $\varphi(x)$ 是 $f(x)$，$g(x)$ 的任一公因式，则

$$\varphi(x)\mid f(x),\quad \varphi(x)\mid g(x)$$

由式 (2.3.1) 得

$$r(x)=f(x)-q(x)g(x)$$

由整除的性质可得 $\varphi(x)\mid r(x)$. 这就是说 $f(x)$，$g(x)$ 的公因式是 $g(x)$，$r(x)$ 的公因式. 反

之 $\varphi(x)$ 是 $g(x)$，$r(x)$ 的任一公因式，由式(2.3.1)得 $\varphi(x)\mid f(x)$．于是 $g(x)$，$r(x)$ 的任一公因式也是 $f(x)$，$g(x)$ 的公因式. 而且如果 $\varphi(x)$ 是 $f(x)$，$g(x)$ 的一个最大公因式，那么 $\varphi(x)$ 也是 $g(x)$，$r(x)$ 的一个最大公因式.

定理 2.3.1

$P[x]$ 的任意两个多项式 $f(x)$，$g(x)$ 一定有最大公因式 $d(x)$，且 $d(x)$ 总可以表示成 $f(x)$，$g(x)$ 的一个组合，即有 $P[x]$ 中多项式 $u(x),v(x)$ 使

$$d(x)=u(x)f(x)+v(x)g(x) \tag{2.3.2}$$

证明 若 $f(x)$，$g(x)$ 中至少有一个为零多项式，不妨设 $g(x)=0$，则 $f(x)$ 就是 $f(x),g(x)$ 的一个最大公因式，且

$$f(x)=1\cdot f(x)+1\cdot g(x)$$

设 $f(x)\neq 0$，$g(x)\neq 0$．由带余除法，以 $g(x)$ 除 $f(x)$，得商式 $q_1(x)$ 及余式 $r_1(x)$．若 $r_1(x)\neq 0$，则再以 $r_1(x)$ 除 $g(x)$，得商式 $q_2(x)$ 及余式 $r_2(x)$．若 $r_2(x)\neq 0$，再用 $r_2(x)$ 除 $r_1(x)$，得商式 $q_3(x)$ 及余式 $r_3(x)$，如此继续下去.（因为余式的次数每次降低，所以作了有限次这种除法后，必然得到这样一个余式 $r_s(x)$，它能整除前一个余式 $r_{s-1}(x)$.）这样我们得到一串等式，即

$$\begin{aligned}
&f(x)=q_1(x)\cdot g(x)+r_1(x),\quad \partial(r_1(x))<\partial(g(x))\\
&g(x)=q_2(x)\cdot r_1(x)+r_2(x),\quad \partial(r_2(x))<\partial(r_1(x))\\
&r_1(x)=q_3(x)\cdot r_2(x)+r_3(x),\quad \partial(r_3(x))<\partial(r_2(x))\\
&\cdots\cdots\\
&r_{s-3}(x)=q_{s-1}(x)\cdot r_{s-2}(x)+r_{s-1}(x),\quad \partial(r_{s-1}(x))<\partial(r_{s-2}(x))\\
&r_{s-2}(x)=q_s(x)\cdot r_{s-1}(x)+r_s(x),\quad \partial(r_s(x))<\partial(r_{s-1}(x))\\
&r_{s-1}(x)=q_{s+1}(x)\cdot r_s(x)+0
\end{aligned}$$

因为 $r_s(x)$ 与 0 的最大公因式是 $r_s(x)$．由引理 2.3.1 可得，$r_s(x)$ 也是 $r_s(x)$ 与 $r_{s-1}(x)$ 的一个最大公因式；同样的道理，逐步推上去，$r_s(x)$ 就是 $f(x)$，$g(x)$ 的一个最大公因式.

由上面的倒数第二个等式，有

$$r_s(x)=r_{s-2}(x)-q_s(x)\cdot r_{s-1}(x)$$

再由倒数第三式，$r_{s-1}(x)=r_{s-3}(x)-q_{s-1}(x)\cdot r_{s-2}(x)$ 代入上式可消去 $r_{s-1}(x)$，得到

$$r_s(x)=(1+q_s(x)q_{s-1}(x))r_{s-2}(x)-q_s(x)\cdot r_{s-3}(x)$$

然后根据同样的方法用它上面的等式逐个地消去 $r_{s-2}(x),\cdots,r_1(x)$，再合并，得到

$$r_s(x)=u(x)f(x)+v(x)g(x)$$

这就是定理 2.3.1 中的式(2.3.2).

以上定理不但证明了任意两个多项式都有最大公因式，而且也给出了实际求出一个最大公因式的计算方法，这种方法通常称为辗转相除法.

例 2.3.1 设 $f(x)=4x^4-2x^3-16x^2+5x+9$，$g(x)=2x^3-x^2-5x+4$．求 $(f(x),g(x))$，并求 $u(x),v(x)$ 使

$$(f(x),g(x))=u(x)f(x)+v(x)g(x)$$

解 辗转相除法可按下面的格式进行，如表 2.3.1 所示.

表 2.3.1

$-\frac{1}{3}x+\frac{1}{3}$ $=q_2(x)$	$g(x)=2x^3-x^2-5x+4$ $2x^3+x^2-3x$	$f(x)=4x^4-2x^3-16x^2+5x+9$ $4x^4-2x^3-10x^2+8x$	$2x$ $=q_1(x)$
	$-2x^2-2x+4$ $-2x^2-x+3$	$r_1(x)=-6x^2-3x+9$ $-6x^2+6x$	$6x+9$ $=q_3(x)$
	$r_2(x)=-x+1$	$-9x+9$ $-9x+9$	
		$r_3(x)=0$	

用等式写出来，即

$$f(x)=q_1(x)\cdot g(x)+r_1(x)$$
$$g(x)=q_2(x)\cdot r_1(x)+r_2(x)$$
$$r_1(x)=q_3(x)\cdot r_2(x)+0$$

因此，$r_2(x)=-x+1$ 是 $f(x),g(x)$ 的一个最大公因式，而首项系数是 1 的最大公因式是 $x-1$，即 $(f(x),g(x))=x-1$．而

$$\begin{aligned}r_2(x)&=g(x)-q_2(x)\cdot r_1(x)\\&=g(x)-q_2(x)\cdot(f(x)-q_1(x)g(x))\\&=(1+q_1(x)q_2(x))g(x)-q_2(x)\cdot f(x)\\&=\left(\frac{1}{3}x-\frac{1}{3}\right)f(x)+\left(-\frac{2}{3}x^2+\frac{2}{3}x+1\right)g(x)\end{aligned}$$

于是，令 $u(x)=-\frac{1}{3}x+\frac{1}{3}$，$v(x)=\frac{2}{3}x^2-\frac{2}{3}x-1$，有

$$(f(x),g(x))=u(x)f(x)+v(x)g(x)$$

注　若 $u(x)f(x)+v(x)g(x)=d(x)$，则不能说明 $d(x)$ 是 $f(x)$ 与 $g(x)$ 的一个最大公因式．例如，令

$$f(x)=x,\quad g(x)=x+1$$

则

$$x(x+2)+(x+1)(x-1)=2x^2+2x-1$$

但 $2x^2+2x-1$ 显然不是 $f(x)$ 与 $g(x)$ 的最大公因式．

但是当式(2.3.2)成立，且 $d(x)$ 是 $f(x)$ 与 $g(x)$ 的一个公因式，则 $d(x)$ 一定是 $f(x)$ 与 $g(x)$ 的一个最大公因式．

2.3.2　互素

下面讨论多项式的最大公因式是零次多项式这一特殊情况．

1. 互素的概念

定义 2.3.2

$P[x]$ 中两个多项式 $f(x)$，$g(x)$ 称为互素(也称为互质)，如果

$$(f(x),g(x))=1$$

显然，两个多项式互素，那么非零常数是它们的最大公因式；反之，若非零常数是两个多项式的最大公因式，则这两个多项式互素.

2. 互素的充要条件

定理 2.3.2

$P[x]$ 中两个多项式 $f(x)$，$g(x)$ 互素的充要条件是有 $P[x]$ 中多项式 $u(x), v(x)$ 使

$$u(x)f(x)+v(x)g(x)=1$$

证明 必要性是定理 2.3.1 的直接推论.

现在证明充分性. 因为 $(f(x),g(x))\mid f(x),(f(x),g(x))\mid g(x)$，由整除的性质得

$$(f(x),g(x))\mid[u(x)f(x)+v(x)g(x)]$$

即

$$(f(x),g(x))\mid 1$$

由于 $(f(x),g(x))$ 是首项系数为 1 的多项式，故

$$(f(x),g(x))=1$$

即 $f(x)$，$g(x)$ 互素.

3. 互素的基本性质

性质 2.3.1

并如果 $(f(x),g(x))=1$，且 $f(x)\mid g(x)h(x)$，那么

$$f(x)\mid h(x)$$

事实上，由 $(f(x),g(x))=1$ 可知，有 $u(x),v(x)$ 使

$$u(x)f(x)+v(x)g(x)=1$$

等式两边乘以 $h(x)$，得

$$u(x)f(x)h(x)+v(x)g(x)h(x)=h(x)$$

因为 $f(x)\mid(g(x)h(x))$，$f(x)\mid f(x)$，所以 $f(x)$ 整除等式左端，从而 $f(x)\mid h(x)$.

性质 2.3.2

如果 $f_1(x)\mid g(x), f_2(x)\mid g(x)$，且 $(f_1(x),f_2(x))=1$，那么

$$(f_1(x)f_2(x))\mid g(x)$$

事实上，由 $f_1(x)\mid g(x)$ 有

$$g(x)=f_1(x)h_1(x)$$

又 $f_2(x)\mid g(x)$，故

$$f_2(x)\mid(f_1(x)h_1(x))$$

由于 $(f_1(x),f_2(x))=1$，所以根据性质 2.3.1，有 $f_2(x)\mid h_1(x)$，即

$$h_1(x)=f_2(x)h_2(x)$$

代入上式即得

$$g(x)=f_1(x)f_2(x)h_2(x)$$

这就是说

$$(f_1(x)f_2(x))\mid g(x)$$

性质 2.3.3

如果 $(f_1(x),g(x))=1$，$(f_2(x),g(x))=1$，那么 $(f_1(x)f_2(x),g(x))=1$.

由 $(f_1(x),g(x))=1$，$(f_2(x),g(x))=1$，有

$$u_1(x)f_1(x)+v_1(x)g(x)=1$$

$$u_2(x)f_2(x)+v_2(x)g(x)=1$$

上式两边分别相乘，得

$$u_1(x)u_2(x)f_1(x)f_2(x)+[v_1(x)u_2(x)f_2(x)+v_2(x)u_1(x)f_1(x)+v_1(x)v_2(x)g(x)]g(x)=1.$$

由定理 2.3.2 可得 $(f_1(x)f_2(x),g(x))=1$.

两个多项式的最大公因式及互素问题可以推广到多个多项式的情形.

定义 2.3.3

对于任意多个多项式 $f_1(x),f_2(x),\cdots,f_s(x)(s\geqslant 2)$，$d(x)$ 称为 $f_1(x),f_2(x),\cdots,f_s(x)$ $(s\geqslant 2)$ 的一个最大公因式，如果 $d(x)$ 具有下面的性质:

(1) $d(x)\mid f_i(x),\ i=1,2,\cdots,s$;

(2)如果 $\phi(x)\mid f_i(x),\ i=1,2,\cdots,s$，那么 $\phi(x)\mid d(x)$.

我们用符号 $(f_1(x),f_2(x),\cdots,f_s(x))$ 表示首项系数为 1 的最大公因式. 不难证明 $f_1(x)$, $f_2(x),\cdots,f_s(x)$ 的最大公因式存在，而且当 $f_1(x),f_2(x),\cdots,f_s(x)$ 不全为零时，

$$((f_1(x),f_2(x),\cdots,f_{s-1}(x)),f_s(x))$$

就是 $f_1(x),f_2(x),\cdots,f_s(x)$ 的最大公因式，即

$$(f_1(x),f_2(x),\cdots,f_s(x)) = ((f_1(x),f_2(x),\cdots,f_{s-1}(x)),f_s(x))$$

同样地，利用以上这个关系可以证明，存在多项式 $u_i(x)$，$i=1,2,\cdots,s$，使

$$u_1(x)f_1(x)+u_2(x)f_2(x)+\cdots+u_s(x)f_s(x)=(f_1(x),f_2(x),\cdots,f_s(x))$$

如果 $(f_1(x),f_2(x),\cdots,f_s(x))=1$，那么 $f_1(x),f_2(x),\cdots,f_s(x)$ 称为互素. 同样有类似定理 2.3.2 的结论.

最后介绍一下两两互素的概念.

定义 2.3.4

多项式 $f_1(x),f_2(x),\cdots,f_s(x)(s\geqslant 2)$ 称为两两互素，如果它们中的任意两个都是互素的.

注意 $s(s\geqslant 2)$ 个多项式 $f_1(x),f_2(x),\cdots,f_s(x)$ 互素时，它们并不一定两两互素. 例如，多项式

$$f_1(x)=x+1,\quad f_2(x)=x-1,\quad f_3(x)=x^2-1$$

是互素的，但不是两两互素的.

例 2.3.2 设 $f(x)=x^3+(1+k)x^2+2x+2l$ 与 $g(x)=x^3+kx^2+l$ 的最小公因式是一个二次多项式，求 k,l 的值.

解 令 $d(x)=(f(x),g(x)),h(x)=f(x)-g(x)=x^2+2x+l$，由于 $\partial(d(x))=\partial(h(x))=2$，且

$d(x)|h(x)$，注意到 $d(x),h(x)$ 都是首 1 多项式，所以 $d(x)=h(x)$．令 $g(x)=(x-c)h(x)$，将右端展开，比较系数解得 $\begin{cases}k=3,\\ l=-2\end{cases}$ 或 $\begin{cases}k=2,\\ l=0,\end{cases}$ 经验证两组解都满足条件.

例 2.3.3 证明：当且仅当 $(f(x),g(x))=1$，$(f(x),h(x))=1$，有 $(f(x),g(x)h(x))=1$.

证明 设 $(f(x),g(x))=1$，$(f(x),h(x))=1$，则存在多项式 $p(x),q(x),u(x),v(x)$，使得

$$p(x)f(x)+q(x)g(x)=1 \tag{2.3.3}$$

$$u(x)f(x)+v(x)h(x)=1 \tag{2.3.4}$$

将式(2.3.3)两边同乘 $v(x)h(x)$，再代入式(2.3.4)，得到

$$[p(x)v(x)h(x)+u(x)]f(x)+[q(x)v(x)]g(x)h(x)=1$$

所以

$$(f(x),g(x)h(x))=1$$

反之，若 $(f(x),g(x)h(x))=1$，则存在多项式 $u(x),v(x)$，使得 $u(x)f(x)+v(x)g(x)h(x)=1$，所以

$$(f(x),g(x))=1,\ (f(x),h(x))=1$$

2.4 因式分解定理

在中学代数里我们学过一些具体方法，把一个多项式分解为不能再分解的因式乘积．本节将系统地讨论这个问题．首先明确一下，多项式不能再分解是什么意思．所谓不能再分解的概念，其实不是绝对的，而是相对于多项式的系数所在的数域而言的．例如，在有理数域上

$$x^4-4=(x^2-2)(x^2+2)$$

的形式就不能再分了．但在实数域上，

$$x^4-4=(x-\sqrt{2})(x+\sqrt{2})(x^2+2)$$

而在复数域上，

$$x^4-4=(x-\sqrt{2})(x+\sqrt{2})(x-\sqrt{2}\mathrm{i})(x+\sqrt{2}\mathrm{i})$$

由此可见，必须明确系数域后，所谓不能再分解才有确切的含义.

2.4.1 不可约多项式

1. 不可约多项式的概念

定义 2.4.1

数域 P 上次数 $\geqslant 1$ 的多项式 $p(x)$ 称为数域 P 上的不可约多项式，如果它不能表示成数域 P 上的两个次数比 $p(x)$ 的次数低的多项式的乘积．否则，称 $p(x)$ 在数域 P 上可约.

根据定义 2.4.1，一次多项式总是不可约多项式.

一个多项式是否可约是依赖于系数域的.

显然，不可约多项式 $p(x)$ 的因式只有非零常数与它自身的非零常数倍 $cp(x)(c\neq 0)$ 这两种.

2. 不可约多项式的性质

定理 2.4.1

如果 $p(x)$ 是不可约多项式，而 $f(x)$ 是任意多项式，那么必有 $p(x)|f(x)$ 或者 $(p(x),f(x))=1$.

证明 设 $(p(x),f(x))=d(x)$，那么 $d(x)$ 是不可约多项式 $p(x)$ 的一个因式. 所以 $d(x)$ 或者是 1 或者是 $cp(x)(c\neq 0)$. 当 $d(x)=cp(x)$ 时，就有 $p(x)|f(x)$.

定理 2.4.2

如果 $p(x)$ 是不可约多项式，那么对于任意两个多项式 $f(x),g(x)$，若 $p(x)|f(x)g(x)$，则必有 $p(x)|f(x)$ 或者 $p(x)|g(x)$.

证明 如果 $p(x)|f(x)$，那么结论已经成立.

如果 $p(x)\nmid f(x)$，那么由定理 2.4.1，$(p(x),f(x))=1$. 于是由互素的性质 2.3.1，即得 $p(x)|g(x)$.

利用数学归纳法，这个定理可以推广为：如果不可约多项式 $p(x)$ 整除一些多项式 $f_1(x)$, $f_2(x),\cdots,f_s(x)$ 的乘积 $f_1(x)f_2(x)\cdots f_s(x)$，那么 $p(x)$ 一定整除这些多项式之中的一个.

例 2.4.1 若 $x\nmid f(x)$ 且 $x\nmid g(x)$，证明：$x\nmid (f(x)g(x))$.

证明 用反证法. 若 $x|f(x)g(x)$，因为 x 是不可约多项式，由定理 2.4.2 知，$x|f(x)$ 或 $x|g(x)$，与题设矛盾. 故 $x\nmid f(x)g(x)$.

2.4.2 因式分解及唯一性定理

定理 2.4.3 (因式分解及唯一性定理)

数域 P 上次数 $\geqslant 1$ 的多项式 $f(x)$ 都可以分解成数域 P 上一些不可约多项式的乘积. 并且分解成不可约因式乘积的分解式是唯一的. 所谓唯一性是说，如果有两个分解式

$$f(x)=p_1(x)p_2(x)\cdots p_s(x)=q_1(x)q_2(x)\cdots q_t(x)$$

那么必有 $s=t$，并且适当排列因式的次序后有

$$p_i(x)=c_iq_i(x),\quad i=1,2,\cdots,s$$

其中 $c_i(i=1,2,\cdots,s)$ 是一些非零常数.

证明 先证分解式的存在. 对 $f(x)$ 的次数 n 作数学归纳法. 当 $n=1$ 时，$f(x)$ 是一次多项式. 因为一次因式是不可约的，所以结论成立.

下面讨论次数等于 n 的情形. 假设结论对于次数小于 n 的多项式已经成立. 如果 $f(x)$ 是不可约多项式，结论是显然的. 若 $f(x)$ 可约，即

$$f(x)=f_1(x)f_2(x)$$

其中 $f_1(x),f_2(x)$ 的次数都小于 n. 由归纳法假定 $f_1(x),f_2(x)$ 都可以分解成数域 P 上一些不可约多项式的乘积. 把 $f_1(x),f_2(x)$ 的分解式合起来就得到 $f(x)$ 的一个分解式. 由归纳法原理，结论成立.

再证唯一性. 设 $f(x)$ 可以分解成不可约多项式的乘积

$$f(x)=p_1(x)p_2(x)\cdots p_s(x)$$

如果 $f(x)$ 还有另一个分解式

$$f(x)=q_1(x)q_2(x)\cdots q_t(x)$$

其中 $q_i(x)(i=1,2,\cdots,t)$ 都是不可约多项式，于是

$$f(x)=p_1(x)p_2(x)\cdots p_s(x)=q_1(x)q_2(x)\cdots q_t(x) \tag{2.4.1}$$

对因式个数 s 作归纳法. 当 $s=1$ 时，$f(x)$ 是不可约多项式，由定义必有

$$s=t=1$$

且

$$f(x)=p_1(x)=q_1(x)$$

现在设不可约因式的个数为 $s-1$ 时唯一性已证. 由式(2.4.1)，$p_1(x)\mid(q_1(x)q_2(x)\cdots q_t(x))$，由于 $p_1(x)$ 是不可约多项式，故 $p_1(x)$ 必能除尽其中的一个，不妨设 $p_1(x)\mid q_1(x)$. 但 $q_1(x)$ 也是不可约多项式，故 $p_1(x)=cq_1(x)$，$c\neq 0$. 在式(2.4.1)两边消去 $q_1(x)$，有

$$p_2(x)p_3(x)\cdots p_s(x)=(c^{-1}q_2(x))q_3(x)\cdots q_t(x)$$

令

$$f_1(x)=p_2(x)p_3(x)\cdots p_s(x)=(c^{-1}q_2(x))q_3(x)\cdots q_t(x)$$

那么 $f_1(x)$ 是一个能分解成 $s-1$ 个不可约多项式的乘积的多项式.

由归纳假设，有 $s-1=t-1$，即 $s=t$，并且可以假定

$$p_2(x)=c_2'c_1^{-1}q_2(x)$$

即

$$p_2(x)=c_2q_2(x)$$

$$p_i(x)=c_iq_i(x),\quad i=3,4,\cdots,s$$

从而有

$$p_i(x)=c_iq_i(x),\quad i=1,2,\cdots,s$$

这样定理完全得到证明.

在多项式 $f(x)$ 的分解式中，可以把每一个不可约因式的首项系数提出来，使它们成为首项系数为 1 的多项式，再把相同的不可约因式合并. 于是 $f(x)$ 的分解式成为

$$f(x)=cp_1^{r_1}(x)p_2^{r_2}(x)\cdots p_s^{r_s}(x)$$

其中，c 是 $f(x)$ 的首项系数，$p_1(x),p_2(x),\cdots,p_s(x)$ 是不同的首项系数为 1 的不可约多项式，而 $r_1,r_2,\cdots,r_s$ 是正整数. 这种分解式称为标准分解式.

如果已经有了两个多项式的标准分解，就可以直接写出两个多项式的最大公因式. 多项式 $f(x)$ 与 $g(x)$ 的最大公因式 $d(x)$ 就是那些同时在 $f(x)$ 与 $g(x)$ 的标准分解式中出现的不可约多项式方幂的乘积，所带的方幂的指数等于它在 $f(x)$ 与 $g(x)$ 中所带的方幂中较小的一个.

但是要注意，上述求最大公因式的方法不能代替辗转相除法. 因为在一般情况下没有实际分解多项式为不可约多项式的乘积的方法. 即使要判断数域 P 上一个多项式是否可约，一般都是很困难的.

例 2.4.2 在有理数域上分解多项式 $f(x)=x^3+x^2-2x-2$ 为不可约因式的乘积.

解 容易看出

$$x^3+x^2-2x-2=(x+1)(x^2-2) \tag{2.4.2}$$

一次因式 $x+1$ 在有理数域上不可约. 下面我们来讨论 x^2-2 在有理数域上也不可约. 用反证法, 假设 x^2-2 在有理数域上可约, 则可以写成

$$x^2-2=(x+a)(x+b) \tag{2.4.3}$$

其中 a,b 是有理数. 把等式(2.4.3)的右端乘开, 比较两端的系数, 将得 $a+b=0$, $ab=-2$, 由此得 $a=\pm\sqrt{2}$. 这与 a 是有理数矛盾, 所以 x^2-2 在有理数域上不可约. 故式(2.4.2)是 $f(x)$ 的一个不可约因式分解.

2.5 重 因 式

虽然没有一般的方法来把一个多项式分解成不可约因式的乘积, 但是我们有方法来判断一个多项式有没有重因式. 为此给出下面定义.

定义 2.5.1

不可约多项式 $p(x)$ 称为多项式 $f(x)$ 的 k 重因式, 如果 $p^k(x)\mid f(x)$, 但 $p^{k+1}(x)\nmid f(x)$.

当 $k=0$ 时, $p(x)$ 不是 $f(x)$ 的因式; 当 $k=1$ 时, $p(x)$ 称为 $f(x)$ 的单因式; 当 $k>1$ 时, 那么 $p(x)$ 称为 $f(x)$ 的重因式.

例如, $f(x)=x^3-5x^2+8x-4=(x-2)^2(x-1)$, 则不可约多项式 $x-2$ 称为 $f(x)$ 的 2 重因式, 不可约多项式 $x-1$ 称为 $f(x)$ 的单因式.

容易证明, 不可约多项式 $p(x)$ 是多项式 $f(x)$ 的 k 重因式的充要条件是: 存在多项式 $g(x)$, 使得 $f(x)=p^k(x)g(x)$, 且 $p(x)\nmid g(x)$.

定义 2.5.2

设有多项式

$$f(x)=a_nx^n+a_{n-1}x^{n-1}+\cdots+a_1x+a_0$$

规定它的微商(也称导数或一阶导数)是

$$f'(x)=na_nx^{n-1}+(n-1)a_{n-1}x^{n-2}+\cdots+a_1$$

同样可以定义高阶微商的概念. 微商 $f'(x)$ 称为 $f(x)$ 的一阶微商, $f'(x)$ 的微商 $f''(x)$ 称为 $f(x)$ 的二阶微商, 等等. $f(x)$ 的 k 阶微商记为 $f^{(k)}(x)$.

通过以上定义不难直接验证, 关于多项式微商的基本公式

$$(f(x)+g(x))'=f'(x)+g'(x)$$

$$(cf(x))'=cf'(x)$$

$$(f(x)g(x))'=f(x)g'(x)+f'(x)g(x)$$

$$(f^m(x))'=mf^{m-1}(x)f'(x)$$

定理 2.5.1

如果不可约多项式 $p(x)$ 是多项式 $f(x)$ 的一个 $k\,(k>1)$ 重因式, 那么 $p(x)$ 是微商 $f'(x)$ 的 $k-1$ 重因式. 特别地, 多项式 $f(x)$ 的单因式不是微商 $f'(x)$ 的因式.

证明 因为 $p(x)$ 是多项式 $f(x)$ 的一个 k 重因式, 所以

$$f(x)=p^k(x)g(x), \quad 且 \quad p(x)\nmid g(x)$$

求 $f(x)$ 的微商，得

$$f'(x)=p^k(x)g'(x)+kp^{k-1}(x)p'(x)g(x)=p^{k-1}(x)[p(x)g'(x)+kp'(x)g(x)]$$

这说明 $p^{k-1}(x)\mid f'(x)$．下面证 $p(x)\nmid[p(x)g'(x)+kp'(x)g(x)]$．事实上，$\partial(p(x))>\partial(p'(x))$，所以 $p(x)\nmid kp'(x)$．又由已给的条件，$p(x)\nmid g(x)$．因此根据定理 2.4.2，$p(x)\nmid kp'(x)g(x)$．因此 $p(x)\nmid[p(x)g'(x)+kp'(x)g(x)]$．这就是说 $p(x)$ 是微商 $f'(x)$ 的 $k-1$ 重因式.

推论 2.5.1

如果不可约多项式 $p(x)$ 是多项式 $f(x)$ 的一个 $k(k\geqslant1)$ 重因式，那么 $p(x)$ 是 $f(x)$，$f'(x)$，…，$f^{(k-1)}(x)$ 的因式，但不是 $f^{(k)}(x)$ 的因式.

推论 2.5.2

不可约多项式 $p(x)$ 是多项式 $f(x)$ 的重因式的充要条件为 $p(x)$ 是 $f(x)$ 与 $f'(x)$ 的公因式.

证明 必要性. 由 $p(x)$ 是多项式 $f(x)$ 的重因式，故重数 $k>1$，从而 $p(x)$ 是 $f'(x)$ 的因式.

充分性. 设不可约多项式 $p(x)$ 是 $f(x)$ 与 $f'(x)$ 的公因式. 根据定理 2.4.3 知，$p(x)$ 不是 $f(x)$ 的单因式，所以 $p(x)$ 是 $f(x)$ 的重因式.

推论 2.5.3

多项式 $f(x)$ 没有重因式的充分必要条件是 $(f(x),f'(x))=1$.

这个推论表明，判别一个多项式有无重因式，只要去计算 $(f(x),f'(x))$，而求最大公因式有统一的方法——辗转相除法. 所以我们用辗转相除法判断一个多项式有没有重因式.

最后来讨论如何去掉重因式的问题.

设 $f(x)$ 有标准分解式为

$$f(x)=cp_1(x)^{r_1}p_2(x)^{r_2}\cdots p_s(x)^{r_s}$$

其中

$$r_i>1,\ i=1,2,\cdots,s$$

那么由定理 2.5.1

$$f'(x)=p_1(x)^{r_1-1}p_2(x)^{r_2-1}\cdots p_s(x)^{r_s-1}g(x)$$

且 $p_i(x)\nmid g(x)(i=1,2,\cdots,s)$．于是

$$(f(x),f'(x))=p_1(x)^{r_1-1}p_2(x)^{r_2-1}\cdots p_s(x)^{r_s-1}$$

故

$$\frac{f(x)}{(f(x),f'(x))}=cp_1(x)p_2(x)\cdots p_s(x)$$

这样就得到一个没有重因式的多项式 $\dfrac{f(x)}{(f(x),f'(x))}$，且若不计重数，$\dfrac{f(x)}{(f(x),f'(x))}$ 与 $f(x)$ 含有完全相同的不可约因式. 这是去掉因式重数的有效方法，我们称为对 $f(x)$ 分离重因式.

例 2.5.1 求 $f(x)=x^4+x^3-3x^2-5x-2$ 的重因式.

解 $f'(x)=4x^3+3x^2-6x-5$，用辗转相除法，得

$$(f(x),f'(x))=x^2+2x+1=(x+1)^2$$

所以 $x+1$ 是 $f(x)$ 的 3 重因式，由此得到 $f(x)$ 的标准分解式为

$$f(x)=(x+1)^3(x-2)$$

例 2.5.2 设多项式 $d(x),f(x),g(x),h(x)\in P[x]$ 满足 $\left(\dfrac{g(x)}{(f(x),g(x))},h(x)\right)=d(x)$ 且 $p(x)=(f(x),d(x))$ 的次数不小于 1，试证明 $g(x)$ 有重因式.

证明 令 $q(x)=(f(x),g(x))$，由已知条件存在 $d_1(x),g_1(x)\in P[x]$ 使得

$$d(x)=d_1(x)p(x),\quad g(x)=d(x)q(x)g_1(x)$$

于是有

$$g(x)=p(x)q(x)d_1(x)g_1(x)$$

这表明 $p(x)\mid g(x)$，又 $p(x)\mid f(x)$，所以

$$p(x)\mid q(x)$$

由上式得

$$g(x)=p^2(x)q_1(x)d_1(x)g_1(x)$$

其中

$$q_1(x)\in P[x]$$

注意到 $\partial(p(x))\geqslant 1$，因此 $p(x)$ 是 $g(x)$ 的至少二重因式.

2.6 多项式函数

前面几节都是把多项式看作形式表达式来处理. 本节将从函数的观点来考察多项式.

设

$$f(x)=a_nx^n+a_{n-1}x^{n-1}+\cdots+a_1x+a_0 \tag{2.6.1}$$

是 $P[x]$ 中的多项式，α 是 P 中的数，在式(2.6.1)中用 α 代 x 所得的数

$$a_n\alpha^n+a_{n-1}\alpha^{n-1}+\cdots+a_1\alpha+a_0$$

称为当 $x=\alpha$ 时 $f(x)$ 的值，记为 $f(\alpha)$. 这样，对于 P 中每一个数 α，就有 P 中唯一确定的数 $f(\alpha)$ 与之对应. 于是就得到 P 到 P 的一个映射，这个映射由多项式 $f(x)$ 所确定，叫作 P 上多项式函数.

设 $f(x),g(x)$ 是 $P[x]$ 中的多项式，那么对于任意 $\alpha\in P$，由 $f(x)=g(x)$ 就有 $f(\alpha)=g(\alpha)$；并且若

$$h_1(x)=f(x)+g(x),\quad h_2(x)=f(x)g(x)$$

那么

$$h_1(\alpha)=f(\alpha)+g(\alpha),\quad h_2(\alpha)=f(\alpha)g(\alpha)$$

因此，任意一个由加法和乘法得到的 $P[x]$ 的一些多项式之间的关系式在用 P 中数 α 代替 x 后仍然成立.

定理 2.6.1 (余数定理)

用一次多项式 $x-\alpha$ 去除多项式 $f(x)$，所得的余式是一个常数，这个常数等于函数值 $f(\alpha)$.

证明 根据带余除法定理，用 $x-\alpha$ 去除多项式 $f(x)$，所得的余式的次数小于 $x-\alpha$ 的次数，因此余式是一个常数 c．设商为 $q(x)$，于是

$$f(x)=(x-\alpha)q(x)+c$$

以 α 代 x，得

$$f(\alpha)=c$$

根据这个定理，要求 $x=\alpha$ 时 $f(x)$ 的值，只要用 $x-\alpha$ 除 $f(x)$ 所得的余式．下面介绍一种更简便的方法——综合除法．

设

$$f(x)=a_nx^n+a_{n-1}x^{n-1}+\cdots+a_1x+a_0$$

并且设

$$f(x)=(x-\alpha)q(x)+c \tag{2.6.2}$$

其中，$q(x)=b_{n-1}x^{n-1}+\cdots+b_1x+b_0$．

比较等式(2.6.2)中两端同次项的系数，可得

$$\begin{aligned}
&b_{n-1}=a_n\\
&b_{n-2}=a_{n-1}+\alpha b_{n-1}\\
&\cdots\cdots\\
&b_0=a_1+\alpha b_1\\
&c=a_0+\alpha b_0
\end{aligned}$$

这样很快就能求出商式和余式．这种算法可以排成如表 2.6.1 格式进行．

表 2.6.1

α	a_n	a_{n-1}	a_{n-2}	$\cdots$	a_1	a_0
+		αb_{n-1}	αb_{n-2}	$\cdots$	αb_1	αb_0
	$b_{n-1}(=a_n)$	b_{n-2}	b_{n-3}	$\cdots$	b_0	c

例 2.6.1 用 $x+3$ 除 $f(x)=x^4+x^2+4x-2$．

解 作综合除法，如表 2.6.2 所示．

表 2.6.2

−3	1	0	1	4	−2
+		−3	9	−30	78
	1	−3	10	−26	76

所以商式是 $g(x)=x^3-3x^2+10x-26$，余式 $c=f(-3)=76$．

如果 $f(x)$ 在 $x=\alpha$ 时函数值 $f(\alpha)=0$，那么 α 就称为 $f(x)$ 的一个根或零点．

由余数定理得到根与一次因式的关系.

推论 2.6.1

α 是 $f(x)$ 根的充要条件是 $(x-\alpha)\mid f(x)$.

证明 由余数定理得

$$f(x)=(x-\alpha)q(x)+f(\alpha)$$

于是

$$f(\alpha)=0\Leftrightarrow(x-\alpha)\mid f(x)$$

由这个关系, 可以定义重根的概念. α 称为 $f(x)$ 的 k 重根, 如果 $x-\alpha$ 是 $f(x)$ 的 k 重因式. 当 $k=1$ 时, α 称为单根; 当 $k>1$ 时, α 称为重根.

利用根与一次因式的关系, 我们可以得到 $P[x]$ 中的多项式 $f(x)$ 在数域 P 中的根的数目的一个上界.

定理 2.6.2

$P[x]$ 中 n 次多项式 $(n\geqslant 0)$ 在数域 P 中的根不可能多于 n 个, 重根按重数计算.

证明 当 $n=0$ 时, 由零次多项式没有根, 故结论成立.

设 $n>0$, 则 $f(x)$ 可以分解成不可约多项式的乘积. 由上面的推论与根的重数的定义, 显然 $f(x)$ 在数域 P 中根的个数等于分解式中一次因式的个数 t (重因式按重数计算), 而 $t\leqslant n$, 从而结论得证.

此定理对零多项式不能应用, 因为零多项式没有次数. 事实上, 数域 P 的每一个数都是零多项式的根.

定理 2.6.3

如果多项式 $f(x)$, $g(x)$ 的次数都不超过 n, 而它们对 $n+1$ 个不同的数有相同的值, 即

$$f(\alpha_i)=g(\alpha_i),\quad i=1,2,\cdots,n+1$$

那么 $f(x)=g(x)$.

证明 令 $u(x)=f(x)-g(x)$. 若 $f(x)\neq g(x)$, 即

$$u(x)\neq 0$$

那么 $u(x)$ 是一个次数不超过 n 的多项式, 并且有 $n+1$ 个根. 这与定理 2.6.2 矛盾. 所以 $f(x)=g(x)$.

如前所述, $P[x]$ 的每一个多项式都可以确定一个 P 上的多项式函数. 现在有以下问题: 若是 $P[x]$ 的两个多项式 $f(x)$ 和 $g(x)$ 所确定的多项式函数相等, 这两个多项式是否相等? 注意到, 多项式 $f(x)$ 和 $g(x)$ 相等指的是它们有完全相同的项, 而 $f(x)$ 和 $g(x)$ 所确定的函数相等(称为恒等)指的是, 对 P 的任何数 c 都有 $f(c)=g(c)$. 这是两种不同的概念, 它们之间的联系可由下面的定理给出.

定理 2.6.4

$P[x]$ 的多项式 $f(x)$ 和 $g(x)$ 相等的充要条件是它们所定义的 P 上的多项式函数相等.

证明 必要性 设 $f(x)=g(x)$. 那么它们有完全相同的项, 因而对 P 上的任何数 c 都有 $f(c)=g(c)$. 这就是说, $f(x)$ 和 $g(x)$ 所确定的函数相等.

充分性 设 $f(x)$ 和 $g(x)$ 所确定的函数相等. 令

$$u(x)=f(x)-g(x)$$

那么对 P 上的任何数 c 都有 $u(c)=f(c)-g(c)=0$. 这就是说, P 中的每一个数都是多项式 $u(x)$ 的根. 但 P 中有无穷多个数, 因此 $u(x)$ 有无穷多个根. 根据定理 2.6.2, 只有零多项式才有这个性质. 因此 $u(x)=f(x)-g(x)=0$, 即

$$f(x)=g(x)$$

上面结论表明, 多项式的恒等与多项式相等实际上是一致的. 换句话说, 数域 P 上的多项式既可以作为形式表达式来处理, 也可以作为函数来处理.

例 2.6.2 设 $f(x)\in P[x]$, $\partial(f(x))=n$, 且 $f(k)=\dfrac{k}{k+1}, k=0,1,\cdots,n$. 求 $f(n+1)$.

解 令 $g(x)=(x+1)f(x)-x$, 则 $\partial(g(x))=n+1$, 且 $g(k)=0, k=0,1,\cdots,n$. 因此

$$g(x)=cx(x-1)(x-2)\cdots(x-n)$$

其中 c 是常数. 令

$$x=-1$$

代入上式, 并利用 $g(-1)=1$, 得

$$c=\frac{(-1)^{n+1}}{(n+1)!}$$

故

$$f(x)=\frac{1}{x+1}\left(x+\frac{(-1)^{n+1}}{(n+1)!}x(x-1)(x-2)\cdots(x-n)\right)$$

于是

$$f(n+1)=\frac{n+1+(-1)^{n+1}}{(n+2)}$$

2.7 复系数和实系数多项式的因式分解

在以下两节我们将针对复数域、实数域和有理数域的特点, 分别讨论三个数域上的多项式的根和因式分解.

2.7.1 复系数多项式

给了任意数域 P 上的多项式 $f(x)$, 那么 $f(x)$ 在 P 中未必有根. 但对于复数域上的多项式, 我们有以下定理.

定理 2.7.1 (代数基本定理)

每个次数 $\geqslant 1$ 的复系数多项式在复数域中至少有一个根.

代数基本定理有很多证明，最简单的是利用复变函数论中的结论得出，这个定理的证明在本课程中不讲.

利用根与一次因式的关系，代数基本定理可以等价地叙述为如下结论.

推论 2.7.1

每个次数≥1的复系数多项式在复数域中必有一个一次因式.

由此可知，在复数域上所有次数大于 1 的多项式都是可约的. 换句话说，复数域上的多项式 $f(x)$ 不可约的充要条件是 $f(x)$ 是一次多项式. 于是，因式分解定理在复数域上可以叙述成:

定理 2.7.2 (复系数多项式因式分解定理)

每个次数≥1的复系数多项式在复数域上都可以唯一地分解成一次因式的乘积.

因此，复系数多项式具有标准分解式

$$f(x)=a_n(x-\alpha_1)^{l_1}(x-\alpha_2)^{l_2}\cdots(x-\alpha_s)^{l_s}$$

其中 $\alpha_1,\alpha_2,\cdots,\alpha_s$ 是不同的复数，$l_1,l_2,\cdots,l_s$ 是正整数. 标准分解式说明了每个 n 次复系数多项式恰有 n 个复根(重根按重数计算)，即如下定理.

定理 2.7.3

任何 $n(n>0)$ 次多项式在复数域中恰有 n 个复根 (重根按重数计算).

例 2.7.1 设 $1,\omega_1,\omega_2,\cdots,\omega_{n-1}$ 是多项式 x^n-1 的所有不同的复数根. 求证:

$$(1-\omega_1)(1-\omega_2)\cdots(1-\omega_{n-1})=n$$

证明 由题设 $1,\omega_1,\omega_2,\cdots,\omega_{n-1}$ 是多项式 x^n-1 的 n 个根,

$$\omega_k=\cos\frac{2k\pi}{n}+i\sin\frac{2k\pi}{n},\qquad k=0,1,2,\cdots,n-1$$

所以

$$x^n-1=(x-1)(x-\omega_1)(x-\omega_2)\cdots(x-\omega_{n-1})$$

另一方面，有

$$x^n-1=(x-1)(x^{n-1}+x^{n-2}+\cdots+x+1)$$

所以

$$(x-\omega_1)(x-\omega_2)\cdots(x-\omega_{n-1})=x^{n-1}+x^{n-2}+\cdots+x+1$$

将 $x=1$ 代入上式，得到

$$(1-\omega_1)(1-\omega_2)\cdots(1-\omega_{n-1})=n$$

2.7.2 实系数多项式

定理 2.7.4

如果 α 是实系数多项式 $f(x)$ 的复根，那么 α 的共轭 $\bar{\alpha}$ 也是 $f(x)$ 的根，并且 α 与 $\bar{\alpha}$ 重数相同，即实系数多项式的非实的复数根两两成对出现.

证明 令

$$f(x)=a_nx^n+a_{n-1}x^{n-1}+\cdots+a_1x+a_0$$

因为α是$f(x)$的复根，所以

$$a_n\alpha^n+a_{n-1}\alpha^{n-1}+\cdots+a_1\alpha+a_0=0$$

等式两边取共轭，得

$$\overline{a_n\alpha^n+a_{n-1}\alpha^{n-1}+\cdots+a_1\alpha+a_0}=\overline{0}$$

根据共轭数的性质，且$a_0,a_1,\cdots,a_n$和0都是实数，有

$$a_n\overline{\alpha}^n+a_{n-1}\overline{\alpha}^{n-1}+\cdots+a_1\overline{\alpha}+a_0=0$$

即$\overline{\alpha}$也是$f(x)$的一个根.

因此$(x-\alpha)(x-\overline{\alpha})\mid f(x)$，又$(x-\alpha)(x-\overline{\alpha})=x^2-(\alpha+\overline{\alpha})x+\alpha\overline{\alpha}$是实系数多项式，所以$f(x)=(x-\alpha)(x-\overline{\alpha})h(x)$，其中$h(x)$是一个实系数多项式.

若α是$f(x)$的重根，那么它一定是$h(x)$的根，因而根据刚才所证明的，$\overline{\alpha}$也是$h(x)$的一个根. 这样$\overline{\alpha}$也是$f(x)$的重根. 重复应用这个推理方法，容易看出，α与$\overline{\alpha}$的重数相同.

定理 2.7.5（实系数多项式因式分解定理）

每个次数$\geqslant1$的实系数多项式在实数域上都可以唯一地分解成一次因式与含一对非实共轭复数根的二次因式的乘积. 也就是说，实数域上不可约多项式，除一次多项式外，只有含非实共轭复数根的二次多项式.

证明 用数学归纳法证明. 定理对一次多项式显然成立.

假设定理对次数小于n的多项式已经证明. 由代数基本定理，$f(x)$有一个复根α.

如果α是实数，那么

$$f(x)=(x-\alpha)f_1(x)$$

其中$f_1(x)$是$n-1$次实系数多项式.

如果α不是实数，那么$\overline{\alpha}$也是$f(x)$的根，且$\alpha\neq\overline{\alpha}$. 于是

$$f(x)=(x-\alpha)(x-\overline{\alpha})f_2(x)$$

显然$(x-\alpha)(x-\overline{\alpha})=x^2-(\alpha+\overline{\alpha})x+\alpha\overline{\alpha}$是实系数二次不可约多项式. 从而$f_2(x)$是$n-2$次实系数多项式. 由归纳法假设，$f_1(x)$或$f_2(x)$可以分解成一次与二次不可约多项式的乘积，所以$f(x)$也可以如此分解.

因此，实系数多项式具有标准分解式

$$f(x)=a_n(x-c_1)^{l_1}(x-c_2)^{l_2}\cdots(x-c_s)^{l_s}(x^2+p_1x+q_1)^{k_1}(x^2+p_2x+q_2)^{k_2}\cdots(x^2+p_rx+q_r)^{k_r}$$

其中$c_1,c_2,\cdots,c_s,p_1,p_2,\cdots,p_r,q_1,q_2,\cdots,q_r$全是实数，$l_1,l_2,\cdots,l_s$，$k_1,k_2,\cdots,k_r$是正整数，并且$x^2+p_ix+q_i(i=1,2,\cdots,r)$是不可约的，也就是适合条件$p_i^2-4q_i<0,i=1,2,\cdots,r$.

例 2.7.2 在实数域上分解因式：$f(x)=x^6+4x^5+8x^4+10x^3+8x^2+4x+1$.

解 先利用综合除法，可知$x=-1$是$f(x)$的二重根，即$(x+1)^2$是$f(x)$的一个因式. 同时也可以得到另一个因式$g(x)=x^4+2x^3+3x^2+2x+1$，所以

$$f(x)=(x+1)^2(x^4+2x^3+3x^2+2x+1)$$

再对$g(x)$因式分解，$g'(x)=4x^3+6x^2+6x+2$，利用辗转相除得到

$$d(x)=(g(x),g'(x))=x^2+x+1$$

因为 $d(x)$ 是实数域上不可约多项式，所以 $d(x)$ 是 $g(x)$ 的二重因式，于是有

$$f(x)=(x+1)^2(x^2+x+1)^2$$

2.8 有理系数多项式

在复数域上只有一次多项式是不可约的，实数域上不可约多项式是一次和没有实根的二次多项式. 对于有理数域上多项式，情况如何？本节针对有理系数多项式讨论以下两个问题：第一，有理系数多项式的因式分解及有理根问题；第二，有理系数多项式的可约性.

设

$$f(x)=a_nx^n+a_{n-1}x^{n-1}+\cdots+a_0$$

是一个有理系数多项式. 选取适当的整数 c 乘 $f(x)$，总可以使 $cf(x)$ 是一个整系数多项式. 如果 $cf(x)$ 的各项系数有公因子 d，就可以提出来，得到

$$cf(x)=dg(x)$$

也就是说

$$f(x)=\frac{d}{c}g(x)$$

其中 $g(x)$ 是整系数多项式，且各项系数互素. 例如，$x^3+\frac{2}{3}x^2+\frac{1}{3}=\frac{1}{3}(3x^3+2x^2+1)$.

定义 2.8.1

如果一个非零的整系数多项式 $g(x)=b_nx^n+b_{n-1}x^{n-1}+\cdots+b_0$ 的系数 $b_n,b_{n-1},\cdots,b_0$ 是互素的，就称它为一个本原多项式.

例如，$g(x)=3x^3+2x^2+1$ 就是一个本原多项式.

上面的分析表明，任何一个非零的有理系数多项式 $f(x)$ 都可以表示成一个有理数 r 与一个本原多项式 $g(x)$ 的乘积，即

$$f(x)=rg(x)$$

于是，有理系数多项式 $f(x)$ 的因式分解问题，可以归结为本原多项式 $g(x)$ 的因式分解问题. 作为准备，我们先证如下定理.

定理 2.8.1 (高斯(Gauss)引理)

两个本原多项式的乘积还是本原多项式.

证明 设

$$f(x)=a_nx^n+a_{n-1}x^{n-1}+\cdots+a_1x+a_0$$

$$g(x)=b_mx^m+b_{m-1}x^{m-1}+\cdots+b_1x+b_0$$

是两个本原多项式，则它们的乘积是整系数多项式. 设为

$$h(x)=f(x)g(x)=c_{m+n}x^{m+n}+c_{m+n-1}x^{m+n-1}+\cdots+c_1x+c_0$$

假设 $h(x)$ 不是本原多项式，那么它的各项系数就有一个异于 ±1 的公因数. 从而存在素数 p，使 p 整除 $h(x)$ 的所有系数. 但由于 $f(x),g(x)$ 均为本原多项式，故 p 不能整除 $f(x),g(x)$ 的所有系数. 设 a_i,b_j 分别为 $f(x),g(x)$ 的第一个不能被 p 整除的系数，即 $p\mid a_0,p\mid a_1,\cdots,p\mid a_{i-1}$，

但 $p\nmid a_i$；$p\mid b_0, p\mid b_1,\cdots,p\mid b_{j-1}$，但 $p\nmid b_j$．我们来看 $h(x)$ 的 $i+j$ 项的系数

$$c_{i+j}=a_0b_{i+j}+\cdots+a_{i-1}b_{j+1}+a_ib_j+\cdots+a_{i+j}b_0 \tag{2.8.1}$$

由上述假设可知，$p\mid c_{i+j}$ 且 p 整除式(2.8.1)中 a_ib_j 外的所有的项．于是由表达式(2.8.1)，$p\mid a_ib_j$．已知 p 为素数，故

$$p\mid a_i \quad 或 \quad p\mid b_j$$

此为矛盾，故 $h(x)$ 是本原多项式.

定理 2.8.2

如果一非零的整系数多项式能够分解成两个次数较低的有理系数多项式的乘积，那么它一定可以分解成两个次数较低的整系数多项式的乘积.

证明 设整系数多项式 $f(x)$ 有分解式

$$f(x)=g(x)h(x)$$

其中 $g(x),h(x)$ 是有理系数多项式，且

$$\partial(g(x))<\partial(f(x)),\quad \partial(h(x))<\partial(f(x))$$

令

$$f(x)=af_1(x),\quad g(x)=rg_1(x),\quad h(x)=sh_1(x)$$

这里 $f_1(x),g_1(x),h_1(x)$ 都是本原多项式，a 是整数，r,s 是有理数.

于是

$$af_1(x)=rsg_1(x)h_1(x)$$

由定理 2.8.1，$g_1(x)h_1(x)$ 是本原多项式，从而

$$rs=\pm a$$

这就是说，rs 是整数. 因此，我们有

$$f(x)=(rsg_1(x))h_1(x)$$

这里 $rsg_1(x)$ 与 $h_1(x)$ 都是整系数多项式，且次数都低于 $f(x)$ 的次数.

以上定理把有理系数多项式在有理数域上是否可约的问题归结到整系数多项式能否分解成次数较低的整系数多项式的乘积的问题.

推论 2.8.1

设 $f(x)$，$g(x)$ 是整系数多项式，且 $g(x)$ 是本原多项式，如果 $f(x)=g(x)h(x)$，其中 $h(x)$ 是有理系数多项式，那么 $h(x)$ 一定是整系数多项式.

这个推论提供了一个求整系数多项式的全部有理根的方法.

定理 2.8.3

设

$$f(x)=a_nx^n+a_{n-1}x^{n-1}+\cdots+a_0$$

是一个整系数多项式. 而 $\dfrac{r}{s}$ 是它的一个有理根，其中 r,s 互素，那么 $s\mid a_n, r\mid a_0$；特别地，如果 $f(x)$ 的首项系数 $a_n=1$，那么 $f(x)$ 的有理根都是整根，而且是 a_0 的因子.

证明 因为$\frac{r}{s}$是$f(x)$的一个有理根，所以在有理数域上有

$$\left(x-\frac{r}{s}\right)\bigg| f(x)$$

从而

$$(sx-r)\mid f(x)$$

因为r,s互素，所以$sx-r$是一个本原多项式. 可设

$$f(x)=(sx-r)(b_{n-1}x^{n-1}+\cdots+b_0)$$

根据上述推论，$b_{n-1}x^{n-1}+\cdots+b_0$是整系数多项式. 比较两边系数，即得

$$a_n=sb_{n-1},\quad a_0=-rb_0$$

因此

$$s\mid a_n,\quad r\mid a_0$$

定理 2.8.3 给出了一种求整系数多项式$f(x)$的有理根的方法. 首先写出$f(x)$的首项系数a_n的所有因数p_i和常数项a_0的所有因数q_j，则$\frac{q_j}{p_i}$就是$f(x)$的所有可能的有理根. 对这些可能的有理根逐一验证，可得$f(x)$的有理根.

例 2.8.1 求多项式

$$f(x)=2x^3+x^2-3x+1$$

的有理根.

解 $a_n=2$的因子只有$\pm1,\pm2$；$a_0=1$的因子只有±1. 于是$f(x)$的有理根只可能是$\pm1,\pm\frac{1}{2}$. 因为$f(1)=1\neq0,f(-1)=3\neq0,f\left(-\frac{1}{2}\right)=\frac{5}{2}\neq0$，所以$\pm1,-\frac{1}{2}$不是$f(x)$的根. $f\left(\frac{1}{2}\right)=0$. 因此，$f(x)$只有一个有理根，它是$\frac{1}{2}$.

例 2.8.2 证明

$$f(x)=x^3-5x+1$$

在有理数域上不可约.

证明 如果$f(x)$可约，那么$f(x)$可以分解成两个次数较低的有理系数多项式的乘积. 因为$f(x)$的次数等于 3，所以$f(x)$必有一个一次有理因式，从而有一个有理根. 但是$f(x)$的有理根只可能是±1. 直接验算可知±1不是$f(x)$的根，所以$f(x)$没有一次因式，从而是不可约的.

最后，我们给出一个整系数多项式为不可约多项式的一个充分条件.

定理 2.8.4 (艾森斯坦(Eisenstein)判别法)

设

$$f(x)=a_nx^n+a_{n-1}x^{n-1}+\cdots+a_0$$

是一个整系数多项式. 若有一个素数p，使得

(1) $p\nmid a_n$;

(2) $p \mid a_{n-1}, a_{n-2}, \cdots, a_0$;

(3) $p^2 \nmid a_0$,

则多项式 $f(x)$ 在有理数域上不可约.

证明 假设 $f(x)$ 在有理数域上可约，则由定理 2.8.2，$f(x)$ 可以分解成两个次数较低的整系数多项式的乘积

$$f(x)=(b_l x^l+b_{l-1}x^{l-1}+\cdots+b_0)(c_m x^m+c_{m-1}x^{m-1}+\cdots+c_0) \quad (l,m<n, l+m=n)$$

因此

$$a_n=b_l c_m, \quad a_0=b_0 c_0$$

因为 $p \mid a_0$，所以 p 能整除 b_0 或 c_0. 但是 $p^2 \nmid a_0$，所以 p 不能同时整除 b_0 及 c_0. 因此不妨假定 $p \mid b_0$ 但 $p \nmid c_0$. 另一方面，因为 $p \nmid a_n$，所以 $p \nmid b_l$. 假设 $b_0, b_1, \cdots, b_l$ 中第一个不能被 p 整除的是 b_k. 比较 $f(x)$ 中 x^k 的系数，得等式

$$a_k=b_k c_0+b_{k-1}c_1+\cdots+b_0 c_k$$

式中 $a_k, b_{k-1}, \cdots, b_0$ 都能被 p 整除，所以 $p \mid b_k c_0$. 由于 p 是一个素数，所以 $p \mid b_k$ 或 $p \mid c_0$. 这与 $p \nmid c_0$，$p \nmid b_k$ 矛盾. 所以若多项式 $f(x)$ 满足艾森斯坦判别法的三个条件，则 $f(x)$ 在有理数域上不可约.

例 2.8.3 对于任意正整数 n，多项式 x^n+2 在有理数域上是不可约的.

证明 素数 2 符合定理 2.8.4 的条件，因此 x^n+2 在有理数域上是不可约的.

这个例子说明，在有理数域上存在任意次数的不可约多项式.

有时直接用艾森斯坦判别法无法判断整系数多项式 $f(x)$ 在有理数域上是否可约，可以通过对 $f(x)$ 中的 x 作替换 $x+b$（b 为整数），得到另一个多项式 $g(x)=f(x+b)$. 对 $g(x)$ 用艾森斯坦判别法能判断它不可约，这可肯定原来的 $f(x)$ 也不可约. 下面给出证明.

定理 2.8.5

设 $f(x)=a_n x^n+a_{n-1}x^{n-1}+\cdots+a_1 x+a_0$ 是一个次数 $\geqslant 1$ 的整系数多项式，b 是任意给定的一个整数. 令

$$g(x)=f(x+b)=a_n(x+b)^n+a_{n-1}(x+b)^{n-1}+\cdots+a_1(x+b)+a_0$$

则 $f(x)$ 在有理数域上不可约的充分必要条件是 $g(x)$ 在有理数域上不可约.

证明 充分性. 假设 $f(x)$ 在有理数域上可约，则

$$f(x)=f_1(x)f_2(x)$$

其中 $\partial(f_i(x))<\partial(f(x)), i=1,2$.

将 x 用 $x+b$ 代入，得

$$g(x)=f(x+b)=f_1(x+b)f_2(x+b)$$

上式表明 $g(x)$ 在有理数域上可约. 此为矛盾，故 $f(x)$ 在有理数域上不可约.

必要性. 假设 $g(x)$ 在有理数域上可约，则

$$g(x)=f(x+b)=g_1(x)g_2(x)$$

其中 $\partial(g_i(x))<\partial(g(x)), i=1,2$.

将 x 用 $x-b$ 代入，得

$$f(x)=g_1(x-b)g_2(x-b)$$

上式表明 $f(x)$ 在有理数域上可约，此为矛盾.

例 2.8.4 证明：$f(x)=x^6+x^3+1$ 在有理数域上不可约.

证明 此多项式显然不能直接用艾森斯坦判别法判断. 令 $x=y+1$，那么 $g(y)=f(y+1)=(y+1)^6+(y+1)^3+1=y^6+6y^5+15y^4+21y^3+18y^2+9y+3$. 取 $p=3$，$g(y)$ 满足艾森斯坦判别法条件，$g(y)$ 在有理数域上不可约. 又 $g(y)=f(y+1)$，由定理 2.8.5，$f(x)$ 不可约.

2.9 应用实例

例 2.9.1 设 $p_1,p_2,\cdots,p_n$ 是互不相同的素数，n 是大于 1 的正整数. 证明：$\sqrt[n]{p_1p_2\cdots p_n}$ 是无理数.

证明 设整系数多项式 $f(x)=x^n-p_1p_2\cdots p_n$，取素数 p_1，由艾森斯坦判别法知 $f(x)$ 在有理数域上不可约. 因为 $r=\sqrt[n]{p_1p_2\cdots p_n}$ 是 $f(x)$ 的一个根，所以 $\sqrt[n]{p_1p_2\cdots p_n}$ 是无理数.

例 2.9.2 利用泰勒多项式计算 e 的近似值.

解 e^x 在 $x=0$ 处的泰勒展开式为

$$\mathrm{e}^x=1+x+\frac{x^2}{2!}+\cdots+\frac{x^n}{n!}+\frac{\mathrm{e}^{\theta x}}{(n+1)!}x^{n+1}\quad(0<\theta<1)$$

则 e^x 的 n 次泰勒多项式为

$$\mathrm{e}^x\approx1+x+\frac{x^2}{2!}+\cdots+\frac{x^n}{n!}$$

误差为

$$|R_n(x)|=\left|\frac{\mathrm{e}^{\theta x}}{(n+1)!}x^{n+1}\right|<\frac{\mathrm{e}^{|x|}}{(n+1)!}\left|x^{n+1}\right|\quad(0<\theta<1)$$

取 $x=1$，则 e 的近似值为

$$\mathrm{e}\approx1+1+\frac{1}{2!}+\cdots+\frac{1}{n!}$$

误差为

$$|R_n|=\left|\frac{\mathrm{e}}{(n+1)!}\right|<\frac{3}{(n+1)!}$$

当 $n=10$ 时，$\mathrm{e}\approx2.718282$，其误差不超过 10^{-6}.

例 2.9.3 数据处理的分组方法(group method of data handling, GMDH)，是 20 世纪 70 年代前后由苏联学者伊瓦赫年科(Ivakhnenko)运用生物控制论中的自组织原理和多层神经网络原理，以 K-G 多项式为基础，提出的一种复杂的非线性系统的辨识方法，简称 GMDH. 这种方法可以依据提供的较少的系统信息，通过自组织的模型结构，建立不同建模目的的模型，适应不同的复杂系统.

1. GMDH 基本原理

考虑一非线性系统，$x_1,x_2,\cdots,x_n$ 为输入变量，y 为输出，其关系为

$$y=f(x_1,x_2,\cdots,x_n)$$

通常 f 的形式是不知道的，但可以用 K-G 多项式逼近 f，所以

$$y = a_0 + \sum_{i=1}^{n} a_i x_i + \sum_{i=1}^{n}\sum_{j=1}^{n} a_{ij} x_i x_j + \sum_{i=1}^{n}\sum_{j=1}^{n}\sum_{k=1}^{n} a_{ijk} x_i x_j x_k + \cdots$$

2. GMDH 的基本步骤

GMDH 的基本步骤如下.

(1) 将样本集 W（N_W 个数据样本）分为学习集 A、检测集 B（$N_W = N_A + N_B, W = A \cup B$），或将样本集 W 分为学习集 A、检测集 B、预测集 C（$N_W = N_A + N_B + N_C, W = A \cup B \cup C$），不同的分组会导致不同的模型，所以要试探用不同的分组方式，寻求较优的模型.

(2) 确定局部简单函数，表示因变量(输出)和自变量(输入)之间的一般关系，一般选取二元二次或三元二次多项式作为部分实现，其系数通常由最小二乘法确定.

(3) 确定选择准则，模型的可选择准则有很多种，如常用的均方误差准则(MSE)、误差平方和准则(PESS)、最终预报误差准则(FPE)等，如

$$\mathrm{MSE} = \sum_{i=1}^{N} |y_i - \hat{y}|$$

$$\mathrm{PESS} = \frac{1}{N}\sum_{i=1}^{N}(y_i - \hat{y})^2$$

$$\mathrm{FPE} = \left(1 + \frac{l}{N}\right)\left(1 - \frac{l}{N}\right)^{-1} S_k^2, \quad S_k^2 = \frac{1}{N}\sum_{i=1}^{N}(y_i - \hat{y})^2$$

其中 y_i 为检验集中第 i 组的输出值；$\hat{y}_i$ 为检验集中第 i 组的估计值；l 为部分简单函数中回归系数的个数. 通过检测集中的数据得到部分实现，再根据选择的准则来筛选变量，低于给定阈值的中间变量留下，否则被剔除.

(4) 对于留下的中间变量作为新的输入变量，重复(2)，(3)步的操作，就可以得到下一步的部分实现.

(5) 若执行到需要的精度，或只留下了一个中间变量，则终止循环，即得到了最终模型.

(6) 若最终模型仍不理想，则可以改变阈值，重复以上过程，直到最终结果满意为止.

习题 2

(A)

1. (1) 证明：在 $\mathbf{R}[x]$ 中，如果 $f^2(x) + g^2(x) = 0$，那么 $f(x) = g(x) = 0$，这里 $\mathbf{R}$ 是实数域.

(2) 举例说明，在 $\mathbf{C}[x]$ 中，存在 $f(x) \neq 0$，$g(x) \neq 0$，但 $f^2(x) + g^2(x) = 0$，这里 $\mathbf{C}$ 是复数域.

2. 证明：如果 $f(x) \mid g(x)$，且 $\partial(f(x)) = \partial(g(x))$，则 $g(x) \mid f(x)$.

3. 设 $f(x) = 5x^3 - 2x^2 + 8$，$g(x) = x^2 - 3x + 1$，求 $f(x)$ 除以 $g(x)$ 的商式及余式.

4. 证明：$(x^d - 1) \mid (x^n - 1)$ 的充要条件是 $d \mid n$.

5. 证明：$(f(x)h(x), g(x)h(x)) = (f(x), g(x))h(x)$（$h(x)$ 首项系数为 1）.

6. 如果 $f(x), g(x)$ 不全为零，证明：$\left(\dfrac{f(x)}{(f(x),g(x))}, \dfrac{g(x)}{(f(x),g(x))}\right) = 1$.

7. 证明：$(f(x),g(x))=1$ 当且仅当 $(f(x)+g(x),f(x)g(x))=1$.

8. 求 $f(x)$ 与 $g(x)$ 的最大公因式 $d(x)$，并且把 $d(x)$ 表示成 $f(x)$ 与 $g(x)$ 的一个组合：

(1) $f(x)=x^4+3x^3-x^2-4x-3$，$g(x)=3x^3+10x^2+2x-3$；

(2) $f(x)=x^4+6x^3-6x^2+6x-7$，$g(x)=x^3+x^2-7x+5$.

9. $f(x)$ 与 $g(x)$ 不互素的充分必要条件是存在不可约多项式 $p(x)$ 使 $p(x)|(f(x)+g(x))$ 且 $p(x)|f(x)g(x)$.

10. 用综合除法求 $x+2$ 除 $2x^3+3x^2-5x+1$ 的商式及余式.

11. 把 $5x^4-6x^3+x^2+4$ 按 $x-1$ 的方幂展开.

12. 如果 $(x-1)^2$ 整除 Ax^4+Bx^2+1，求 A,B.

13. 判断下列有理系数多项式有无重因式：

(1) $f(x)=x^3-3x^2+4$；

(2) $f(x)=x^3+2x^2-11x-12$.

14. 求 t 值使 $f(x)=x^3-3x^2+tx-1$ 有重根.

15. 设 $f(x)=x^5-6x^4+16x^3-24x^2+20x-8$，求一个多项式与 $f(x)$ 有相同的根，但无重根.

16. 设 $f(x)$ 为一整系数多项式. 证明：如果 $f(0)$ 与 $f(1)$ 都是奇数，则 $f(x)$ 没有整数根.

17. 设 $f(x)=x^3+bx^2+cx+d$ 是整系数多项式. 证明：如果 $bd+dc$ 是奇数，则 $f(x)$ 在有理数域上不可约.

18. 判断以下多项式在有理数域上是否可约：

(1) $x^4-2x^3+8x-10$；

(2) $x^4-8x^3+11x^2+4$；

(3) $x^4+4x^3+6x^2+4x+8$.

(B)

1. 证明：

(1) $(f(x),g(x))=(f(x)\pm g(x)u(x),g(x))$；

(2) 设 $f(x)=x^n+a_{n-1}x^{n-1}+\cdots+a_1x+a_0\ (a_0\neq 0)$，$g(x)=x^{n-1}+a_{n-1}x^{n-2}+\cdots+a_1$，则 $(f(x),g(x))=1$.

2. 证明：$\left(1+x+\dfrac{x^2}{2!}+\cdots+\dfrac{x^n}{n!},1+x+\dfrac{x^2}{2!}+\cdots+\dfrac{x^{n-1}}{(n-1)!}\right)=1$.

3. 设 $f(x)$ 是数域 P 上的多项式，如果对任意 $a,b\in P$ 都有 $f(a+b)=f(a)+f(b)$. 证明：$f(x)=kx(k\in P)$.

4. 设 $h(x),k(x),g(x)$ 是实系数多项式，且

$$(x^2+1)h(x)+(x+1)f(x)+(x-2)g(x)=0$$
$$(x^2+1)k(x)+(x-1)f(x)+(x+2)g(x)=0$$

则 $f(x),g(x)$ 能被 x^2+1 整除.

5. 设 $f(x),g(x)$ 是数域 P 上两个多项式，k 为给定的正整数. 求证：$f(x)|g(x)$ 的充要条件是 $f^k(x)|g^k(x)$.

6. 设 $f(x),g(x)$ 不全为 0, 证明: $(f,g)^n=(f^n,g^n)$ (n 为正整数).

7. 设 $f(x),g(x)$ 是两个多项式, 且 $f(x^3)+xg(x^3)$ 能被 x^2+x+1 整除, 则有 $f(1)=g(1)=0$.

8. 证明: 如果 $(x-1)\mid f(x^n)$, 则必 $(x^{n-1}-1)\mid f(x^n)$.

9. 证明: $\sin x$ 在实数域上不能表示成 x 的多项式.

10. 在实数域上, 将多项式 $f(x)=x^n-1$ 分解成不可约多项式的乘积.

11. 设 $f(x)=x^5+7x^4+19x^3+26x^2+20x+8$, 验证 -2 是否是多项式 $f(x)$ 的根, 如果是, 确定是几重根?

12. 设复系数非零多项式 $f(x)$ 没有重因式, 证明: $(f(x)+f'(x),f(x))=1$.

13. 设 $f(x)=x^3+4x^2+2x-6$. 证明:

(1) $f(x)$ 在有理数域上不可约;

(2) 设 a 是 $f(x)$ 的一个根, 则具有如下形式 $a_0+a_1a+a_2a^2$ (其中 a_0,a_1,a_2 是有理数) 的数的全体构成一个数域.

14. 设 p 是素数, a 是整数, $f(x)=ax^p+px+1$, 且 $p^2\mid(a+1)$. 证明: $f(x)$ 没有有理根.

本章小结

习题答案 2

第3章 行列式

行列式理论活跃在数学的各个分支，同时也是现代物理及其他一些科学技术领域中不可或缺的工具. 作为近世线性代数的一个基本分支，行列式理论却有着悠久的历史，它产生于 17 世纪末，到 19 世纪末基本完善. 行列式是由日本数学家关孝和与德国数学家莱布尼茨(Leibniz)发明的. 1683 年，关孝和在其著作《解伏题之法》中第一次提出了行列式的概念与展开算法，1693 年，同时代的莱布尼茨在写给洛必达的一封信中使用并给出了行列式的原始概念，但当时他并没有正式提出行列式这一术语. 1729 年，英国数学家麦克劳林(Maclaurin)以行列式为工具求解含有 2～4 个未知量的线性方程组，给出了比莱布尼茨更明确的行列式概念. 1750 年，瑞士数学家克拉默(Cramer)对行列式的定义和展开法则给出了比较完整、明确的阐述，并给出了现在我们所称的解线性方程组的克拉默法则. 随后，法国数学家贝祖(Bézout)将确定行列式每一项符号的方法进行了系统化. 在很长的一段时间内，行列式只是作为求解线性方程组的一种工具使用，人们并没有意识到它可以独立于线性方程组之外形成一门理论.

第 3 章知识导图

3.1 引　言

法国数学家范德蒙德(Vandermonde)是第一个对行列式理论作出连贯逻辑描述的人,即把行列式理论与线性方程组求解相分离;特别地,他给出了用二阶子式和它们的余子式来展开行列式的法则,单就行列式本身这一点来讲,他是这门理论的奠基人. 1772 年,法国数学家拉普拉斯(Laplace)推广了范德蒙德展开行列式的法则. 继范德蒙德之后,在行列式的理论研究方面,法国大数学家柯西(Cauchy)也作出了突出贡献. 1815 年,柯西在一篇论文中给出了行列式的第一个系统的、几乎是近代的处理,也就是我们今天采用的记法. 1841 年,德国数学家雅可比(Jacobi)总结了行列式的发展,发表了论文《论行列式的形成与性质》,这标志着行列式系统理论的建成. 由于行列式在数学分析、几何学及线性方程组理论等多方面的应用,促使行列式理论自身在 19 世纪也得到了很大发展. 整个 19 世纪都有行列式方面的新结果出现. 除了一般行列式的大量定理之外,还得到了许多特殊行列式的相关理论结果.

行列式是在线性方程组的求解中产生的,最初是作为求解线性方程组的一种重要数学工具. 解方程是代数中的一个基本问题,特别是在初等代数中,解方程占有重要地位. 在初等代数中,我们学习过一元、二元、三元乃至四元一次方程组的解法. 本章和第 4 章主要讨论一般的多元一次方程组,即线性方程组. 本章主要讨论方程个数和未知量个数相等的线性方程组,通过引进行列式来求解,而第 4 章则在更一般情形下(方程个数和未知量个数不一定相等)讨论线性方程组的求解问题. 线性方程组的理论在数学中是基本也是重要的内容.

3.1.1 二阶行列式

由于一元一次方程求解的特殊性,首先通过二元一次方程组的求解引入二阶行列式的记号和展开法则. 考虑如下一般的二元一次线性方程组

$$\begin{cases} a_{11}x_1 + a_{12}x_2 = b_1, \\ a_{21}x_1 + a_{22}x_2 = b_2 \end{cases} \tag{3.1.1}$$

这里,a_{ij} $(i,j=1,2)$ 为第 i (一般称为行标)个方程第 j (一般称为列标)个未知量前的常系数,b_i $(i=1,2)$ 为常数项. 利用消元法可以对式(3.1.1)进行求解. 例如,为消去未知量 x_2,以 a_{22} 与 a_{12} 分别乘式(3.1.1)的两端,然后将两个方程相减,得到

$$(a_{11}a_{22} - a_{12}a_{21})x_1 = b_1a_{22} - a_{12}b_2$$

类似地,消去 x_1,得到

$$(a_{11}a_{22} - a_{12}a_{21})x_2 = a_{11}b_2 - b_1a_{21}$$

特别地,当 $a_{11}a_{22} - a_{12}a_{21} \neq 0$ 时,可以解得方程组(3.1.1)有唯一解,即

$$x_1 = \frac{b_1a_{22} - a_{12}b_2}{a_{11}a_{22} - a_{12}a_{21}}, \quad x_2 = \frac{a_{11}b_2 - b_1a_{21}}{a_{11}a_{22} - a_{12}a_{21}}$$

观察上式发现，分子、分母都是四个数两两相乘再相减得到的，其中分母相同，是由方程组(3.1.1)的四个常系数确定的，把这四个系数按它们在方程组(3.1.1)中的位置排成两行两列，用符号表示为

$$a_{11}a_{22} - a_{12}a_{21} = \begin{vmatrix} a_{11} & a_{12} \\ a_{21} & a_{22} \end{vmatrix}$$

我们称 $a_{11}a_{22} - a_{12}a_{21}$ 为二阶行列式. 类似地，利用二阶行列式的符号表示，则有

$$b_1a_{22} - a_{12}b_2 = \begin{vmatrix} b_1 & a_{12} \\ b_2 & a_{22} \end{vmatrix}, \quad a_{11}b_2 - b_1a_{21} = \begin{vmatrix} a_{11} & b_1 \\ a_{21} & b_2 \end{vmatrix}$$

于是，利用二阶行列式的概念，上述结论可以重新表述为：当二阶行列式

$$\begin{vmatrix} a_{11} & a_{12} \\ a_{21} & a_{22} \end{vmatrix} \neq 0$$

时，方程组(3.1.1)有唯一解，即

$$x_1 = \frac{\begin{vmatrix} b_1 & a_{12} \\ b_2 & a_{22} \end{vmatrix}}{\begin{vmatrix} a_{11} & a_{12} \\ a_{21} & a_{22} \end{vmatrix}}, \quad x_2 = \frac{\begin{vmatrix} a_{11} & b_1 \\ a_{21} & b_2 \end{vmatrix}}{\begin{vmatrix} a_{11} & a_{12} \\ a_{21} & a_{22} \end{vmatrix}}$$

注意，上述二阶行列式的概念，可以用对角线法则来记忆，即把左上角到右下角的连线称为主对角线，右上角到左下角的连线称为副对角线. 于是，二阶行列式的运算法则为主对角线上的两个元素之积减去副对角线上两个元素之积所得之差. 利用二阶行列式的概念，求解二元一次线性方程组只需计算三个二阶行列式，分母由方程组系数确定，第一个未知量的分子是用右端常数项替换分母中第 1 列的元素所得的二阶行列式，第二个未知量的分子是用右端常数项替换分母中第 2 列的元素所得的二阶行列式.

3.1.2 三阶行列式

对于三元一次方程组的求解有类似的结论. 考虑如下一般的三元一次线性方程组

$$\begin{cases} a_{11}x_1 + a_{12}x_2 + a_{13}x_3 = b_1, \\ a_{21}x_1 + a_{22}x_2 + a_{23}x_3 = b_2, \\ a_{31}x_1 + a_{32}x_2 + a_{33}x_3 = b_3 \end{cases} \tag{3.1.2}$$

利用消元法可以对方程组(3.1.2)进行求解. 例如，先由前两个方程消去 x_3，得到一个只含 x_1，x_2 的方程；再由后两个方程消去 x_3，得到另一个只含 x_1，x_2 的方程，这样就得到一个二元一次线性方程组. 按照上述解二元线性方程组的方法，先消去 x_2，得到

$$
\begin{aligned}
&(a_{11}a_{22}a_{33}+a_{12}a_{23}a_{31}+a_{13}a_{21}a_{32}-a_{11}a_{23}a_{32}-a_{12}a_{21}a_{33}-a_{13}a_{22}a_{31})x_1\\
&=b_1a_{22}a_{33}+b_3a_{12}a_{23}+b_2a_{13}a_{32}-b_1a_{23}a_{32}-b_2a_{12}a_{33}-b_3a_{22}a_{13}
\end{aligned}
$$

若把 x_1 的系数用符号表示为

$$
a_{11}a_{22}a_{33}+a_{12}a_{23}a_{31}+a_{13}a_{21}a_{32}-a_{11}a_{23}a_{32}-a_{12}a_{21}a_{33}-a_{13}a_{22}a_{31}=\begin{vmatrix}a_{11}&a_{12}&a_{13}\\a_{21}&a_{22}&a_{23}\\a_{31}&a_{32}&a_{33}\end{vmatrix}=d
$$

则称 d 为三阶行列式，如此定义的三阶行列式是由 3 行 3 列共 9 个数并由上式计算得到的一个数值．定义表明，它含 6 个乘积项，每个乘积项的三个因子是位于 d 中不同行不同列的三个元素，并按一定的规则，赋予乘积项正号或负号．于是，利用三阶行列式的概念，上述结论可以重新表述为：当三阶行列式

$$
d=\begin{vmatrix}a_{11}&a_{12}&a_{13}\\a_{21}&a_{22}&a_{23}\\a_{31}&a_{32}&a_{33}\end{vmatrix}\neq 0
$$

时，方程组(3.1.2)有唯一解，即

$$
x_1=\frac{d_1}{d},\quad x_2=\frac{d_2}{d},\quad x_3=\frac{d_3}{d}
$$

其中，

$$
d_1=\begin{vmatrix}b_1&a_{12}&a_{13}\\b_2&a_{22}&a_{23}\\b_3&a_{32}&a_{33}\end{vmatrix},\quad d_2=\begin{vmatrix}a_{11}&b_1&a_{13}\\a_{21}&b_2&a_{23}\\a_{31}&b_3&a_{33}\end{vmatrix},\quad d_3=\begin{vmatrix}a_{11}&a_{12}&b_1\\a_{21}&a_{22}&b_2\\a_{31}&a_{32}&b_3\end{vmatrix}
$$

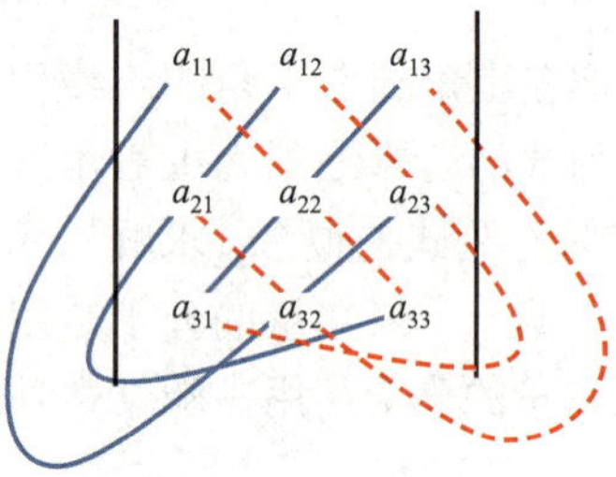

图 3.1.1

注意，上述三阶行列式的概念，也可以用相应的对角线法则来记忆，如图 3.1.1 所示．

由于对角线法则只适用于二阶与三阶行列式，不具有一般性，例如，对四阶行列式不再适用，在此不再赘述．利用三阶行列式的概念，求解三元一次线性方程组只需计算四个三阶行列式，分母由方程组系数确定，第一个未知量的分子是用右端常数项替换分母中第 1 列的元素所得的三阶行列式，其余未知量的分子表示替换类似．

在本章要把这些结果推广到如下形式的 n 元一次线性方程组

$$
\begin{cases}a_{11}x_1+a_{12}x_2+\cdots+a_{1n}x_n=b_1,\\a_{21}x_1+a_{22}x_2+\cdots+a_{2n}x_n=b_2,\\\qquad\cdots\cdots\\a_{n1}x_1+a_{n2}x_2+\cdots+a_{nn}x_n=b_n\end{cases}\tag{3.1.3}
$$

的情形．为了求解四元及以上线性方程组，需要将二、三阶行列式的概念及展开法则推广．为此，本章将依次解决下述问题：

(1) 如何定义一般的 n 阶行列式，如何确定乘积项与前面的正负号？

(2) 对于 n 阶行列式，它有哪些基本性质以及如何利用这些性质进行计算？

(3) 方程组(3.1.3)在什么条件下有解？如何借助行列式概念表示其解？

本章首先给出n阶行列式的一般定义并讨论其基本性质，这是本章的主要内容.

3.2 排 列

为了阐明n阶行列式展开项的规律，作为定义n阶行列式的准备，先引入n级排列及n级排列的逆序数与奇偶性的概念.

3.2.1 排列的定义

定义 3.2.1

由$1,2,\cdots,n$按一定次序组成的一个有序数组，称为一个n级排列.

例如，2431 是一个四级排列；45213 是一个五级排列；所有的 3 级排列有：123, 132, 213, 231, 312, 321，共有 6 个.

注 (1)所有不同的n级排列的总数共有$n!$个，即

$$n!=n\cdot(n-1)\cdot\cdots\cdot 2\cdot 1=\mathrm{P}_n \text{（读作 } n \text{ 的阶乘）}$$

(2)按照自然数的递增顺序所组成的n级排列$12\cdots n$叫作自然排列(通常也称为规定了标准次序)，而其他排列都或多或少破坏了这种自然顺序.

3.2.2 逆序、逆序数

定义 3.2.2

在一个排列中，如果两个数的前后位置与大小顺序相反(以自然排列为参照)，即前面的数大于后面的数，那么这两个数就称为构成一个**逆序**．一个排列$j_1j_2\cdots j_n$中所有逆序的总数称为这个排列的**逆序数**，记为$\tau(j_1j_2\cdots j_n)$.

例如，排列 31542 的逆序有 31, 32, 54, 52, 42．所以$\tau(31542)=5$；

排列 35412 的逆序有 31, 32, 54, 51, 52, 41, 42．所以$\tau(35412)=7$.

下面介绍逆序数的一般计算方法.

设$j_1j_2\cdots j_n$为$1,2,\cdots,n$的一个n级排列，逐个考虑元素j_i，若j_i前面比j_i大的元素有t_i个，就说j_i的逆序数为t_i，全体元素的逆序数总和就是这个排列的逆序数，即

$$\tau(j_1j_2\cdots j_n)=t_1+t_2+\cdots+t_n$$

注 在实际计算中，也可以从n级排列$j_1j_2\cdots j_n$出发，依次计算从1到n的逆序数然后相加，所得的结果不变.

例 3.1.1 求下列排列的逆序数.

(1) $n(n-1)\cdots 321$；

(2) $135\cdots(2n-1)(2n)(2n-2)\cdots 42$；

(3) $(2n)1(2n-1)2(2n-2)3\cdots(n+1)n$.

解 (1)在排列$n(n-1)\cdots 321$中，数$n,n-1,n-2,\cdots,3,2,1$的逆序数分别为$0,1,2,\cdots,n-3,$

$n-2, n-1$，所以这个排列的逆序数为

$$\tau[n(n-1)\cdots 321]=0+1+2+\cdots+(n-2)+(n-1)=\frac{n(n-1)}{2}$$

(2) 在排列 $135\cdots(2n-1)(2n)(2n-2)\cdots 42$ 中，数 $1,3,5,\cdots,2n-1$ 的逆序数均为 0，数 $2n,2n-2,2n-4,\cdots,4,2$ 的逆序数分别是 $0,2,4,\cdots,2(n-2),2(n-1)$，所以这个排列的逆序数为

$$\tau[135\cdots(2n-1)(2n)(2n-2)\cdots 42]=0+2+4+\cdots+2(n-2)+2(n-1)=n(n-1)$$

(3) 在排列 $(2n)1(2n-1)2(2n-2)3\cdots(n+1)n$ 中，数 $1,2,3,\cdots,n$ 的逆序数分别是 $1,2,3,\cdots,n$；数 $2n,2n-1,2n-2,\cdots,n+1$ 的逆序数分别是 $0,1,2,\cdots,n-1$，所以这个排列的逆序数为

$$\begin{aligned}\tau&=1+2+\cdots+n+0+1+2+\cdots+(n-1)\\&=\frac{n(n+1)}{2}+\frac{n(n-1)}{2}=n^2\end{aligned}$$

注 也可用下面的方法计算排列 $j_1j_2\cdots j_n$ 的逆序数.

$$\begin{aligned}\tau(j_1j_2\cdots j_n)=&\ j_1\text{后面比}\ j_1\ \text{大的数的个数}+j_2\ \text{后面比}\ j_2\ \text{大的数的个数}\\&+\cdots+j_{n-1}\ \text{后面比}\ j_{n-1}\ \text{大的数的个数}\end{aligned}$$

3.2.3 奇排列、偶排列

定义 3.2.3

逆序数为奇数的排列称为奇排列；逆序数为偶数的排列称为偶排列.

例如, 31542 为奇排列, 12345 (逆序数是零) 为偶排列.

应该指出, 我们同样可以考虑由任意 n 个不同的自然数所组成的排列, 通常也称为 n 级排列. 对这样一般的 n 级排列, 同样可以定义上面这些概念.

3.2.4 对换

定义 3.2.4

把一个排列中某两个数的位置互换, 而其余的数位置保持不动, 这就得到一个新的排列, 称这种变换称为一次**对换**. 将排列中相邻两个数对换, 称为**相邻对换**.

例如, 经过 1, 2 对换, 排列 31542 就变成了 32541. 显然, 如果连续施行两次相同的对换, 那么排列就还原了. 由此得知, 一个对换把全部 n 级排列两两配对, 使每两个配成对的 n 级排列在这个对换下互相转化. 关于排列的奇偶性, 施行对换具有如下性质.

定理 3.2.1

一次对换改变排列的奇偶性.

这意味着, 经过一次对换, 奇排列变成偶排列, 偶排列变成奇排列.

证明 首先证明一种特殊情形, 即相邻对换的情形.

设 n 级排列为

$$\cdots k\ j\cdots$$

将相邻两个数k, j对换得到新排列

$$\cdots j\,k\cdots$$

这里，“$\cdots$”表示那些位置保持不动的数. 由于除k, j两个数外其余的数位置不动，所以其余数之间的逆序没有改变；排列逆序数的改变是k, j经过一次对换导致的. 若$k > j$，则新排列的逆序比原排列的逆序减少 1(k的逆序数不变而j的逆序数减少 1)；若$k < j$，则新排列的逆序比原排列的逆序增加 1(j的逆序数不变而k的逆序数增加 1). 不论减少 1 还是增加 1，排列的逆序数的奇偶性总发生了改变，故一次相邻对换改变排列的奇偶性.

再证一般的情形. 设n级排列为

$$\cdots k\, i_1 i_2\cdots i_s\, j\cdots$$

数k, j之间相隔s个数，要实现k与j的对换，可通过一系列相邻对换完成. 具体来说，先将k与i_1作相邻对换，再将k与i_2作相邻对换，如此继续下去，经过$s+1$次相邻对换就可以把k调换到数j之后，即

$$\cdots i_1 i_2\cdots i_s\, j\, k\cdots$$

再将j一位一位地向左移动，经s次相邻对换就可把j调换到数i_1之前，即

$$\cdots j\, i_1 i_2\cdots i_s\, k\cdots$$

从而，经$2s+1$次相邻对换就完成了k与j的对换. 由于$2s+1$是奇数，而一次相邻对换改变排列的奇偶性. 显然，奇数次这样的对换的最终结果还是改变排列的奇偶性.

根据对换的定义和对换的上述性质可以得到如下推论.

推论 3.2.1

在全部n级排列中，奇、偶排列的个数相等，各有$n!/2$个.

证明留给读者作为练习.

定理 3.2.2

任意一个n级排列与排列$12\cdots n$都可以经过一系列对换互变，并且所作对换的次数与这个排列有相同的奇偶性.

证明 我们用数学归纳法来证明任意一个n级排列都可以经过一系列对换变成$12\cdots n$.

当$n=1$时，1 级排列只有一个，结论显然成立.

假设结论对$n-1$级排列已经成立，现在来证对n级排列的情形结论也成立.

设$j_1 j_2\cdots j_n$是一个n级排列，若$j_n = n$，那么由归纳假设，$n-1$级排列$j_1 j_2\cdots j_{n-1}$可以经过一系列对换变成$12\cdots n-1$，从而这一系列对换也就把$j_1 j_2\cdots j_n$变成$12\cdots n$. 若$j_n \neq n$，那么对$j_1 j_2\cdots j_n$作j_n, n对换，变成$j_1'\cdots j_{n-1}' n$，这就归结成上面的情形，因此结论普遍成立.

类似地，排列$12\cdots n$也可以经过一系列对换变成$j_1 j_2\cdots j_n$，因为$12\cdots n$是偶排列，所以根据定理 3.2.1，所作对换的次数与$j_1 j_2\cdots j_n$有相同的奇偶性.

3.3 *n* 阶行列式的定义

在这一节, 我们将给出 n 阶行列式的定义. 从本节开始, 我们总是取一固定的数域 P 作为基础, 所涉及的数都是指数域 P 中的数, 当然所考虑的行列式也都是数域 P 上的行列式. 今后不再赘述.

为了给出 n 阶行列式的一般定义, 我们先来观察二阶与三阶行列式的定义. 于是有

$$\begin{vmatrix} a_{11} & a_{12} \\ a_{21} & a_{22} \end{vmatrix} = a_{11}a_{22} - a_{12}a_{21} \tag{3.3.1}$$

$$\begin{vmatrix} a_{11} & a_{12} & a_{13} \\ a_{21} & a_{22} & a_{23} \\ a_{31} & a_{32} & a_{33} \end{vmatrix} = a_{11}a_{22}a_{33} + a_{12}a_{23}a_{31} + a_{13}a_{21}a_{32}$$

$$-a_{11}a_{23}a_{32} - a_{12}a_{21}a_{33} - a_{13}a_{22}a_{31} \tag{3.3.2}$$

例如,

$$\begin{vmatrix} 2 & -1 \\ 4 & -3 \end{vmatrix} = 2\times(-3) - (-1)\times 4 = -6+4 = -2$$

$$\begin{vmatrix} 1 & 2 & 3 \\ 2 & 1 & 3 \\ 3 & 2 & 1 \end{vmatrix} = 1+18+12-6-4-9 = 12$$

从二阶和三阶行列式的定义, 容易看出, 它们都是一些乘积项的代数和:

(1) 行列式的每一项乘积都是由位于不同行和不同列的数作乘积构成的, 二阶行列式的乘积项是两个数作乘积, 三阶行列式的乘积项是三个数作乘积.

(2) 当将行列式的展开式中每一乘积项的行标排成自然排列时, 列标是数 1, 2 或 1, 2, 3 的某一排列. 这样共有 $n!$ 种排列 $(n=2,3)$, 对应行列式展开后右端所含的项数, 即行列式包含 $n!$ 个乘积项.

(3) 每一项乘积都带有正负号. 这个符号是按什么规则确定的呢？在三阶行列式的展开式 (3.3.2) 中, 乘积项的一般形式可以写成

$$a_{1j_1}a_{2j_2}a_{3j_3}$$

其中, $j_1j_2j_3$ 是 1, 2, 3 的一个排列. 经计算可以发现如下规律: 当 $j_1j_2j_3$ 是偶排列时, 对应的项在式 (3.3.2) 中赋予正号, 当 $j_1j_2j_3$ 是奇排列时赋予负号. 于是, 三阶行列式可以写成

$$\begin{vmatrix} a_{11} & a_{12} & a_{13} \\ a_{21} & a_{22} & a_{23} \\ a_{31} & a_{32} & a_{33} \end{vmatrix} = \sum_{j_1j_2j_3} (-1)^{\tau(j_1j_2j_3)} a_{1j_1}a_{2j_2}a_{3j_3}$$

其中, $\sum\limits_{j_1j_2j_3}$ 表示对 1, 2, 3 的所有 3 级排列 $j_1j_2j_3$ 求和. 相应地, 容易验证, 二阶行列式也满足这个规律, 故二阶行列式也有类似的表达式.

按照上面对二阶和三阶行列式定义的分析，可以给出 n 阶行列式的一般定义. 下面就来给出 n 阶行列式的定义.

定义 3.3.1

将 n^2 个数 $a_{ij}(i=1,2,\cdots,n;j=1,2,\cdots,n)$ 排成 n 行 n 列，按照下式

$$D=\begin{vmatrix} a_{11} & a_{12} & \cdots & a_{1n} \\ a_{21} & a_{22} & \cdots & a_{2n} \\ \vdots & \vdots & & \vdots \\ a_{n1} & a_{n2} & \cdots & a_{nn} \end{vmatrix}=\sum_{j_1j_2\cdots j_n}(-1)^{\tau(j_1j_2\cdots j_n)}a_{1j_1}a_{2j_2}\cdots a_{nj_n} \tag{3.3.3}$$

表示的所有 $n!$ 项乘积的代数和，称为 n **阶行列式**，简记为 $D=\det(a_{ij})$ 或 $D=|a_{ij}|$，这里 $\sum\limits_{j_1j_2\cdots j_n}$ 表示对所有 $1,2,\cdots,n$ 的 n 级排列 $j_1j_2\cdots j_n$ 求和. D 中的数 a_{ij} 称为行列式处于第 i 行第 j 列的**元素**，i 称为**行指标**(简称行标)，j 称为**列指标**(简称列标).

定义表明，式(3.3.3)右边的每一项乘积 $a_{1j_1}a_{2j_2}\cdots a_{nj_n}$ 中的 n 个因子取自 D 中不同行不同列. 当把行标排成自然排列时，相应的列标是 $1,2,\cdots,n$ 的一个 n 级排列 $j_1j_2\cdots j_n$，该排列的奇偶性决定了这一项的符号：若它是偶排列，则对应项取正号；若它是奇排列，则对应项取负号，统一可以用 $(-1)^{\tau(j_1j_2\cdots j_n)}$ 表示.

容易看出，当行列式的元素全是数域 P 中的数时，它的值也是数域 P 中的一个数. 从数学上来看，行列式是一个函数，其定义域为数域 P 中 n 行 n 列排列的数，取值为一个标量.

按定义 3.3.1 定义的二阶、三阶行列式，与 3.1 节中用对角线法则定义的二阶、三阶行列式显然是一致的. 特别要注意的是，对于一阶行列式有 $|a_{11}|=a_{11}$，这里的 $|a_{11}|$ 不表示绝对值.

例 3.3.1 计算行列式 $\begin{vmatrix} 1 & 0 & 0 & 0 \\ 0 & 2 & 0 & 0 \\ 0 & 0 & 3 & 0 \\ 0 & 0 & 0 & 4 \end{vmatrix}$.

解 这是一个四阶行列式，在展开式中应有 $4!=24$ 个项. 但是由于出现很多个零元素，所以非零的项大为减少. 我们具体地来看一看，由行列式定义，展开式中乘积项的一般形式是

$$a_{1j_1}a_{2j_2}a_{3j_3}a_{4j_4}$$

显然，如果 $j_1\neq 1$，那么 $a_{1j_1}=0$，从而这项就等于零. 因此只需考虑 $j_1=1$ 的那些项. 同理，只需考虑 $j_2=2,j_3=3,j_4=4$ 这些列指标所对应的项. 也就是说，行列式中不为零的乘积项只有 $a_{11}a_{22}a_{33}a_{44}$ 这一项，所以

$$\begin{vmatrix} 1 & 0 & 0 & 0 \\ 0 & 2 & 0 & 0 \\ 0 & 0 & 3 & 0 \\ 0 & 0 & 0 & 4 \end{vmatrix}=(-1)^{\tau(1234)}a_{11}a_{22}a_{33}a_{44}=24$$

类似地计算，可得

$$\begin{vmatrix} 0 & 0 & 0 & 0 & 0 & 1 \\ 0 & 0 & 0 & 0 & 2 & 0 \\ 0 & 0 & 0 & 3 & 0 & 0 \\ 0 & 0 & 4 & 0 & 0 & 0 \\ 0 & 5 & 0 & 0 & 0 & 0 \\ 6 & 0 & 0 & 0 & 0 & 0 \end{vmatrix} = (-1)^{\tau(654321)} a_{16}a_{25}a_{34}a_{43}a_{52}a_{61} = -6! = -720$$

更一般地，我们有

$$\Lambda = \begin{vmatrix} a_1 & & & \\ & a_2 & & \\ & & \ddots & \\ & & & a_n \end{vmatrix} = a_1 a_2 \cdots a_n \tag{3.3.4}$$

$$\begin{vmatrix} & & & a_1 \\ & & a_2 & \\ & \iddots & & \\ a_n & & & \end{vmatrix} = (-1)^{\frac{n(n-1)}{2}} a_1 a_2 \cdots a_n \tag{3.3.5}$$

主对角线(从左上角到右下角这条对角线)以外的元素全为零的行列式Λ称为对角形行列式. 式(3.3.4)说明了对角形行列式的值等于主对角线上元素的乘积.

我们称主对角线以下(上)的元素都是零的行列式为**上(下)三角形行列式**, 上、下三角形行列式统称为三角形行列式. 显然, 对角形行列式是上(下)三角形行列式的特殊情形, 即主对角线以下和以上的元素都为 0.

例 3.3.2 计算上三角形行列式

$$\begin{vmatrix} a_{11} & a_{12} & \cdots & a_{1n} \\ 0 & a_{22} & \cdots & a_{2n} \\ \vdots & \vdots & & \vdots \\ 0 & 0 & \cdots & a_{nn} \end{vmatrix}$$

解 由行列式的定义, 展开式中乘积项的一般形式是

$$a_{1j_1}a_{2j_2}a_{3j_3}\cdots a_{nj_n}$$

显然, 如果$j_n \neq n$, 那么$a_{nj_n}=0$, 从而这项等于零. 因此只需考虑$j_n=n$的那些项. 如果$j_{n-1}\neq n-1,n$, 那么$a_{n-1,j_{n-1}}=0$, 从而这项等于零. 只需考虑$j_{n-1}=n-1,n$, 而$j_n=n$, 所以$j_{n-1}\neq n$, 因此只需考虑$j_{n-1}=n-1$的那些项. 同理, 只需考虑$j_i=i$ $(i=n-2,n-3,\cdots,2,1)$这些列指标所对应的项. 也就是说, 行列式中不为零的项只有$a_{11}a_{22}\cdots a_{nn}$这一项, 而$\tau(12\cdots n)=0$, 这一项前面的符号应该是正的, 所以

$$\begin{vmatrix} a_{11} & a_{12} & \cdots & a_{1n} \\ 0 & a_{22} & \cdots & a_{2n} \\ \vdots & \vdots & & \vdots \\ 0 & 0 & \cdots & a_{nn} \end{vmatrix} = a_{11}a_{22}\cdots a_{nn} \tag{3.3.6}$$

主对角线

换句话说，这个行列式就等于主对角线(从左上角到右下角这条对角线)上元素的乘积. 对角形行列式是其特殊情形，即式(3.3.4)是式(3.3.6)的特例. 此外，由式(3.3.6)可以看出，改变主对角线以外元素的数值并不影响该行列式，换句话说，不同的 n 阶行列式可能具有相同的数值结果.

作为式(3.3.4)的特殊情形，当主对角线元素全为 1 时，则有

$$\begin{vmatrix} 1 & & & \\ & 1 & & \\ & & \ddots & \\ & & & 1 \end{vmatrix} = 1$$

在定义 3.3.1 中，为了确定每一项的正负号，我们将 n 个元素的行指标按自然排列排序. 事实上，数的乘法满足交换律，因而这 n 个元素的次序是可以任意写的，一般地，n 阶行列式中的项可以写成

$$a_{i_1j_1}a_{i_2j_2}\cdots a_{i_nj_n}$$

其中，$i_1i_2\cdots i_n$，$j_1j_2\cdots j_n$ 是两个 n 级排列. 运用排列的性质，容易证明，该项的符号等于

$$(-1)^{\tau(i_1i_2\cdots i_n)+\tau(j_1j_2\cdots j_n)}$$

证明留给读者作为练习.

由于行指标和列指标的地位是对称的，为了确定每一项的符号，我们同样可以把每一项按列指标排起来. 下面来讨论行列式的另一种表示法，该表示法在说明行列式的性质时会用到. 将 n 阶行列式 D 的通项

$$(-1)^{\tau(j_1j_2\cdots j_n)}a_{1j_1}a_{2j_2}\cdots a_{nj_n}$$

的因子位置调整，使得列标 $j_1j_2\cdots j_n$ 经 N 次对换变成自然排列 $12\cdots n$ 的同时，相应的行标排列 $12\cdots n$ 经 N 次对换就变成排列 $i_1i_2\cdots i_n$，即

$$a_{1j_1}a_{2j_2}\cdots a_{nj_n} = a_{i_11}a_{i_22}\cdots a_{i_nn}$$

根据定理 3.2.2，对换次数 N 与 $\tau(j_1j_2\cdots j_n)$ 具有相同的奇偶性，而 N 与 $\tau(i_1i_2\cdots i_n)$ 也具有相同的奇偶性，从而 $\tau(i_1i_2\cdots i_n)$ 与 $\tau(j_1j_2\cdots j_n)$ 具有相同的奇偶性，所以

$$(-1)^{\tau(j_1j_2\cdots j_n)}a_{1j_1}a_{2j_2}\cdots a_{nj_n} = (-1)^{\tau(i_1i_2\cdots i_n)}a_{i_11}a_{i_22}\cdots a_{i_nn}$$

于是便得到行列式的另一个定义式

$$\begin{vmatrix} a_{11} & a_{12} & \cdots & a_{1n} \\ a_{21} & a_{22} & \cdots & a_{2n} \\ \vdots & \vdots & & \vdots \\ a_{n1} & a_{n2} & \cdots & a_{nn} \end{vmatrix} = \sum_{i_1i_2\cdots i_n}(-1)^{\tau(i_1i_2\cdots i_n)}a_{i_11}a_{i_22}\cdots a_{i_nn} \tag{3.3.7}$$

3.4 n 阶行列式的性质

行列式的计算是一个重要的问题，也是一个很复杂的问题. 按照定义，n 阶行列式一共有 $n!$ 项，计算一个 n 阶行列式就需作 $n!(n-1)$ 个乘法. 当 n 较大时，例如，$n=25$，乘法次数达到 $24\times25!$，这是一个相当大的数字(29 位). 因此，直接从定义来计算行列式几乎是不可能的事，

我们有必要进一步讨论行列式的性质. 本节将介绍行列式的一些基本性质. 这些性质不仅可以帮助我们更深入地了解行列式, 也可以用于简化计算行列式的值.

设 n 阶行列式 D 为

$$D=\begin{vmatrix} a_{11} & a_{12} & \cdots & a_{1n} \\ a_{21} & a_{22} & \cdots & a_{2n} \\ \vdots & \vdots & & \vdots \\ a_{n1} & a_{n2} & \cdots & a_{nn} \end{vmatrix}$$

将 D 的行与列互换(同序数的行换到同序数的列), 得到新的行列式, 记为

$$D^{\mathrm{T}}=\begin{vmatrix} a_{11} & a_{21} & \cdots & a_{n1} \\ a_{12} & a_{22} & \cdots & a_{n2} \\ \vdots & \vdots & & \vdots \\ a_{1n} & a_{2n} & \cdots & a_{nn} \end{vmatrix}$$

称 D^{T} 为 D 的**转置行列式**. 显然

$$(D^{\mathrm{T}})^{\mathrm{T}}=D$$

性质 3.4.1

行列互换, 行列式的值不变, 即

$$D^{\mathrm{T}}=D$$

证明 设 D^{T} 的第 i 行第 j 列元素为 a'_{ij}, 由转置行列式的定义 $a'_{ij}=a_{ji}$ 及式(3.3.7)有

$$\begin{aligned} D^{\mathrm{T}} &= \sum_{i_1i_2\cdots i_n}(-1)^{\tau(i_1i_2\cdots i_n)}a'_{i_11}a'_{i_22}\cdots a'_{i_nn} \\ &= \sum_{i_1i_2\cdots i_n}(-1)^{\tau(i_1i_2\cdots i_n)}a_{1i_1}a_{2i_2}\cdots a_{ni_n}=D \end{aligned}$$

由性质 3.4.1 可知, 在行列式中行与列的地位是对称的, 因而凡是有关行的性质, 对列也同样成立, 反之亦然. 例如, 由性质 3.4.1 及式(3.3.6)即得下三角形的行列式也等于主对角线上元素的乘积, 即

$$\begin{vmatrix} a_{11} & 0 & \cdots & 0 \\ a_{21} & a_{22} & \cdots & 0 \\ \vdots & \vdots & & \vdots \\ a_{n1} & a_{n2} & \cdots & a_{nn} \end{vmatrix}=a_{11}a_{22}\cdots a_{nn}$$

以下所讨论的行列式的性质大多是对行来说的, 对列也有同样的性质, 就不再列出.

性质 3.4.2

以一数 k 乘行列式的某一行(列)等于用这个数 k 乘此行列式, 即

$$\begin{vmatrix} a_{11} & a_{12} & \cdots & a_{1n} \\ \vdots & \vdots & & \vdots \\ ka_{i1} & ka_{i2} & \cdots & ka_{in} \\ \vdots & \vdots & & \vdots \\ a_{n1} & a_{n2} & \cdots & a_{nn} \end{vmatrix}=k\begin{vmatrix} a_{11} & a_{12} & \cdots & a_{1n} \\ \vdots & \vdots & & \vdots \\ a_{i1} & a_{i2} & \cdots & a_{in} \\ \vdots & \vdots & & \vdots \\ a_{n1} & a_{n2} & \cdots & a_{nn} \end{vmatrix}$$

证明 将行列式 $D=\det(a_{ij})$ 的第 i 行乘以数 k，得到

$$D_1=\begin{vmatrix} a_{11} & a_{12} & \cdots & a_{1n} \\ \vdots & \vdots & & \vdots \\ ka_{i1} & ka_{i2} & \cdots & ka_{in} \\ \vdots & \vdots & & \vdots \\ a_{n1} & a_{n2} & \cdots & a_{nn} \end{vmatrix}$$

由行列式的定义，有

$$\begin{aligned} D_1 &= \sum_{j_1j_2\cdots j_n}(-1)^{\tau(j_1j_2\cdots j_n)}a_{1j_1}\cdots(ka_{ij_i})\cdots a_{nj_n} \\ &= k\sum_{j_1j_2\cdots j_n}(-1)^{\tau(j_1j_2\cdots j_n)}a_{1j_1}\cdots a_{ij_i}\cdots a_{nj_n} \\ &= kD \end{aligned}$$

性质 3.4.2 表明，若行列式某行(列)有公因子，则可以把公因子提到行列式符号外面去.

推论 3.4.1

如果行列式中某一行(列)的元素全为零，那么此行列式等于零.

事实上，在性质 3.4.2 中令 $k=0$ 即可得证.

性质 3.4.3

如果某一行(列)的元素都是两数之和，那么这个行列式就等于两个行列式之和，而这两个行列式除这一行(列)元素以外全与原来行列式的对应的行(列)一样，即

$$D=\begin{vmatrix} a_{11} & a_{12} & \cdots & a_{1n} \\ \vdots & \vdots & & \vdots \\ a_{i1}+a'_{i1} & a_{i2}+a'_{i2} & \cdots & a_{in}+a'_{in} \\ \vdots & \vdots & & \vdots \\ a_{n1} & a_{n2} & \cdots & a_{nn} \end{vmatrix}=\begin{vmatrix} a_{11} & a_{12} & \cdots & a_{1n} \\ \vdots & \vdots & & \vdots \\ a_{i1} & a_{i2} & \cdots & a_{in} \\ \vdots & \vdots & & \vdots \\ a_{n1} & a_{n2} & \cdots & a_{nn} \end{vmatrix}+\begin{vmatrix} a_{11} & a_{12} & \cdots & a_{1n} \\ \vdots & \vdots & & \vdots \\ a'_{i1} & a'_{i2} & \cdots & a'_{in} \\ \vdots & \vdots & & \vdots \\ a_{n1} & a_{n2} & \cdots & a_{nn} \end{vmatrix}$$

证明 不妨设第 i 行的元素都是两数之和，那么根据行列式的定义有

$$\begin{aligned} D &= \sum_{j_1j_2\cdots j_n}(-1)^{\tau(j_1j_2\cdots j_n)}a_{1j_1}\cdots(a_{ij_i}+a'_{ij_i})\cdots a_{nj_n} \\ &= \sum_{j_1j_2\cdots j_n}(-1)^{\tau(j_1j_2\cdots j_n)}a_{1j_1}\cdots a_{ij_i}\cdots a_{nj_n} \\ &\quad + \sum_{j_1j_2\cdots j_n}(-1)^{\tau(j_1j_2\cdots j_n)}a_{1j_1}\cdots a'_{ij_i}\cdots a_{nj_n} \end{aligned}$$

再根据行列式的定义，这正好对应于所要证明等式右边的两个行列式之和.

性质 3.4.3 表明，当某一行(列)的元素是都是两数之和时，行列式关于该行(列)可以分解为两个行列式之和. 若 n 阶行列式的每一个元素都能表示成两数之和，则该行列式可以分解为 2^n 个行列式之和. 例如，考虑如下的二阶行列式

$$\begin{vmatrix} a+x & b+y \\ c+z & d+w \end{vmatrix} = \begin{vmatrix} a & b \\ c+z & d+w \end{vmatrix} + \begin{vmatrix} x & y \\ c+z & d+w \end{vmatrix}$$

$$= \begin{vmatrix} a & b \\ c & d \end{vmatrix} + \begin{vmatrix} a & b \\ z & w \end{vmatrix} + \begin{vmatrix} x & y \\ c & d \end{vmatrix} + \begin{vmatrix} x & y \\ z & w \end{vmatrix}$$

特别需要注意的是，在一般情况下（由上式容易看出），有

$$\begin{vmatrix} a+x & b+y \\ c+z & d+w \end{vmatrix} \neq \begin{vmatrix} a & b \\ c & d \end{vmatrix} + \begin{vmatrix} x & y \\ z & w \end{vmatrix}$$

此外，性质 3.4.3 也可以推广到某一行（列）为多个数之和的情形，读者可以练习写出来.

性质 3.4.4

对换行列式中任意两行（列）的位置，则行列式反号.

证明 设

$$D = \begin{vmatrix} a_{11} & a_{12} & \cdots & a_{1n} \\ \vdots & \vdots & & \vdots \\ a_{i1} & a_{i2} & \cdots & a_{in} \\ \vdots & \vdots & & \vdots \\ a_{j1} & a_{j2} & \cdots & a_{jn} \\ \vdots & \vdots & & \vdots \\ a_{n1} & a_{n2} & \cdots & a_{nn} \end{vmatrix}, \quad D_1 = \begin{vmatrix} a_{11} & a_{12} & \cdots & a_{1n} \\ \vdots & \vdots & & \vdots \\ a_{j1} & a_{j2} & \cdots & a_{jn} \\ \vdots & \vdots & & \vdots \\ a_{i1} & a_{i2} & \cdots & a_{in} \\ \vdots & \vdots & & \vdots \\ a_{n1} & a_{n2} & \cdots & a_{nn} \end{vmatrix}$$

要证性质 3.4.4，即要证 $D=-D_1$. 由行列式的定义，D 中的任一项为

$$(-1)^{\tau(j_1\cdots k\cdots l\cdots j_n)} a_{1j_1}\cdots a_{ik}\cdots a_{jl}\cdots a_{nj_n}$$

与之对应的 D_1 中的一项为

$$(-1)^{\tau(j_1\cdots l\cdots k\cdots j_n)} a_{1j_1}\cdots a_{jl}\cdots a_{ik}\cdots a_{nj_n}$$

由定理 3.2.1，有

$$(-1)^{\tau(j_1\cdots k\cdots l\cdots j_n)} = (-1)(-1)^{\tau(j_1\cdots l\cdots k\cdots j_n)}$$

即 D 与 D_1 对应项的符号均相反，故 $D=-D_1$.

性质 3.4.5

如果行列式中有两行（列）元素相同，那么行列式为零（所谓两行相同就是说两行的对应位置的元素都相等）.

证明 设行列式 D 中第 i 行和第 j 行元素完全相同，将这两行对换. 由性质 3.4.4，有 $D=-D$，即 $D=0$.

性质 3.4.6

如果行列式中两行（列）元素对应成比例，那么行列式为零.

证明 设行列式 D 中第 j 行与第 i 行元素对应成比例，即 $a_{jl}=ka_{il}, l=1,2,\cdots,n$，由性质 3.4.2

与性质 3.4.5，有

$$D=\begin{vmatrix} a_{11} & a_{12} & \cdots & a_{1n} \\ \vdots & \vdots & & \vdots \\ a_{i1} & a_{i2} & \cdots & a_{in} \\ \vdots & \vdots & & \vdots \\ ka_{i1} & ka_{i2} & \cdots & ka_{in} \\ \vdots & \vdots & & \vdots \\ a_{n1} & a_{n2} & \cdots & a_{nn} \end{vmatrix}=k\begin{vmatrix} a_{11} & a_{12} & \cdots & a_{1n} \\ \vdots & \vdots & & \vdots \\ a_{i1} & a_{i2} & \cdots & a_{in} \\ \vdots & \vdots & & \vdots \\ a_{i1} & a_{i2} & \cdots & a_{in} \\ \vdots & \vdots & & \vdots \\ a_{n1} & a_{n2} & \cdots & a_{nn} \end{vmatrix}=0$$

性质 3.4.7

将行列式的某一行(列)的各元素乘以同一数然后加到另一行(列)对应的元素上，行列式的值保持不变，即

$$\begin{vmatrix} a_{11} & a_{12} & \cdots & a_{1n} \\ \vdots & \vdots & & \vdots \\ a_{i1}+ka_{j1} & a_{i2}+ka_{j2} & \cdots & a_{in}+ka_{jn} \\ \vdots & \vdots & & \vdots \\ a_{j1} & a_{j2} & \cdots & a_{jn} \\ \vdots & \vdots & & \vdots \\ a_{n1} & a_{n2} & \cdots & a_{nn} \end{vmatrix}=\begin{vmatrix} a_{11} & a_{12} & \cdots & a_{1n} \\ \vdots & \vdots & & \vdots \\ a_{i1} & a_{i2} & \cdots & a_{in} \\ \vdots & \vdots & & \vdots \\ a_{j1} & a_{j2} & \cdots & a_{jn} \\ \vdots & \vdots & & \vdots \\ a_{n1} & a_{n2} & \cdots & a_{nn} \end{vmatrix}$$

证明　由性质 3.4.3 和性质 3.4.6，有

$$\text{左边}=\begin{vmatrix} a_{11} & a_{12} & \cdots & a_{1n} \\ \vdots & \vdots & & \vdots \\ a_{i1} & a_{i2} & \cdots & a_{in} \\ \vdots & \vdots & & \vdots \\ a_{j1} & a_{j2} & \cdots & a_{jn} \\ \vdots & \vdots & & \vdots \\ a_{n1} & a_{n2} & \cdots & a_{nn} \end{vmatrix}+\begin{vmatrix} a_{11} & a_{12} & \cdots & a_{1n} \\ \vdots & \vdots & & \vdots \\ ka_{j1} & ka_{j2} & \cdots & a_{jn} \\ \vdots & \vdots & & \vdots \\ a_{j1} & a_{j2} & \cdots & a_{jn} \\ \vdots & \vdots & & \vdots \\ a_{n1} & a_{n2} & \cdots & a_{nn} \end{vmatrix}$$

$$=\begin{vmatrix} a_{11} & a_{12} & \cdots & a_{1n} \\ \vdots & \vdots & & \vdots \\ a_{i1} & a_{i2} & \cdots & a_{in} \\ \vdots & \vdots & & \vdots \\ a_{j1} & a_{j2} & \cdots & a_{jn} \\ \vdots & \vdots & & \vdots \\ a_{n1} & a_{n2} & \cdots & a_{nn} \end{vmatrix}=\text{右边}$$

利用上述行列式的性质可以简化行列式的计算，下面通过几个例题展示性质的运用.

例 3.4.1　计算 n 阶行列式

$$D_n=\begin{vmatrix}a & b & b & \cdots & b\\ b & a & b & \cdots & b\\ b & b & a & \cdots & b\\ \vdots & \vdots & \vdots & & \vdots\\ b & b & b & \cdots & a\end{vmatrix}$$

解 观察这个行列式后发现如下特点：D_n 的每一列元素之和都等于 $a+(n-1)b$，故可以将第 2 行直到第 n 行都加到第 1 行上(根据性质 3.4.7)，并提出一个公因子(根据性质 3.4.2)，得

$$D_n=\begin{vmatrix}a+(n-1)b & a+(n-1)b & \cdots & a+(n-1)b\\ b & a & \cdots & b\\ \vdots & \vdots & & \vdots\\ b & b & \cdots & a\end{vmatrix}$$

$$=[a+(n-1)b]\begin{vmatrix}1 & 1 & 1 & \cdots & 1\\ b & a & b & \cdots & b\\ b & b & a & \cdots & b\\ \vdots & \vdots & \vdots & & \vdots\\ b & b & b & \cdots & a\end{vmatrix}$$

再把上式中的第 1 列的–1 倍都分别加到第 2 列至第 n 列上，将其化为下三角形行列式，即

$$D_n=\left[a+(n-1)b\right]\begin{vmatrix}1 & 0 & 0 & \cdots & 0\\ b & a-b & 0 & \cdots & 0\\ b & 0 & a-b & \cdots & 0\\ \vdots & \vdots & \vdots & & \vdots\\ b & 0 & 0 & \cdots & a-b\end{vmatrix}$$

$$=\left[a+(n-1)b\right](a-b)^{n-1}$$

例 3.4.2 计算行列式 $D_1=\begin{vmatrix}1 & 2 & 3 & 4\\ 2 & 3 & 4 & 1\\ 3 & 4 & 1 & 2\\ 4 & 1 & 2 & 3\end{vmatrix}$.

解 观察发现，由于 D_1 的每一行元素之和都等于 10，故将第 2, 3, 4 列都加到第一列上，并提出公因子，得

$$D_1=\begin{vmatrix}10 & 2 & 3 & 4\\ 10 & 3 & 4 & 1\\ 10 & 4 & 1 & 2\\ 10 & 1 & 2 & 3\end{vmatrix}=10\begin{vmatrix}1 & 2 & 3 & 4\\ 1 & 3 & 4 & 1\\ 1 & 4 & 1 & 2\\ 1 & 1 & 2 & 3\end{vmatrix}$$

再把上式中的第一行的–1 倍都分别加到第 2, 3, 4 行上，最终将其化为上三角形行列式，即

$$D_1 = 10\begin{vmatrix} 1 & 2 & 3 & 4 \\ 0 & 1 & 1 & -3 \\ 0 & 2 & -2 & -2 \\ 0 & -1 & -1 & -1 \end{vmatrix} = 10\begin{vmatrix} 1 & 2 & 3 & 4 \\ 0 & 1 & 1 & -3 \\ 0 & 0 & -4 & 4 \\ 0 & 0 & 0 & -4 \end{vmatrix} = 160$$

例 3.4.3 一个 n 阶行列式 $D_n = |a_{ij}|$，假设它的元素满足

$$a_{ij} = -a_{ji}, \quad i, j = 1, 2, \cdots, n$$

(通常称为反对称行列式). 试证当 n 为奇数时，此行列式为零.

证明 利用已知条件 $a_{ij} = -a_{ji}$，$i, j = 1, 2, \cdots, n$，容易得到，反对称行列式的主对角线元素全为0，即 $a_{ii} = 0$，$i = 1, 2, \cdots, n$. 将 D_n 的每行都提出一个因子 -1，并利用性质 3.4.1 和性质 3.4.2，得

$$D_n = (-1)^n |-a_{ij}| = (-1)^n |a_{ji}| = (-1)^n D_n^{\mathrm{T}} = (-1)^n D_n$$

当 n 为奇数时，$D_n = -D_n$，即 $D_n = 0$.

3.5 行列式的计算

本节利用行列式的性质给出一个计算行列式的常用方法.

在 3.3 节我们看到，一个上三角形行列式等于它主对角线上元素的乘积，即

$$\begin{vmatrix} a_{11} & a_{12} & \cdots & a_{1n} \\ 0 & a_{22} & \cdots & a_{2n} \\ \vdots & \vdots & & \vdots \\ 0 & 0 & \cdots & a_{nn} \end{vmatrix} = a_{11}a_{22}\cdots a_{nn}$$

这个计算是很简便的. 如果我们能利用行列式的一些性质将其化为上三角形行列式，那么就容易得到行列式的值. 下面想办法把任意的 n 阶行列式化为上三角形行列式来计算.

为了便于叙述，同时考虑到后续章节的应用，首先简要介绍矩阵及矩阵的初等变换等概念.

3.5.1 矩阵的定义

定义 3.5.1

由数域 P 中的 $s \times n$ 个数 $a_{ij} \in P\ (i = 1, 2, \cdots, s; j = 1, 2, \cdots, n)$ 排成的 s 行 n 列数表

$$\boldsymbol{A} = \begin{pmatrix} a_{11} & a_{12} & \cdots & a_{1n} \\ a_{21} & a_{22} & \cdots & a_{2n} \\ \vdots & \vdots & & \vdots \\ a_{s1} & a_{s2} & \cdots & a_{sn} \end{pmatrix}$$

称为一个 s 行 n 列矩阵，其中数 a_{ij} 是矩阵的第 i 行第 j 列元素，称为矩阵 $\boldsymbol{A}$ 的 (i, j) 元，$s \times n$ 是矩阵的型号. 为表示它是一个整体，总是在数表两边加上一个括弧.

矩阵通常是用大写字母 $\boldsymbol{A}, \boldsymbol{B}, \boldsymbol{C}, \cdots$ 来表示，如定义 3.5.1 中的 $s \times n$ 矩阵可以记作 $\boldsymbol{A} = (a_{ij})_{s \times n}$

或 $\boldsymbol{A}_{s\times n}$，在不混淆的情况下，有时也简记为 $\boldsymbol{A}=(a_{ij})$ 或 $\boldsymbol{A}$.

元素属于实数域的矩阵称为实矩阵；元素属于复数域的矩阵称为复矩阵. 除特别说明外，本书的矩阵都是指实矩阵.

特别地，当 $s=n$ 时，$(a_{ij})_{n\times n}$ 称为 n 阶矩阵或 n 阶方阵，也记作 $\boldsymbol{A}_n$. 由 n 阶方阵 $\boldsymbol{A}=(a_{ij})_{n\times n}$ 的元素按原来的位置构成的 n 阶行列式 $\det(a_{ij})$ 称为**方阵 $\boldsymbol{A}$ 的行列式**，记作 $|\boldsymbol{A}|$ 或 $\det \boldsymbol{A}$，即

$$\boldsymbol{A}=\begin{pmatrix} a_{11} & a_{12} & \cdots & a_{1n} \\ a_{21} & a_{22} & \cdots & a_{2n} \\ \vdots & \vdots & & \vdots \\ a_{n1} & a_{n2} & \cdots & a_{nn} \end{pmatrix}$$

则

$$|\boldsymbol{A}|=\begin{vmatrix} a_{11} & a_{12} & \cdots & a_{1n} \\ a_{21} & a_{22} & \cdots & a_{2n} \\ \vdots & \vdots & & \vdots \\ a_{n1} & a_{n2} & \cdots & a_{nn} \end{vmatrix}$$

只有一行的矩阵 $\boldsymbol{A}=(a_1,a_2,\cdots,a_n)$ 称为行矩阵，又称行向量. 为避免混淆，元素之间加逗号分隔；只有一列的矩阵

$$\boldsymbol{B}=\begin{pmatrix} b_1 \\ b_2 \\ \vdots \\ b_n \end{pmatrix}$$

称为列矩阵，又称列向量. 由此看出，矩阵可以看作是中学向量概念的推广.

两个矩阵的行数相等、列数也相等时，就称它们是同型矩阵. 若 $\boldsymbol{A}=(a_{ij})_{s\times n}$ 与 $\boldsymbol{B}=(b_{ij})_{p\times q}$ 是同型矩阵，且对应位置的元素相等，则称矩阵 $\boldsymbol{A}$ 与 $\boldsymbol{B}$ 相等，记作 $\boldsymbol{A}=\boldsymbol{B}$，也即

$$\boldsymbol{A}=\boldsymbol{B}\Leftrightarrow s=p,n=q,a_{ij}=b_{ij}\quad (i=1,2,\cdots,s;\ j=1,2,\cdots,n)$$

元素全是零的矩阵称为零矩阵，记作 $\boldsymbol{O}$. 注意不同型号的零矩阵是不同的. 关于矩阵的应用及其运算在后面章节会详细介绍.

3.5.2 矩阵的初等变换

下面先介绍矩阵的初等变换.

定义 3.5.2

所谓数域 P 上矩阵的**初等行变换**是指下列三种变换：

(1) **数乘变换** 以 P 中一个非零的数 k 乘矩阵的第 i 行，记为 $k\times r_i$；

(2) **倍加变换** 把矩阵的第 j 行的 k 倍加到第 i 行 $(k\in P)$，记为 r_i+kr_j；

(3) **对换变换** 互换矩阵中第 i 行与第 j 行的位置，记为 $r_i\leftrightarrow r_j$.

由于行和列的对称性，将定义中的“行”变成“列”，就得到矩阵的三种**初等列变换**(所用记号是把“r”换成“c”).

矩阵的初等行变换和初等列变换统称为**矩阵的初等变换**.

一般说来，一个矩阵经过初等行变换后，就变成了另一个矩阵. 当矩阵 $\boldsymbol{A}$ 经过初等行变换变成矩阵 $\boldsymbol{B}$ 时，我们写成

$$\boldsymbol{A}\xrightarrow{r}\boldsymbol{B}$$

容易验证，三种初等变换都是可逆的，且其逆变换都是同一类型的初等变换. 读者可以尝试写出.

3.5.3 阶梯形矩阵

利用初等行变换可以把矩阵化为一种较简单的阶梯形式，称之为行阶梯形矩阵. 所谓**行阶梯形矩阵**是指同时满足下面两个条件的矩阵:

(1) 若某行元素全为零，则它的下面各行也全为零，换句话说，非零行总在零行的上面;

(2) 矩阵的任一行从第一个元素起至该行的第一个非零元素(称为该行的主元，即首非零元)所在的下方全为零.

例如

$$\begin{pmatrix}1&3&2&1\\0&0&1&4\\0&0&0&3\\0&0&0&0\end{pmatrix},\quad\begin{pmatrix}0&1&0&0&1\\0&0&2&3&2\\0&0&0&1&2\\0&0&0&0&4\end{pmatrix}$$

都是行阶梯形矩阵.

利用归纳法，可以证明下面的结论.

命题 3.5.1

任意一个矩阵经过一系列初等行变换总能变成阶梯形矩阵.

事实上，设

$$\boldsymbol{A}=\begin{pmatrix}a_{11}&a_{12}&\cdots&a_{1n}\\a_{21}&a_{22}&\cdots&a_{2n}\\\vdots&\vdots&&\vdots\\a_{s1}&a_{s2}&\cdots&a_{sn}\end{pmatrix}$$

考虑第一列元素 $a_{11},a_{21},\cdots,a_{s1}$，只要其中有一个不为零，用初等行变换定义 3.5.2(3)，总能使第一行的第一个元素不为零，然后从第二行开始，用初等行变换定义 3.5.2(2)，每一行都加上第一行的一个适当的常数倍，于是第一列除去第一个元素之外全部为零. 也就是说，经过一系列初等行变换后

$$\boldsymbol{A}\to\boldsymbol{J}_1=\begin{pmatrix}a'_{11}&a'_{12}&\cdots&a'_{1n}\\0&a'_{22}&\cdots&a'_{2n}\\\vdots&\vdots&&\vdots\\0&a'_{s2}&\cdots&a'_{sn}\end{pmatrix}$$

对于 J_1 中除去第一行和第一列元素，剩下的 $(s-1)\times(n-1)$ 矩阵

$$\begin{pmatrix} a'_{22} & \cdots & a'_{2n} \\ \vdots & & \vdots \\ a'_{s2} & \cdots & a'_{sn} \end{pmatrix}$$

再重复以上的作法，如此做下去直到变成阶梯形为止. 如果原来矩阵 A 中的第一列元素全为零，那么就依次考虑它的第二列元素，等等.

利用初等行变换，把一个矩阵化为阶梯形矩阵，是一种很重要的运算. 例如，设

$$A=\begin{pmatrix} 0 & 1 & 2 & -4 & 1 \\ 1 & -1 & -1 & 1 & 0 \\ 2 & -2 & -4 & 6 & -1 \\ 3 & -3 & -5 & 7 & -1 \end{pmatrix}$$

$$A \xrightarrow{r_1\leftrightarrow r_2} \begin{pmatrix} 1 & -1 & -1 & 1 & 0 \\ 0 & 1 & 2 & -4 & 1 \\ 2 & -2 & -4 & 6 & -1 \\ 3 & -3 & -5 & 7 & -1 \end{pmatrix} \xrightarrow[r_4-3r_1]{r_3-2r_1} \begin{pmatrix} 1 & -1 & -1 & 1 & 0 \\ 0 & 1 & 2 & -4 & 1 \\ 0 & 0 & -2 & 4 & -1 \\ 0 & 0 & -2 & 4 & -1 \end{pmatrix}$$

$$\xrightarrow{r_4-r_3} \begin{pmatrix} 1 & -1 & -1 & 1 & 0 \\ 0 & 1 & 2 & -4 & 1 \\ 0 & 0 & -2 & 4 & -1 \\ 0 & 0 & 0 & 0 & 0 \end{pmatrix}$$

这样就把 A 变成了一个阶梯形矩阵.

最后讨论行列式的计算问题. 一个 n 阶行列式可以看成是由一个 n 阶方阵 A 决定的，对于矩阵可以作初等行变换，而行列式的性质 3.4.2、性质 3.4.4 和性质 3.4.7 恰好说明方阵的初等行变换对于行列式的计算值的影响. 由于每个方阵 A 总可以经过一系列的初等行变换化成阶梯形方阵 J. 由行列式性质 3.4.2、性质 3.4.4 和性质 3.4.7，对方阵每作一次初等行变换，相应地，行列式或者差一非零的常数倍，或者反号，或者不变. 于是，得到下面的结论.

命题 3.5.2

方阵 A 可以经过一系列初等行变换变成阶梯形矩阵 J，且 $|A| = k|J| (k\neq 0)$.

显然，阶梯形方阵 J 的行列式都是上三角形的，因此 $|J|$ 是容易计算的.

3.5.4 化为上三角形计算行列式

计算行列式的常用方法是，利用初等行变换和行列式的性质将行列式化为上三角形行列式，再利用三角形行列式的特点得到行列式的值.

下面通过几个例题来说明这种方法.

例 3.5.1 计算如下行列式

$$D=\begin{vmatrix}-2&5&-1&3\\1&-9&13&7\\3&-1&5&-5\\2&8&-7&-10\end{vmatrix}$$

解

$$D\xlongequal{r_1\leftrightarrow r_2}-\begin{vmatrix}1&-9&13&7\\-2&5&-1&3\\3&-1&5&-5\\2&8&-7&-10\end{vmatrix}\xlongequal[r_4-2r_1]{r_2+2r_1,\ r_3-3r_1}-\begin{vmatrix}1&-9&13&7\\0&-13&25&17\\0&26&-34&-26\\0&26&-33&-24\end{vmatrix}$$

$$\xlongequal[r_4+2r_2]{r_3+2r_2}-\begin{vmatrix}1&-9&13&7\\0&-13&25&17\\0&0&16&8\\0&0&17&10\end{vmatrix}\xlongequal{r_4-\frac{17}{16}r_3}-\begin{vmatrix}1&-9&13&7\\0&-13&25&17\\0&0&16&8\\0&0&0&\frac{3}{2}\end{vmatrix}$$

$$=-(-13)\cdot 16\cdot\frac{3}{2}=312$$

不难算出，用这个方法计算一个 n 阶的数字行列式只需要作 $\frac{n^3+2n-3}{3}$ 次乘法和除法. 特别地，当 n 比较大的时候，这个方法的优越性就更加凸显了. 此外，注意到，这个处理方法完全是机械的，因而可以用计算机按这个方法来进行行列式的计算.

为了计算行列式，同样可以对方阵进行初等列变换. 有些时候，综合使用初等行变换和初等列变换，行列式的计算更为简便.

例 3.5.2 计算行列式

$$D=\begin{vmatrix}x&a&a&a\\a&x&a&a\\a&a&x&a\\a&a&a&x\end{vmatrix}$$

解 此行列式的特点是各行 4 个元素之和都是 $x+3a$，先将第 2, 3, 4 列同时加到第 1 列，提取公因子 $x+3a$，然后各行减去第 1 行化为上三角形行列式，即

$$D\xlongequal[c_1+c_4]{c_1+c_2,\ c_1+c_3}\begin{vmatrix}x+3a&a&a&a\\x+3a&x&a&a\\x+3a&a&x&a\\x+3a&a&a&x\end{vmatrix}=(x+3a)\begin{vmatrix}1&a&a&a\\1&x&a&a\\1&a&x&a\\1&a&a&x\end{vmatrix}$$

$$\xlongequal{r_i-r_1(i=2,3,4)}(x+3a)\begin{vmatrix}1&a&a&a\\0&x-a&0&0\\0&0&x-a&0\\0&0&0&x-a\end{vmatrix}$$

$$=(x-a)^3(x+3a)$$

例 3.5.3 计算箭形行列式

$$D_{n+1}=\begin{vmatrix} a_0 & 1 & 1 & \cdots & 1 \\ 1 & a_1 & 0 & \cdots & 0 \\ 1 & 0 & a_2 & \cdots & 0 \\ \vdots & \vdots & \vdots & & \vdots \\ 1 & 0 & 0 & \cdots & a_n \end{vmatrix}$$

其中 $a_i \neq 0\,(i=1,2,\cdots,n)$.

解 将第 $i+1$ 列的 $(-1/a_i)$ 倍加到第 1 列 $(i=1,2,\cdots,n)$，得上三角形行列式，则有

$$D=\begin{vmatrix} a_0-\sum_{i=1}^{n}\frac{1}{a_i} & 1 & 1 & \cdots & 1 \\ 0 & a_1 & 0 & \cdots & 0 \\ 0 & 0 & a_2 & \cdots & 0 \\ \vdots & \vdots & \vdots & & \vdots \\ 0 & 0 & 0 & \cdots & a_n \end{vmatrix}=a_1a_2\cdots a_n\left(a_0-\sum_{i=1}^{n}\frac{1}{a_i}\right)$$

上面几个例子中用到了把几个运算写在一起的省略算法，但要注意的是，各个运算的次序一般不能颠倒，这是因为后一次运算是作用在前一次运算结果上. 忽视后一次运算是作用在前一次运算的结果上，就会出错，例如

$$\begin{vmatrix} a & b \\ c & d \end{vmatrix} \xlongequal[r_2-r_1]{r_1+r_2} \begin{vmatrix} a+c & b+d \\ c-a & d-b \end{vmatrix}$$

这样的运算是错误的，错误的理由在于第二次运算找错了对象.

此外，我们还要注意运算 r_i+r_j 与 r_j+r_i 的区别，r_i+kr_j 是特定的行列式运算符号，不能想当然利用加法的交换律，写作 kr_j+r_i.

最后，需要指出的是，上面例题都是利用运算 r_i+kr_j 把行列式转化为上三角形行列式(实际上，也可化为下三角形行列式，此时先要把最后一列除 a_{nn} 外化为零). 类似地，利用列运算 c_i+kc_j 也可把行列式化为上三角形行列式或下三角形行列式. 读者可以动手试试.

3.6 行列式的展开

一般地，计算低阶行列式比计算高阶行列式简单，那么，一个高阶行列式能否转化为低阶行列式来表示或计算？本节首先着重介绍按任一行(列)展开的计算方法，该方法是将一个 n 阶行列式展开为若干个 $n-1$ 阶行列式的代数和. 其次介绍按选定 k 行展开的拉普拉斯定理. 为此，先介绍余子式和代数余子式的概念.

3.6.1 余子式、代数余子式

定义 3.6.1

在行列式

$$\begin{vmatrix} a_{11} & \cdots & a_{1j} & \cdots & a_{1n} \\ \vdots & & \vdots & & \vdots \\ a_{i1} & \cdots & a_{ij} & \cdots & a_{in} \\ \vdots & & \vdots & & \vdots \\ a_{n1} & \cdots & a_{nj} & \cdots & a_{nn} \end{vmatrix}$$

中划去元素 a_{ij} 所在的第 i 行与第 j 列，剩下的 $(n-1)^2$ 个元素按原来的相对位置不变构成的一个 $n-1$ 阶行列式，称为元素 a_{ij} 的**余子式**，记作 M_{ij}，称

$$A_{ij} = (-1)^{i+j} M_{ij}$$

为元素 a_{ij} 的**代数余子式**.

例如，在四阶行列式

$$D = \begin{vmatrix} a_{11} & a_{12} & a_{13} & a_{14} \\ a_{21} & a_{22} & a_{23} & a_{24} \\ a_{31} & a_{32} & a_{33} & a_{34} \\ a_{41} & a_{42} & a_{43} & a_{44} \end{vmatrix}$$

中，元素 a_{32} 的余子式和代数余子式分别为

$$M_{32} = \begin{vmatrix} a_{11} & a_{13} & a_{14} \\ a_{21} & a_{23} & a_{24} \\ a_{41} & a_{43} & a_{44} \end{vmatrix}$$

$$A_{32} = (-1)^{3+2} M_{32} = -M_{32}$$

3.6.2 行列式按任一行(列)展开

引理 3.6.1

一个 n 阶行列式 $D = \det(a_{ij})$，如果其中第 i 行所有元素除 a_{ij} 外都为 0，则

$$D = a_{ij} A_{ij} \tag{3.6.1}$$

证明 (1) 先证明特殊情形：若 D 中第一行除 a_{11} 之外，其余元素都为 0，即证明

$$D = \begin{vmatrix} a_{11} & 0 & \cdots & 0 \\ a_{21} & a_{22} & \cdots & a_{2n} \\ \vdots & \vdots & & \vdots \\ a_{n1} & a_{n2} & \cdots & a_{nn} \end{vmatrix} = a_{11} A_{11} \tag{3.6.2}$$

事实上，根据行列式的定义，有

$$D = \sum_{1 j_2 \cdots j_n} (-1)^{\tau(1 j_2 \cdots j_n)} a_{11} a_{2 j_2} \cdots a_{n j_n} = a_{11} \sum_{j_2 \cdots j_n} (-1)^{\tau(j_2 \cdots j_n)} a_{2 j_2} \cdots a_{n j_n}$$

其中，$j_2 j_3 \cdots j_n$ 是数字 $2,3,\cdots,n$ 组成的 $n-1$ 级排列；另一方面，由余子式和行列式的定义，得到

$$M_{11} = \begin{vmatrix} a_{22} & \cdots & a_{2n} \\ \vdots & & \vdots \\ a_{n2} & \cdots & a_{nn} \end{vmatrix} = \sum_{j_2 \cdots j_n} (-1)^{\tau(j_2 \cdots j_n)} a_{2 j_2} \cdots a_{n j_n}$$

所以 $D=a_{11}M_{11}=(-1)^{1+1}a_{11}M_{11}=a_{11}A_{11}$.

(2) 再证明特殊情形：设行列式 D 中第 i 行除 a_{ij} 之外其余元素都为零，即

$$D=\begin{vmatrix} a_{11} & a_{12} & \cdots & a_{1i} & \cdots & a_{1n} \\ \vdots & \vdots & & \vdots & & \vdots \\ 0 & 0 & \cdots & a_{ij} & \cdots & 0 \\ \vdots & \vdots & & \vdots & & \vdots \\ a_{n1} & a_{n2} & \cdots & a_{nj} & \cdots & a_{nn} \end{vmatrix}$$

为了利用式(3.6.2)的结果，可以通过行、列对换把 a_{ij} 调换到行列式的左上角. 具体做法如下：首先把第 i 行依次地与它上面相邻的一行对换，直到把该行换到第一行为止；再将第 j 列依次地与其左面相邻的一列对换，直到把该列换到第一列为止，这样共作了 $i+j-2$ 次对换. 由行列式的对换性质和式(3.6.2)的结果，得到

$$D=(-1)^{i+j-2}\begin{vmatrix} a_{ij} & 0 & \cdots & 0 & 0 & \cdots & 0 \\ a_{1j} & a_{11} & \cdots & a_{1,j-1} & a_{1,j+1} & \cdots & a_{1n} \\ \vdots & \vdots & & \vdots & \vdots & & \vdots \\ a_{i-1,j} & a_{i-1,1} & \cdots & a_{i-1,j-1} & a_{i-1,j+1} & \cdots & a_{i-1,n} \\ a_{i+1,j} & a_{i+1,1} & \cdots & a_{i+1,j-1} & a_{i+1,j+1} & \cdots & a_{i+1,n} \\ \vdots & \vdots & & \vdots & \vdots & & \vdots \\ a_{nj} & a_{n1} & \cdots & a_{n,j-1} & a_{n,j+1} & \cdots & a_{nn} \end{vmatrix}$$

$$=(-1)^{i+j}a_{ij}M_{ij}=a_{ij}A_{ij}$$

定理 3.6.1

一个 n 阶行列式 $D=\det(a_{ij})$ 等于它的任一行(列)的各元素分别与其对应的代数余子式的乘积之和，即

$$D=a_{i1}A_{i1}+a_{i2}A_{i2}+\cdots+a_{in}A_{in}\quad (i=1,2,\cdots,n) \tag{3.6.3}$$

或

$$D=a_{1j}A_{1j}+a_{2j}A_{2j}+\cdots+a_{nj}A_{nj}\quad (j=1,2,\cdots,n) \tag{3.6.4}$$

证明 根据行列式的性质和引理 3.6.1 的结果，有

$$D=\begin{vmatrix} a_{11} & a_{12} & \cdots & a_{1n} \\ \vdots & \vdots & & \vdots \\ a_{i1}+0+\cdots+0 & 0+a_{i2}+\cdots+0 & \cdots & 0+0+\cdots+a_{in} \\ \vdots & \vdots & & \vdots \\ a_{n1} & a_{n2} & \cdots & a_{nn} \end{vmatrix}$$

$$=\begin{vmatrix} a_{11} & a_{12} & \cdots & a_{1n} \\ \vdots & \vdots & & \vdots \\ a_{i1} & 0 & \cdots & 0 \\ \vdots & \vdots & & \vdots \\ a_{n1} & a_{n2} & \cdots & a_{nn} \end{vmatrix}+\begin{vmatrix} a_{11} & a_{12} & \cdots & a_{1n} \\ \vdots & \vdots & & \vdots \\ 0 & a_{i2} & \cdots & 0 \\ \vdots & \vdots & & \vdots \\ a_{n1} & a_{n2} & \cdots & a_{nn} \end{vmatrix}+\cdots+\begin{vmatrix} a_{11} & a_{12} & \cdots & a_{1n} \\ \vdots & \vdots & & \vdots \\ 0 & 0 & \cdots & a_{in} \\ \vdots & \vdots & & \vdots \\ a_{n1} & a_{n2} & \cdots & a_{nn} \end{vmatrix}$$

$$=a_{i1}A_{i1}+a_{i2}A_{i2}+\cdots+a_{in}A_{in}$$

其中，$i=1,2,\cdots,n$，由此式(3.6.3)得证.

由行列式中行列的对称性质，在以上的讨论中，把行换成列就得到式(3.6.4).

定理 3.6.1 称为行列式按行(列)展开法则. 利用这一法则并结合使用行列式的性质，可以简化行列式的计算.

式(3.6.3)和式(3.6.4)在理论上是重要的. 但在计算数字行列式时，直接应用展开式(3.6.3)或式(3.6.4)不一定能简化计算，因为把一个n阶行列式的计算换成n个$n-1$阶行列式的计算并不减少计算量，只是在行列式中某一行或某一列含有较多的零元素时，应用式(3.6.3)或式(3.6.4)才有意义. 因此在具体计算时，总是先运用行列式的性质，将某一行(列)元素尽可能多地化为零，然后再利用定理 3.6.1，按该行(列)展开.

例 3.6.1 计算行列式

$$D=\begin{vmatrix}5 & 3 & -1 & 2 & 0\\ 1 & 7 & 2 & 5 & 2\\ 0 & -2 & 3 & 1 & 0\\ 0 & -4 & -1 & 4 & 0\\ 0 & 2 & 3 & 5 & 0\end{vmatrix}$$

解 观察发现第五列只有一个非零元素，故先由第 5 列展开，再由第 1 列展开，得

$$D=(-1)^{2+5}\times 2\times\begin{vmatrix}5 & 3 & -1 & 2\\ 0 & -2 & 3 & 1\\ 0 & -4 & -1 & 4\\ 0 & 2 & 3 & 5\end{vmatrix}=-2\times 5\begin{vmatrix}-2 & 3 & 1\\ -4 & -1 & 4\\ 2 & 3 & 5\end{vmatrix}$$

$$=-10\times[(-2)\cdot(-1)\cdot 5+3\cdot 4\cdot 2+1\cdot(-4)\cdot 3-1\cdot(-1)\cdot 2-(-2)\cdot 4\cdot 3-3\cdot(-4)\cdot 5]$$

$$=-10\times(10+24-12+2+24+60)=-1080$$

例 3.6.2 计算行列式

$$D_n=\begin{vmatrix}1 & 2 & 3 & \cdots & n-1 & n\\ 1 & -1 & 0 & \cdots & 0 & 0\\ 0 & 2 & -2 & \cdots & 0 & 0\\ \vdots & \vdots & \vdots & & \vdots & \vdots\\ 0 & 0 & 0 & \cdots & n-1 & 1-n\end{vmatrix}$$

解 观察行列式特点，若依次将第 2 列至第n列加到第一列，再按第一列展开得下三角形行列式，则有

$$D_n=\begin{vmatrix}\dfrac{n(n+1)}{2} & 2 & 3 & \cdots & n-1 & n\\ 0 & -1 & 0 & \cdots & 0 & 0\\ 0 & 2 & -2 & \cdots & 0 & 0\\ \vdots & \vdots & \vdots & & \vdots & \vdots\\ 0 & 0 & 0 & \cdots & n-1 & 1-n\end{vmatrix}=(-1)^{n-1}\frac{(n+1)!}{2}$$

注 也可以第一步：第n列加到第$n-1$列，第$n-1$列再加到前一列，一直下去，直到第二列加到第一列，得上三角形行列式.

例 3.6.3 证明 n 阶的范德蒙德行列式

$$D_n=\begin{vmatrix}1 & 1 & 1 & \cdots & 1\\ a_1 & a_2 & a_3 & \cdots & a_n\\ a_1^2 & a_2^2 & a_3^2 & \cdots & a_n^2\\ \vdots & \vdots & \vdots & & \vdots\\ a_1^{n-1} & a_2^{n-1} & a_3^{n-1} & \cdots & a_n^{n-1}\end{vmatrix}=\prod_{1\leqslant j<i\leqslant n}(a_i-a_j) \tag{3.6.5}$$

其中"$\prod$"表示连乘号，例如 $a_1,a_2,\cdots,a_n$（$n\geqslant 2$）的连乘积记为

$$\prod_{i=1}^{n}a_i=a_1a_2\cdots a_n$$

而 $\prod\limits_{1\leqslant j<i\leqslant n}(a_i-a_j)$ 表示所有因子 $a_i-a_j(1\leqslant j<i\leqslant n)$ 的连乘积，即

$$\begin{aligned}\prod_{1\leqslant j<i\leqslant n}(a_i-a_j)=&(a_n-a_1)(a_{n-1}-a_1)\cdots(a_2-a_1)\\ &\cdot(a_n-a_2)(a_{n-1}-a_2)\cdots(a_3-a_2)\\ &\cdot\cdots\cdot\\ &\cdot(a_n-a_{n-2})(a_{n-1}-a_{n-2})\\ &\cdot(a_n-a_{n-1})\end{aligned}$$

证明 用数学归纳法证明. 当 $n=2$ 时，

$$\begin{vmatrix}1 & 1\\ a_1 & a_2\end{vmatrix}=a_2-a_1$$

结论成立.

假设结论对 $n-1$ 阶的范德蒙德行列式成立，要证结论对 n 阶范德蒙德行列式也成立. 由 D_n 的最后一行开始，由下而上，依次将上行的 $-a_1$ 倍加到下一行，有

$$D_n=\begin{vmatrix}1 & 1 & 1 & \cdots & 1\\ 0 & a_2-a_1 & a_3-a_1 & \cdots & a_n-a_1\\ 0 & a_2(a_2-a_1) & a_3(a_3-a_1) & \cdots & a_n(a_n-a_1)\\ \vdots & \vdots & \vdots & & \vdots\\ 0 & a_2^{n-2}(a_2-a_1) & a_3^{n-2}(a_3-a_1) & \cdots & a_n^{n-2}(a_n-a_1)\end{vmatrix}$$

将上式按第一列展开，并提取各列元素的公因子，有

$$D_n=(a_n-a_1)(a_{n-1}-a_1)\cdots(a_3-a_1)(a_2-a_1)\begin{vmatrix}1 & 1 & \cdots & 1\\ a_2 & a_3 & \cdots & a_n\\ \vdots & \vdots & & \vdots\\ a_2^{n-2} & a_3^{n-2} & \cdots & a_n^{n-2}\end{vmatrix}$$

上式右端所含的行列式是一个 $n-1$ 阶的范德蒙德行列式，根据归纳假设，该行列式等于所有可能差 $a_i-a_j(2\leqslant j<i\leqslant n)$ 的连乘积，而包含 a_1 的差全在前面出现了. 所以

$$D_n=(a_n-a_1)(a_{n-1}-a_1)\cdots(a_2-a_1)\prod_{2\leqslant j<i\leqslant n}(a_i-a_j)=\prod_{1\leqslant j<i\leqslant n}(a_i-a_j)$$

注 (1) 范德蒙德行列式 $D_n=0\Leftrightarrow a_1,a_2,\cdots,a_n$ 这 n 个数中至少有两个相等;

(2) 利用公式(3.6.5)可以直接计算范德蒙德行列式的值, 例如

$$\begin{vmatrix}1&1&1&1\\2&3&4&5\\4&9&16&25\\8&27&64&125\end{vmatrix}=\begin{vmatrix}1&1&1&1\\2&3&4&5\\2^2&3^2&4^2&5^2\\2^3&3^3&4^3&5^3\end{vmatrix}=(3-2)(4-2)(5-2)(4-3)(5-3)(5-4)=12$$

例 3.6.4 计算 n 阶行列式

$$D_n=\begin{vmatrix}2&1&&&&\\1&2&1&&&\\&1&2&1&&\\&&\ddots&\ddots&\ddots&\\&&&1&2&1\\&&&&1&2\end{vmatrix}$$

其中, 未写出的元素均为零.

解 先将行列式按第一列展开, 有

$$D_n=2D_{n-1}+(-1)^{1+2}\begin{vmatrix}1&0&0&0&\cdots&0\\1&2&1&0&\cdots&0\\0&1&2&1&\cdots&0\\\vdots&&\vdots&\vdots&&\vdots\\0&\cdots&0&1&2&1\\0&\cdots&0&0&1&2\end{vmatrix}$$

再将上式右边第二项的行列式按第一行展开, 有

$$D_n=2D_{n-1}-D_{n-2}$$

故

$$D_n-D_{n-1}=D_{n-1}-D_{n-2}$$

由此递推得

$$D_n-D_{n-1}=D_{n-1}-D_{n-2}=\cdots=D_2-D_1=\begin{vmatrix}2&1\\1&2\end{vmatrix}-2=1$$

所以

$$D_n=D_{n-1}+1=D_{n-2}+2=\cdots=D_1+n-1=n+1$$

例 3.6.5 证明

$$\begin{vmatrix}a_{11}&\cdots&a_{1k}&0&\cdots&0\\\vdots&&\vdots&\vdots&&\vdots\\a_{k1}&\cdots&a_{kk}&0&\cdots&0\\c_{11}&\cdots&c_{1k}&b_{11}&\cdots&b_{1r}\\\vdots&&\vdots&\vdots&&\vdots\\c_{r1}&\cdots&c_{rk}&b_{r1}&\cdots&b_{rr}\end{vmatrix}=\begin{vmatrix}a_{11}&\cdots&a_{1k}\\\vdots&&\vdots\\a_{k1}&\cdots&a_{kk}\end{vmatrix}\begin{vmatrix}b_{11}&\cdots&b_{1r}\\\vdots&&\vdots\\b_{r1}&\cdots&b_{rr}\end{vmatrix}\tag{3.6.6}$$

证明 对 k 用数学归纳法. 当 $k=1$ 时, 式(3.6.6)的左端为

$$\begin{vmatrix} a_{11} & 0 & \cdots & 0 \\ c_{11} & b_{11} & \cdots & b_{1r} \\ \vdots & \vdots & & \vdots \\ c_{r1} & b_{r1} & \cdots & b_{rr} \end{vmatrix}$$

按第一行展开，即得所要证的结论成立.

假设式(3.6.6)对$k=m-1$时已经成立，则当$k=m$时，记

$$|\boldsymbol{A}|=\begin{vmatrix} a_{11} & \cdots & a_{1m} \\ \vdots & & \vdots \\ a_{m1} & \cdots & a_{mm} \end{vmatrix}, \quad |\boldsymbol{B}|=\begin{vmatrix} b_{11} & \cdots & b_{1r} \\ \vdots & & \vdots \\ b_{r1} & \cdots & b_{rr} \end{vmatrix}$$

那么，式(3.6.6)右端为$|\boldsymbol{A}|\cdot|\boldsymbol{B}|$，且

$$|\boldsymbol{A}|=a_{11}A_{11}+a_{12}A_{12}+\cdots+a_{1m}A_{1m}$$

将左边行列式按第一行展开，并注意到归纳假设，有

$$\begin{aligned}
&\begin{vmatrix} a_{11} & \cdots & a_{1m} & 0 & \cdots & 0 \\ \vdots & & \vdots & \vdots & & \vdots \\ a_{m1} & \cdots & a_{mm} & 0 & \cdots & 0 \\ c_{11} & \cdots & c_{1m} & b_{11} & \cdots & b_{1r} \\ \vdots & & \vdots & \vdots & & \vdots \\ c_{r1} & \cdots & c_{rm} & b_{r1} & \cdots & b_{rr} \end{vmatrix} \\
&=a_{11}\begin{vmatrix} a_{22} & \cdots & a_{2m} & 0 & \cdots & 0 \\ \vdots & & \vdots & \vdots & & \vdots \\ a_{m2} & \cdots & a_{mm} & 0 & \cdots & 0 \\ c_{12} & \cdots & c_{1m} & b_{11} & \cdots & b_{1r} \\ \vdots & & \vdots & \vdots & & \vdots \\ c_{r2} & \cdots & c_{rm} & b_{r1} & \cdots & b_{rr} \end{vmatrix}+\cdots \\
&\quad+(-1)^{1+i}a_{1i}\begin{vmatrix} a_{21} & \cdots & a_{2,i-1} & a_{2,i+1} & \cdots & a_{2m} & 0 & \cdots & 0 \\ \vdots & & \vdots & \vdots & & \vdots & \vdots & & \vdots \\ a_{m1} & \cdots & a_{m,i-1} & a_{m,i+1} & \cdots & a_{mm} & 0 & \cdots & 0 \\ c_{11} & \cdots & c_{1,i-1} & c_{1,i+1} & \cdots & c_{1m} & b_{11} & \cdots & b_{1r} \\ \vdots & & \vdots & \vdots & & \vdots & \vdots & & \vdots \\ c_{r1} & \cdots & c_{r,i-1} & c_{r,i+1} & \cdots & c_{rm} & b_{r1} & \cdots & b_{rr} \end{vmatrix} \\
&\quad+\cdots+(-1)^{1+m}a_{1m}\begin{vmatrix} a_{21} & \cdots & a_{2,m-1} & 0 & \cdots & 0 \\ \vdots & & \vdots & \vdots & & \vdots \\ a_{m1} & \cdots & a_{m,m-1} & 0 & \cdots & 0 \\ c_{11} & \cdots & c_{1,m-1} & b_{11} & \cdots & b_{1r} \\ \vdots & & \vdots & \vdots & & \vdots \\ c_{r1} & \cdots & c_{r,m-1} & b_{r1} & \cdots & b_{rr} \end{vmatrix} \\
&=a_{11}A_{11}\cdot|\boldsymbol{B}|+a_{12}A_{12}\cdot|\boldsymbol{B}|+\cdots+a_{1m}A_{1m}\cdot|\boldsymbol{B}| \\
&=(a_{11}A_{11}+a_{12}A_{12}+\cdots+a_{1m}A_{1m})\cdot|\boldsymbol{B}| \\
&=|\boldsymbol{A}|\cdot|\boldsymbol{B}|
\end{aligned}$$

根据归纳法原理，式(3.6.6)普遍成立.

注 由例 3.6.5 及行列式的转置性质, 即有

$$\begin{vmatrix} a_{11} & \cdots & a_{1k} & c_{11} & \cdots & c_{1r} \\ \vdots & & \vdots & \vdots & & \vdots \\ a_{k1} & \cdots & a_{kk} & c_{k1} & \cdots & c_{kr} \\ 0 & \cdots & 0 & b_{11} & \cdots & b_{1r} \\ \vdots & & \vdots & \vdots & & \vdots \\ 0 & \cdots & 0 & b_{r1} & \cdots & b_{rr} \end{vmatrix} = \begin{vmatrix} a_{11} & \cdots & a_{1k} \\ \vdots & & \vdots \\ a_{k1} & \cdots & a_{kk} \end{vmatrix} \begin{vmatrix} b_{11} & \cdots & b_{1r} \\ \vdots & & \vdots \\ b_{r1} & \cdots & b_{rr} \end{vmatrix}$$

例 3.6.3 和例 3.6.5 计算行列式的过程中都使用了数学归纳法, 这是一种常用方法. 在简单情形下, 可省略归纳法的叙述格式, 但数学归纳法的主要步骤是不能省略的, 如验证第一步假设和导出递推关系.

例 3.6.6 计算行列式

$$D = \begin{vmatrix} 1+x_1^2 & x_1x_2 & x_1x_3 & x_1x_4 \\ x_2x_1 & 1+x_2^2 & x_2x_3 & x_2x_4 \\ x_3x_1 & x_3x_2 & 1+x_3^2 & x_3x_4 \\ x_4x_1 & x_4x_2 & x_4x_3 & 1+x_4^2 \end{vmatrix}$$

解 根据该行列式的特点, 可以采用添加一行一列升高一阶的方法(加边法), 再用行列式的性质化成三角形行列式进行计算. 利用行列式按列展开的法则, 有

$$D = \begin{vmatrix} 1 & x_1 & x_2 & x_3 & x_4 \\ 0 & 1+x_1^2 & x_1x_2 & x_1x_3 & x_1x_4 \\ 0 & x_2x_1 & 1+x_2^2 & x_2x_3 & x_2x_4 \\ 0 & x_3x_1 & x_3x_2 & 1+x_3^2 & x_3x_4 \\ 0 & x_4x_1 & x_4x_2 & x_4x_3 & 1+x_4^2 \end{vmatrix}$$

将上式第一行的 $(-x_i)$ 倍分别加到第 $i+1$ $(i=1,2,3,4)$ 行上, 再化为上三角形行列式, 得

$$D = \begin{vmatrix} 1 & x_1 & x_2 & x_3 & x_4 \\ -x_1 & 1 & 0 & 0 & 0 \\ -x_2 & 0 & 1 & 0 & 0 \\ -x_3 & 0 & 0 & 1 & 0 \\ -x_4 & 0 & 0 & 0 & 1 \end{vmatrix} = \begin{vmatrix} 1+\sum\limits_{i=1}^{4} x_i^2 & x_1 & x_2 & x_3 & x_4 \\ 0 & 1 & 0 & 0 & 0 \\ 0 & 0 & 1 & 0 & 0 \\ 0 & 0 & 0 & 1 & 0 \\ 0 & 0 & 0 & 0 & 1 \end{vmatrix} = 1+\sum_{i=1}^{4} x_i^2$$

下面给出行列式的另一个重要性质, 它可以看作是定理 3.6.1 的推论.

推论 3.6.1

行列式中某一行(列)的元素与另一行(列)对应元素的代数余子式乘积之和为零, 即

$$a_{i1}A_{j1} + a_{i2}A_{j2} + \cdots + a_{in}A_{jn} = 0 \quad (i \neq j) \tag{3.6.7}$$

或

$$a_{1i}A_{1j} + a_{2i}A_{2j} + \cdots + a_{ni}A_{nj} = 0 \quad (i \neq j) \tag{3.6.8}$$

证明 设 $D=\det(a_{ij})$ 是 n 阶行列式, 如果将第 j 行的元素换成第 i 行 $(j \neq i)$ 的元素, 得到一个新的行列式

$$D_1=\begin{vmatrix} a_{11} & \cdots & a_{1n} \\ \vdots & & \vdots \\ a_{i1} & \cdots & a_{in} \\ \vdots & & \vdots \\ a_{i1} & \cdots & a_{in} \\ \vdots & & \vdots \\ a_{n1} & \cdots & a_{nn} \end{vmatrix}$$

于是, 将 D_1 按第 j 行展开, 得

$$D_1=a_{i1}A_{j1}+a_{i2}A_{j2}+\cdots+a_{in}A_{jn} \quad (i\neq j)$$

然而, 行列式 D_1 含有两个相同的行, 应该为零, 所以

$$a_{i1}A_{j1}+a_{i2}A_{j2}+\cdots+a_{in}A_{jn}=0 \quad (i\neq j)$$

对列的情况, 类似可证

$$a_{1i}A_{1j}+a_{2i}A_{2j}+\cdots+a_{ni}A_{nj}=0 \quad (i\neq j)$$

综合定理 3.6.1 和推论 3.6.1, 得到 n 阶行列式 D 及其代数余子式的重要性质, 即

$$a_{i1}A_{j1}+a_{i2}A_{j2}+\cdots+a_{in}A_{jn}=\begin{cases} D, & i=j, \\ 0, & i\neq j \end{cases} \tag{3.6.9}$$

或

$$a_{1i}A_{1j}+a_{2i}A_{2j}+\cdots+a_{ni}A_{nj}=\begin{cases} D, & i=j, \\ 0, & i\neq j \end{cases} \tag{3.6.10}$$

用连加号可以简写为

$$\sum_{k=1}^{n}a_{ik}A_{jk}=D\delta_{ij}=\begin{cases} D, & i=j, \\ 0, & i\neq j; \end{cases} \qquad \sum_{k=1}^{n}a_{ki}A_{kj}=D\delta_{ij}=\begin{cases} D, & i=j, \\ 0, & i\neq j \end{cases}$$

其中

$$\delta_{ij}=\begin{cases} 1, & i=j, \\ 0, & i\neq j \end{cases}$$

例 3.6.7 设

$$D=\begin{vmatrix} 3 & -5 & 2 & 1 \\ 1 & 1 & 0 & -5 \\ -1 & 3 & 1 & 3 \\ 2 & -4 & -1 & -3 \end{vmatrix}$$

D 的 (i,j) 元的余子式和代数余子式依次记作 M_{ij} 和 A_{ij}, 求 $A_{11}+A_{12}+A_{13}+A_{14}$ 和 $M_{11}+M_{21}+M_{31}+M_{41}$.

解 根据式(3.6.9)可知, $A_{11}+A_{12}+A_{13}+A_{14}$ 等于用 1, 1, 1, 1 代替 D 的第 1 行所得的行列式, 即

$$A_{11}+A_{12}+A_{13}+A_{14}$$

$$=\begin{vmatrix}1&1&1&1\\1&1&0&-5\\-1&3&1&3\\2&-4&-1&-3\end{vmatrix}\xlongequal[r_3-r_1]{r_4+r_3}\begin{vmatrix}1&1&1&1\\1&1&0&-5\\-2&2&0&2\\1&-1&0&0\end{vmatrix}=\begin{vmatrix}1&1&-5\\-2&2&2\\1&-1&0\end{vmatrix}\xlongequal{c_2+c_1}\begin{vmatrix}1&2&-5\\-2&0&2\\1&0&0\end{vmatrix}$$

$$=\begin{vmatrix}2&-5\\0&2\end{vmatrix}=4$$

根据式(3.6.10)可知

$$M_{11}+M_{21}+M_{31}+M_{41}=A_{11}-A_{21}+A_{31}-A_{41}$$

$$=\begin{vmatrix}1&-5&2&1\\-1&1&0&-5\\1&3&1&3\\-1&-4&-1&-3\end{vmatrix}\xlongequal{r_4+r_3}\begin{vmatrix}1&-5&2&1\\-1&1&0&-5\\1&3&1&3\\0&-1&0&0\end{vmatrix}=(-1)\begin{vmatrix}1&2&1\\-1&0&-5\\1&1&3\end{vmatrix}$$

$$\xlongequal{r_1-2r_3}-\begin{vmatrix}-1&0&-5\\-1&0&-5\\1&1&3\end{vmatrix}=0$$

3.6.3 拉普拉斯定理

本小节将行列式按任一行(列)展开的法则推广到按任k行(列)展开，这就是行列式的拉普拉斯(Laplace)定理. 首先需要推广余子式和代数余子式的概念.

定义 3.6.2 在一个n阶行列式D中，任取k行k列($k\leqslant n$)，所在的行、列指标分别是$i_1,i_2,\cdots,i_k;j_1,j_2,\cdots,j_k$ ($i_1<i_2<\cdots<i_k;j_1<j_2<\cdots<j_k$)，位于这些行和列的交点上的$k^2$个元素按照原来的次序组成一个$k$阶行列式

$$M=\begin{vmatrix}a_{i_1j_1}&a_{i_1j_2}&\cdots&a_{i_1j_k}\\a_{i_2j_1}&a_{i_2j_2}&\cdots&a_{i_2j_k}\\\vdots&\vdots&&\vdots\\a_{i_kj_1}&a_{i_kj_2}&\cdots&a_{i_kj_k}\end{vmatrix}$$

称为行列式D的一个k阶子式. 在D中划去这k行k列后，余下的元素按照原来的次序组成的$n-k$阶行列式M'称为k阶子式M的余子式，称

$$A=(-1)^{(i_1+i_2+\cdots+i_k)+(j_1+j_2+\cdots+j_k)}M'$$

为M的代数余子式.

从定义 3.6.2 立即看出，M也是M'的余子式. 所以M和M'可以称为D的一对互余的子式.

例 3.6.8 在四阶行列式

$$D=\begin{vmatrix}1&2&1&4\\0&-1&2&1\\0&0&2&1\\0&0&1&3\end{vmatrix}$$

中选定第一、三行, 第二、四列得到一个二级子式为

$$M=\begin{vmatrix}2&4\\0&1\end{vmatrix}$$

M 的余子式为

$$M'=\begin{vmatrix}0&2\\0&1\end{vmatrix}$$

M 的代数余子式是

$$(-1)^{(1+3)+(2+4)}M'=M'$$

例 3.6.9 在五阶行列式

$$D=\begin{vmatrix}a_{11}&a_{12}&a_{13}&a_{14}&a_{15}\\a_{21}&a_{22}&a_{23}&a_{24}&a_{25}\\\vdots&\vdots&\vdots&\vdots&\vdots\\a_{51}&a_{52}&a_{53}&a_{54}&a_{55}\end{vmatrix}$$

中

$$M=\begin{vmatrix}a_{12}&a_{13}&a_{15}\\a_{22}&a_{23}&a_{25}\\a_{42}&a_{43}&a_{45}\end{vmatrix}$$

和

$$M'=\begin{vmatrix}a_{31}&a_{34}\\a_{51}&a_{54}\end{vmatrix}$$

是一对互余的子式.

易知, M 的代数余子式是

$$(-1)^{(1+2+4)+(2+3+5)}M'=-M'$$

定理 3.6.2 (拉普拉斯定理)

在 n 阶行列式 D 中, 任取 k 个行(列) $(1\leqslant k\leqslant n-1)$. 设由这 k 行(列)元素所组成的一切 k 阶子式为 $M_1,M_2,\cdots,M_m$ $(m=\mathrm{C}_n^k)$, 它们的代数余子式分别为 $A_1,A_2,\cdots,A_m$, 则有

$$D=M_1A_1+M_2A_2+\cdots+M_mA_m$$

证明 分两步来证明.

第一步, 先证明行列式 D 的任一个子式 M 与其代数余子式 A 的乘积中每一项都是行列式 D 的展开式中的一项, 而且符号也一致.

(1) 首先讨论 M 位于行列式的左上方的情形.

$$
D=\left|\begin{array}{ccc:ccc}
a_{1,1} & \cdots & a_{1k} & a_{1,k+1} & \cdots & a_{1n} \\
\vdots & & \vdots & \vdots & & \vdots \\
a_{k,1} & \cdots & a_{kk} & a_{k,k+1} & \cdots & a_{kn} \\
\hdashline
a_{k+1,1} & \cdots & a_{k+1,k} & a_{k+1,k+1} & \cdots & a_{k+1,n} \\
\vdots & & \vdots & \vdots & & \vdots \\
a_{n,1} & \cdots & a_{nk} & a_{n,k+1} & \cdots & a_{nn}
\end{array}\right|
$$

此时，M 的代数余子式 A 为

$$A=(-1)^{(1+2+\cdots+k)+(1+2+\cdots+k)}M'=M'$$

因此，$M\cdot A=M\cdot M'$，由例 3.6.5，得

$$
\left|\begin{array}{ccc:ccc}
 & & & 0 & \cdots & 0 \\
 & M & & \vdots & & \vdots \\
 & & & 0 & \cdots & 0 \\
\hdashline
a_{k+1,1} & \cdots & a_{k+1,k} & & & \\
\vdots & & \vdots & & M' & \\
a_{n1} & \cdots & a_{nk} & & &
\end{array}\right|=M\cdot M'
$$

可以看出，$M\cdot M'$ 实际上就是当

$$a_{1,k+1}=\cdots=a_{1n}=a_{2,k+1}=\cdots=a_{2n}=\cdots=a_{k,k+1}=\cdots=a_{kn}=0$$

时，所得 D 的值. 所以 $M\cdot A=M\cdot M'$ 中的每一项都是行列式 D 的展开式中的一项，而且符号也一致.

(2) 下面来证明一般情形. 设子式 M 位于 D 的第 $i_1,i_2,\cdots,i_k$ 行；第 $j_1,j_2,\cdots,j_k$ 列，这里

$$i_1<i_2<\cdots<i_k;\quad j_1<j_2<\cdots<j_k$$

可以用相邻对换的方法使 M 位于行列式的左上角. 为此，先把 D 的第 i_1 行依次换到第 1 行(一共作了 i_1-1 次对换)；再把 D 的第 i_2 行依次换到第 2 行(一共作了 i_2-2 次对换)，…，最后把 D 的第 i_k 行依次换到第 k 行(一共作了 i_k-k 次对换). 利用类似的列变换，可以将 M 的列换到 D 的第 $1,2,\cdots,k$ 列(总共作了 $(j_1-1)+(j_2-2)+\cdots+(j_k-k)$ 次对换). 经过这样的变换所得到的新行列式用 D_1 表示，则

$$
\begin{aligned}
D_1&=(-1)^{(i_1-1)+(i_2-2)+\cdots+(i_k-k)+(j_1-1)+(j_2-2)+\cdots+(j_k-k)}D\\
&=(-1)^{(i_1+i_2+\cdots+i_k)+(j_1+j_2+\cdots+j_k)}D
\end{aligned}
$$

因为 M 位于 D_1 的左上角，由情形(1)知，$M\cdot M'$ 中的每一项是 D_1 中的一项且符号也一致，而

$$M\cdot A=(-1)^{(i_1+i_2+\cdots+i_k)+(j_1+j_2+\cdots+j_k)}M\cdot M'$$

所以 $M\cdot A$ 中每一项与 D 中的一项相等且符号相同.

第二步，设 D 中取定 k 行后得到的一切 k 阶子式为 $M_1,M_2,\cdots,M_m$ $(m=\mathrm{C}_n^k)$，它们的代数余子式分别为 $A_1,A_2,\cdots,A_m$，下面证明等式

$$D=M_1A_1+M_2A_2+\cdots+M_mA_m$$

由第一步证明可知，$M_i\cdot A_i$ 中每一项都是 D 中的一项且符号相同. 由于当 $i\neq j$ 时，$M_i\cdot A_i$

与 $M_j \cdot A_j$ 没有相同的项，所以为了证明上式，只要证明等式两边项数相等就可以了. 显然等式左边的 n 阶行列式 D 共有 $n!$ 项；每一个 k 阶子式 M_i 按定义展开后是 $k!$ 项. 同样，A_i 是一个 $n-k$ 阶行列式，它可展开成 $(n-k)!$ 项，所以 $M_i \cdot A_i$ 可以写成 $k!(n-k)!$ 项的代数和. 因此等式右边的项数共有

$$m \cdot k! \cdot (n-k)! = \mathrm{C}_n^k k! \cdot (n-k)! = n!$$

项，定理得证.

定理 3.6.2 表明，n 阶行列式中任取 k 行(列)元素所组成的一切 k 阶子式与它们的代数余子式的乘积之和等于行列式 D $(1 \leqslant k \leqslant n-1)$.

例 3.6.10 利用拉普拉斯定理计算行列式

$$D = \begin{vmatrix} 2 & 2 & 5 & 1 \\ 1 & 0 & 3 & 1 \\ -1 & -1 & -2 & 0 \\ 3 & 2 & 0 & 4 \end{vmatrix}$$

解 取定第二行和第四行计算此行列式的值. 这两行元素可以排成 6 个子式

$$M_1 = \begin{vmatrix} 1 & 0 \\ 3 & 2 \end{vmatrix}, \quad M_2 = \begin{vmatrix} 1 & 3 \\ 3 & 0 \end{vmatrix}, \quad M_3 = \begin{vmatrix} 1 & 1 \\ 3 & 4 \end{vmatrix}$$

$$M_4 = \begin{vmatrix} 0 & 3 \\ 2 & 0 \end{vmatrix}, \quad M_5 = \begin{vmatrix} 0 & 1 \\ 2 & 4 \end{vmatrix}, \quad M_6 = \begin{vmatrix} 3 & 1 \\ 0 & 4 \end{vmatrix}$$

这些子式相应的代数余子式为

$$A_1 = (-1)^{(2+4)+(1+2)} M_1' = -M_1', \quad A_2 = (-1)^{(2+4)+(1+3)} M_2' = M_2'$$

$$A_3 = (-1)^{(2+4)+(1+4)} M_3' = -M_3', \quad A_4 = (-1)^{(2+4)+(2+3)} M_4' = -M_4'$$

$$A_5 = (-1)^{(2+4)+(2+4)} M_5' = M_5', \quad A_6 = (-1)^{(2+4)+(3+4)} M_6' = -M_6'$$

由拉普拉斯定理知

$$\begin{aligned} D &= M_1A_1 + M_2A_2 + \cdots + M_6A_6 \\ &= -\begin{vmatrix} 1 & 0 \\ 3 & 2 \end{vmatrix} \cdot \begin{vmatrix} 5 & 1 \\ -2 & 0 \end{vmatrix} + \begin{vmatrix} 1 & 3 \\ 3 & 0 \end{vmatrix} \cdot \begin{vmatrix} 2 & 1 \\ -1 & 0 \end{vmatrix} - \begin{vmatrix} 1 & 1 \\ 3 & 4 \end{vmatrix} \cdot \begin{vmatrix} 2 & 5 \\ -1 & -2 \end{vmatrix} \\ &\quad -\begin{vmatrix} 0 & 3 \\ 2 & 0 \end{vmatrix} \cdot \begin{vmatrix} 3 & 1 \\ -1 & 0 \end{vmatrix} + \begin{vmatrix} 0 & 1 \\ 2 & 4 \end{vmatrix} \cdot \begin{vmatrix} 3 & 5 \\ -1 & -2 \end{vmatrix} - \begin{vmatrix} 3 & 1 \\ 0 & 4 \end{vmatrix} \cdot \begin{vmatrix} 3 & 2 \\ -1 & -1 \end{vmatrix} \\ &= -2 \cdot 2 + (-9) \cdot 1 - 1 \cdot 1 - (-6) \cdot 1 + (-2) \cdot (-1) - 12 \cdot (-1) \\ &= -4 - 9 - 1 + 6 + 2 + 12 = 6 \end{aligned}$$

另一方面，若按第一行展开直接计算，则

$$\begin{aligned} D &= 3 \cdot (4+12) - 2 \cdot (-8+6+12) + 5 \cdot (-4-2+3) - (-6+9+4) \\ &= 48 - 20 - 15 - 7 = 6 \end{aligned}$$

从这个例子可以看出，利用拉普拉斯定理来计算行列式一般是不方便的. 拉普拉斯定理的主要作用不在于实际的行列式计算方面，而在于理论方面的应用. 例如，利用拉普拉斯定理容易得到下面的行列式乘积法则.

定理 3.6.3

两个 n 阶行列式

$$D_1 = \begin{vmatrix} a_{11} & a_{12} & \cdots & a_{1n} \\ a_{21} & a_{22} & \cdots & a_{2n} \\ \vdots & \vdots & & \vdots \\ a_{n1} & a_{n2} & \cdots & a_{nn} \end{vmatrix}$$

和

$$D_2 = \begin{vmatrix} b_{11} & b_{12} & \cdots & b_{1n} \\ b_{21} & b_{22} & \cdots & b_{2n} \\ \vdots & \vdots & & \vdots \\ b_{n1} & b_{n2} & \cdots & b_{nn} \end{vmatrix}$$

的乘积等于一个 n 阶行列式

$$C = \begin{vmatrix} c_{11} & c_{12} & \cdots & c_{1n} \\ c_{21} & c_{22} & \cdots & c_{2n} \\ \vdots & \vdots & & \vdots \\ c_{n1} & c_{n2} & \cdots & c_{nn} \end{vmatrix}$$

其中，c_{ij} 是 D_1 的第 i 行元素分别与 D_2 的第 j 列的对应元素乘积之和，即

$$c_{ij} = a_{i1}b_{1j} + a_{i2}b_{2j} + \cdots + a_{in}b_{nj} = \sum_{k=1}^{n} a_{ik}b_{kj}$$

定理 3.6.3 也称为行列式的乘法定理，它的证明和意义到第 5 章矩阵中将会详细给出.

3.7 克拉默法则解线性方程组

在 3.1 节中，通过二元、三元一次线性方程组的求解引入了行列式记号，并给出了二阶、三阶行列式的计算法则. 现在进行推广，本节应用行列式解决一类线性方程组的问题. 在这里只考虑方程个数与未知量个数相等的情形. 至于更一般的情形留到第 4 章讨论. 我们将得到与二元和三元线性方程组相类似的理论结果.

3.7.1 一类 n 元线性方程组

设含 n 个未知量的 n 个方程的线性方程组(假定系数全在数域 P 中)为

$$\begin{cases} a_{11}x_1 + a_{12}x_2 + \cdots + a_{1n}x_n = b_1, \\ a_{21}x_1 + a_{22}x_2 + \cdots + a_{2n}x_n = b_2, \\ \quad\cdots\cdots \\ a_{n1}x_1 + a_{n2}x_2 + \cdots + a_{nn}x_n = b_n \end{cases} \tag{3.7.1}$$

它可以简记为

$$\sum_{j=1}^{n} a_{ij} x_j = b_i, \quad i=1,2,\cdots,n \tag{3.7.2}$$

当 $b_1, b_2, \cdots, b_n$ 不全为 0 时，称式(3.7.1)或式(3.7.2)为 n 元**非齐次线性方程组**；

当 $b_1 = b_2 = \cdots = b_n = 0$ 时，称式(3.7.1)或式(3.7.2)为 n 元**齐次线性方程组**.

称矩阵

$$\boldsymbol{A} = \begin{pmatrix} a_{11} & a_{12} & \cdots & a_{1n} \\ a_{21} & a_{22} & \cdots & a_{2n} \\ \vdots & \vdots & & \vdots \\ a_{n1} & a_{n2} & \cdots & a_{nn} \end{pmatrix} \tag{3.7.3}$$

为方程组(3.7.1)或(3.7.2)的系数矩阵. 称系数矩阵 $\boldsymbol{A}$ 的行列式 $D = |\boldsymbol{A}|$ 为方程组(3.7.1)或式(3.7.2)的系数行列式.

3.7.2 克拉默法则

现在讨论线性方程组(3.7.1)的求解问题. 与二元、三元线性方程组的情况类似，若系数行列式 $D \neq 0$，则 n 元线性方程组(3.7.1)的解也可以用 n 阶行列式来表示. 这就是下面要介绍的主要结论.

定理 3.7.1 (克拉默(Cramer)法则)

如果线性方程组(3.7.1)的系数行列式 $D \neq 0$，则线性方程组(3.7.1)有唯一解，并且解可以通过系数表示为

$$x_1 = \frac{D_1}{D}, x_2 = \frac{D_2}{D}, \cdots, x_n = \frac{D_n}{D} \tag{3.7.4}$$

其中 $D_j (j = 1,2,\cdots,n)$ 是把系数行列式 D 中第 j 列的元素换成方程组(3.7.1)的右边常数项 $b_1, b_2, \cdots, b_n$ 所构成的行列式，即

$$D_j = \begin{vmatrix} a_{11} & \cdots & a_{1,j-1} & b_1 & a_{1,j+1} & \cdots & a_{1n} \\ a_{21} & \cdots & a_{2,j-1} & b_2 & a_{2,j+1} & \cdots & a_{2n} \\ \vdots & & \vdots & \vdots & \vdots & & \vdots \\ a_{n1} & \cdots & a_{n,j-1} & b_n & a_{n,j+1} & \cdots & a_{nn} \end{vmatrix}, \quad j = 1,2,\cdots,n \tag{3.7.5}$$

证明 定理中包含三个结论：① 方程组有解；② 解是唯一的；③ 解由式(3.7.4)给出.

首先证明解的存在性. 直接把式(3.7.4)代入方程组验证即可.

把 $x_1 = \frac{D_1}{D}, x_2 = \frac{D_2}{D}, \cdots, x_n = \frac{D_n}{D}$ 代入方程组(3.7.1)的第 i 个方程，左边为

$$\sum_{j=1}^{n} a_{ij} \frac{D_j}{D} = \frac{1}{D} \sum_{j=1}^{n} a_{ij} D_j \tag{3.7.6}$$

再将 D_j 按第 j 列展开，得

$$D_j = b_1 A_{1j} + b_2 A_{2j} + \cdots + b_n A_{nj} = \sum_{s=1}^{n} b_s A_{sj}, \quad j = 1, 2, \cdots, n \tag{3.7.7}$$

将式(3.7.7)代入式(3.7.6)，利用式(3.6.9)，有

$$\begin{aligned}\sum_{j=1}^{n} a_{ij} \frac{D_j}{D} &= \frac{1}{D} \sum_{j=1}^{n} a_{ij} \sum_{s=1}^{n} b_s A_{sj} \\ &= \frac{1}{D} \sum_{j=1}^{n} \sum_{s=1}^{n} a_{ij} A_{sj} b_s \\ &= \frac{1}{D} \sum_{s=1}^{n} \left(\sum_{j=1}^{n} a_{ij} A_{sj} \right) b_s \\ &= \frac{1}{D} D b_i = b_i\end{aligned}$$

这与第 i 个方程的右端一致（$i = 1, 2, \cdots, n$）．这说明式(3.7.4)是线性方程组(3.7.1)的解，即方程组有解．

再证唯一性．设 $x_1 = c_1, x_2 = c_2, \cdots, x_n = c_n$ 是方程组(3.7.1)的一组解，于是有如下恒等式

$$\sum_{j=1}^{n} a_{ij} c_j = b_i, \quad i = 1, 2, \cdots, n$$

用 D 的第 k 列元素的代数余子式 $A_{1k}, A_{2k}, \cdots, A_{nk}$ 分别乘上式的 n 个恒等式，得

$$A_{ik} \sum_{j=1}^{n} a_{ij} c_j = b_i A_{ik}, \quad i = 1, 2, \cdots, n$$

然后把上面 n 个恒等式左右两端分别相加，并利用式(3.7.7)，得

$$\sum_{i=1}^{n} A_{ik} \sum_{j=1}^{n} a_{ij} c_j = \sum_{i=1}^{n} b_i A_{ik} = D_k$$

另一方面，由式(3.6.10)，上式左端为

$$\sum_{i=1}^{n} A_{ik} \sum_{j=1}^{n} a_{ij} c_j = \sum_{j=1}^{n} \left(\sum_{i=1}^{n} a_{ij} A_{ik} \right) c_j = D c_k$$

从而

$$D c_k = D_k$$

也即

$$c_k = \frac{D_k}{D}, \quad k = 1, 2, \cdots, n$$

这表明方程组(3.7.1)有唯一解．

综上所述，当 $D \neq 0$ 时方程组的解是存在唯一的，并且解的表达式由公式(3.7.4)给出．

注 克拉默法则可以看作是行列式的一个应用，所给出的证明也可看作是行列式性质的运用．克拉默法则解决的是未知量个数与方程个数相等并且系数行列式不等于零的线性方程组．因此，它既是用二阶、三阶行列式求解二元、三元线性方程组的推广，又是第 4 章中求解一般线性方程组(未知量个数与方程个数不相等或系数行列式等于零)的一种特殊情况．

例 3.7.1 解方程组

$$\begin{cases}x_1+x_2+x_3+x_4=1,\\2x_1+3x_2+4x_3+5x_4=1,\\4x_1+9x_2+16x_3+25x_4=1,\\8x_1+27x_2+64x_3+125x_4=1\end{cases}$$

解　注意到，方程组的系数行列式 D 是范德蒙德行列式

$$D=\begin{vmatrix}1&1&1&1\\2&3&4&5\\2^2&3^2&4^2&5^2\\2^3&3^3&4^3&5^3\end{vmatrix}=12\neq 0$$

同理，D_1,D_2,D_3,D_4 也是范德蒙德行列式，如

$$D_1=\begin{vmatrix}1&1&1&1\\1&3&4&5\\1&3^2&4^2&5^2\\1&3^3&4^3&5^3\end{vmatrix}=48$$

类似计算可得 $D_2=-72$，$D_3=48$，$D_4=-12$．从而方程组的解为

$$x_1=\frac{D_1}{D}=4,\quad x_2=\frac{D_2}{D}=-6,\quad x_3=\frac{D_3}{D}=4,\quad x_4=\frac{D_4}{D}=-1$$

对于齐次线性方程组

$$\begin{cases}a_{11}x_1+a_{12}x_2+\cdots+a_{1n}x_n=0,\\a_{21}x_1+a_{22}x_2+\cdots+a_{2n}x_n=0,\\\qquad\qquad\cdots\cdots\\a_{n1}x_1+a_{n2}x_2+\cdots+a_{nn}x_n=0\end{cases}\tag{3.7.8}$$

显然，线性方程组(3.7.8)总是有解 $x_1=x_2=\cdots=x_n=0$，我们称其为零解．若有一组解 $x_1,x_2,\cdots,x_n$ 不全为零，则称其为非零解．对于齐次线性方程组，我们关心的问题常常是，方程组除了零解以外，还有没有其他解，或者说，方程组有没有非零解．

对于方程个数与未知量个数相同的齐次线性方程组，当 $D\neq 0$ 时，因 D_j 中有一列元素全为零，那么由克拉默法则，齐次线性方程组有唯一解 $x_i=\dfrac{D_i}{D}=0, i=1,2,\cdots,n$，从而齐次线性方程组仅有零解．我们将上述讨论用下面的定理给出．

定理 3.7.2

若齐次线性方程组(3.7.8)的系数行列式 $D\neq 0$，则该方程组只有零解．换句话说，若齐次线性方程组(3.7.8)有非零解，则必有 $D=0$．

以后会知道，定理 3.7.2 的逆命题也成立．也就是说，若 $D=0$，则齐次线性方程组有非零解．因此，系数行列式为零是齐次线性方程组有非零解的充分必要条件．

例 3.7.2　求 λ 在什么条件下，方程组

$$\begin{cases}\lambda x_1+x_2=0,\\x_1+\lambda x_2=0\end{cases}$$

有非零解.

解　根据定理 3.7.2, 如果方程组有非零解, 那么系数行列式 D 必为零, 而

$$D=\begin{vmatrix}\lambda & 1\\ 1 & \lambda\end{vmatrix}=\lambda^2-1$$

由 $D=0$ 得到 $\lambda=1$ 或 -1.

例 3.7.3　设平面上有不在同一直线上的三个点 $(x_1,y_1),(x_2,y_2),(x_3,y_3)$, x_1,x_2,x_3 互异, 求证过这三个点且对称轴与 y 轴平行的抛物线方程可以表示为

$$\begin{vmatrix}y & x^2 & x & 1\\ y_1 & x_1^2 & x_1 & 1\\ y_2 & x_2^2 & x_2 & 1\\ y_3 & x_3^2 & x_3 & 1\end{vmatrix}=0$$

证明　设所求抛物线方程为

$$y=ax^2+bx+c$$

由于三点在抛物线上, 所以坐标 $(x_i,y_i)(i=1,2,3)$ 满足此方程, 从而得到齐次线性方程组

$$\begin{cases}-y+ax^2+bx+c=0,\\ -y_1+ax_1^2+bx_1+c=0,\\ -y_2+ax_2^2+bx_2+c=0,\\ -y_3+ax_3^2+bx_3+c=0\end{cases}$$

若将 $(-1,a,b,c)$ 看作是上面齐次线性方程组的一组非零解, 则由定理 3.7.2 知, 其系数行列式为零, 即

$$\begin{vmatrix}y & x^2 & x & 1\\ y_1 & x_1^2 & x_1 & 1\\ y_2 & x_2^2 & x_2 & 1\\ y_3 & x_3^2 & x_3 & 1\end{vmatrix}=0$$

应当指出, 用克拉默法则求解线性方程组时必须具备两个条件: 一是方程个数与未知量个数相同; 二是系数行列式 $D\neq 0$. 克拉默法则的优越之处主要在于利用系数及常数项组成的行列式把方程组的解简洁地表示出来. 在系数行列式不等于零时, 肯定了解的唯一性, 这一点在以后许多问题的讨论中是重要的. 但是用克拉默法则进行计算是不方便的, 因为按这一法则解一个 n 个未知量 n 个方程的线性方程组就要计算 $n+1$ 个 n 阶行列式, 这个计算量是非常大的. 因此, 在具体计算上克拉默法则不是一个可行的方法. 在第 4 章中, 我们将使用矩阵的工具来研究一般线性方程组的求解问题.

3.8 应用实例

例 3.8.1　行列式可以看作是有向面积或体积的概念在一般的欧几里得空间中的推广. 已知平面上三点 $P(x_1,y_1),Q(x_2,y_2),R(x_3,y_3)$, 则由此三点组成的三角形面积为

$$S=\left|\frac{1}{2}\begin{vmatrix}x_1 & y_1 & 1\\ x_2 & y_2 & 1\\ x_3 & y_3 & 1\end{vmatrix}\right|$$

其中，第二层的竖线表示对行列式的值取绝对值.

证明 可以将平面上三点 $P(x_1,y_1),Q(x_2,y_2),R(x_3,y_3)$ 扩展到三维空间，其坐标分别为 $P(x_1,y_1,k),Q(x_2,y_2,k),R(x_3,y_3,k)$，其中 k 为任意常数. 由此可得

$$\overrightarrow{PQ}=(x_2-x_1,y_2-y_1,0),\quad \overrightarrow{PR}=(x_3-x_1,y_3-y_1,0)$$

则

$$\overrightarrow{PQ}\times\overrightarrow{PR}=\left(0,0,\begin{vmatrix}x_2-x_1 & y_2-y_1\\ x_3-x_1 & y_3-y_1\end{vmatrix}\right)$$

于是，$\triangle PQR$ 的面积为

$$\begin{aligned}S&=\frac{1}{2}\left|\overrightarrow{PQ}\right|\left|\overrightarrow{PR}\right|\sin\left\langle\overrightarrow{PQ},\overrightarrow{PR}\right\rangle=\frac{1}{2}\left|\overrightarrow{PQ}\times\overrightarrow{PR}\right|=\frac{1}{2}\sqrt{\begin{vmatrix}x_2-x_1 & y_2-y_1\\ x_3-x_1 & y_3-y_1\end{vmatrix}^2}\\&=\left|\frac{1}{2}\begin{vmatrix}x_2-x_1 & y_2-y_1\\ x_3-x_1 & y_3-y_1\end{vmatrix}\right|=\left|\frac{1}{2}\begin{vmatrix}x_1 & y_1 & 1\\ x_2-x_1 & y_2-y_1 & 0\\ x_3-x_1 & y_3-y_1 & 0\end{vmatrix}\right|\\&=\left|\frac{1}{2}\begin{vmatrix}x_1 & y_1 & 1\\ x_2 & y_2 & 1\\ x_3 & y_3 & 1\end{vmatrix}\right|\end{aligned}$$

类似地，可以用行列式表示直线方程，如通过两点 $P(x_1,y_1),Q(x_2,y_2)$ 的直线方程为

$$\begin{vmatrix}x_1 & y_1 & 1\\ x_2 & y_2 & 1\\ x & y & 1\end{vmatrix}=0$$

事实上，由两点式，可得直线 PQ 的方程为

$$\frac{x-x_2}{x_1-x_2}=\frac{y-y_2}{y_1-y_2}$$

将上式展开并化简，得

$$xy_1-xy_2-x_1y+x_2y-x_2y_1+x_1y_2=0$$

此式可进一步变形为

$$x\begin{vmatrix}y_1 & 1\\ y_2 & 1\end{vmatrix}-y\begin{vmatrix}x_1 & 1\\ x_2 & 1\end{vmatrix}+\begin{vmatrix}x_1 & y_1\\ x_2 & y_2\end{vmatrix}=0$$

上式即为行列式按第三行展开所得结果.

例 3.8.2 已知平面上三点 $P(x_1,y_1),Q(x_2,y_2),R(x_3,y_3)$，求以非零向量 $\overrightarrow{PQ},\overrightarrow{PR}$ 为邻边的平行四边形的面积，并将结果用一个行列式表示.

解 由例 3.8.1 可知，以非零向量 $\overrightarrow{PQ},\overrightarrow{PR}$ 为邻边的平行四边形的面积是 $\triangle PQR$ 面积的 2 倍，故平行四边形的面积 S_2 为

$$S_2=\left|\overrightarrow{PQ}\right|\left|\overrightarrow{PR}\right|\sin\left\langle\overrightarrow{PQ},\overrightarrow{PR}\right\rangle=\left|\overrightarrow{PQ}\times\overrightarrow{PR}\right|=\left\|\begin{matrix}x_1 & y_1 & 1\\ x_2 & y_2 & 1\\ x_3 & y_3 & 1\end{matrix}\right\|$$

例 3.8.3 已知空间中三个向量 $\boldsymbol{a}=(x_1,y_1,z_1),\boldsymbol{b}=(x_2,y_2,z_2),\boldsymbol{c}=(x_3,y_3,z_3)$，求以 $\boldsymbol{a},\boldsymbol{b},\boldsymbol{c}$ 为棱的平行六面体的体积，并将结果用一个行列式表示.

解 以 $\boldsymbol{a},\boldsymbol{b},\boldsymbol{c}$ 为棱的平行六面体的体积 V 为

$$V=|\boldsymbol{a}\times\boldsymbol{b}||\boldsymbol{c}|\left|\cos\langle\boldsymbol{c},\boldsymbol{a}\times\boldsymbol{b}\rangle\right|=|(\boldsymbol{a}\times\boldsymbol{b})\cdot\boldsymbol{c}|$$

假设空间坐标系的标准正交基向量为 $\boldsymbol{e}_1,\boldsymbol{e}_2,\boldsymbol{e}_3$，则

$$\begin{aligned}\boldsymbol{a}\times\boldsymbol{b}&=(x_1\boldsymbol{e}_1+y_1\boldsymbol{e}_2+z_1\boldsymbol{e}_3)\times(x_2\boldsymbol{e}_1+y_2\boldsymbol{e}_2+z_2\boldsymbol{e}_3)\\&=x_1y_2\boldsymbol{e}_3-x_1z_2\boldsymbol{e}_2-y_1x_2\boldsymbol{e}_3+y_1z_2\boldsymbol{e}_1+z_1x_2\boldsymbol{e}_2-z_1y_2\boldsymbol{e}_1\\&=\begin{vmatrix}y_1 & z_1\\ y_2 & z_2\end{vmatrix}\boldsymbol{e}_1-\begin{vmatrix}x_1 & z_1\\ x_2 & z_2\end{vmatrix}\boldsymbol{e}_2+\begin{vmatrix}x_1 & y_1\\ x_2 & y_2\end{vmatrix}\boldsymbol{e}_3\end{aligned}$$

因此

$$(\boldsymbol{a}\times\boldsymbol{b})\cdot\boldsymbol{c}=\begin{vmatrix}y_1 & z_1\\ y_2 & z_2\end{vmatrix}x_3-\begin{vmatrix}x_1 & z_1\\ x_2 & z_2\end{vmatrix}y_3+\begin{vmatrix}x_1 & y_1\\ x_2 & y_2\end{vmatrix}z_3=\begin{vmatrix}x_1 & y_1 & z_1\\ x_2 & y_2 & z_2\\ x_3 & y_3 & z_3\end{vmatrix}$$

从而

$$V=\left\|\begin{matrix}x_1 & y_1 & z_1\\ x_2 & y_2 & z_2\\ x_3 & y_3 & z_3\end{matrix}\right\|$$

注 一个三阶行列式可以表示以它的第 1, 2, 3 行为直角坐标的 3 个向量张成的平行六面体的有向体积，这就是三阶行列式的几何意义.

例 3.8.4 行列式在组合数学里面的应用. 这里简要介绍一个行列式在图论里面比较基础的应用. 对于任意图 $G=(V,E)$，其中，V 表示节点，E 表示节点之间的连边. 我们可以定义其图特(Tutte)矩阵如下

$$T(G)_{ij}=\begin{cases}0, & \{i,j\}\notin E,\\ x_{ij}, & i<j\text{且}\{v_i,v_j\}\in E,\\ -x_{ij}, & i>j\text{且}\{v_i,v_j\}\in E\end{cases}$$

那么，图 G 当且仅当 $\det(T(G))\neq 0$ 时有完美匹配(perfect matching). 利用该结论，可以随机赋值给每一个 x_{ij}，用计算行列式的方式来判断是否存在完美匹配. 于是我们就可以较容易找到一个完美匹配的随机算法，时间复杂度大约是 $O(n^{2+\omega})$. 这很巧妙地应用了行列式的一些性质.

例 3.8.5 斐波那契(Fibonacci)数列是

$$1, 2, 3, 5, 8, 13, 21, 34, \cdots$$

它满足 $F_n = F_{n-1} + F_{n-2} (n \geqslant 3), F_1 = 1, F_2 = 2$.

(1) 证明: 斐波那契数列的通项 F_n 可由下列行列式表示:

$$F_n = \begin{vmatrix} 1 & -1 & 0 & 0 & \cdots & 0 & 0 & 0 \\ 1 & 1 & -1 & 0 & \cdots & 0 & 0 & 0 \\ 0 & 1 & 1 & -1 & \cdots & 0 & 0 & 0 \\ \vdots & \vdots & \vdots & \vdots & & \vdots & \vdots & \vdots \\ 0 & 0 & 0 & 0 & \cdots & 1 & 1 & -1 \\ 0 & 0 & 0 & 0 & \cdots & 0 & 1 & 1 \end{vmatrix}$$

(2) 求斐波那契数列的通项公式.

(1) **证明** 把上述 n 阶行列式按第一列展开，得

$$F_n = F_{n-1} + 1\cdot(-1)^{2+1}(-1)F_{n-2} = F_{n-1} + F_{n-2} \quad (n \geqslant 3)$$

上述形式的一阶行列式的值为 1，二阶行列式的值为 2. 因此，斐波那契数列的通项可以由上述行列式表示.

(2) **解** 令 $a+b=1, ab=-1$，则 a,b 是一元二次方程 $x^2-x-1=0$ 的两个根，即

$$a = \frac{1+\sqrt{5}}{2}, \quad b = \frac{1-\sqrt{5}}{2}$$

于是

$$F_n = \begin{vmatrix} a+b & ab & 0 & \cdots & 0 & 0 & 0 \\ 1 & a+b & ab & \cdots & 0 & 0 & 0 \\ 0 & 1 & a+b & \cdots & 0 & 0 & 0 \\ \vdots & \vdots & \vdots & & \vdots & \vdots & \vdots \\ 0 & 0 & 0 & \cdots & 1 & a+b & ab \\ 0 & 0 & 0 & \cdots & 0 & 1 & a+b \end{vmatrix}$$

根据本章习题(A) 11(3)的结果，得

$$F_n = \frac{a^{n+1}-b^{n+1}}{a-b} = \frac{1}{\sqrt{5}}\left[\left(\frac{1+\sqrt{5}}{2}\right)^{n+1} - \left(\frac{1-\sqrt{5}}{2}\right)^{n+1}\right]$$

例 3.8.6 利用拉普拉斯定理和行列式的一些性质可以证明定理 3.6.3.

证明 考虑如下的 $2n$ 阶行列式

$$D=\begin{vmatrix} a_{11} & a_{12} & \cdots & a_{1n} & 0 & 0 & \cdots & 0 \\ a_{21} & a_{22} & \cdots & a_{2n} & 0 & 0 & \cdots & 0 \\ \vdots & \vdots & & \vdots & \vdots & \vdots & & \vdots \\ a_{n1} & a_{n2} & \cdots & a_{nn} & 0 & 0 & \cdots & 0 \\ -1 & 0 & \cdots & 0 & b_{11} & b_{12} & \cdots & b_{1n} \\ 0 & -1 & \cdots & 0 & b_{21} & b_{22} & \cdots & b_{2n} \\ \vdots & \vdots & & \vdots & \vdots & \vdots & & \vdots \\ 0 & 0 & \cdots & -1 & b_{n1} & b_{n2} & \cdots & b_{nn} \end{vmatrix}$$

根据拉普拉斯定理, 将 D 按前 n 行展开. 则由于 D 中前 n 行除去左上角那个 n 阶子式外, 其余的 n 阶子式都等于零. 所以

$$D=\begin{vmatrix} a_{11} & a_{12} & \cdots & a_{1n} \\ a_{21} & a_{22} & \cdots & a_{2n} \\ \vdots & \vdots & & \vdots \\ a_{n1} & a_{n2} & \cdots & a_{nn} \end{vmatrix}\cdot\begin{vmatrix} b_{11} & b_{12} & \cdots & b_{1n} \\ b_{21} & b_{22} & \cdots & b_{2n} \\ \vdots & \vdots & & \vdots \\ b_{n1} & b_{n2} & \cdots & b_{nn} \end{vmatrix}=D_1D_2$$

现在来证明 $D=C$. 对 D 作初等行变换. 将第 $n+1$ 行的 a_{11} 倍, 第 $n+2$ 行的 a_{12} 倍, …, 第 $2n$ 行的 a_{1n} 倍分别加到第一行, 得

$$D=\begin{vmatrix} 0 & 0 & \cdots & 0 & c_{11} & c_{12} & \cdots & c_{1n} \\ a_{21} & a_{22} & \cdots & a_{2n} & 0 & 0 & \cdots & 0 \\ \vdots & \vdots & & \vdots & \vdots & \vdots & & \vdots \\ a_{n1} & a_{n2} & \cdots & a_{nn} & 0 & 0 & \cdots & 0 \\ -1 & 0 & \cdots & 0 & b_{11} & b_{12} & \cdots & b_{1n} \\ 0 & -1 & \cdots & 0 & b_{21} & b_{22} & \cdots & b_{2n} \\ \vdots & \vdots & & \vdots & \vdots & \vdots & & \vdots \\ 0 & 0 & \cdots & -1 & b_{n1} & b_{n2} & \cdots & b_{nn} \end{vmatrix}$$

再依次将第 $n+1$ 行的 $a_{k1}(k=2,3,\cdots,n)$ 倍, 第 $n+2$ 行的 a_{k2} 倍, …, 第 $2n$ 行的 a_{kn} 倍分别加到第 k 行, 可以得到

$$D=\begin{vmatrix} 0 & 0 & \cdots & 0 & c_{11} & c_{12} & \cdots & c_{1n} \\ 0 & 0 & \cdots & 0 & c_{21} & c_{22} & \cdots & c_{2n} \\ \vdots & \vdots & & \vdots & \vdots & \vdots & & \vdots \\ 0 & 0 & \cdots & 0 & c_{n1} & c_{n2} & \cdots & c_{nn} \\ -1 & 0 & \cdots & 0 & b_{11} & b_{12} & \cdots & b_{1n} \\ 0 & -1 & \cdots & 0 & b_{21} & b_{22} & \cdots & b_{2n} \\ \vdots & \vdots & & \vdots & \vdots & \vdots & & \vdots \\ 0 & 0 & \cdots & -1 & b_{n1} & b_{n2} & \cdots & b_{nn} \end{vmatrix}$$

这个行列式的前 n 行也只可能有一个 n 阶子式不为零, 因此由拉普拉斯定理, 得

$$D=\begin{vmatrix}c_{11}&c_{12}&\cdots&c_{1n}\\c_{21}&c_{22}&\cdots&c_{2n}\\\vdots&\vdots&&\vdots\\c_{n1}&c_{n2}&\cdots&c_{nn}\end{vmatrix}\cdot(-1)^{(1+2+\cdots+n)+(n+1+n+2+\cdots+2n)}\begin{vmatrix}-1&0&\cdots&0\\0&-1&\cdots&0\\\vdots&\vdots&&\vdots\\0&0&\cdots&-1\end{vmatrix}=C$$

定理得证.

习 题 3

(A)

1. 利用对角线法则计算下列行列式:

(1) $\begin{vmatrix}\cos\theta&-\sin\theta\\\cos\theta&\sin\theta\end{vmatrix}$; (2) $\begin{vmatrix}10&8&2\\15&12&3\\20&32&12\end{vmatrix}$; (3) $\begin{vmatrix}1+a&b&c\\a&1+b&c\\a&b&1+c\end{vmatrix}$.

2. 求以下排列的逆序数, 并判断它们的奇偶性:

(1) 351426; (2) 7135246;

(3) 217986354; (4) $13\cdots(2n-1)(2n)(2n-2)\cdots42$.

3. 填空题.

(1) 当 $i=$______, $k=$______时, 排列 $1274i56k9$ 成偶排列.

(2) 当 $i=$______, $k=$______时, $1i25k4897$ 成奇排列.

(3) 若排列 $x_1x_2\cdots x_{n-1}x_n$ 的逆序数为 k, 则排列 $x_nx_{n-1}\cdots x_2x_1$ 的逆序数是________.

(4) 在六阶行列式中, 项 $a_{23}a_{31}a_{42}a_{56}a_{14}a_{65}$ 应带有______号; 项 $a_{32}a_{43}a_{14}a_{51}a_{66}a_{25}$ 应带有______号.

(5) 四阶行列式中所有包含因子 a_{23}, 且带有负号的那些项为__________.

(6) $f(x)=\begin{vmatrix}2x&x&1&2\\1&x&1&-1\\3&2&x&1\\1&1&1&x\end{vmatrix}$ 中 x^4 的系数为__________, x^3 的系数为__________.

(7) $f(x)=\begin{vmatrix}1&1&2&3\\1&2-x^2&2&3\\2&3&1&5\\2&3&1&9-x^2\end{vmatrix}$ 为 x 的__________次多项式, $f(x)$ 的零点分别为________.

4. 由行列式定义证明下列各题:

(1) $\begin{vmatrix}&&&a_1\\&&a_2&\\&\iddots&&\\a_n&&&\end{vmatrix}=(-1)^{\frac{n(n-1)}{2}}a_1a_2\cdots a_n$; (2) $\begin{vmatrix}a_1&a_2&a_3&a_4&a_5\\b_1&b_2&b_3&b_4&b_5\\c_1&c_2&0&0&0\\d_1&d_2&0&0&0\\e_1&e_2&0&0&0\end{vmatrix}=0$;

(3) 由$\begin{vmatrix} 1 & 1 & \cdots & 1 \\ 1 & 1 & \cdots & 1 \\ \vdots & \vdots & & \vdots \\ 1 & 1 & \cdots & 1 \end{vmatrix}=0$证明：奇偶排列各半.

5. 单项选择题.

(1) 行列式$\begin{vmatrix} 0 & 0 & \cdots & 0 & -a_1 \\ 0 & 0 & \cdots & -a_2 & 0 \\ \vdots & \vdots & & \vdots & \vdots \\ -a_n & 0 & \cdots & 0 & 0 \end{vmatrix}=($　　$)$.

(A) $(-1)^{\frac{n(n-1)}{2}}a_1a_2\cdots a_n$；　　(B) $(-1)^n a_1a_2\cdots a_n$；

(C) $a_1a_2\cdots a_n$；　　(D) $(-1)^{\frac{n(n+1)}{2}}a_1a_2\cdots a_n$.

(2) 行列式$\begin{vmatrix} 0 & 0 & \cdots & 0 & a_1 \\ a_2 & 0 & \cdots & 0 & 0 \\ 0 & a_3 & \cdots & 0 & 0 \\ \vdots & \vdots & & \vdots & \vdots \\ 0 & 0 & \cdots & a_n & 0 \end{vmatrix}=($　　$)$.

(A) $a_1a_2\cdots a_n$；　　(B) $(-1)^n a_1a_2\cdots a_n$；

(C) $-a_1a_2\cdots a_n$；　　(D) $(-1)^{(n+1)}a_1a_2\cdots a_n$.

(3) 多项式$\begin{vmatrix} a_{11}+x & a_{12}+x & a_{13}+x \\ a_{21}+x & a_{22}+x & a_{23}+x \\ a_{31}+x & a_{32}+x & a_{33}+x \end{vmatrix}$中$x$的次数最高可能为(　　).

(A) 1;　　(B) 2;　　(C) 3;　　(D) 0.

(4) 四阶行列式$\begin{vmatrix} a_1 & 0 & 0 & b_1 \\ 0 & a_2 & b_2 & 0 \\ 0 & b_3 & a_3 & 0 \\ b_4 & 0 & 0 & a_4 \end{vmatrix}=($　　$)$.

(A) $a_1a_2a_3a_4-b_1b_2b_3b_4$；　　(B) $a_1a_2a_3a_4+b_1b_2b_3b_4$；

(C) $(a_1a_2-b_1b_2)(a_3a_4-b_3b_4)$；　　(D) $(a_2a_3-b_2b_3)(a_1a_4-b_1b_4)$.

(5) 设$f(x)=\begin{vmatrix} x-2 & x-1 & x-2 & x-3 \\ 2x-2 & 2x-1 & 2x-2 & 2x-3 \\ 3x-3 & 3x-2 & 4x-5 & 3x-5 \\ 4x & 4x-3 & 5x-7 & 4x-3 \end{vmatrix}$，则方程$f(x)=0$的根的个数为(　　).

(A) 1;　　(B) 2;　　(C) 3;　　(D) 4.

(6) 与行列式$\begin{vmatrix} a_{11} & a_{12} & a_{13} \\ a_{21} & a_{22} & a_{23} \\ a_{31} & a_{32} & a_{33} \end{vmatrix}$等值的行列式为(　　).

(A) $\begin{vmatrix} a_{13} & a_{12} & a_{11} \\ a_{23} & a_{22} & a_{21} \\ a_{33} & a_{32} & a_{31} \end{vmatrix}$;　　(B) $\begin{vmatrix} a_{13} & a_{11} & a_{12} \\ a_{23} & a_{21} & a_{22} \\ a_{33} & a_{31} & a_{32} \end{vmatrix}$;

(C) $\begin{vmatrix} a_{11} & a_{12} & a_{13} \\ a_{31} & a_{32} & a_{33} \\ a_{21} & a_{22} & a_{23} \end{vmatrix}$;　　(D) $\begin{vmatrix} a_{11} & a_{13} & a_{12} \\ a_{21} & a_{23} & a_{22} \\ a_{31} & a_{33} & a_{32} \end{vmatrix}$.

6. 设 $P(x)=\begin{vmatrix} 1 & x & x^2 & \cdots & x^{n-1} \\ 1 & a_1 & a_1^2 & \cdots & a_1^{n-1} \\ \vdots & \vdots & \vdots & & \vdots \\ 1 & a_{n-1} & a_{n-1}^2 & \cdots & a_{n-1}^{n-1} \end{vmatrix}$，其中，$a_1,a_2,\cdots,a_{n-1}$ 是互不相同的数.

(1) 利用行列式的定义，说明 $P(x)$ 是一个 $n-1$ 次多项式;

(2) 利用行列式的性质，求 $P(x)$ 的根.

7. 计算下列各行列式:

(1) $\begin{vmatrix} 246 & 427 & 327 \\ 1014 & 543 & 443 \\ -342 & 721 & 621 \end{vmatrix}$;　　(2) $\begin{vmatrix} 3 & 1 & 1 & 1 \\ 1 & 3 & 1 & 1 \\ 1 & 1 & 3 & 1 \\ 1 & 1 & 1 & 3 \end{vmatrix}$;

(3) $\begin{vmatrix} a & b & c & d \\ b & c & d & a \\ c & d & a & b \\ d & a & b & c \end{vmatrix}$;　　(4) $\begin{vmatrix} 1 & x & y & z \\ x & 1 & 0 & 0 \\ y & 0 & 1 & 0 \\ z & 0 & 0 & 1 \end{vmatrix}$;

(5) $\begin{vmatrix} 1+x & 1 & 1 & 1 \\ 1 & 1-x & 1 & 1 \\ 1 & 1 & 1+y & 1 \\ 1 & 1 & 1 & 1-y \end{vmatrix}$;　　(6) $\begin{vmatrix} a & 1 & 0 & 0 \\ -1 & b & 1 & 0 \\ 0 & -1 & c & 1 \\ 0 & 0 & -1 & d \end{vmatrix}$.

8. 证明:

(1) $\begin{vmatrix} a^2 & ab & b^2 \\ 2a & a+b & 2b \\ 1 & 1 & 1 \end{vmatrix}=(a-b)^2$;

(2) $\begin{vmatrix} a^2 & (a+1)^2 & (a+2)^2 & (a+3)^2 \\ b^2 & (b+1)^2 & (b+2)^2 & (b+3)^2 \\ c^2 & (c+1)^2 & (c+2)^2 & (c+3)^2 \\ d^2 & (d+1)^2 & (d+2)^2 & (d+3)^2 \end{vmatrix}=0$;

(3) $\begin{vmatrix} b+c & c+a & a+b \\ b_1+c_1 & c_1+a_1 & a_1+b_1 \\ b_2+c_2 & c_2+a_2 & a_2+b_2 \end{vmatrix}=2\begin{vmatrix} a & b & c \\ a_1 & b_1 & c_1 \\ a_2 & b_2 & c_2 \end{vmatrix}$.

9. 计算下列各行列式:

(1) $\begin{vmatrix} 1 & 1 & 1 & 1 \\ 2 & 1 & 1 & -3 \\ 1 & 2 & 2 & 5 \\ 4 & 3 & 2 & 1 \end{vmatrix}$;　　(2) $\begin{vmatrix} 1 & 1/2 & 1 & 1 \\ -1/3 & 1 & 2 & 1 \\ 1/3 & 1 & -1 & 1/2 \\ -1 & 1 & 0 & 1/2 \end{vmatrix}$;

(3) $\begin{vmatrix} 0 & 1 & 2 & -1 & 4 \\ 2 & 0 & 1 & 2 & 1 \\ -1 & 3 & 5 & 1 & 2 \\ 3 & 3 & 1 & 2 & 1 \\ 2 & 1 & 0 & 3 & 5 \end{vmatrix}$;　　(4) $\begin{vmatrix} 1 & 1/2 & 0 & 1 & -1 \\ 2 & 0 & -1 & 1 & 2 \\ 3 & 2 & 1 & 1/2 & 0 \\ 1 & -1 & 0 & 1 & 2 \\ 2 & 1 & 3 & 0 & 1/2 \end{vmatrix}$;

(5) $\begin{vmatrix} 2 & 1 & 4 & 0 & 0 \\ 3 & 4 & 1 & 0 & 0 \\ 2 & 3 & 1 & 0 & 0 \\ 0 & 0 & 0 & 2 & 1 \\ 0 & 0 & 0 & 4 & 1 \end{vmatrix}$;　　(6) $\begin{vmatrix} 2 & 3 & 0 & 0 & 0 \\ 1 & 5 & 0 & 0 & 0 \\ 1 & 2 & 1 & 2 & 3 \\ 3 & 4 & 2 & 1 & 5 \\ 5 & 6 & 0 & 2 & 1 \end{vmatrix}$.

10. 计算下列 n 阶行列式:

(1) $\begin{vmatrix} x & y & 0 & \cdots & 0 & 0 \\ 0 & x & y & \cdots & 0 & 0 \\ \vdots & \vdots & \vdots & & \vdots & \vdots \\ 0 & 0 & 0 & \cdots & x & y \\ y & 0 & 0 & \cdots & 0 & x \end{vmatrix}$;　　(2) $\begin{vmatrix} a_1-b_1 & a_1-b_2 & \cdots & a_1-b_n \\ a_2-b_1 & a_2-b_2 & \cdots & a_2-b_n \\ \vdots & \vdots & & \vdots \\ a_n-b_1 & a_n-b_2 & \cdots & a_n-b_n \end{vmatrix}$;

(3) $\begin{vmatrix} x_1-m & x_2 & \cdots & x_n \\ x_1 & x_2-m & \cdots & x_n \\ \vdots & \vdots & & \vdots \\ x_1 & x_2 & \cdots & x_n-m \end{vmatrix}$;　　(4) $\begin{vmatrix} 1 & 2 & 2 & \cdots & 2 \\ 2 & 2 & 2 & \cdots & 2 \\ 2 & 2 & 3 & \cdots & 2 \\ \vdots & \vdots & \vdots & & \vdots \\ 2 & 2 & 2 & \cdots & n \end{vmatrix}$.

11. 证明:

(1) $\begin{vmatrix} a_0 & 1 & 1 & \cdots & 1 \\ 1 & a_1 & 0 & \cdots & 0 \\ 1 & 0 & a_2 & \cdots & 0 \\ \vdots & \vdots & \vdots & & \vdots \\ 1 & 0 & 0 & \cdots & a_n \end{vmatrix} = a_1a_2\cdots a_n\left(a_0-\sum_{i=1}^{n}\frac{1}{a_i}\right)$;

(2) $\begin{vmatrix} x & 0 & 0 & \cdots & 0 & a_0 \\ -1 & x & 0 & \cdots & 0 & a_1 \\ 0 & -1 & x & \cdots & 0 & a_2 \\ \vdots & \vdots & \vdots & & \vdots & \vdots \\ 0 & 0 & 0 & \cdots & x & a_{n-2} \\ 0 & 0 & 0 & \cdots & -1 & x+a_{n-1} \end{vmatrix} = x^n + a_{n-1}x^{n-1} + \cdots + a_1x + a_0$;

(3) $\begin{vmatrix} \alpha+\beta & \alpha\beta & 0 & \cdots & 0 & 0 \\ 1 & \alpha+\beta & \alpha\beta & \cdots & 0 & 0 \\ 0 & 1 & \alpha+\beta & \cdots & 0 & 0 \\ \vdots & \vdots & \vdots & \ddots & \vdots & \vdots \\ 0 & 0 & 0 & \cdots & 1 & \alpha+\beta \end{vmatrix} = \begin{cases} \dfrac{\alpha^{n+1}-\beta^{n+1}}{a-\beta}, & \alpha \neq \beta, \\ (n+1)a^n, & \alpha=\beta; \end{cases}$

(4) $\begin{vmatrix} \cos\alpha & 1 & 0 & \cdots & 0 & 0 \\ 1 & 2\cos\alpha & 1 & \cdots & 0 & 0 \\ 0 & 1 & 2\cos\alpha & \cdots & 0 & 0 \\ \vdots & \vdots & \vdots & & \vdots & \vdots \\ 0 & 0 & 0 & \cdots & 1 & 2\cos\alpha \end{vmatrix} = \cos n\alpha;$

(5) $D_n = \begin{vmatrix} 1+a_1 & a_2 & \cdots & a_n \\ a_1 & 1+a_2 & \cdots & a_n \\ \vdots & \vdots & & \vdots \\ a_1 & a_2 & \cdots & 1+a_n \end{vmatrix} = 1+\sum_{i=1}^{n} a_i.$

12. 设

$$D = \begin{vmatrix} 3 & 1 & -1 & 2 \\ -5 & 1 & 3 & -4 \\ 2 & 0 & 1 & -1 \\ 1 & -5 & 3 & -3 \end{vmatrix}$$

D 的 (i,j) 元的代数余子式记作 A_{ij}，求 $A_{31}+3A_{32}-2A_{33}+2A_{34}$.

13. 用克拉默法则求解下列线性方程组:

(1) $\begin{cases} 2x_1 - x_2 + 3x_3 + 2x_4 = 6, \\ 3x_1 - 3x_2 + 3x_3 + 2x_4 = 5, \\ 3x_1 - x_2 - x_3 + 2x_4 = 3, \\ 3x_1 - x_2 + 3x_3 - x_4 = 4; \end{cases}$

(2) $\begin{cases} x_1 + 2x_2 + 3x_3 - 2x_4 = 6, \\ 2x_1 - x_2 - 2x_3 - 3x_4 = 8, \\ 3x_1 + 2x_2 - x_3 + 2x_4 = 4, \\ 2x_1 - 3x_2 + 2x_3 + x_4 = -8; \end{cases}$

(3) $\begin{cases} 5x_1 + 6x_2 = 1, \\ x_1 + 5x_2 + 6x_3 = 0, \\ x_2 + 5x_3 + 6x_4 = 0, \\ x_3 + 5x_4 + 6x_5 = 0, \\ x_4 + 5x_5 = 1. \end{cases}$

14. 设 a_1，a_2，…，a_n 是数域 P 中互异的数，b_1，b_2，…，b_n 是数域 P 中任一组给定的数，试用克拉默法则证明：数域 P 上存在唯一的多项式 $f(x)=c_0x^{n-1}+c_1x^{n-2}+\cdots+c_{n-1}$ 使

$$f(a_i)=b_i, \quad i=1,2,\cdots,n$$

15. 设平面上立方曲线 $y=a_0+a_1x+a_2x^2+a_3x^3$ 通过点 $(1,0),(2,-2),(3,2),(4,18)$，求系数 a_0,a_1,a_2,a_3.

16. 试确定当 k 取何值时，齐次线性方程组

$$\begin{cases} kx_1+x_2+x_3=0, \\ x_1+kx_2+x_3=0, \\ 2x_1-x_2+x_3=0 \end{cases}$$

有非零解.

(B)

1. 求 $\sum\limits_{j_1j_2\cdots j_n}\begin{vmatrix} a_{1j_1} & a_{1j_2} & \cdots & a_{1j_n} \\ a_{2j_1} & a_{2j_2} & \cdots & a_{2j_n} \\ \vdots & \vdots & & \vdots \\ a_{nj_1} & a_{nj_2} & \cdots & a_{nj_n} \end{vmatrix}$，这里 $\sum\limits_{j_1j_2\cdots j_n}$ 是对所有 n 级排列求和.

2. 证明：

(1) $$\frac{\mathrm{d}}{\mathrm{d}t}\begin{vmatrix} a_{11}(t) & a_{12}(t) & \cdots & a_{1n}(t) \\ a_{21}(t) & a_{22}(t) & \cdots & a_{2n}(t) \\ \vdots & \vdots & & \vdots \\ a_{n1}(t) & a_{n2}(t) & \cdots & a_{nn}(t) \end{vmatrix}=\sum_{j=1}^{n}\begin{vmatrix} a_{11}(t) & \cdots & \frac{\mathrm{d}}{\mathrm{d}t}a_{1j}(t) & \cdots & a_{1n}(t) \\ a_{21}(t) & \cdots & \frac{\mathrm{d}}{\mathrm{d}t}a_{2j}(t) & \cdots & a_{2n}(t) \\ \vdots & & \vdots & & \vdots \\ a_{n1}(t) & \cdots & \frac{\mathrm{d}}{\mathrm{d}t}a_{nj}(t) & \cdots & a_{nn}(t) \end{vmatrix};$$

(2) $$\begin{vmatrix} a_{11}+x & a_{12}+x & \cdots & a_{1n}+x \\ a_{21}+x & a_{22}+x & \cdots & a_{2n}+x \\ \vdots & \vdots & & \vdots \\ a_{n1}+x & a_{n2}+x & \cdots & a_{nn}+x \end{vmatrix}=\begin{vmatrix} a_{11} & a_{12} & \cdots & a_{1n} \\ a_{21} & a_{22} & \cdots & a_{2n} \\ \vdots & \vdots & & \vdots \\ a_{n1} & a_{n2} & \cdots & a_{nn} \end{vmatrix}+x\sum_{i=1}^{n}\sum_{j=1}^{n}A_{ij}$$ ，其中，A_{ij} 是 a_{ij} 的代数余子式；

(3) $$\sum_{i=1}^{n}\sum_{j=1}^{n}A_{ij}=\begin{vmatrix} a_{11}-a_{12} & a_{12}-a_{13} & \cdots & a_{1,n-1}-a_{1n} & 1 \\ a_{21}-a_{22} & a_{22}-a_{23} & \cdots & a_{2,n-1}-a_{2n} & 1 \\ \vdots & \vdots & & \vdots & \vdots \\ a_{n1}-a_{n2} & a_{n2}-a_{n3} & \cdots & a_{n,n-1}-a_{nn} & 1 \end{vmatrix}.$$

3. 设 $\boldsymbol{A}=\begin{pmatrix} a_1 & b_1 & c_1 \\ a_2 & b_2 & c_2 \\ a_3 & b_3 & c_3 \end{pmatrix}, \boldsymbol{B}=\begin{pmatrix} a_1 & b_1 & d_1 \\ a_2 & b_2 & d_2 \\ a_3 & b_3 & d_3 \end{pmatrix}$，$|\boldsymbol{A}|=2,|\boldsymbol{B}|=3$. 则 $|2\boldsymbol{A}-\boldsymbol{B}|=$ ________.

4. 计算下列各n阶行列式:

(1) $\begin{vmatrix} \lambda & a & a & a & \cdots & a \\ b & \alpha & \beta & \beta & \cdots & \beta \\ b & \beta & \alpha & \beta & \cdots & \beta \\ b & \beta & \beta & \alpha & \cdots & \beta \\ \vdots & \vdots & \vdots & \vdots & & \vdots \\ b & \beta & \beta & \beta & \cdots & \alpha \end{vmatrix}$;

(2) $\begin{vmatrix} 1 & 2 & 3 & \cdots & n-1 & n \\ 2 & 3 & 4 & \cdots & n & 1 \\ 3 & 4 & 5 & \cdots & 1 & 2 \\ \vdots & \vdots & \vdots & & \vdots & \vdots \\ n-1 & n & 1 & \cdots & n-3 & n-2 \\ n & 1 & 2 & \cdots & n-2 & n-1 \end{vmatrix}$;

(3) $\begin{vmatrix} x & y & y & \cdots & y & y \\ z & x & y & \cdots & y & y \\ z & z & x & \cdots & y & y \\ \vdots & \vdots & \vdots & & \vdots & \vdots \\ z & z & z & \cdots & x & y \\ z & z & z & \cdots & z & x \end{vmatrix}$.

5. 证明:

(1) $\begin{vmatrix} 1 & 1 & \cdots & 1 \\ x_1 & x_2 & \cdots & x_n \\ x_1^2 & x_2^2 & \cdots & x_n^2 \\ \vdots & \vdots & & \vdots \\ x_1^{n-2} & x_2^{n-2} & \cdots & x_n^{n-2} \\ x_1^n & x_2^n & \cdots & x_n^n \end{vmatrix} = (x_1 + x_2 + \cdots + x_n) \prod_{1 \leqslant j < i \leqslant n} (x_i - x_j)$;

(2) $\begin{vmatrix} a_1 + b_1 & a_2 & \cdots & a_n \\ a_1 & a_2 + b_2 & \cdots & a_n \\ \vdots & \vdots & & \vdots \\ a_1 & a_2 & \cdots & a_n + b_n \end{vmatrix} = b_1 b_2 \cdots b_n \left(1 + \sum_{i=1}^{n} \frac{a_i}{b_i}\right)$, $b_1 b_2 \cdots b_n \neq 0$.

6. 计算$f(x+1) - f(x)$, 其中

$$f(x) = \begin{vmatrix} 1 & 0 & 0 & 0 & \cdots & 0 & x \\ 1 & 2 & 0 & 0 & \cdots & 0 & x^2 \\ 1 & 3 & 3 & 0 & \cdots & 0 & x^3 \\ \vdots & \vdots & \vdots & \vdots & & \vdots & \vdots \\ 1 & n & \mathrm{C}_n^2 & \mathrm{C}_n^3 & \cdots & \mathrm{C}_n^{n-1} & x^n \\ 1 & n+1 & \mathrm{C}_{n+1}^2 & \mathrm{C}_{n+1}^3 & \cdots & \mathrm{C}_{n+1}^{n-1} & x^{n+1} \end{vmatrix}$$

7. 计算 $2n$ 阶行列式(其中未写出的元素均为零):

$$D_{2n}=\begin{vmatrix} a_n & & & & & & & b_n \\ & a_{n-1} & & & & & b_{n-1} & \\ & & \ddots & & & \iddots & & \\ & & & a_1 & b_1 & & & \\ & & & c_1 & d_1 & & & \\ & & \iddots & & & \ddots & & \\ & c_{n-1} & & & & & d_{n-1} & \\ c_n & & & & & & & d_n \end{vmatrix}$$

8. 求元素为 1 或 0 的三阶行列式可能取到的最大值.

9. 设 $n\geqslant 2$, 试证: 元素为 1 或 -1 的 n 阶行列式的值能被 2^{n-1} 整除.

本章小结

习题答案 3

第 4 章

线性方程组

“向量”一词来自力学、解析几何中的有向线段. 最先使用有向线段表示向量的是英国科学家牛顿. 向量也称为矢量, 最初被应用于物理学. 很多物理量, 如力、速度、位移以及电场强度、磁感应强度等都是向量. 调查表明, 一般日常生活中使用的向量是一种带几何性质的量, 除零向量外, 总可以画出箭头表示方向. 这种空间中的向量比几何中的向量要广泛得多, 可以表示任意的数学或物理对象, 从而可以指导线性代数方法应用到广阔的自然科学领域中. 因此, 向量空间的概念, 已成为数学中最基本的概念和高等代数的中心内容之一, 它的理论和方法在自然科学的各领域中得到了广泛的应用. 而向量及其线性运算也为“向量空间”这一抽象的概念提供了一个具体的模型.

第 4 章知识导图

4.1 引　言

从数学发展史来看，在很长一段时间内，空间的向量结构并未被数学家们所认识. 直到 19 世纪末 20 世纪初，人们才把空间的性质与向量运算联系起来，使向量成为具有一套优良运算通性的数学体系. 18 世纪末期，挪威测量学家威塞尔首次利用坐标平面上的点来表示复数 $a+\mathrm{i}b$，并利用具有几何意义的复数运算来定义向量的运算. 这表明，向量正式进入数学的发展阶段. 随后，人们把坐标平面上的点用向量表示出来，并利用向量的几何表示去研究几何问题与三角问题，逐步接受了复数，也学会了利用复数来表示和研究平面中的向量. 然而，那时复数的使用是受限制的，因为它仅能用于表示平面，若有不在同一平面上的力作用于同一物体，则需要寻找所谓三维“复数”以及相应的运算体系. 19 世纪中期，英国数学家哈密顿发明了四元数(包括数量部分和向量部分)，以表示空间的向量. 他的工作为向量代数和向量分析的建立奠定了基础. 随后，英国的数学物理学家麦克斯韦(电磁理论的发现者)把四元数的数量部分和向量部分分开处理，从而创造了大量的向量分析.

在解析几何里引入向量概念后，使许多问题的处理变得更为简洁和清晰，在此基础上进一步抽象化，形成了与域相联系的向量空间概念. 譬如，我们将会看到，实系数多项式的集合在定义适当的运算后构成向量空间，在代数上处理是简便的.

线性方程组是各个方程关于未知量均为一次的方程组. 线性方程组的解法，早在中国古代的数学著作《九章算术》方程章中有比较完整的论述，这比欧洲至少早 1500 年. 在中国人的手稿中出现了如何利用消元法求解具有三个未知量三个方程的线性方程组，其中论述的方法本质上相当于现在使用的对线性方程组的增广矩阵施行初等行变换，从而消去未知量的方法，即高斯消元法. 在西方，线性方程组的研究是在 17 世纪后期由莱布尼茨开创的，他曾研究了具有两个未知量三个方程的线性系统方程组. 18 世纪上半叶，麦克劳林研究了具有 2～4 个未知量的线性方程组，得到了现在称为克拉默法则的结果(第 3 章已介绍). 随后不久，克拉默发表了这个法则. 18 世纪下半叶，法国数学家贝祖对线性方程组理论进行了一系列研究，证明了 n 个未知量 n 个方程组成的齐次线性方程组有非零解的充要条件是系数行列式等于零.

19 世纪，英国数学家史密斯(Smith)和道奇森(Dodgson)继续研究线性方程组方面的理论，前者引进了方程组的增广矩阵和非增广矩阵的概念，后者证明了 n 个未知量 m 个方程组成的线性方程组相容的充要条件是系数矩阵和增广矩阵的秩相同(矩阵秩的概念将在第 5 章介绍). 这正是现代线性方程组理论中的重要结果之一.

相关统计表明，在科学技术中大约有 75% 的问题与线性方程组有关，而且大量复杂的数学模型最终往往归结为用线性方程组来解决. 此外，在线性方程组的数值解法得到发展的同时，线性方程组解的结构等理论性工作也取得了令人满意的进展. 现在，线性方程组的数值解法在计算数学中也占有重要地位. 因此，求解线性方程组的问题既是数学中最基本的又是最重要的问题之一. 在本章中，将主要讨论线性方程组的求解方法，并介绍线性方程组解的结构理论.

4.2 n维向量空间

4.2.1 n维向量及其基本关系

一个$n-1$元线性方程

$$a_1x_1+a_2x_2+\cdots+a_{n-1}x_{n-1}=a_n$$

可以用n元有序数组

$$(a_1,a_2,\cdots,a_n)$$

来表示，而且两者之间是一一对应的．一个线性方程组的解的情况也可以由方程组中方程之间的关系所确定．方程组中方程之间的关系实际上就是代表方程的n元有序数组之间的关系．因此，我们首先讨论n元有序数组．

应当指出，多元有序数组不仅可以代表线性方程，而且还与其他方面有极其广泛的联系．在解析几何中我们已经知道，有些事物的特征不能仅用一个数字来刻画．例如，平面上一个点的位置需要两个数字，空间中一个点的位置需要三个数字，也即点的坐标．此外，我们马上要讨论的n元线性方程组的解是由n个有序数构成的，它们作为方程组的解是一个整体，分开来看是没有任何意义的．总之，这样的例子在几何和实际生活中非常多见，作为它们的一个共同的抽象，我们给出下列定义．

定义 4.2.1

所谓数域P上一个n维向量就是由数域P中n个数构成的有序数组

$$(a_1,a_2,\cdots,a_n) \tag{4.2.1}$$

其中，a_i称为向量(4.2.1)的第i个分量．

几何中的向量可以看作是定义 4.2.1 的特殊情形，尤其是当$n=2,3$且P为实数域时．然而，当$n>3$时，n维向量就没有直观的几何意义了．人们之所以仍称它为向量有两个方面的考虑：① 它包括通常的向量作为特殊情形；② 它与通常的向量一样可以定义运算，且许多运算性质是类似的，故采用这样一个几何术语更方便．

今后通常用小写希腊字母$\boldsymbol{\alpha},\boldsymbol{\beta},\boldsymbol{\gamma},\cdots$来表示向量．

定义 4.2.2

如果n维向量

$$\boldsymbol{\alpha}=(a_1,a_2,\cdots,a_n),\quad \boldsymbol{\beta}=(b_1,b_2,\cdots,b_n)$$

的对应位置分量都相等，即

$$a_i=b_i\quad (i=1,2,\cdots,n)$$

就称这两个向量是相等的，记作$\boldsymbol{\alpha}=\boldsymbol{\beta}$．

n维向量之间的基本关系可以用向量的加法和数量乘法来表达．

定义 4.2.3

向量

$$\gamma=(a_1+b_1,a_2+b_2,\cdots,a_n+b_n)$$

称为向量

$$\boldsymbol{\alpha}=(a_1,a_2,\cdots,a_n),\quad \boldsymbol{\beta}=(b_1,b_2,\cdots,b_n)$$

的和，记为

$$\boldsymbol{\gamma}=\boldsymbol{\alpha}+\boldsymbol{\beta}$$

由定义立即推出如下运算法则.

交换律 $$\boldsymbol{\alpha}+\boldsymbol{\beta}=\boldsymbol{\beta}+\boldsymbol{\alpha} \tag{4.2.2}$$

结合律 $$\boldsymbol{\alpha}+(\boldsymbol{\beta}+\boldsymbol{\gamma})=(\boldsymbol{\alpha}+\boldsymbol{\beta})+\boldsymbol{\gamma} \tag{4.2.3}$$

定义 4.2.4

分量全为零的向量

$$(0,0,\cdots,0)$$

称为零向量，记为 $\mathbf{0}$；向量 $(-a_1,-a_2,\cdots,-a_n)$ 称为向量 $\boldsymbol{\alpha}=(a_1,a_2,\cdots,a_n)$ 的负向量，记为 $-\boldsymbol{\alpha}$.

显然，对于所有的 $\boldsymbol{\alpha}$，都有

$$\boldsymbol{\alpha}+\mathbf{0}=\boldsymbol{\alpha} \tag{4.2.4}$$

$$\boldsymbol{\alpha}+(-\boldsymbol{\alpha})=\mathbf{0} \tag{4.2.5}$$

式(4.2.2)～式(4.2.5)是向量加法的四条基本运算法则.

定义 4.2.5

$$\boldsymbol{\alpha}-\boldsymbol{\beta}=\boldsymbol{\alpha}+(-\boldsymbol{\beta})$$

定义 4.2.6

设 k 为数域 P 中的数，向量

$$(ka_1,ka_2,\cdots,ka_n)$$

称为向量 $\boldsymbol{\alpha}=(a_1,a_2,\cdots,a_n)$ 与数 k 的数量乘积，记为 $k\boldsymbol{\alpha}$.

由定义立即推出下列关系式:

$$k(\boldsymbol{\alpha}+\boldsymbol{\beta})=k\boldsymbol{\alpha}+k\boldsymbol{\beta} \tag{4.2.6}$$

$$(k+l)\boldsymbol{\alpha}=k\boldsymbol{\alpha}+l\boldsymbol{\alpha} \tag{4.2.7}$$

$$k(l\boldsymbol{\alpha})=(kl)\boldsymbol{\alpha} \tag{4.2.8}$$

$$1\boldsymbol{\alpha}=\boldsymbol{\alpha} \tag{4.2.9}$$

式(4.2.6)～式(4.2.9)是关于数量乘法的四条基本运算法则. 进一步，由式(4.2.6)～式(4.2.9)或由定义不难推出下面的关系式:

$$0\boldsymbol{\alpha}=\mathbf{0} \tag{4.2.10}$$

$$(-1)\boldsymbol{\alpha}=-\boldsymbol{\alpha} \tag{4.2.11}$$

$$k\mathbf{0}=\mathbf{0} \tag{4.2.12}$$

如果 $k\neq 0,\boldsymbol{\alpha}\neq\mathbf{0}$，那么有

$$k\boldsymbol{\alpha} \neq \mathbf{0}. \tag{4.2.13}$$

向量有时写成一列，称为列向量

$$\boldsymbol{\alpha} = \begin{pmatrix} a_1 \\ a_2 \\ \vdots \\ a_n \end{pmatrix}$$

向量有时也写成一行，称为行向量

$$\boldsymbol{\alpha} = (a_1, a_2, \cdots, a_n)$$

列向量与行向量的区别只是写法上的不同. 除特别说明，通常将向量写成**列向量**.

4.2.2　n 维向量组的线性相关性

在这小节，我们来进一步讨论向量之间的关系. 两个向量之间最简单的关系是成比例，即一个向量可以表示成另一个向量的常数倍. 然而，对多个向量而言，成比例的关系表现为线性组合.

定义 4.2.7

如果有数域 P 中的数 $k_1, k_2, \cdots, k_t$，使

$$\boldsymbol{\alpha} = k_1\boldsymbol{\beta}_1 + k_2\boldsymbol{\beta}_2 + \cdots + k_t\boldsymbol{\beta}_t \tag{4.2.14}$$

那么，称向量 $\boldsymbol{\alpha}$ 为向量 $\boldsymbol{\beta}_1, \boldsymbol{\beta}_2, \cdots, \boldsymbol{\beta}_t$ 的一个线性组合，其中，$k_1, k_2, \cdots, k_t$ 称为这个线性组合的系数.

特别地，当 $t=1$ 时，有

$$\boldsymbol{\alpha} = k_1\boldsymbol{\beta}_1 \tag{4.2.15}$$

式(4.2.15)说明，向量 $\boldsymbol{\alpha}$ 是向量 $\boldsymbol{\beta}_1$ 一个线性组合，即向量 $\boldsymbol{\alpha}$ 与 $\boldsymbol{\beta}_1$ 成比例. 由此可见，线性组合关系是两个向量之间成比例关系在多个向量间的一种扩展.

设 $\boldsymbol{\alpha}_1, \boldsymbol{\alpha}_2, \cdots, \boldsymbol{\alpha}_s$ 是任意一组向量，

$$\mathbf{0} = 0\boldsymbol{\alpha}_1 + 0\boldsymbol{\alpha}_2 + \cdots + 0\boldsymbol{\alpha}_s$$

所以，零向量是任意向量组的线性组合.

当向量 $\boldsymbol{\alpha}$ 是向量 $\boldsymbol{\beta}_1, \boldsymbol{\beta}_2, \cdots, \boldsymbol{\beta}_t$ 的一个线性组合时，有时也说 $\boldsymbol{\alpha}$ 可以由向量组 $\boldsymbol{\beta}_1, \boldsymbol{\beta}_2, \cdots, \boldsymbol{\beta}_t$ 线性表出或者线性表示.

定义 4.2.8

如果向量组 $\boldsymbol{\alpha}_1, \boldsymbol{\alpha}_2, \cdots, \boldsymbol{\alpha}_s$ 中每一个向量都可以由向量组 $\boldsymbol{\beta}_1, \boldsymbol{\beta}_2, \cdots, \boldsymbol{\beta}_t$ 线性表出，那么，向量组 $\boldsymbol{\alpha}_1, \boldsymbol{\alpha}_2, \cdots, \boldsymbol{\alpha}_s$ 就称为可以由向量组 $\boldsymbol{\beta}_1, \boldsymbol{\beta}_2, \cdots, \boldsymbol{\beta}_t$ 线性表出. 如果两个向量组可以互相线性表出，就称它们是等价的.

由定义不难证明，每一个向量组都可以经其自身线性表出. 同时，如果向量组 $\boldsymbol{\alpha}_1, \boldsymbol{\alpha}_2, \cdots, \boldsymbol{\alpha}_s$ 可以经向量组 $\boldsymbol{\beta}_1, \boldsymbol{\beta}_2, \cdots, \boldsymbol{\beta}_t$ 线性表出，向量组 $\boldsymbol{\beta}_1, \boldsymbol{\beta}_2, \cdots, \boldsymbol{\beta}_t$ 可以经向量组 $\boldsymbol{\gamma}_1, \boldsymbol{\gamma}_2, \cdots, \boldsymbol{\gamma}_p$ 线性表出，那么，向量组 $\boldsymbol{\alpha}_1, \boldsymbol{\alpha}_2, \cdots, \boldsymbol{\alpha}_s$ 可以经向量组 $\boldsymbol{\gamma}_1, \boldsymbol{\gamma}_2, \cdots, \boldsymbol{\gamma}_p$ 线性表出.

综上所述，向量组之间等价具有以下性质.

性质 4.2.1

反身性：每一个向量组都与其自身等价.

性质 4.2.2

对称性：如果向量组 $\boldsymbol{\alpha}_1,\boldsymbol{\alpha}_2,\cdots,\boldsymbol{\alpha}_s$ 与向量组 $\boldsymbol{\beta}_1,\boldsymbol{\beta}_2,\cdots,\boldsymbol{\beta}_t$ 等价，那么，向量组 $\boldsymbol{\beta}_1,\boldsymbol{\beta}_2,\cdots,\boldsymbol{\beta}_t$ 也与向量组 $\boldsymbol{\alpha}_1,\boldsymbol{\alpha}_2,\cdots,\boldsymbol{\alpha}_s$ 等价.

性质 4.2.3

传递性：如果向量组 $\boldsymbol{\alpha}_1,\boldsymbol{\alpha}_2,\cdots,\boldsymbol{\alpha}_s$ 与向量组 $\boldsymbol{\beta}_1,\boldsymbol{\beta}_2,\cdots,\boldsymbol{\beta}_t$ 等价，$\boldsymbol{\beta}_1,\boldsymbol{\beta}_2,\cdots,\boldsymbol{\beta}_t$ 与 $\boldsymbol{\gamma}_1,\boldsymbol{\gamma}_2,\cdots,\boldsymbol{\gamma}_p$ 等价，那么，向量组 $\boldsymbol{\alpha}_1,\boldsymbol{\alpha}_2,\cdots,\boldsymbol{\alpha}_s$ 与向量组 $\boldsymbol{\gamma}_1,\boldsymbol{\gamma}_2,\cdots,\boldsymbol{\gamma}_p$ 等价.

定义 4.2.9

如果有数域 P 中不全为零的数 $k_1,k_2,\cdots,k_s$，使

$$k_1\boldsymbol{\alpha}_1+k_2\boldsymbol{\alpha}_2+\cdots+k_s\boldsymbol{\alpha}_s=\mathbf{0}$$

那么，向量组 $\boldsymbol{\alpha}_1,\boldsymbol{\alpha}_2,\cdots,\boldsymbol{\alpha}_s$ $(s\geqslant 1)$ 称为线性相关的.

命题 4.2.1

向量组 $\boldsymbol{\alpha}_1,\boldsymbol{\alpha}_2,\cdots,\boldsymbol{\alpha}_s$ $(s\geqslant 2)$ 线性相关的充分必要条件是 $\boldsymbol{\alpha}_1,\boldsymbol{\alpha}_2,\cdots,\boldsymbol{\alpha}_s$ 中至少有一个向量可以由其余的向量线性表出.

证明 充分性. 不妨设 $\boldsymbol{\alpha}_1$ 可以由其余的向量线性表出，即

$$\boldsymbol{\alpha}_1=k_2\boldsymbol{\alpha}_2+k_3\boldsymbol{\alpha}_3+\cdots+k_s\boldsymbol{\alpha}_s$$

则有不全为零的数 $-1,k_2,\cdots,k_s$，使

$$-1\boldsymbol{\alpha}_1+k_2\boldsymbol{\alpha}_2+\cdots+k_s\boldsymbol{\alpha}_s=\mathbf{0}$$

根据定义 4.2.9，向量组 $\boldsymbol{\alpha}_1,\boldsymbol{\alpha}_2,\cdots,\boldsymbol{\alpha}_s$ 线性相关.

必要性. 若向量组 $\boldsymbol{\alpha}_1,\boldsymbol{\alpha}_2,\cdots,\boldsymbol{\alpha}_s$ 线性相关，则有不全为零的数 $k_1,k_2,\cdots,k_s$，使

$$k_1\boldsymbol{\alpha}_1+k_2\boldsymbol{\alpha}_2+\cdots+k_s\boldsymbol{\alpha}_s=\mathbf{0}$$

不妨设 $k_1\neq 0$，则由上式得

$$\boldsymbol{\alpha}_1=-\frac{k_2}{k_1}\boldsymbol{\alpha}_2-\frac{k_3}{k_1}\boldsymbol{\alpha}_3-\cdots-\frac{k_s}{k_1}\boldsymbol{\alpha}_s$$

即 $\boldsymbol{\alpha}_1$ 可以被其余的向量线性表出.

由命题 4.2.1 可以立即看出，任意一个包含零向量的向量组必定是线性相关的. 此外，两个向量组成的向量组是线性相关的就表示它们成比例. 当 P 为实数域时，考虑三维的情形，这表示两个向量共线. 三个向量组成的向量组线性相关的几何意义是它们共面，这是因为其中一个向量可以写为另外两个向量的线性组合.

定义 4.2.10

一向量组 $\boldsymbol{\alpha}_1,\boldsymbol{\alpha}_2,\cdots,\boldsymbol{\alpha}_s$ $(s\geqslant 1)$ 不线性相关，即没有不全为零的数 $k_1,k_2,\cdots,k_s$，使

$$k_1\boldsymbol{\alpha}_1+k_2\boldsymbol{\alpha}_2+\cdots+k_s\boldsymbol{\alpha}_s=\mathbf{0}$$

则称该向量组为线性无关；或者一向量组 $\boldsymbol{\alpha}_1,\boldsymbol{\alpha}_2,\cdots,\boldsymbol{\alpha}_s$ 称为线性无关，如果由

$$k_1\boldsymbol{\alpha}_1+k_2\boldsymbol{\alpha}_2+\cdots+k_s\boldsymbol{\alpha}_s=\mathbf{0}$$

可以推出

$$k_1=k_2=\cdots=k_s=0$$

由定义 4.2.10 可以直接导出如下命题.

命题 4.2.2

(1) 如果一向量组的一部分线性相关，那么这个向量组就线性相关.

(2) 如果一向量组线性无关，那么它的任何一个非空的部分组也线性无关.

(3) 两个向量线性相关的充要条件是这两个向量的对应分量成比例.

(4) 含零向量的向量组一定是线性相关的. 特别地，单独一个零向量线性相关.

(5) 单独一个非零向量线性无关.

(6) 若向量组 $\boldsymbol{\alpha}_1,\boldsymbol{\alpha}_2,\cdots,\boldsymbol{\alpha}_s$ 线性无关，向量组 $\boldsymbol{\alpha}_1,\boldsymbol{\alpha}_2,\cdots,\boldsymbol{\alpha}_s$，$\boldsymbol{\beta}$ 线性相关，则 $\boldsymbol{\beta}$ 可以由向量组 $\boldsymbol{\alpha}_1,\boldsymbol{\alpha}_2,\cdots,\boldsymbol{\alpha}_s$ 唯一地线性表出.

证明 (1) 对于向量组 $\boldsymbol{\alpha}_1,\boldsymbol{\alpha}_2,\cdots,\boldsymbol{\alpha}_r,\cdots,\boldsymbol{\alpha}_s$，不妨设 $\boldsymbol{\alpha}_1,\boldsymbol{\alpha}_2,\cdots,\boldsymbol{\alpha}_r$ 线性相关，则有不全为零的数 $k_1,k_2,\cdots,k_r$，使

$$k_1\boldsymbol{\alpha}_1+k_2\boldsymbol{\alpha}_2+\cdots+k_r\boldsymbol{\alpha}_r=\mathbf{0}$$

从而

$$k_1\boldsymbol{\alpha}_1+k_2\boldsymbol{\alpha}_2+\cdots+k_r\boldsymbol{\alpha}_r+0\boldsymbol{\alpha}_{r+1}+\cdots+0\boldsymbol{\alpha}_s=\mathbf{0}$$

由定义 4.2.9 知，$\boldsymbol{\alpha}_1,\boldsymbol{\alpha}_2,\cdots,\boldsymbol{\alpha}_r,\cdots,\boldsymbol{\alpha}_s$ 线性相关.

(2) 反证法. 若一向量组线性无关，而它存在一个非空的部分组线性相关，那么，根据(1)，这个向量组就线性相关. 这与该向量组线性无关矛盾，故该向量组的任何一个非空的部分组也线性无关.

(3) 在命题 4.2.1 中，令 $s=2$ 即得.

向量组 $\boldsymbol{\alpha}_1,\boldsymbol{\alpha}_2$ 线性相关就表示 $\boldsymbol{\alpha}_1=k\boldsymbol{\alpha}_2$ 或者 $\boldsymbol{\alpha}_2=k\boldsymbol{\alpha}_1$ (这两个式子不一定能同时成立). 在 P 为实数域，并且是三维时，就表示向量 $\boldsymbol{\alpha}_1$ 与 $\boldsymbol{\alpha}_2$ 共线.

(4) 对于向量组 $\boldsymbol{\alpha}_1,\boldsymbol{\alpha}_2,\cdots,\boldsymbol{\alpha}_s,\mathbf{0}$，因 $k_1\boldsymbol{\alpha}_1+k_2\boldsymbol{\alpha}_2+\cdots+k_s\boldsymbol{\alpha}_s+1\cdot\mathbf{0}=\mathbf{0}$，而 $k_1,k_2,\cdots,k_s,1$ 中至少 1 不为零，故向量组 $\boldsymbol{\alpha}_1,\boldsymbol{\alpha}_2,\cdots,\boldsymbol{\alpha}_s,\mathbf{0}$ 是线性相关的. 又 $1\cdot\mathbf{0}=\mathbf{0}$，所以，单独一个零向量线性相关.

(5) 设 $\boldsymbol{\alpha}=(a_1,a_2,\cdots,a_s)\neq(0,0,\cdots,0)$，不妨设 $a_1\neq0$. 若 $k\boldsymbol{\alpha}=\mathbf{0}$，则 $ka_i=0,\ i=1,2,\cdots,s$. 由 $ka_1=0$，得 $k=0$，由定义 4.2.10，非零向量 $\boldsymbol{\alpha}$ 线性无关.

(6) 证明留给读者作为练习.

一般地，我们把 n 维向量的全体所构成的集合叫作 n 维向量空间. 当然，这里所谓向量比几何中所谓向量的含义要广泛些. 向量空间有时也称为线性空间. 下面介绍向量空间的相关知识.

定义 4.2.11

设 V 是以数域 P 中的数作为分量的 n 维向量的非空集合，若 V 对于向量的加法及数乘两种运算封闭，即

(1) 任给 $\boldsymbol{\alpha},\boldsymbol{\beta}\in V$，都有 $\boldsymbol{\alpha}+\boldsymbol{\beta}\in V$；

(2) 任给 $\boldsymbol{\alpha} \in V$ 及 $\lambda \in P$，都有 $\lambda\boldsymbol{\alpha} \in V$，

则 V 是数域 P 上的向量空间.

例 4.2.1 设 V_1 表示数域 P 中的数作为分量的 n 维向量的全体，试证 V_1 关于向量的加法及数乘两种运算构成数域 P 上的向量空间.

证明 由定义 4.2.3、定义 4.2.6 及定义 4.2.11 即知 V_1 是数域 P 上的向量空间.

通常，V_1 记为 P^n. 特别地，当 $P=\mathbf{R}$ 时，V_1 记为 $\mathbf{R}^n$，其中 $\mathbf{R}$ 表示实数域.

例 4.2.2 证明

$$V_2=\{\boldsymbol{\alpha}=(a_1,0,a_3,\cdots,a_n)\ |a_i \in P\}$$

是数域 P 上的一个向量空间.

证明 $\forall\boldsymbol{\alpha}=(a_1,0,a_3,\cdots,a_n)\in V_2, \boldsymbol{\beta}=(b_1,0,b_3,\cdots,b_n)\in V_2, \lambda\in P$，都有

$$\boldsymbol{\alpha}+\boldsymbol{\beta}=(a_1+b_1,0,a_3+b_3,\cdots,a_n+b_n)\in V_2, \quad \lambda\boldsymbol{\alpha}=(\lambda a_1,0,\lambda a_3,\cdots,\lambda a_n)\in V_2$$

由定义 4.2.11，V_2 是数域 P 上的一个向量空间.

定义 4.2.12

设 V 是一个向量空间，$\boldsymbol{\alpha}_1,\boldsymbol{\alpha}_2,\cdots,\boldsymbol{\alpha}_r\in V$，如果

(1) $\boldsymbol{\alpha}_1,\boldsymbol{\alpha}_2,\cdots,\boldsymbol{\alpha}_r$ 线性无关；

(2) 任意 $\boldsymbol{\alpha}\in V$ 都可以由 $\boldsymbol{\alpha}_1,\boldsymbol{\alpha}_2,\cdots,\boldsymbol{\alpha}_r$ 线性表出，

那么，$\boldsymbol{\alpha}_1,\boldsymbol{\alpha}_2,\cdots,\boldsymbol{\alpha}_r$ 称为向量空间 V 的一组基，并称 V 是 r 维向量空间，V 的维数记为 $\dim V=r$.

如果向量空间 V 没有基，那么，V 的维数为 0，且 0 维向量空间只含有一个零向量 $\mathbf{0}$.

例 4.2.3 对于例 4.2.1 中的 V_1，试证 $\dim V_1=n$.

证明 注意到，下列向量

$$\boldsymbol{\varepsilon}_1=(1,0,\cdots,0),\ \boldsymbol{\varepsilon}_2=(0,1,\cdots,0),\cdots,\ \boldsymbol{\varepsilon}_n=(0,0,\cdots,1) \tag{4.2.16}$$

一般称为 n 维单位向量. 显然 $\boldsymbol{\varepsilon}_i\in V_1, i=1,2,\cdots,n$. 假设

$$x_1\boldsymbol{\varepsilon}_1+x_2\boldsymbol{\varepsilon}_2+\cdots+x_n\boldsymbol{\varepsilon}_n=\mathbf{0}$$

按分量展开写出来就是

$$x_1(1,0,\cdots,0)+x_2(0,1,\cdots,0)+\cdots+x_n(0,0,\cdots,1)=(0,0,\cdots,0)$$

也即

$$(x_1,x_2,\cdots,x_n)=(0,0,\cdots,0)$$

所以 $x_1=x_2=\cdots=x_n=0$. 由定义 4.2.10 知，$\boldsymbol{\varepsilon}_1,\boldsymbol{\varepsilon}_2,\cdots,\boldsymbol{\varepsilon}_n$ 是线性无关的. 而任一个 n 维向量 $\boldsymbol{\alpha}=(a_1,a_2,\cdots,a_n)$ 都可表示为

$$\boldsymbol{\alpha}=a_1\boldsymbol{\varepsilon}_1+a_2\boldsymbol{\varepsilon}_2+\cdots+a_n\boldsymbol{\varepsilon}_n$$

由定义 4.2.12 知，$\boldsymbol{\varepsilon}_1,\boldsymbol{\varepsilon}_2,\cdots,\boldsymbol{\varepsilon}_n$ 是 V_1 的一组基，$\dim V_1=n$.

显然，几何空间中全体向量所构成的空间是三维实向量空间.

例 4.2.4 对于例 4.2.2 中的 V_2，试证 $\dim V_2=n-1$.

证明 显然，$\boldsymbol{\varepsilon}_i\in V_2, i=1,3,4,\cdots,n$. 因为 $\boldsymbol{\varepsilon}_1,\boldsymbol{\varepsilon}_2,\cdots,\boldsymbol{\varepsilon}_n$ 是线性无关的，依命题 4.2.2，部分组 $\boldsymbol{\varepsilon}_1,\boldsymbol{\varepsilon}_3,\cdots,\boldsymbol{\varepsilon}_n$ 也是线性无关的. 而任一个 n 维向量 $\boldsymbol{\alpha}=(a_1,0,a_3,\cdots,a_n)\in V_2$ 都可以表示为

$$\boldsymbol{\alpha}=a_1\boldsymbol{\varepsilon}_1+a_3\boldsymbol{\varepsilon}_3+\cdots+a_n\boldsymbol{\varepsilon}_n$$

由定义 4.2.12 知，$\boldsymbol{\varepsilon}_1,\boldsymbol{\varepsilon}_3,\cdots,\boldsymbol{\varepsilon}_n$ 是 V_2 的一组基，$\dim V_2=n-1$.

n 维向量的线性相关性及向量空间是后面我们讨论线性方程组的解向量结构的理论基础. 以下我们总在一固定的数域 P 上的向量空间中进行讨论，不再每次说明了.

4.3 高斯消元法

4.3.1 线性方程组的基本概念

接下来介绍一般的线性方程组. 所谓一般线性方程组是指形式为

$$\begin{cases}a_{11}x_1+a_{12}x_2+\cdots+a_{1n}x_n=b_1,\\ a_{21}x_1+a_{22}x_2+\cdots+a_{2n}x_n=b_2,\\ \quad\cdots\cdots\\ a_{s1}x_1+a_{s2}x_2+\cdots+a_{sn}x_n=b_s\end{cases}\tag{4.3.1}$$

的方程组，其中，$x_1,x_2,\cdots,x_n$ 代表 n 个未知量，s 是方程的个数，$a_{ij}\in P(i=1,2,\cdots,s;j=1,2,\cdots,n)$ 称为线性方程组的系数，$b_j\in P(j=1,2,\cdots,s)$ 称为常数项. 方程组中未知量的个数 n 与方程的个数 s 不一定相等. 系数 a_{ij} 的第一个指标 i 表示它出现在第 i 个方程，第二个指标 j 表示它是 x_j 的系数.

如果当 $(x_1,x_2,\cdots,x_n)=(k_1,k_2,\cdots,k_n)$ 时，方程组 (4.3.1) 中每个等式都是恒等式，那么 n 维向量 $(k_1,k_2,\cdots,k_n)$ 称为方程组 (4.3.1) 的一个解. 方程组 (4.3.1) 的解的全体称为它的解集合. 解方程组实际上就是找出它全部的解，或者说，求出方程组的解集合. 如果两个方程组有相同的解集合，那么，这两个方程组就称为同解的.

4.3.2 线性方程组的初等变换

为利用消元法解一般线性方程组，首先介绍线性方程组的初等变换.

定义 4.3.1

以下三种基本的变换称为线性方程组的初等变换:

(1) 用非零数乘某一方程;

(2) 把一个方程的常倍数加到另一个方程;

(3) 互换两个方程的位置.

在初等代数里学过用加减消元法和代入消元法解二元、三元线性方程组. 实际上，这种方法就是反复地对方程组进行初等变换. 下面通过一个例子说明.

例 4.3.1 求解线性方程组

$$\begin{cases}x_1\ \ +2x_2+3x_3=1,\\ 2x_1+5x_2+4x_3=3,\\ 2x_1+4x_2+6x_3=2\end{cases}$$

解 将第 1 个方程的–2 倍分别加到第 2、3 个方程，再将第 2 个方程的–2 倍加到第 1 个方

程，则原方程组化为

$$\begin{cases} x_1+0x_2+7x_3=-1, \\ \qquad x_2-2x_3=1, \\ \qquad\qquad 0=0 \end{cases}$$

这样，就容易求出方程组的解为

$$(x_1,\ x_2,\ x_3)=(-7t-1,\ \ 2t+1,\ \ t)$$

其中，t 是自由未知量，可以取任意值.

命题 4.3.1

初等变换总是把方程组变成同解的方程组.

证明 显然，初等变换(1)和(3)把方程组变成同解的方程组，下面对初等变换(2)来讨论. 为简便起见，不妨将方程组(4.3.1)的第一个方程的 t 倍加到第二个方程，得到新方程组

$$\begin{cases} a_{11}x_1+a_{12}x_2+\cdots+a_{1n}x_n=b_1, \\ (ta_{11}+a_{21})x_1+(ta_{12}+a_{22})x_2+\cdots+(ta_{1n}+a_{2n})x_n=tb_1+b_2, \\ \cdots\cdots \\ a_{s1}x_1+a_{s2}x_2+\cdots+a_{sn}x_n=b_s \end{cases} \tag{4.3.2}$$

设方程组(4.3.1)的任意一个解为 n 维向量 $(c_1,c_2,\cdots,c_n)$，则

$$a_{11}c_1+a_{12}c_2+\cdots+a_{1n}c_n=b_1$$
$$a_{21}c_1+a_{22}c_2+\cdots+a_{1n}c_n=b_2$$
$$\cdots\cdots$$
$$a_{s1}c_1+a_{s2}c_2+\cdots+a_{sn}c_n=b_n$$

上式表明，n 维向量 $(c_1,c_2,\cdots,c_n)$ 满足方程组(4.3.2)的第 1, 3, 4, $\cdots$, s 个方程，将上面第 1 个方程乘以 t，再加到第 2 个方程得

$$(ta_{11}+a_{21})c_1+(ta_{12}+a_{22})c_2+\cdots+(ta_{1n}+a_{2n})c_n=tb_1+b_2$$

上式表明，n 维向量 $(c_1,c_2,\cdots,c_n)$ 满足方程组(4.3.2)的第 2 个方程，所以 n 维向量 $(c_1,c_2,\cdots,c_n)$ 是方程组(4.3.2)的解. 类似地可以证明，方程组(4.3.2)的任一解也是方程组(4.3.1)的解. 于是，方程组(4.3.1)与方程组(4.3.2)是同解的.

4.3.3 线性方程组的高斯消元法

在中学，我们学过用加减消元法和代入消元法解二元、三元线性方程组. 实际上，这个方法比用行列式解线性方程组更具有普遍性. 下面我们将会介绍如何用一般消元法解一般线性方程组. 高斯(Gauss)消元的过程实质上就是反复对方程组施行初等变换的过程. 下面我们说明，如何利用初等变换来解一般的线性方程组.

对于方程组(4.3.1)，首先检查 x_1 的系数. 如果 x_1 的系数 $a_{11},a_{21},\cdots,a_{s1}$ 全为零，那么方程组(4.3.1)对 x_1 没有任何限制，x_1 就可以取任何值，而方程组(4.3.1)可以看作 $x_2,\cdots,x_n$ 的方程组来解. 如果 x_1 的系数不全为零，那么，利用初等变换(3)可以将非零元交换到 a_{11} 的位置，不妨设 $a_{11}\neq 0$. 利用初等变换(2)，分别把第一个方程的 $-\dfrac{a_{i1}}{a_{11}}$ 倍加到第 i 个方程($i=2,\cdots,n$). 于是方

程组(4.3.1)就变成

$$\begin{cases} a_{11}x_1 + a_{12}x_2 + \cdots + a_{1n}x_n = b_1, \\ \qquad a'_{22}x_2 + \cdots + a'_{2n}x_n = b'_2, \\ \qquad \cdots\cdots \\ \qquad a'_{s2}x_2 + \cdots + a'_{sn}x_n = b'_s \end{cases} \tag{4.3.3}$$

其中

$$a'_{ij} = a_{ij} - \frac{a_{i1}}{a_{11}} \cdot a_{1j}, \quad i = 2, \cdots, s, \quad j = 2, \cdots, n$$

这样，解方程组(4.3.1)的问题就归结为解方程组

$$\begin{cases} a'_{22}x_2 + \cdots + a'_{2n}x_n = b'_2, \\ \qquad \cdots\cdots \\ a'_{s2}x_2 + \cdots + a'_{sn}x_n = b'_n \end{cases} \tag{4.3.4}$$

的问题. 显然，方程组(4.3.4)的一个解，代入(4.3.3)的第一个方程就确定出 x_1 的值，这就得出(4.3.3)的一个解；方程组(4.3.3)的解显然都是(4.3.4)的解. 这就是说，方程组(4.3.3)有解的充要条件为方程组(4.3.4)有解，而方程组(4.3.4)与方程组(4.3.1)是同解的，因此，方程组(4.3.1)有解的充要条件为方程组(4.3.4)有解.

对方程组(4.3.4)再按上面的考虑进行变换，并且这样一步步做下去，最后就得到一个阶梯形方程组. 为了讨论起来方便，不妨设所得的方程组为

$$\begin{cases} c_{11}x_1 + c_{12}x_2 + \cdots + c_{1r}x_r + \cdots + c_{1n}x_n = d_1, \\ \qquad c_{22}x_2 + \cdots + c_{2r}x_r + \cdots + c_{2n}x_n = d_2, \\ \qquad \cdots\cdots \\ \qquad c_{rr}x_r + \cdots + c_{rn}x_n = d_r, \\ \qquad 0 = d_{r+1}, \\ \qquad 0 = 0, \\ \qquad \cdots\cdots \\ \qquad 0 = 0 \end{cases} \tag{4.3.5}$$

其中，$c_{ii} \neq 0, i = 1, 2, \cdots, r$. 方程组(4.3.5)中的“$0 = 0$”这样一些恒等式可能不出现，也可能出现，这时去掉它们也不影响方程组(4.3.4)的解. 而且方程组(4.3.1)与(4.3.4)是同解的.

现在考虑方程组(4.3.5)的解的情况.

若方程组(4.3.5)中有方程 $0 = d_{r+1}$，而 $d_{r+1} \neq 0$ 出现. 这时不管 $x_1, x_2, \cdots, x_n$ 取什么值都不能使式(4.3.5)成为恒等式. 故方程组(4.3.5)无解，因而方程组(4.3.1)无解.

当 $d_{r+1} = 0$ 或方程组(4.3.5)中根本没有“$0 = 0$”的方程时，分以下两种情况讨论.

(1) 若 $r = n$. 这时阶梯形方程组为

$$\begin{cases} c_{11}x_1 + c_{12}x_2 + \cdots + c_{1n}x_n = d_1, \\ \qquad c_{22}x_2 + \cdots + c_{2n}x_n = d_2, \\ \qquad \cdots\cdots \\ \qquad c_{nn}x_n = d_n \end{cases} \tag{4.3.6}$$

其中，$c_{ii} \neq 0, i = 1, 2, \cdots, n$. 由最后一个方程开始，$x_n, x_{n-1}, \cdots, x_1$ 的值就可以逐个地唯一确定了.

在这种情形下，方程组(4.3.6)也就是方程组(4.3.1)有唯一的解.

(2)若 $r<n$. 这时阶梯形方程组为

$$\begin{cases} c_{11}x_1+c_{12}x_2+\cdots+c_{1r}x_r+c_{1,r+1}x_{r+1}+\cdots+c_{1n}x_n=d_1, \\ \qquad c_{22}x_2+\cdots+c_{2r}x_r+c_{2,r+1}x_{r+1}+\cdots+c_{2n}x_n=d_2, \\ \qquad\qquad \cdots\cdots \\ \qquad\qquad c_{rr}x_r+c_{r,r+1}x_{r+1}+\cdots+c_{rn}x_n=d_r \end{cases}$$

其中 $c_{ii}\neq 0, i=1,2,\cdots,r$. 把上述方程组改写成

$$\begin{cases} c_{11}x_1+c_{12}x_2+\cdots+c_{1r}x_r=d_1-c_{1,r+1}x_{r+1}-\cdots-c_{1n}x_n, \\ \qquad c_{22}x_2+\cdots+c_{2r}x_r=d_2-c_{2,r+1}x_{r+1}-\cdots-c_{2n}x_n, \\ \qquad\qquad \cdots\cdots \\ \qquad\qquad c_{rr}x_r=d_r-c_{r,r+1}x_{r+1}-\cdots-c_{rn}x_n \end{cases} \tag{4.3.7}$$

由此可见，任给 $x_{r+1},\cdots,x_n$ 一组值，就唯一地确定出 $x_1,x_2,\cdots,x_r$ 的值，也就是确定出方程组(4.3.7)的一组解. 一般地，由方程组(4.3.7)我们可以把 $x_1,x_2,\cdots,x_r$ 通过 $x_{r+1},\cdots,x_n$ 表示出来，这样一组表达式称为方程组(4.3.1)的一般解，而 $x_{r+1},\cdots,x_n$ 称为一组自由未知量.

例 4.3.2 用高斯消元法解线性方程组

$$\begin{cases} 2x_1-x_2-x_3=4, \\ 3x_1+4x_2-2x_3=11, \\ 3x_1-2x_2+4x_3=11 \end{cases}$$

解 经过一系列初等变换将方程组化为阶梯形方程组

$$\begin{cases} 2x_1-x_2-x_3=4, \\ \qquad x_2-11x_3=-10, \\ \qquad\qquad x_3=1 \end{cases}$$

该题中 $r=n=3$，故有唯一的解. 将 $x_3=1$ 代入第二个方程，得 $x_2=1$. 再将 $x_2=1$，$x_3=1$ 代入第一个方程，得 $x_3=3$. 所以，上述方程组唯一的解是 $(x_1, x_2, x_3)=(3, 1, 1)$.

显然，如果知道了一个线性方程组的全部系数和常数项，那么，这个线性方程组就完全确定了. 更确切地说，线性方程组(4.3.1)可以用下面的矩阵

$$\begin{pmatrix} a_{11} & a_{12} & \cdots & a_{1n} & b_1 \\ a_{21} & a_{22} & \cdots & a_{2n} & b_2 \\ \vdots & \vdots & & \vdots & \vdots \\ a_{s1} & a_{s2} & \cdots & a_{sn} & b_s \end{pmatrix} \tag{4.3.8}$$

来表示，称为线性方程组(4.3.1)的增广矩阵. 实际上，有了矩阵(4.3.8)之后，除去代表未知量的文字外线性方程组(4.3.1)就确定了，而采用什么文字来代表未知量不是实质性的.

显然，用初等变换化方程组(4.3.1)成阶梯形方程组就相当于用初等行变换把增广矩阵(4.3.8)化成阶梯形矩阵. 因此，解线性方程组的第一步工作可以通过矩阵来进行，而根据化成的阶梯形矩阵就可以判别方程组有解还是无解，在有解的情形，回到阶梯形方程组去解.

例 4.3.3　用高斯消元法解线性方程组

$$\begin{cases} x_1 + 2x_2 + x_3 = 0, \\ 2x_1 + 5x_2 + x_3 = 1, \\ 0x_1 - 3x_2 + 3x_3 = 2 \end{cases}$$

解　将方程组的增广矩阵经过若干次初等行变换化为阶梯形矩阵

$$\begin{pmatrix} 1 & 2 & 1 & 0 \\ 2 & 5 & 1 & 1 \\ 0 & -3 & 3 & 2 \end{pmatrix} \to \begin{pmatrix} 1 & 2 & 1 & 0 \\ 0 & 1 & -1 & 1 \\ 0 & -3 & 3 & 2 \end{pmatrix} \to \begin{pmatrix} 1 & 2 & 1 & 0 \\ 0 & 1 & -1 & 1 \\ 0 & 0 & 0 & 5 \end{pmatrix}$$

从最后一行 (0, 0, 0, 5) 可以看出原方程组无解.

例 4.3.4　用高斯消元法解线性方程组

$$\begin{cases} x_1 + x_3 + 2x_5 + x_6 = 1, \\ x_1 + x_2 + 2x_3 + 3x_5 + 4x_6 = 3, \\ x_1 + x_3 + x_4 + 2x_6 = 4, \\ 2x_1 + 2x_3 - x_4 + 6x_5 + x_6 = -1 \end{cases}$$

解　第一步, 将方程组的增广矩阵经过若干次初等行变换化为阶梯形矩阵

$$\begin{pmatrix} 1 & 0 & 1 & 0 & 2 & 1 & 1 \\ 1 & 1 & 2 & 0 & 3 & 4 & 3 \\ 1 & 0 & 1 & 1 & 0 & 2 & 4 \\ 2 & 0 & 2 & -1 & 6 & 1 & -1 \end{pmatrix} \to \begin{pmatrix} 1 & 0 & 1 & 0 & 2 & 1 & 1 \\ 0 & 1 & 1 & 0 & 1 & 3 & 2 \\ 0 & 0 & 0 & 1 & -2 & 1 & 3 \\ 0 & 0 & 0 & 0 & 0 & 0 & 0 \end{pmatrix}$$

第二步, 阶梯形矩阵对应的方程组是

$$\begin{cases} x_1 + 0x_2 + x_3 + 0x_4 + 2x_5 + x_6 = 1, \\ x_2 + x_3 + 0x_4 + x_5 + 3x_6 = 2, \\ x_4 - 2x_5 + x_6 = 3 \end{cases}$$

该题中 $r = 3 < n = 6$, 故有无穷多个解. 自由未知量 x_3, x_5, x_6 依次取值 t_1, t_2, t_3, 则得方程组的一般解为

$$(x_1, x_2, x_3, x_4, x_5, x_6) = (-t_1 - 2t_2 - t_3 + 1,\ -t_1 - t_2 - 3t_3 + 2,\ t_1,\ 2t_2 - t_3 + 3,\ t_2,\ t_3)$$

由例 4.3.4 可见, 一般线性方程组不一定能化成如式(4.3.7)所示的阶梯形, 但是, 这并不影响方程组的求解. 其实, 只要把方程组中的某些项调动一下(例如, 将上例中变量作如下更改: $x_1 = y_1, x_2 = y_2, x_3 = y_4, x_4 = y_3, x_5 = y_5, x_6 = y_6$)总可以化成式(4.3.7)的样子.

以上就是用消元法解线性方程组的整个过程. 总的来说就是, 首先用初等变换化线性方程组为阶梯形方程组, 把最后的一些恒等式“$0 = 0$”(如果出现的话)去掉. 如果剩下的方程当中最后的一个等式是零等于某个非零的数, 那么, 方程组无解, 否则, 有解. 在有解的情况下, 如果阶梯形方程组中方程的个数 r 等于未知量的个数, 那么方程组有唯一的解; 如果阶梯形方程组中方程的个数 r 小于未知量的个数, 那么方程组就有无穷多个解.

根据上面的讨论, 我们可以得到如下一个重要的结论.

定理 4.3.1

如果$s<n$，那么齐次线性方程组

$$\begin{cases} a_{11}x_1+a_{12}x_2+\cdots+a_{1n}x_n=0, \\ a_{21}x_1+a_{22}x_2+\cdots+a_{2n}x_n=0, \\ \cdots\cdots \\ a_{s1}x_1+a_{s2}x_2+\cdots+a_{sn}x_n=0 \end{cases} \tag{4.3.9}$$

必有非零解.

证明 (1) 首先，直接验证可知，齐次线性方程组恒有零解.

(2) 由消元的过程知，阶梯形方程组(4.3.5)的方程个数不大于原方程组的方程个数，即$r\leqslant s$. 若$s<n$，则$r<n$，由阶梯形方程组(4.3.7)知，线性方程组的解不是唯一的.

因此，根据(1)和(2)，如果$s<n$，那么齐次线性方程组必有非零解.

4.4 向量组的秩与矩阵的秩

4.4.1 向量组的秩

n维向量空间中的向量组既可以包含有限个向量，也可以包含无限多个向量. 对于含有无限多个向量构成的向量组，能否选取有限个向量作为代表来表示出所有的向量. 如果可以，如何选取这有限个向量. 这就涉及向量组的极大线性无关组. 现在我们来讨论如何具体判断一个向量组是线性相关还是线性无关的问题. 要判断一个向量组

$$\boldsymbol{\alpha}_j=(a_{1j},a_{2j},\cdots,a_{sj}),\quad j=1,2,\cdots,n \tag{4.4.1}$$

是否线性相关，根据定义 4.2.10，就是考察下列方程组

$$x_1\boldsymbol{\alpha}_1+x_2\boldsymbol{\alpha}_2+\cdots+x_n\boldsymbol{\alpha}_n=\mathbf{0} \tag{4.4.2}$$

即

$$\begin{cases} a_{11}x_1+a_{12}x_2+\cdots+a_{1n}x_n=0, \\ a_{21}x_1+a_{22}x_2+\cdots+a_{2n}x_n=0, \\ \cdots\cdots \\ a_{s1}x_1+a_{s2}x_2+\cdots+a_{sn}x_n=0 \end{cases} \tag{4.4.3}$$

有没有非零解的问题. 因此，有以下命题.

命题 4.4.1

(1) 向量组(4.4.1)线性无关的充要条件是齐次线性方程组(4.4.3)只有零解.

(2) 向量组(4.4.1)线性相关的充要条件是齐次线性方程组(4.4.3)有非零解.

例 4.4.1 讨论向量组

$$\boldsymbol{\alpha}_1=(1,\ 4,\ 1,\ 0,2),\quad \boldsymbol{\alpha}_2=(2,\ 5,-1,-3,\ 2),\quad \boldsymbol{\alpha}_3=(0,\ 2,\ 2,-1,0)$$

的线性相关性.

解　考察下列方程组

$$x_1\boldsymbol{\alpha}_1+x_2\boldsymbol{\alpha}_2+x_3\boldsymbol{\alpha}_3=\mathbf{0}$$

也就是

$$\begin{cases}1x_1+2x_2+0x_3=0,\\4x_1+5x_2+2x_3=0,\\1x_1-1x_2+\ 2x_3=0,\\0x_1-3x_2-1x_3=0,\\2x_1+2x_2+0x_3=0\end{cases}$$

用初等行变换将方程组的系数矩阵 $\boldsymbol{A}$ 化为阶梯形 $\boldsymbol{B}$，即

$$\boldsymbol{A}=\begin{pmatrix}1&2&0\\4&5&2\\1&-1&2\\0&-3&-1\\2&2&0\end{pmatrix}\to\begin{pmatrix}1&2&0\\0&-1&0\\0&0&1\\0&0&0\\0&0&0\end{pmatrix}=\boldsymbol{B}$$

这里，$r=n=3$，由式(4.3.6)知，上述方程组有唯一的零解. 由命题 4.4.1 得向量组 $\boldsymbol{\alpha}_1,\boldsymbol{\alpha}_2,\boldsymbol{\alpha}_3$ 线性无关.

例 4.4.2　讨论向量组

$$\boldsymbol{\alpha}_1=(1,\ 0,\ 1,\ 0),\quad \boldsymbol{\alpha}_2=(-2,\ 1,\ 3,-7)$$
$$\boldsymbol{\alpha}_3=(3,-1,0,3),\quad \boldsymbol{\alpha}_4=(-4,\ 1,-3,\ 1)$$

的线性相关性.

解　考察下列方程组

$$x_1\boldsymbol{\alpha}_1+x_2\boldsymbol{\alpha}_2+x_3\boldsymbol{\alpha}_3+x_4\boldsymbol{\alpha}_4=\mathbf{0}$$

即

$$\begin{cases}x_1-2x_2+3x_3-4x_4=0,\\0x_1+x_2-x_3+x_4=0,\\x_1+3x_2+0x_3-3x_4=0,\\0x_1-7x_2+3x_3+x_4=0\end{cases}$$

用初等行变换将方程组的系数矩阵 $\boldsymbol{A}$ 化为阶梯形 $\boldsymbol{B}$，即

$$\boldsymbol{A}=\begin{pmatrix}1&-2&3&-4\\0&1&-1&1\\1&3&0&-3\\0&-7&3&1\end{pmatrix}\to\begin{pmatrix}1&-2&3&-4\\0&1&-1&1\\0&0&1&-2\\0&0&0&0\end{pmatrix}=\boldsymbol{B}$$

这里，$3=r<n=4$，由 4.3 节高斯消元过程的式(4.3.7)知，上述方程组有非零解，由命题 4.4.1 得，向量组 $\boldsymbol{\alpha}_1,\boldsymbol{\alpha}_2,\boldsymbol{\alpha}_3,\boldsymbol{\alpha}_4$ 线性相关.

命题 4.4.2

如果向量组(4.4.1)线性无关，那么在每一个向量相应位置上添加若干个分量所得到的向量组

$$\boldsymbol{\beta}_j=(a_{1j},a_{2j},\cdots,a_{sj},a_{s+1,j},\cdots,a_{s+m,j}),\quad j=1,2,\cdots,n \tag{4.4.4}$$

$$\boldsymbol{\gamma}_j=(a_{s+1,j},\cdots,a_{s+m,j},a_{1j},a_{2j},\cdots,a_{sj}),\quad j=1,2,\cdots,n \tag{4.4.5}$$

也线性无关.

证明 与向量组(4.4.4)相对应的齐次线性方程组是

$$\begin{cases}a_{11}x_1+a_{12}x_2+\cdots+a_{1n}x_n=0,\\ a_{21}x_1+a_{22}x_2+\cdots+a_{2n}x_n=0,\\ \qquad\cdots\cdots\\ a_{s1}x_1+a_{s2}x_2+\cdots+a_{sn}x_n=0,\\ a_{s+1,1}x_1+a_{s+1,2}x_2+\cdots+a_{s+1,n}x_n=0,\\ \qquad\cdots\cdots\\ a_{s+m,1}x_1+a_{s+m,2}x_2+\cdots+a_{s+m,n}x_n=0\end{cases} \tag{4.4.6}$$

设$(x_1,x_2,\cdots,x_n)$是方程组(4.4.6)的任意解，则它必是方程组(4.4.3)的解. 如果向量组(4.4.1)线性无关，由命题 4.4.1 知，方程组(4.4.3)只有零解，所以$(x_1,x_2,\cdots,x_n)=(0,0,\cdots,0)$. 再根据命题 4.4.1，向量组(4.4.4)线性无关. 同样可证，向量组(4.4.5)也线性无关.

定理 4.4.1

设$\boldsymbol{\alpha}_1,\boldsymbol{\alpha}_2,\cdots,\boldsymbol{\alpha}_s$与$\boldsymbol{\beta}_1,\boldsymbol{\beta}_2,\cdots,\boldsymbol{\beta}_t$是两个向量组.

(1) 向量组$\boldsymbol{\alpha}_1,\boldsymbol{\alpha}_2,\cdots,\boldsymbol{\alpha}_s$可以经$\boldsymbol{\beta}_1,\boldsymbol{\beta}_2,\cdots,\boldsymbol{\beta}_t$线性表出；

(2) $s>t$.

那么，向量组$\boldsymbol{\alpha}_1,\boldsymbol{\alpha}_2,\cdots,\boldsymbol{\alpha}_s$必线性相关.

证明 由(1)有

$$\boldsymbol{\alpha}_i=\sum_{j=1}^{t}a_{ji}\boldsymbol{\beta}_j,\quad i=1,2,\cdots,s$$

考察向量组$\boldsymbol{\alpha}_1,\boldsymbol{\alpha}_2,\cdots,\boldsymbol{\alpha}_s$的线性组合

$$x_1\boldsymbol{\alpha}_1+x_2\boldsymbol{\alpha}_2+\cdots+x_s\boldsymbol{\alpha}_s=\sum_{i=1}^{s}x_i\sum_{j=1}^{t}a_{ji}\boldsymbol{\beta}_j=\sum_{i=1}^{s}\sum_{j=1}^{t}a_{ji}x_i\boldsymbol{\beta}_j=\sum_{j=1}^{t}\left(\sum_{i=1}^{s}a_{ji}x_i\right)\boldsymbol{\beta}_j$$

令

$$\sum_{i=1}^{s}a_{ji}x_i=0,\quad j=1,2,\cdots,t$$

得齐次线性方程组

$$\begin{cases}a_{11}x_1+a_{12}x_2+\cdots+a_{1s}x_s=0,\\ a_{21}x_1+a_{22}x_2+\cdots+a_{2s}x_s=0,\\ \qquad\cdots\cdots\\ a_{t1}x_1+a_{t2}x_2+\cdots+a_{ts}x_s=0\end{cases}$$

由(2)，即 $s>t$，也即上述方程组中未知量的个数大于方程的个数. 根据定理 4.3.1，上述方程组有非零解 $(\hat{x}_1,\hat{x}_2,\cdots,\hat{x}_s)$. 于是

$$\hat{x}_1\boldsymbol{\alpha}_1+\hat{x}_2\boldsymbol{\alpha}_2+\cdots+\hat{x}_s\boldsymbol{\alpha}_s=\sum_{j=1}^{t}\left(\sum_{i=1}^{s}a_{ji}\hat{x}_i\right)\boldsymbol{\beta}_j=\sum_{j=1}^{t}0\boldsymbol{\beta}_j=\mathbf{0}$$

所以，由线性相关的定义知，向量组 $\boldsymbol{\alpha}_1,\boldsymbol{\alpha}_2,\cdots,\boldsymbol{\alpha}_s$ 必线性相关.

把定理 4.4.1 换个说法，立即可得如下推论.

推论 4.4.1

如果向量组 $\boldsymbol{\alpha}_1,\boldsymbol{\alpha}_2,\cdots,\boldsymbol{\alpha}_s$ 可以经向量组 $\boldsymbol{\beta}_1,\boldsymbol{\beta}_2,\cdots,\boldsymbol{\beta}_t$ 线性表出，且 $\boldsymbol{\alpha}_1,\boldsymbol{\alpha}_2,\cdots,\boldsymbol{\alpha}_s$ 线性无关，那么 $s\leqslant t$.

证明　反证法，若 $s>t$，则由定理 4.4.1 可知，$\boldsymbol{\alpha}_1,\boldsymbol{\alpha}_2,\cdots,\boldsymbol{\alpha}_s$ 必线性相关，这与 $\boldsymbol{\alpha}_1,\boldsymbol{\alpha}_2,\cdots,\boldsymbol{\alpha}_s$ 线性无关的条件相悖，故 $s\leqslant t$.

推论 4.4.2

任意 $n+1$ 个 n 维向量必线性相关.

证明　任意 $n+1$ 个 n 维向量可以由 $\boldsymbol{\varepsilon}_1,\boldsymbol{\varepsilon}_2,\boldsymbol{\varepsilon}_3\cdots,\boldsymbol{\varepsilon}_n$ 线性表出，且 $n+1>n$，由定理 4.4.1，任意 $n+1$ 个 n 维向量必线性相关.

推论 4.4.3

如果向量组 $\boldsymbol{\alpha}_1,\boldsymbol{\alpha}_2,\cdots,\boldsymbol{\alpha}_s$ 和向量组 $\boldsymbol{\beta}_1,\boldsymbol{\beta}_2,\cdots,\boldsymbol{\beta}_t$ 是两个线性无关的等价的向量组，那么，这两个向量组必含有相同个数的向量.

证明　一方面，$\boldsymbol{\alpha}_1,\boldsymbol{\alpha}_2,\cdots,\boldsymbol{\alpha}_s$ 可以由 $\boldsymbol{\beta}_1,\boldsymbol{\beta}_2,\cdots,\boldsymbol{\beta}_t$ 线性表出，由推论 4.4.1，有 $s\leqslant t$；另一方面，$\boldsymbol{\beta}_1,\boldsymbol{\beta}_2,\cdots,\boldsymbol{\beta}_t$ 也可以由 $\boldsymbol{\alpha}_1,\boldsymbol{\alpha}_2,\cdots,\boldsymbol{\alpha}_s$ 线性表出，由推论 4.4.1，有 $t\leqslant s$，所以 $s=t$.

定理 4.4.1 的几何意义是：在三维向量的情形下，如果 $t=2$，那么可以由向量 $\boldsymbol{\beta}_1,\boldsymbol{\beta}_2$ 线性表出的向量当然都在 $\boldsymbol{\beta}_1,\boldsymbol{\beta}_2$ 所确定的平面上，因而这些向量是共面的，也就是说，当 $s>2$ 时，这些向量线性相关. 两个向量组 $\boldsymbol{\alpha}_1,\boldsymbol{\alpha}_2$ 与 $\boldsymbol{\beta}_1,\boldsymbol{\beta}_2$ 等价，就意味着它们在同一平面上.

定义 4.4.1

设向量组 T 的一个部分组 $\boldsymbol{\alpha}_1,\boldsymbol{\alpha}_2,\cdots,\boldsymbol{\alpha}_r\subseteq T$，如果满足如下两个条件：

(1) $\boldsymbol{\alpha}_1,\boldsymbol{\alpha}_2,\cdots,\boldsymbol{\alpha}_r$ 线性无关；

(2) 向量组 T 中每个向量都可以由 $\boldsymbol{\alpha}_1,\boldsymbol{\alpha}_2,\cdots,\boldsymbol{\alpha}_r$ 线性表出.

则称 $\boldsymbol{\alpha}_1,\boldsymbol{\alpha}_2,\cdots,\boldsymbol{\alpha}_r$ 为向量组 T 的一个**极大线性无关组**.

由上述定义立即得以下命题.

命题 4.4.3

(1) 从向量组 T 中任意取一个向量(如果有)，加到 T 的一个极大线性无关组中，所得的向量组都线性相关.

(2) 向量组与它的任意一个极大线性无关组都等价.

(3) 一个线性无关向量组的极大线性无关组就是这个向量组本身.

证明 (1) 设 $\boldsymbol{\alpha}_1,\boldsymbol{\alpha}_2,\cdots,\boldsymbol{\alpha}_r$ 为向量组 T 的一个极大线性无关组，$\boldsymbol{\beta}\in T$，则 $\boldsymbol{\beta}=k_1\boldsymbol{\alpha}_1+k_2\boldsymbol{\alpha}_2+\cdots+k_r\boldsymbol{\alpha}_r$.

于是，移项整理后得

$$k_1\boldsymbol{\alpha}_1+k_2\boldsymbol{\alpha}_2+\cdots+k_r\boldsymbol{\alpha}_r-\boldsymbol{\beta}=\mathbf{0}$$

所以，向量组 $\boldsymbol{\alpha}_1,\boldsymbol{\alpha}_2,\cdots,\boldsymbol{\alpha}_r,\boldsymbol{\beta}$ 线性相关.

(2) 不妨设 $\boldsymbol{\alpha}_1,\boldsymbol{\alpha}_2,\cdots,\boldsymbol{\alpha}_r$ 是向量组 $\boldsymbol{\alpha}_1,\boldsymbol{\alpha}_2,\cdots,\boldsymbol{\alpha}_r,\cdots,\boldsymbol{\alpha}_s$ 的一个极大线性无关组. 一方面，由

$$\boldsymbol{\alpha}_i=0\boldsymbol{\alpha}_1+\cdots+1\boldsymbol{\alpha}_i+0\boldsymbol{\alpha}_{i+1}+\cdots+0\boldsymbol{\alpha}_s,\quad i=1,2,\cdots,r$$

可知，极大线性无关组 $\boldsymbol{\alpha}_1,\boldsymbol{\alpha}_2,\cdots,\boldsymbol{\alpha}_r$ 可以由向量组 $\boldsymbol{\alpha}_1,\boldsymbol{\alpha}_2,\cdots,\boldsymbol{\alpha}_r,\cdots,\boldsymbol{\alpha}_s$ 线性表出. 另一方面，由定义 4.4.1，向量组 $\boldsymbol{\alpha}_1,\boldsymbol{\alpha}_2,\cdots,\boldsymbol{\alpha}_r,\cdots,\boldsymbol{\alpha}_s$ 中每个向量都可以由极大线性无关组 $\boldsymbol{\alpha}_1,\boldsymbol{\alpha}_2,\cdots,\boldsymbol{\alpha}_r$ 线性表出. 所以，向量组 $\boldsymbol{\alpha}_1,\boldsymbol{\alpha}_2,\cdots,\boldsymbol{\alpha}_r,\cdots,\boldsymbol{\alpha}_s$ 与极大线性无关组 $\boldsymbol{\alpha}_1,\boldsymbol{\alpha}_2,\cdots,\boldsymbol{\alpha}_r$ 等价.

(3) 设 $\boldsymbol{\alpha}_1,\boldsymbol{\alpha}_2,\cdots,\boldsymbol{\alpha}_s$ 是线性无关向量组 $\boldsymbol{\beta}_1,\boldsymbol{\beta}_2,\cdots,\boldsymbol{\beta}_t$ 一个极大线性无关组. 由 (2) 知，$\boldsymbol{\alpha}_1,\boldsymbol{\alpha}_2,\cdots,\boldsymbol{\alpha}_s$ 与 $\boldsymbol{\beta}_1,\boldsymbol{\beta}_2,\cdots,\boldsymbol{\beta}_t$ 等价，再根据定理 4.4.1 的推论 4.4.3 得 $s=t$. 因为 $\boldsymbol{\alpha}_1,\boldsymbol{\alpha}_2,\cdots,\boldsymbol{\alpha}_s$ 是 $\boldsymbol{\beta}_1,\boldsymbol{\beta}_2,\cdots,\boldsymbol{\beta}_t$ 的一部分，而 $s=t$，所以，$\boldsymbol{\alpha}_1,\boldsymbol{\alpha}_2,\cdots,\boldsymbol{\alpha}_s$ 与 $\boldsymbol{\beta}_1,\boldsymbol{\beta}_2,\cdots,\boldsymbol{\beta}_s$ 是同一个向量组.

例 4.4.3 求向量组

$$\boldsymbol{\alpha}_1=(1,2,-1,1),\quad \boldsymbol{\alpha}_2=(2,-3,1,2),\quad \boldsymbol{\alpha}_3=(4,1,-1,4)$$

的极大线性无关组.

解 因为 $\boldsymbol{\alpha}_3=2\boldsymbol{\alpha}_1+\boldsymbol{\alpha}_2$，所以 $\boldsymbol{\alpha}_1,\boldsymbol{\alpha}_2,\boldsymbol{\alpha}_3$ 线性相关. 根据命题 4.2.2 的 (3) 知，向量组 $\boldsymbol{\alpha}_1,\boldsymbol{\alpha}_2$ 和向量组 $\boldsymbol{\alpha}_1,\boldsymbol{\alpha}_3$ 及向量组 $\boldsymbol{\alpha}_2,\boldsymbol{\alpha}_3$ 都线性无关，所以，向量组 $\boldsymbol{\alpha}_1,\boldsymbol{\alpha}_2$、向量组 $\boldsymbol{\alpha}_1,\boldsymbol{\alpha}_3$ 和向量组 $\boldsymbol{\alpha}_2,\boldsymbol{\alpha}_3$ 是向量组 $\boldsymbol{\alpha}_1,\boldsymbol{\alpha}_2,\boldsymbol{\alpha}_3$ 的三个极大线性无关组.

由上面的例子可以看出，向量组的极大线性无关组不是唯一的. 但是根据命题 4.4.3 的 (2)，每一个极大线性无关组都与向量组本身等价，因而，一向量组的任意两个极大线性无关组都是等价的，再由定理 4.4.1 的推论 4.4.3，可得以下定理.

定理 4.4.2

一向量组的极大线性无关组都含有相同个数的向量.

根据定理 4.4.2，一个向量组的极大线性无关组所含向量的个数是由向量组本身的性质所确定的，与极大线性无关组的选择无关. 因此有以下定义.

定义 4.4.2

向量组的极大线性无关组所含向量的个数称为这个向量组的秩，向量组 $\boldsymbol{\alpha}_1,\boldsymbol{\alpha}_2,\cdots,\boldsymbol{\alpha}_s$ 的秩记为秩 $(\boldsymbol{\alpha}_1,\boldsymbol{\alpha}_2,\cdots,\boldsymbol{\alpha}_s)$ 或 $r(\boldsymbol{\alpha}_1,\boldsymbol{\alpha}_2,\cdots,\boldsymbol{\alpha}_s)$.

例如，向量组

$$\boldsymbol{\alpha}_1=(1,2,-1,1),\quad \boldsymbol{\alpha}_2=(2,-3,1,2),\quad \boldsymbol{\alpha}_3=(4,1,-1,4)$$

的秩等于 2，记为 $r(\boldsymbol{\alpha}_1,\boldsymbol{\alpha}_2,\boldsymbol{\alpha}_3)=2$. 向量组

$$\boldsymbol{\alpha}_1=(1,\ 0,\ 1,\ 0),\quad \boldsymbol{\alpha}_2=(-2,\ 1,\ 3,-7),\quad \boldsymbol{\alpha}_3=(3,-1,0,3),\quad \boldsymbol{\alpha}_4=(-4,\ 1,-3,\ 1)$$

的秩等于 3，记为 $r(\boldsymbol{\alpha}_1,\boldsymbol{\alpha}_2,\boldsymbol{\alpha}_3,\boldsymbol{\alpha}_4)=3$.

根据命题 4.4.3，一个线性无关向量组的极大线性无关组就是这个向量组本身，故一向量组线性无关的充要条件是它所含向量的个数等于它的秩.

由命题 4.4.3 还可知，每一向量组都与该向量组的极大线性无关组等价．由等价的传递性可知，任意两个等价向量组的极大线性无关组也等价．所以，等价的向量组必有相同的秩．

直接由定义 4.4.1 可知，全部由零向量组成的向量组没有极大线性无关组．规定这样的向量组的秩为零．可以证明(参见相关习题)：含有非零向量的向量组一定有极大线性无关组，且任一个线性无关的部分向量组都能扩充成一极大线性无关组．

前面我们曾指出一个线性方程 $a_1x_1+a_2x_2+\cdots+a_{n-1}x_{n-1}=a_n$ 与向量 $(a_1,a_2,\cdots,a_n)$ 之间是一一对应的．现在把上面的概念与方程组的解的关系进行联系，给定一个线性方程组

$$\begin{cases}a_{11}x_1+a_{12}x_2+\cdots+a_{1n}x_n=d_1, & (4.4.7)_1\\ a_{21}x_1+a_{22}x_2+\cdots+a_{2n}x_n=d_2, & (4.4.7)_2\\ \quad\cdots\cdots & \\ a_{s1}x_1+a_{s2}x_2+\cdots+a_{sn}x_n=d_s & (4.4.7)_s\end{cases}$$

各个方程所对应的向量分别是 $\boldsymbol{\alpha}_1=(a_{11},a_{12},\cdots,a_{1n},d_1),\boldsymbol{\alpha}_2=(a_{21},a_{22},\cdots,a_{2n},d_2),\cdots,\ \boldsymbol{\alpha}_s=(a_{s1},a_{s2},\cdots,a_{sn},d_s)$．设有另一个方程

$$b_1x_1+b_2x_2+\cdots+b_nx_n=d \tag{4.4.8}$$

该方程对应的向量为 $\boldsymbol{\beta}=(b_1,b_2,\cdots,b_n,d)$．$\boldsymbol{\beta}=l_1\boldsymbol{\alpha}_1+l_2\boldsymbol{\alpha}_2+\cdots+l_s\boldsymbol{\alpha}_s$ 当且仅当 $(4.4.8)=l_1(4.4.7)_1+l_2(4.4.7)_2+\cdots+l_s(4.4.7)_s$，即 $\boldsymbol{\beta}$ 是 $\boldsymbol{\alpha}_1,\boldsymbol{\alpha}_2,\cdots,\boldsymbol{\alpha}_s$ 的线性组合，当且仅当方程 (4.4.8) 是方程 $(4.4.7)_1,(4.4.7)_2,\cdots,(4.4.7)_s$ 的线性组合．容易验证，方程组 $(4.4.7)_1,(4.4.7)_2,\cdots,(4.4.7)_s$ 的解一定满足 (4.4.8)．进一步设方程组

$$\begin{cases}b_{11}x_1+b_{12}x_2+\cdots+b_{1n}x_n=c_1\ , & (4.4.8)_1\\ b_{21}x_1+b_{22}x_2+\cdots+b_{2n}x_n=c_2\ , & (4.4.8)_2\\ \quad\cdots\cdots & \\ b_{t1}x_1+b_{t2}x_2+\cdots+b_{tn}x_n=c_t & (4.4.8)_t\end{cases}$$

该方程组的方程所对应的向量为 $\boldsymbol{\beta}_1,\boldsymbol{\beta}_2,\cdots,\boldsymbol{\beta}_t$．若 $\boldsymbol{\beta}_1,\boldsymbol{\beta}_2,\cdots,\boldsymbol{\beta}_t$ 可以经 $\boldsymbol{\alpha}_1,\boldsymbol{\alpha}_2,\cdots,\boldsymbol{\alpha}_s$ 线性表出，则方程组 $(4.4.7)_1,(4.4.7)_2,\cdots,(4.4.7)_s$ 的解是方程组 $(4.4.8)_1,(4.4.8)_2,\cdots,(4.4.8)_t$ 的解．再进一步，当 $\boldsymbol{\alpha}_1,\boldsymbol{\alpha}_2,\cdots,\boldsymbol{\alpha}_s$ 与 $\boldsymbol{\beta}_1,\boldsymbol{\beta}_2,\cdots,\boldsymbol{\beta}_t$ 等价时，两个方程组同解．因此，我们有以下命题．

命题 4.4.4

如果两个方程组的增广矩阵的行向量组等价，那么这两个方程组同解．

例 4.4.4　向量组 $\boldsymbol{\alpha}_1=(2,-1,-1,4),\boldsymbol{\alpha}_2=(3,4,-2,11),\boldsymbol{\alpha}_3=(3,-2,4,11)$ 与向量组 $\boldsymbol{\beta}_1=(2,-1,-1,4)$，$\boldsymbol{\beta}_2=(0,1,-11,-10),\boldsymbol{\beta}_3=(0,0,1,1)$ 是等价的，所以线性方程组

$$\begin{cases}2x_1\ \ -x_2-x_3=4\,,\\ 3x_1+4x_2-2x_3=11\,,\\ 3x_1\ -2x_2+4x_3=11\end{cases}$$

与线性方程组

$$\begin{cases}2x_1-\ x_2-\ \ x_3=4\,,\\ \qquad\ \ x_2-11x_3=-10\,,\\ \qquad\qquad\quad x_3=1\end{cases}$$

是同解的. 这个结果与例 4.3.2 是相同的.

4.4.2 矩阵的秩

在 4.4.1 节定义了向量组的秩. 矩阵的每一行可以看成一个向量, 同样, 矩阵的每一列也可看成一个向量. 因此, 我们可以用向量组的秩来研究矩阵的类似的性质.

定义 4.4.3

矩阵的行向量组的秩称为矩阵的行秩; 矩阵的列向量组的秩称为矩阵的列秩.

例如, 矩阵

$$\boldsymbol{A}=\begin{pmatrix}1&2&2&1\\3&2&-3&2\\0&4&1&5\end{pmatrix}$$

的行向量组是

$$\boldsymbol{\alpha}_1=(1,2,2,1),\quad \boldsymbol{\alpha}_2=(3,2,-3,2),\quad \boldsymbol{\alpha}_3=(0,4,1,5)$$

设

$$x_1\boldsymbol{\alpha}_1+x_2\boldsymbol{\alpha}_2+x_3\boldsymbol{\alpha}_3=\boldsymbol{0}$$

即齐次线性方程组

$$\begin{cases}1x_1+3x_2+0x_3=0,\\2x_1+2x_2+4x_3=0,\\2x_1-3x_2+1x_3=0,\\1x_1+2x_2+5x_3=0\end{cases}$$

用初等行变换将方程组的系数矩阵 $\boldsymbol{A}_1$ 化为阶梯形 $\boldsymbol{B}_1$:

$$\boldsymbol{A}_1=\begin{pmatrix}1&3&0\\2&2&4\\2&-3&1\\1&2&5\end{pmatrix}=\begin{pmatrix}1&3&0\\0&1&-1\\0&0&1\\0&0&0\end{pmatrix}=\boldsymbol{B}_1$$

这里 $3=r=n=3$, 由 4.3 节知, 上述方程组有唯一零解, 由命题 4.4.1 得 $\boldsymbol{\alpha}_1,\boldsymbol{\alpha}_2,\boldsymbol{\alpha}_3$ 线性无关. 由命题 4.4.3 的(3), $\boldsymbol{\alpha}_1,\boldsymbol{\alpha}_2,\boldsymbol{\alpha}_3$ 就是极大线性无关组, 所以, $r(\boldsymbol{\alpha}_1,\boldsymbol{\alpha}_2,\boldsymbol{\alpha}_3)=3$, 即 $\boldsymbol{A}$ 的行秩等于 3.

类似地, $\boldsymbol{A}$ 的列向量组是

$$\boldsymbol{\beta}_1=(1,3,0),\quad \boldsymbol{\beta}_2=(2,2,4),\quad \boldsymbol{\beta}_3=(2,-3,1),\quad \boldsymbol{\beta}_4=(1,2,5)$$

用同样的方法可证 $\boldsymbol{\beta}_1,\boldsymbol{\beta}_2,\boldsymbol{\beta}_3$ 线性无关, 由定理 4.4.1 的推论 4.4.2, $\boldsymbol{\beta}_1,\boldsymbol{\beta}_2,\boldsymbol{\beta}_3,\boldsymbol{\beta}_4$ 必线性相关. 所以, $\boldsymbol{\beta}_1,\boldsymbol{\beta}_2,\boldsymbol{\beta}_3$ 是 $\boldsymbol{\beta}_1,\boldsymbol{\beta}_2,\boldsymbol{\beta}_3,\boldsymbol{\beta}_4$ 的一个极大线性无关组, 从而, $\boldsymbol{A}$ 的列秩也等于 3.

该例中矩阵 $\boldsymbol{A}$ 的行秩等于列秩. 很自然地, 我们会问对于任意矩阵, 其行秩等于列秩吗? 回答是肯定的. 为了证明这一点, 我们先作如下准备.

引理 4.4.1

如果

$$A=\begin{pmatrix} a_{11} & a_{12} & \cdots & a_{1n} \\ a_{21} & a_{22} & \cdots & a_{2n} \\ \vdots & \vdots & & \vdots \\ a_{s1} & a_{s2} & \cdots & a_{sn} \end{pmatrix}$$

的行秩 $r<n$，那么，系数矩阵为 A 的齐次线性方程组

$$\begin{cases} a_{11}x_1+a_{12}x_2+\cdots+a_{1n}x_n=0, \\ a_{21}x_1+a_{22}x_2+\cdots+a_{2n}x_n=0, \\ \quad\cdots\cdots \\ a_{s1}x_1+a_{s2}x_2+\cdots+a_{sn}x_n=0 \end{cases} \tag{4.4.9}$$

有非零解.

证明　设 A 的行向量组是 $\boldsymbol{\alpha}_1,\boldsymbol{\alpha}_2,\cdots,\boldsymbol{\alpha}_r,\cdots,\boldsymbol{\alpha}_s$，不妨设 $\boldsymbol{\alpha}_1,\boldsymbol{\alpha}_2,\cdots,\boldsymbol{\alpha}_r$ 是极大线性无关组. 由命题 4.4.3 的(2)，$\boldsymbol{\alpha}_1,\boldsymbol{\alpha}_2,\cdots,\boldsymbol{\alpha}_r,\cdots,\boldsymbol{\alpha}_s$ 与 $\boldsymbol{\alpha}_1,\boldsymbol{\alpha}_2,\cdots,\boldsymbol{\alpha}_r$ 等价，由命题 4.4.4，方程组(4.4.9)与方程组

$$\begin{cases} a_{11}x_1+a_{12}x_2+\cdots+a_{1n}x_n=0, \\ a_{21}x_1+a_{22}x_2+\cdots+a_{2n}x_n=0, \\ \quad\cdots\cdots \\ a_{r1}x_1+a_{r2}x_2+\cdots+a_{rn}x_n=0 \end{cases} \tag{4.4.10}$$

是同解的. 根据定理 4.3.1，方程组(4.4.10)有非零解，从而方程组(4.4.9)也有非零解.

由上述引理 4.4.1，可得以下定理.

定理 4.4.3

矩阵的行秩与列秩相等.

证明　设矩阵

$$A=\begin{pmatrix} a_{11} & a_{12} & \cdots & a_{1n} \\ a_{21} & a_{22} & \cdots & a_{2n} \\ \vdots & \vdots & & \vdots \\ a_{s1} & a_{s2} & \cdots & a_{sn} \end{pmatrix}$$

的行秩为 r，列秩为 t. 设 A 的行向量组是 $\boldsymbol{\alpha}_1,\boldsymbol{\alpha}_2,\cdots,\boldsymbol{\alpha}_r,\cdots,\boldsymbol{\alpha}_s$，不妨设 $\boldsymbol{\alpha}_1,\boldsymbol{\alpha}_2,\cdots,\boldsymbol{\alpha}_r$ 是极大线性无关组. 所以，若方程

$$x_1\boldsymbol{\alpha}_1+x_2\boldsymbol{\alpha}_2+\cdots+x_r\boldsymbol{\alpha}_r=\mathbf{0}$$

成立，则必有 $x_1=x_2=\cdots=x_r=0$，即方程组

$$\begin{cases} a_{11}x_1+a_{21}x_2+\cdots+a_{r1}x_r=0, \\ a_{12}x_1+a_{22}x_2+\cdots+a_{r2}x_r=0, \\ \quad\cdots\cdots \\ a_{1n}x_1+a_{2n}x_2+\cdots+a_{rn}x_r=0 \end{cases}$$

只有零解. 如果上述方程组的系数矩阵

$$B=\begin{pmatrix} a_{11} & a_{21} & \cdots & a_{r1} \\ a_{12} & a_{22} & \cdots & a_{r2} \\ \vdots & \vdots & & \vdots \\ a_{1n} & a_{2n} & \cdots & a_{rn} \end{pmatrix}$$

的行秩小于 r, 根据引理 4.4.1, 上述方程组就有非零解, 这与它只有零解相矛盾. 故 $\boldsymbol{B}$ 的行秩大于或等于 r. 因此, 在 $\boldsymbol{B}$ 的 n 个行向量中必存在 r 个线性无关的行向量, 不妨设向量组

$$(a_{11},a_{21},\cdots,a_{r1}),(a_{12},a_{22},\cdots,a_{r2}),\cdots,(a_{1r},a_{2r},\cdots,a_{rr})$$

线性无关. 根据命题 4.4.2, $\boldsymbol{A}$ 的 r 个列向量组

$$(a_{11},a_{21},\cdots,a_{r1},\cdots,a_{s1}),(a_{12},a_{22},\cdots,a_{r2},\cdots,a_{s2}),\cdots,(a_{1r},a_{2r},\cdots,a_{rr},\cdots,a_{sr})$$

也线性无关. 因此, $\boldsymbol{A}$ 的列秩 t 至少大于或等于 r, 即 $t\geqslant r$. 用同样的方法可证 $r\geqslant t$. 于是 $r=t$.

因为矩阵的行秩与列秩恒相等, 所以我们给出如下概念.

定义 4.4.4

矩阵的行秩与列秩统称为矩阵的秩. 矩阵 $\boldsymbol{A}$ 的秩记为秩($\boldsymbol{A}$)或 $r(\boldsymbol{A})$.

矩阵的秩反映了矩阵的一种本质属性, 是矩阵的一种重要的数值特征. 前面讨论向量组的秩与矩阵的秩的关系, 现在考察行列式与矩阵的秩之间的联系.

首先讨论 $n\times n$ 矩阵的秩与行列式的联系.

定理 4.4.4

设 $\boldsymbol{A}$ 为 $n\times n$ 矩阵

$$A=\begin{pmatrix} a_{11} & a_{12} & \cdots & a_{1n} \\ a_{21} & a_{22} & \cdots & a_{2n} \\ \vdots & \vdots & & \vdots \\ a_{n1} & a_{n2} & \cdots & a_{nn} \end{pmatrix}$$

$r(\boldsymbol{A})<n$ 的充要条件是 $\boldsymbol{A}$ 的行列式为零.

证明 必要性. 已知 $r(\boldsymbol{A})<n$. 根据定义, $\boldsymbol{A}$ 的行秩小于 n, 所以 $\boldsymbol{A}$ 的 n 个行向量 $\boldsymbol{\alpha}_1,\boldsymbol{\alpha}_2,\cdots,\boldsymbol{\alpha}_n$ 线性相关. 当 $n=1$ 时, $\boldsymbol{A}$ 是一个一维零向量, 故 $|\boldsymbol{A}|=0$. 当 $n>1$ 时, 根据命题 4.2.1, $\boldsymbol{\alpha}_1,\boldsymbol{\alpha}_2,\cdots,\boldsymbol{\alpha}_n$ 中有一个向量是可以由其余的向量线性表出. 不妨设 $\boldsymbol{\alpha}_n=k_1\boldsymbol{\alpha}_1+k_2\boldsymbol{\alpha}_2+\cdots+k_{n-1}\boldsymbol{\alpha}_{n-1}$. 将行列式 $|\boldsymbol{A}|$ 的第 i 行 $\boldsymbol{\alpha}_i$ 乘以 $-k_i\,(i=1,2,\cdots,n-1)$ 都分别加到第 n 行 $\boldsymbol{\alpha}_n$ 上, 得 $\boldsymbol{\alpha}_n-k_1\boldsymbol{\alpha}_1-k_2\boldsymbol{\alpha}_2-\cdots-k_{n-1}\boldsymbol{\alpha}_{n-1}=\boldsymbol{0}$, 即第 n 行全变成零, 由行列式的性质知 $|\boldsymbol{A}|=0$.

充分性. 已知 $|\boldsymbol{A}|=0$. 下面关于 n 作数学归纳法证明.

(1) 当 $n=1$ 时, 因为 $|\boldsymbol{A}|=0$, 所以 $\boldsymbol{A}$ 是一个一维零向量, $r(\boldsymbol{A})=0<1$.

(2) 假设对于 $(n-1)\times(n-1)$ 矩阵 $\boldsymbol{A}$, 若 $|\boldsymbol{A}|=0$, 则 $r(\boldsymbol{A})<n-1$.

(3) 对于 $n\times n$ 矩阵 $\boldsymbol{A}$, 设它的行向量为 $\boldsymbol{\alpha}_1,\boldsymbol{\alpha}_2,\cdots,\boldsymbol{\alpha}_n$. 如果 $\boldsymbol{A}$ 的第一列 $a_{11},a_{21},\cdots,a_{n1}$ 全为零, 那么 $\boldsymbol{A}$ 的列向量组因含零向量而线性相关, $\boldsymbol{A}$ 的列秩小于 n, 从而 $r(\boldsymbol{A})<n$. 如果 $\boldsymbol{A}$ 的第一列 $a_{11},a_{21},\cdots,a_{n1}$ 不全为零, 不妨设 $a_{11}\neq 0$, 则根据行列式性质, 有

$$|\boldsymbol{A}|=\begin{vmatrix} a_{11} & a_{12} & \cdots & a_{1n} \\ 0 & \hat{a}_{22} & \cdots & \hat{a}_{2n} \\ \vdots & \vdots & & \vdots \\ 0 & \hat{a}_{n2} & \cdots & \hat{a}_{nn} \end{vmatrix}=a_{11}\begin{vmatrix} \hat{a}_{22} & \cdots & \hat{a}_{2n} \\ \vdots & & \vdots \\ \hat{a}_{n2} & \cdots & \hat{a}_{nn} \end{vmatrix}$$

其中，

$$(0,\hat{a}_{i2},\cdots,\hat{a}_{in})=\boldsymbol{\alpha}_i-\frac{a_{i1}}{a_{11}}\boldsymbol{\alpha}_1,\quad i=2,3,\cdots,n$$

因为$|\boldsymbol{A}|=0$，$a_{11}\neq 0$，所以$\begin{vmatrix} \hat{a}_{22} & \cdots & \hat{a}_{2n} \\ \vdots & & \vdots \\ \hat{a}_{n2} & \cdots & \hat{a}_{nn} \end{vmatrix}=0$. 根据归纳法假设(2)，$n-1$阶矩阵

$$\begin{pmatrix} \hat{a}_{22} & \cdots & \hat{a}_{2n} \\ \vdots & & \vdots \\ \hat{a}_{n2} & \cdots & \hat{a}_{nn} \end{pmatrix}$$

的秩小于$n-1$，故它的$n-1$个行向量

$$(\hat{a}_{i2},\cdots,\hat{a}_{in}),\quad i=2,3,\cdots,n$$

线性相关. 由此可得向量组

$$(0,\hat{a}_{i2},\cdots,\hat{a}_{in}),\quad i=2,3,\cdots,n$$

即向量组

$$\boldsymbol{\alpha}_i-\frac{a_{i1}}{a_{11}}\boldsymbol{\alpha}_1,\quad i=2,3,\cdots,n$$

线性相关. 由线性相关的定义知，存在不全为零的$n-1$个数$k_1,k_2,\cdots,k_{n-1}$使

$$k_1\left(\boldsymbol{\alpha}_2-\frac{a_{21}}{a_{11}}\boldsymbol{\alpha}_1\right)+k_2\left(\boldsymbol{\alpha}_3-\frac{a_{31}}{a_{11}}\boldsymbol{\alpha}_1\right)+\cdots+k_{n-1}\left(\boldsymbol{\alpha}_n-\frac{a_{n1}}{a_{11}}\boldsymbol{\alpha}_1\right)=\mathbf{0}$$

从而，有

$$-\left(\frac{a_{21}}{a_{11}}k_1+\frac{a_{31}}{a_{11}}k_2+\cdots+\frac{a_{n1}}{a_{11}}k_{n-1}\right)\boldsymbol{\alpha}_1+k_1\boldsymbol{\alpha}_2+\cdots+k_{n-1}\boldsymbol{\alpha}_n=\mathbf{0}$$

显然，$-\left(\frac{a_{21}}{a_{11}}k_1+\frac{a_{31}}{a_{11}}k_2+\cdots+\frac{a_{n1}}{a_{11}}k_{n-1}\right),k_1,k_2,\cdots,k_{n-1}$不全为零，所以向量组$\boldsymbol{\alpha}_1,\boldsymbol{\alpha}_2,\cdots,\boldsymbol{\alpha}_n$线性相关，矩阵$\boldsymbol{A}$的行秩小于$n$，从而$r(\boldsymbol{A})<n$.

推论 4.4.4

设$\boldsymbol{A}$为$n\times n$矩阵，$r(\boldsymbol{A})=n$的充要条件是$|\boldsymbol{A}|\neq 0$.

推论 4.4.5

齐次线性方程组

$$\begin{cases} a_{11}x_1+a_{12}x_2+\cdots+a_{1n}x_n=0, \\ a_{21}x_1+a_{22}x_2+\cdots+a_{2n}x_n=0, \\ \qquad\cdots\cdots \\ a_{n1}x_1+a_{n2}x_2+\cdots+a_{nn}x_n=0 \end{cases}$$

有非零解的充要条件是它的系数矩阵

$$A=\begin{pmatrix} a_{11} & a_{12} & \cdots & a_{1n} \\ a_{21} & a_{22} & \cdots & a_{2n} \\ \vdots & \vdots & & \vdots \\ a_{n1} & a_{n2} & \cdots & a_{nn} \end{pmatrix}$$

的行列式等于零.

证明 充分性. 由定理 4.4.4 及引理 4.4.1 推出.

必要性. 用反证法, 假若 $|A|\neq 0$, 根据克拉默法则, 上述齐次线性方程组只有零解, 这与条件矛盾, 故 $|A|=0$.

现在讨论一般矩阵的秩与行列式的联系, 为此引入矩阵子式的概念.

定义 4.4.5

在一个 $s\times n$ 矩阵 A 中任意选取 k 行、k 列 ($k\leqslant \min(s,n)$), 位于这些选定行和列交叉处的元素按原来相对位置构成的 k 阶行列式, 称为 A 的一个 k 阶子式.

例如,

$$A=\begin{pmatrix} 1 & 3 & 0 & 6 \\ 3 & 2 & 5 & 4 \\ 2 & 4 & 1 & 5 \end{pmatrix}$$

在 A 中选取第 1, 3 行和 2, 4 列, 它们相交处的元素构成 A 的一个二阶子式

$$\begin{vmatrix} 3 & 6 \\ 4 & 5 \end{vmatrix}$$

一般来说, $s\times n$ 矩阵 A 共有 $C_s^k C_n^k$ 个 k 阶子式. 矩阵的秩与行列式的关系有以下定理.

定理 4.4.5

一矩阵的秩是 r 的充要条件是该矩阵中有一个 r 阶子式不为零, 同时所有 $r+1$ 阶(若存在)子式都为零.

证明 必要性. 设矩阵

$$A=\begin{pmatrix} a_{11} & a_{12} & \cdots & a_{1n} \\ a_{21} & a_{22} & \cdots & a_{2n} \\ \vdots & \vdots & & \vdots \\ a_{s1} & a_{s2} & \cdots & a_{sn} \end{pmatrix}$$

的秩等于 r. 首先, 证 A 中存在一个非零 r 阶子式. 显然, A 中有 r 个行向量线性无关, 不妨设该组行向量是矩阵 A 的前 r 个行向量, 由该组行向量构成矩阵

$$\boldsymbol{B}=\begin{pmatrix} a_{11} & a_{12} & \cdots & a_{1n} \\ a_{21} & a_{22} & \cdots & a_{2n} \\ \vdots & \vdots & & \vdots \\ a_{r1} & a_{r2} & \cdots & a_{rn} \end{pmatrix}$$

显然，矩阵 $\boldsymbol{B}$ 的行秩等于 r，于是，$\boldsymbol{B}$ 的列秩也等于 r，从而，在 $\boldsymbol{B}$ 中有 r 个列向量线性无关. 不妨设 $\boldsymbol{B}$ 的前 r 个列向量线性无关，根据推论 4.4.4，$\boldsymbol{A}$ 的 r 阶子式

$$\begin{vmatrix} a_{11} & a_{12} & \cdots & a_{1r} \\ a_{21} & a_{22} & \cdots & a_{2r} \\ \vdots & \vdots & & \vdots \\ a_{r1} & a_{r2} & \cdots & a_{rr} \end{vmatrix}\neq 0$$

现在来证所有 $r+1$ 阶子式都为零. 根据定理 4.4.1，$\boldsymbol{A}$ 中任意 $r+1$ 个行向量都线性相关，$\boldsymbol{A}$ 的任意 $r+1$ 阶子式的行向量也线性相关. 根据定理 4.4.4，$r+1$ 级子式都等于零.

充分性. 设矩阵 $\boldsymbol{A}$ 中有一个 r 阶子式不为零，同时所有 $r+1$ 阶子式都为零.

(1) 根据行列式按一行展开的公式，$r+2$ 阶子式可以表示为 $r+1$ 阶子式的线性组合，同样，$r+3$ 阶子式可以表示为 $r+2$ 阶子式的线性组合，从而 $r+3$ 阶子式可以表示为 $r+1$ 阶子式的线性组合，依次类推，s $(s>r)$ 阶子式可以表示为 $r+1$ 阶子式的线性组合. 因为所有 $r+1$ 阶子式都为零，所以，$\boldsymbol{A}$ 的 s $(s>r)$ 阶子式全为零.

(2) 设 $r(\boldsymbol{A})=t$. 如果 $t>r$，由定理 4.4.5 的必要性，其中有一个 t 阶子式不为零，而由 (1) 知，$\boldsymbol{A}$ 的 t 阶子式全为零，这个矛盾表明必有 $t\leqslant r$. 若 $t<r$，则由定理 4.4.5 的必要性，$\boldsymbol{A}$ 的所有 $t+1$ 阶子式都为零，用 (1) 的证明方法可证得，$\boldsymbol{A}$ 的 s $(s>t)$ 阶子式全为零，因为 $r>t$，所以 $\boldsymbol{A}$ 的 r 阶子式全为零，而充分性条件指出矩阵 $\boldsymbol{A}$ 中有一个 r 阶子式不为零，该矛盾表明必有 $t\geqslant r$. 因此 $t=r$，即 $r(\boldsymbol{A})=r$.

从上述证明可以得到以下命题.

命题 4.4.5

$r(\boldsymbol{A})\leqslant r$ 的充要条件为所有的 $r+1$ 阶子式全为零.

命题 4.4.6

$r(\boldsymbol{A})\geqslant r$ 的充要条件为至少有一个 r 阶子式不为零.

命题 4.4.7

在秩为 r 的矩阵中，不为零的 r 阶子式所在的行正是其行向量组的一个极大线性无关组，所在的列正是其列向量的一个极大线性无关组.

定理 4.4.5 的证明过程实际上提供了计算矩阵的秩的一种方法. 主要步骤总结如下.

首先，对矩阵 $\boldsymbol{A}$ 关于行作初等变换，把矩阵化成阶梯形 $\boldsymbol{B}$. 矩阵的初等行变换是把行向量组变成一个与之等价的向量组. 等价的向量组有相同的秩. 因此，初等行变换不改变矩阵的秩. 同样初等列变换也不改变矩阵的秩. 所以 $r(\boldsymbol{A})=r(\boldsymbol{B})$.

其次，阶梯形矩阵 $\boldsymbol{B}$ 的秩就等于其中非零的行的数目 r. 要证明这个结论，只要证明 $\boldsymbol{B}$ 中 r 个非零行向量线性无关. 因为初等列变换不改变矩阵的秩，所以总可以进行适当的初等列变

换把 $\boldsymbol{B}$ 变为矩阵

$$\boldsymbol{C}=\begin{pmatrix} c_{11} & c_{12} & \cdots & c_{1r} & \cdots & c_{1n} \\ 0 & c_{22} & \cdots & c_{2r} & \cdots & c_{2n} \\ \vdots & \vdots & & \vdots & & \vdots \\ 0 & 0 & \cdots & c_{rr} & \cdots & c_{rn} \\ 0 & 0 & \cdots & 0 & \cdots & 0 \\ \vdots & \vdots & & \vdots & & \vdots \\ 0 & 0 & \cdots & 0 & \cdots & 0 \end{pmatrix}$$

其中，$c_{ii}\neq 0, i=1,2,\cdots,r$． $r(\boldsymbol{B})=r(\boldsymbol{C})$． $\boldsymbol{C}$ 的左上角的 r 阶子式

$$\begin{vmatrix} c_{11} & c_{12} & \cdots & c_{1r} \\ 0 & c_{22} & \cdots & c_{2r} \\ \vdots & \vdots & & \vdots \\ 0 & 0 & \cdots & c_{rr} \end{vmatrix}=c_{11}c_{22}\cdots c_{rr}\neq 0$$

因此，$r(\boldsymbol{C})=r$．

以上的讨论还说明，用初等行变换把一个线性方程转化为阶梯形，最后留下来的方程的个数与实施变换的过程无关，因为方程的个数就等于增广矩阵的秩.

例 4.4.5 利用初等变换求下面矩阵的秩

$$\boldsymbol{A}=\begin{pmatrix} 1 & 0 & 2 & 1 & 0 \\ 7 & 1 & 14 & 7 & 1 \\ 0 & 5 & 1 & 4 & 6 \\ 2 & 1 & 1 & -10 & -2 \end{pmatrix}$$

解

$$\boldsymbol{A}\to\begin{pmatrix} 1 & 0 & 2 & 1 & 0 \\ 0 & 1 & 0 & 0 & 1 \\ 0 & 5 & 1 & 4 & 6 \\ 0 & 1 & -3 & -12 & -2 \end{pmatrix}\to\begin{pmatrix} 1 & 0 & 2 & 1 & 0 \\ 0 & 1 & 0 & 0 & 1 \\ 0 & 0 & 1 & 4 & 1 \\ 0 & 0 & -3 & -12 & -3 \end{pmatrix}\to\begin{pmatrix} 1 & 0 & 2 & 1 & 0 \\ 0 & 1 & 0 & 0 & 1 \\ 0 & 0 & 1 & 4 & 1 \\ 0 & 0 & 0 & 0 & 0 \end{pmatrix}$$

故 $r(\boldsymbol{A})=3$．

4.5 线性方程组有解判别定理

有了向量和矩阵的基本理论知识后，现在我们来讨论一般线性方程组解的存在性问题，给出线性方程组有解的判定条件. 设线性方程组的一般形式为

$$\begin{cases} a_{11}x_1+a_{12}x_2+\cdots+a_{1n}x_n=b_1, \\ a_{21}x_1+a_{22}x_2+\cdots+a_{2n}x_n=b_2, \\ \quad\cdots\cdots \\ a_{s1}x_1+a_{s2}x_2+\cdots+a_{sn}x_n=b_s \end{cases} \tag{4.5.1}$$

方程组 (4.5.1) 的系数矩阵和增广矩阵分别记为

$$\boldsymbol{A}=\begin{pmatrix} a_{11} & a_{12} & \cdots & a_{1n} \\ a_{21} & a_{22} & \cdots & a_{2n} \\ \vdots & \vdots & & \vdots \\ a_{s1} & a_{s2} & \cdots & a_{sn} \end{pmatrix},\quad \overline{\boldsymbol{A}}=\begin{pmatrix} a_{11} & a_{12} & \cdots & a_{1n} & b_1 \\ a_{21} & a_{22} & \cdots & a_{2n} & b_2 \\ \vdots & \vdots & & \vdots & \vdots \\ a_{s1} & a_{s2} & \cdots & a_{sn} & b_s \end{pmatrix}$$

引入向量

$$\boldsymbol{\alpha}_1=\begin{pmatrix}a_{11}\\a_{21}\\\vdots\\a_{s1}\end{pmatrix},\boldsymbol{\alpha}_2=\begin{pmatrix}a_{12}\\a_{22}\\\vdots\\a_{s2}\end{pmatrix},\cdots,\boldsymbol{\alpha}_n=\begin{pmatrix}a_{1n}\\a_{2n}\\\vdots\\a_{sn}\end{pmatrix},\quad \boldsymbol{\beta}=\begin{pmatrix}b_1\\b_2\\\vdots\\b_s\end{pmatrix}$$

下面给出线性方程组(4.5.1)有解的判别定理.

定理 4.5.1

线性方程组(4.5.1)有解的充要条件为 $r(\boldsymbol{A})=r(\overline{\boldsymbol{A}})$.

证明　必要性. 设(4.5.1)有解 $x_1=k_1,x_2=k_2,\cdots,x_n=k_n$，于是由线性方程组(4.5.1)可得

$$k_1\boldsymbol{\alpha}_1+k_2\boldsymbol{\alpha}_2+\cdots+k_n\boldsymbol{\alpha}_n=\boldsymbol{\beta} \tag{4.5.2}$$

因为 $\boldsymbol{\beta}$ 可以表示成向量组 $\boldsymbol{\alpha}_1,\boldsymbol{\alpha}_2,\cdots,\boldsymbol{\alpha}_n$ 的线性组合，所以系数矩阵 $\boldsymbol{A}$ 的列向量组 $\boldsymbol{\alpha}_1,\boldsymbol{\alpha}_2,\cdots,\boldsymbol{\alpha}_n$ 与增广矩阵 $\overline{\boldsymbol{A}}$ 的列向量组 $\boldsymbol{\alpha}_1,\boldsymbol{\alpha}_2,\cdots,\boldsymbol{\alpha}_n,\boldsymbol{\beta}$ 等价，这两个列向量组有相同的秩，从而 $r(\boldsymbol{A})=r(\overline{\boldsymbol{A}})$.

充分性. 设 $r(\boldsymbol{A})=r(\overline{\boldsymbol{A}})=r$，即 $r(\boldsymbol{\alpha}_1,\boldsymbol{\alpha}_2,\cdots,\boldsymbol{\alpha}_n)=r(\boldsymbol{\alpha}_1,\boldsymbol{\alpha}_2,\cdots,\boldsymbol{\alpha}_n,\boldsymbol{\beta})$. 不妨设 $\boldsymbol{\alpha}_1,\boldsymbol{\alpha}_2,\cdots,\boldsymbol{\alpha}_r$ 是 $\boldsymbol{\alpha}_1,\boldsymbol{\alpha}_2,\cdots,\boldsymbol{\alpha}_n$ 的一个极大线性无关组. 因为向量组 $\boldsymbol{\alpha}_1,\boldsymbol{\alpha}_2,\cdots,\boldsymbol{\alpha}_n,\boldsymbol{\beta}$ 的秩为 r，该向量组的任意 r 个线性无关的向量都是其极大线性无关组，所以 $\boldsymbol{\alpha}_1,\boldsymbol{\alpha}_2,\cdots,\boldsymbol{\alpha}_r$ 也是 $\boldsymbol{\alpha}_1,\boldsymbol{\alpha}_2,\cdots,\boldsymbol{\alpha}_n,\boldsymbol{\beta}$ 的一个极大线性无关组. 由此可见，$\boldsymbol{\beta}$ 可以由 $\boldsymbol{\alpha}_1,\boldsymbol{\alpha}_2,\cdots,\boldsymbol{\alpha}_r$ 线性表出，从而 $\boldsymbol{\beta}$ 可以由 $\boldsymbol{\alpha}_1,\boldsymbol{\alpha}_2,\cdots,\boldsymbol{\alpha}_n$ 线性表出. 若 $\boldsymbol{\beta}=k_1\boldsymbol{\alpha}_1+k_2\boldsymbol{\alpha}_2+\cdots+k_n\boldsymbol{\alpha}_n$，则 $(k_1,k_2,\cdots,k_n)$ 就是方程组(4.5.1)的一个解向量. 因此，方程组(4.5.1)有解.

注　定理 4.5.1 给出的判别条件与之前介绍的高斯消元法是一致的. 根据前面的做法，用消元法解线性方程组(4.5.1)的第一步就是用初等行变换把增广矩阵 $\overline{\boldsymbol{A}}$ 化成阶梯形.

例 4.5.1　判别线性方程组

$$\begin{cases}0x_1-1x_2-1x_3+x_4=0,\\1x_1+1x_2+1x_3+1x_4=6,\\2x_1+4x_2+x_3-2x_4=-1,\\3x_1+1x_2-2x_3+2x_4=3\end{cases}$$

是否有解.

解　对增广矩阵作初等行变换

$$\overline{\boldsymbol{A}}=\begin{pmatrix}0&-1&-1&1&0\\1&1&1&1&6\\2&4&1&-2&-1\\3&1&-2&2&3\end{pmatrix}\to\begin{pmatrix}1&1&1&1&6\\0&-1&-1&1&0\\0&2&-1&-4&-13\\0&-2&-5&-1&-15\end{pmatrix}$$

$$\to\begin{pmatrix}1&1&1&1&6\\0&-1&-1&1&0\\0&0&-3&-2&-13\\0&0&0&-1&-2\end{pmatrix}$$

由此可见，$r(\boldsymbol{A})=r(\overline{\boldsymbol{A}})=4$，故方程组有解.

例 4.5.2　讨论方程组

$$\begin{cases}3x_1+2x_2+1x_3+1x_4-3x_5=a,\\5x_1+4x_2+3x_3+3x_4-1x_5=b,\\1x_1+1x_2+1x_3+1x_4+1x_5=1,\\0x_1+1x_2+2x_3+2x_4+6x_5=3\end{cases}$$

的解的存在性与 a,b 取值的关系.

解 对增广矩阵作初等行变换

$$\overline{\boldsymbol{A}}=\begin{pmatrix}3&2&1&1&-3&a\\5&4&3&3&-1&b\\1&1&1&1&1&1\\0&1&2&2&6&3\end{pmatrix}\to\begin{pmatrix}1&1&1&1&1&1\\0&-1&-2&-2&-6&a-3\\0&-1&-2&-2&-6&b-5\\0&1&2&2&6&3\end{pmatrix}$$

$$\to\begin{pmatrix}1&1&1&1&1&1\\0&1&2&2&6&3\\0&0&0&0&0&a\\0&0&0&0&0&b-2\end{pmatrix}$$

由此可见，$r(\boldsymbol{A})=2$，只有当 $a=0,b=2$ 时，才有 $r(\overline{\boldsymbol{A}})=2$，所以当 $a=0,b=2$ 时，方程组有解；当 $(a,b)\neq(0,2)$ 时，方程组无解.

最后，由定理 4.5.1 可以得到一个常用的定理.

定理 4.5.2

方程组(4.5.1)有唯一解的充要条件是 $r(\boldsymbol{A})=r(\overline{\boldsymbol{A}})=n$.

证明 必要性. 已知方程组(4.5.1)有唯一解，则由定理 4.5.1，$r(\boldsymbol{A})=r(\overline{\boldsymbol{A}})$ 且有唯一解 $(x_1,x_2,\cdots,x_n)$，使

$$x_1\boldsymbol{\alpha}_1+x_2\boldsymbol{\alpha}_2+\cdots+x_n\boldsymbol{\alpha}_n=\boldsymbol{\beta}$$

用反证法. 假设 $r(\boldsymbol{A})<n$，则 $\boldsymbol{\alpha}_1,\boldsymbol{\alpha}_2,\cdots,\boldsymbol{\alpha}_n$ 线性相关，也即存在不全为零的数 $k_1,k_2,\cdots,k_n$，使

$$k_1\boldsymbol{\alpha}_1+k_2\boldsymbol{\alpha}_2+\cdots+k_n\boldsymbol{\alpha}_n=\boldsymbol{0}$$

从而，可得

$$\begin{aligned}&(x_1+k_1)\boldsymbol{\alpha}_1+(x_2+k_2)\boldsymbol{\alpha}_2+\cdots+(x_n+k_n)\boldsymbol{\alpha}_n\\=&x_1\boldsymbol{\alpha}_1+x_2\boldsymbol{\alpha}_2+\cdots+x_n\boldsymbol{\alpha}_n+k_1\boldsymbol{\alpha}_1+k_2\boldsymbol{\alpha}_2+\cdots+k_n\boldsymbol{\alpha}_n=\boldsymbol{\beta}+\boldsymbol{0}=\boldsymbol{\beta}\end{aligned}$$

故 $(x_1+k_1,x_2+k_2,\cdots,x_n+k_n)$ 也是方程组(4.5.1)的解，这与方程组(4.5.1)有唯一解矛盾. 故 $r(\boldsymbol{A})=r(\overline{\boldsymbol{A}})=n$.

充分性. 已知 $r(\boldsymbol{A})=r(\overline{\boldsymbol{A}})=n$，则由定理 4.5.1，方程组(4.5.1)有解，故 $\boldsymbol{\alpha}_1,\boldsymbol{\alpha}_2,\cdots,\boldsymbol{\alpha}_n,\boldsymbol{\beta}$ 线性相关，而 $\boldsymbol{\alpha}_1,\boldsymbol{\alpha}_2,\cdots,\boldsymbol{\alpha}_n$ 线性无关. 由命题 4.2.2 的(6)知，$\boldsymbol{\beta}$ 可以由 $\boldsymbol{\alpha}_1,\boldsymbol{\alpha}_2,\cdots,\boldsymbol{\alpha}_n$ 唯一地线性表出，从而方程组(4.5.1)有唯一的解.

应该指出，类似地讨论可以知道，方程组(4.5.1)无解的充要条件是 $r(\boldsymbol{A})<r(\overline{\boldsymbol{A}})$；方程组(4.5.1)有无限多解的充要条件是 $r(\boldsymbol{A})=r(\overline{\boldsymbol{A}})<n$. 这些结论留作读者练习.

4.6　齐次线性方程组解的结构

根据 4.5 节线性方程组有解判别定理, 齐次线性方程组

$$\begin{cases} a_{11}x_1 + a_{12}x_2 + \cdots + a_{1n}x_n = 0, \\ a_{21}x_1 + a_{22}x_2 + \cdots + a_{2n}x_n = 0, \\ \qquad\cdots\cdots \\ a_{s1}x_1 + a_{s2}x_2 + \cdots + a_{sn}x_n = 0 \end{cases} \tag{4.6.1}$$

总是有解的. 显然, $\boldsymbol{x} = (x_1, x_2, \cdots, x_n) = (0, 0, \cdots, 0) = \boldsymbol{0}$ 就是方程组(4.6.1)的一个解. 当方程组(4.6.1)有多个解时, 为了掌握方程组的解集合, 弄清解与解之间的关系自然十分重要, 这就是所谓齐次线性方程组解的结构问题. 虽然在这时方程组(4.6.1)有无限多个解, 但是全部的解都可以通过有限多个解表示出来. 下面讨论这个问题, 为此, 先给出如下的两个性质.

性质 4.6.1

齐次线性方程组(4.6.1)的两个解的和还是方程组(4.6.1)的解.

证明　设 $(k_1, k_2, \cdots, k_n), (l_1, l_2, \cdots, l_n)$ 是方程组(4.6.1)的任意两个解. 则

$$\sum_{j=1}^{n} a_{ij}k_j = 0, \quad i = 1, 2, \cdots, s$$

$$\sum_{j=1}^{n} a_{ij}l_j = 0, \quad i = 1, 2, \cdots, s$$

将上述两式相加得

$$\sum_{j=1}^{n} a_{ij}(k_j + l_j) = \sum_{j=1}^{n} a_{ij}k_j + \sum_{j=1}^{n} a_{ij}l_j = 0 + 0 = 0, \quad i = 1, 2, \cdots, s$$

上式说明

$$(k_1 + l_1, k_2 + l_2, \cdots, k_n + l_n) \tag{4.6.2}$$

也是方程组(4.6.1)的一个解.

性质 4.6.2

齐次线性方程组(4.6.1)一个解的倍数还是方程组(4.6.1)的解.

证明　设 $(k_1, k_2, \cdots, k_n)$ 是方程组(4.6.1)的任意一个解, c 是任意常数. 因为

$$\sum_{j=1}^{n} a_{ij}(ck_j) = c\sum_{j=1}^{n} a_{ij}k_j = c \cdot 0 = 0, \quad i = 1, 2, \cdots, s$$

所以, $c(k_1, k_2, \cdots, k_n) = (ck_1, ck_2, \cdots, ck_n)$ 是方程组(4.6.1)的一个解.

上述两个性质说明, 对于齐次线性方程组, 解的线性组合还是方程组的解. 根据定义 4.2.11, 齐次线性方程组的解集合是一个向量空间, 我们称其为解空间. 如果解空间存在基, 根据定义 4.2.12, 齐次线性方程组的全部解就能够通过这组基线性表出, 这样掌握了方程组的全部解. 方程组(4.6.1)的解空间的基称为(4.6.1)的基础解系. 更具体地说就是以下定义.

定义 4.6.1

设$\eta_1,\eta_2,\cdots,\eta_t$是齐次线性方程组(4.6.1)的一个解，如果满足

(1) $\eta_1,\eta_2,\cdots,\eta_t$线性无关；

(2)方程组(4.6.1)的任一个解都能表示成$\eta_1,\eta_2,\cdots,\eta_t$的线性组合，

那么，$\eta_1,\eta_2,\cdots,\eta_t$称为方程组(4.6.1)的一个基础解系.

定义 4.6.2

设$\eta_1,\eta_2,\cdots,\eta_t$是方程组(4.6.1)的一个基础解系，$k_1,k_2,\cdots,k_t$是任意常数，称

$$x=k_1\eta_1+k_2\eta_2+\cdots+k_t\eta_t$$

为方程组(4.6.1)的**通解**.

接下来，自然会问：方程组(4.6.1)的解空间是否一定存在基?也就是方程组(4.6.1)是否有基础解系?下面回答这一问题.

定理 4.6.1

设齐次线性方程组(4.6.1)的系数矩阵为$A=(a_{ij})_{s\times n}$，

(1)若$r(A)=r=n$，则方程组只有唯一的零解，没有基础解系；

(2)若$r(A)=r<n$，则方程组有无穷多个非零解，有基础解系，且基础解系所含解的个数等于$n-r$.

证明 (1)不妨设方程组(4.6.1)的系数矩阵左上角的r阶子式不为零. 用初等行变换可以将方程组(4.6.1)变为同解方程组

$$\begin{cases}a_{11}x_1+a_{12}x_2+\cdots+a_{1r}x_r=-a_{1,r+1}x_{r+1}-\cdots-a_{1n}x_n,\\ a_{21}x_1+a_{22}x_2+\cdots+a_{2r}x_r=-a_{2,r+1}x_{r+1}-\cdots-a_{2n}x_n,\\ \qquad\cdots\cdots\\ a_{r1}x_1+a_{r2}x_2+\cdots+a_{rr}x_r=-a_{r,r+1}x_{r+1}-\cdots-a_{rn}x_n\end{cases}\tag{4.6.3}$$

若$r=n$，方程组(4.6.3)的右端全为零. 根据克拉默法则，方程组只有唯一的零解，此时，方程组无基础解系.

(2)若$r<n$，自由未知量$x_{r+1},x_{r+2},\cdots,x_n$构成的$n-r$维向量$(x_{r+1},x_{r+2},\cdots,x_n)$分别取下面的$n-r$个$n-r$维向量

$$(1,0,\cdots,0),(0,1,\cdots,0),\cdots,(0,0,\cdots,1)\tag{4.6.4}$$

根据克拉默法则，就可得方程组(4.6.1)的$n-r$个解

$$\begin{cases}\eta_1=(c_{11},c_{12},\cdots,\ c_{1r},\ 1,0,\cdots,0),\\ \eta_2=(c_{21},c_{22},\cdots,\ c_{2r},\ 0,1,\cdots,0),\\ \qquad\cdots\cdots\\ \eta_{n-r}=(c_{n-r,1},c_{n-r,2},\cdots,c_{n-r,r},\ 0,0,\cdots,1)\end{cases}\tag{4.6.5}$$

由于向量组(4.6.4)是线性无关的，根据命题 4.4.2，$\eta_1,\eta_2,\cdots,\eta_{n-r}$也线性无关.

现在来证明向量组(4.6.5)是一组基础解系. 为此，再设

$$\eta=(k_1,\cdots,k_r,k_{r+1},k_{r+2},\cdots,k_n)\tag{4.6.6}$$

是方程组(4.6.1)的任意一个解. 则根据性质 4.6.1 可知

$$k_{r+1}\boldsymbol{\eta}_1+k_{r+2}\boldsymbol{\eta}_2+\cdots+k_n\boldsymbol{\eta}_{n-r}=(*,\cdots,*,\ k_{r+1},k_{r+2},\cdots,k_n) \tag{4.6.7}$$

也是方程组(4.6.1)的一个解. 式(4.6.6)和式(4.6.7)的最后 $n-r$ 个分量相同, 由方程组(4.6.3)及克拉默法则知这两个解应该相等, 即

$$\boldsymbol{\eta}=k_{r+1}\boldsymbol{\eta}_1+k_{r+2}\boldsymbol{\eta}_2+\cdots+k_n\boldsymbol{\eta}_{n-r} \tag{4.6.8}$$

以上讨论表明 $\boldsymbol{\eta}_1,\boldsymbol{\eta}_2,\cdots,\boldsymbol{\eta}_{n-r}$ 是方程组(4.6.1)的一个基础解系, 因此, 当方程组系数矩阵的秩小于方程组的未知量的个数时, 方程组必有基础解系.

在上面的证明中找到的这个基础解系 $\boldsymbol{\eta}_1,\boldsymbol{\eta}_2,\cdots,\boldsymbol{\eta}_{n-r}$ 含有 $n-r$ 个向量. 根据定义 4.6.1, 方程组(4.6.1)的任何一个基础解系是线性无关的并与 $\boldsymbol{\eta}_1,\boldsymbol{\eta}_2,\cdots,\boldsymbol{\eta}_{n-r}$ 等价, 再根据定理 4.4.1 的推论 4.4.3, 这两个基础解系必含有相同个数的解, 即基础解系所含解的个数等于 $n-r$.

由定义容易证明, 任何一个线性无关的与某一个基础解系等价的向量组都是基础解系.

定理 4.6.1 的证明过程实际上就是一个具体求基础解系的方法. 下面通过例题说明.

例 4.6.1　求齐次线性方程组

$$\begin{cases}x_1+x_2+x_3+x_4=0,\\ 2x_1+2x_2+x_3+3x_4=0,\\ x_1+x_2+2x_3=0\end{cases}$$

的基础解系和通解.

解　对方程组的系数矩阵作初等行变换

$$\boldsymbol{A}=\begin{pmatrix}1&1&1&1\\2&2&1&3\\1&1&2&0\end{pmatrix}\to\begin{pmatrix}1&1&1&1\\0&0&-1&1\\0&0&1&-1\end{pmatrix}\to\begin{pmatrix}1&1&1&1\\0&0&-1&1\\0&0&0&0\end{pmatrix}$$

$$\to\begin{pmatrix}1&1&0&2\\0&0&1&-1\\0&0&0&0\end{pmatrix}$$

可见, $r(\boldsymbol{A})=2$, 基础解系应含 $n-r=4-2=2$ 个向量. 同解方程组为

$$\begin{cases}x_1=-x_2-2x_4,\\ x_3=x_4\end{cases}$$

在上面的同解方程组中让 (x_2,x_4) 分别取 $(1,\ 0)$, $(0,\ 1)$, 得如下基础解系

$$\boldsymbol{\eta}_1=(-1,\ 1,\ 0,\ 0),\quad \boldsymbol{\eta}_2=(-2,\ 0,\ 1,\ 1)$$

其通解为

$$\boldsymbol{x}=k_1\boldsymbol{\eta}_1+k_2\boldsymbol{\eta}_2$$

也即

$$(x_1,x_2,x_3,x_4)=k_1(-1,\ 1,\ 0,\ 0)+k_2(-2,\ 0,\ 1,\ 1)$$

或者

$$\begin{pmatrix}x_1\\x_2\\x_3\\x_4\end{pmatrix}=k_1\begin{pmatrix}-1\\1\\0\\0\end{pmatrix}+k_2\begin{pmatrix}-2\\0\\1\\1\end{pmatrix}$$

其中, k_1,k_2 为任意常数.

4.7 非齐次线性方程组解的结构

本节来看一般线性方程组的解的结构. 设有非齐次线性方程组

$$\begin{cases} a_{11}x_1+a_{12}x_2+\cdots+a_{1n}x_n=b_1, \\ a_{21}x_1+a_{22}x_2+\cdots+a_{2n}x_n=b_2, \\ \quad\cdots\cdots \\ a_{s1}x_1+a_{s2}x_2+\cdots+a_{sn}x_n=b_s \end{cases} \tag{4.7.1}$$

注意, 方程组(4.7.1)右端的常数项全部换成0, 就得到齐次线性方程组(4.7.2). 具体来说, 在方程组(4.7.1)中令$(b_1,b_2,\cdots,b_s)=(0,0,\cdots,0)$, 可以导出一个齐次线性方程组

$$\begin{cases} a_{11}x_1+a_{12}x_2+\cdots+a_{1n}x_n=0, \\ a_{21}x_1+a_{22}x_2+\cdots+a_{2n}x_n=0, \\ \quad\cdots\cdots \\ a_{s1}x_1+a_{s2}x_2+\cdots+a_{sn}x_n=0 \end{cases} \tag{4.7.2}$$

我们把方程组(4.7.2)称为方程组(4.7.1)的**导出组**. 方程组(4.7.1)的解与其导出组(4.7.2)的解之间有密切的联系.

非齐次线性方程组的解有如下性质.

性质 4.7.1

方程组(4.7.1)的两个解之差是它的导出组(4.7.2)的解.

证明 设$(k_1,k_2,\cdots,k_n),(l_1,l_2,\cdots,l_n)$是方程组(4.7.1)的任意两个解. 则

$$\sum_{j=1}^{n}a_{ij}k_j=b_i,\quad \sum_{j=1}^{n}a_{ij}l_j=b_i,\quad i=1,2,\cdots,s$$

显然

$$\sum_{j=1}^{n}a_{ij}(k_j-l_j)=\sum_{j=1}^{n}a_{ij}k_j-\sum_{j=1}^{n}a_{ij}l_j=b_i-b_i=0,\quad i=1,2,\cdots,s$$

这说明$(k_1-l_1,k_2-l_2,\cdots,k_n-l_n)$是导出组(4.7.2)的一个解.

性质 4.7.2

方程组(4.7.1)的一个解与其导出组(4.7.2)的一个解之和仍是方程组(4.7.1)的解.

性质 4.7.2 的证明留作练习.

显然, 方程组(4.7.1)的两个解之和不再是方程组(4.7.1)的解, 因此, 非齐次线性方程组的解集合不能构成向量空间. 定理 4.5.1 和定理 4.5.2 已分别给出了非齐次线性方程组有解和有唯一解的充要条件. 高斯消元法表明当线性方程组的解不唯一时, 一定有无穷多个解. 这里, 我们要利用上述性质给出非齐次线性方程组解的结构.

定理 4.7.1

如果 γ_0 是方程组(4.7.1)的一个特解，$\eta_1,\eta_2,\cdots,\eta_{n-r}$ 是其导出组(4.7.2)的一组基础解系，那么，线性方程组(4.7.1)的任一个解 γ 都可以表示成

$$\gamma=\gamma_0+k_1\eta_1+k_2\eta_2+\cdots+k_{n-r}\eta_{n-r} \tag{4.7.3}$$

证明　根据性质 4.7.1，$\gamma-\gamma_0$ 是导出组(4.7.2)的解. 由基础解系的定义，存在一组常数 $k_1,k_2,\cdots,k_{n-r}$，使

$$\gamma-\gamma_0=k_1\eta_1+k_2\eta_2+\cdots+k_{n-r}\eta_{n-r}$$

从而，

$$\gamma=\gamma_0+k_1\eta_1+k_2\eta_2+\cdots+k_{n-r}\eta_{n-r}$$

实际上，由 γ 的任意性知式(4.7.3)就是非齐次线性方程组(4.7.1)的通解公式. 定理 4.7.1 说明，为了找出一非齐次线性方程组的全部解，只要找出该方程组的一个特解以及该方程组的导出组的全部解就行了. 由定理 4.7.1 的证明过程，容易得到如下推论.

推论 4.7.1

若方程组(4.7.1)有解，则解是唯一的充要条件是该方程组的导出组(4.7.2)只有零解.

线性方程组的理论与解析几何中关于平面与直线的讨论有着密切的关系. 先来看线性方程组

$$\begin{cases}a_{11}x_1+a_{12}x_2+a_{13}x_3=b_1,\\ a_{21}x_1+a_{22}x_2+a_{23}x_3=b_2\end{cases} \tag{4.7.4}$$

方程组(4.7.4)中每一个方程表示一个平面，线性方程组(4.7.4)有没有解的问题就相当于这两个平面有没有交点的问题. 我们知道，两个平面只有在平行而不重合的情形没有交点. 方程组(4.7.4)的系数矩阵与增广矩阵分别是

$$\boldsymbol{A}=\begin{pmatrix}a_{11}&a_{12}&a_{13}\\a_{21}&a_{22}&a_{23}\end{pmatrix} \quad 与 \quad \overline{\boldsymbol{A}}=\begin{pmatrix}a_{11}&a_{12}&a_{13}&b_1\\a_{21}&a_{22}&a_{23}&b_2\end{pmatrix}$$

矩阵 $\boldsymbol{A}$，$\overline{\boldsymbol{A}}$ 的秩可能是 1 或者 2，有以下三种可能的情形:

(1) $r(\boldsymbol{A})=r(\overline{\boldsymbol{A}})=1$. 这就是说 $\boldsymbol{A}$ 的两行成比例，因而这两个平面平行. 又因为 $\overline{\boldsymbol{A}}$ 的两行也成比例，所以这两个平面重合. 方程组有解.

(2) $r(\boldsymbol{A})=1, r(\overline{\boldsymbol{A}})=2$. 这就是说，这两个平面平行而不重合. 方程组无解.

(3) $r(\boldsymbol{A})=2$. 这时 $\overline{\boldsymbol{A}}$ 的秩一定也是 2. 在几何上就是这两个平面不平行，因而一定相交. 方程组有解.

下面再来看看线性方程组的解的几何意义. 设矩阵 $\boldsymbol{A}$ 的秩为 2，这时一般解中有一个自由未知量，譬如 x_3，设一般解的形式为

$$\begin{cases}x_1=d_1+c_1x_3,\\ x_2=d_2+c_2x_3\end{cases} \tag{4.7.5}$$

从几何上看，两个不平行的平面相交成一条直线. 把式(4.7.5)改写一下就是直线的点斜式方程

$$\frac{x_1-d_1}{c_1}=\frac{x_2-d_2}{c_2}=x_3$$

如果再引入参数t，令$x_3=t$，式(4.7.5)就成为

$$\begin{cases}x_1=d_1+c_1t\ ,\\x_2=d_2+c_2t,\\x_3=t\end{cases}\tag{4.7.6}$$

这就是直线的参数方程.

方程组(4.7.4)的导出方程组是

$$\begin{cases}a_{11}x_1+a_{12}x_2+a_{13}x_3=0\ ,\\a_{21}x_1+a_{22}x_2+a_{23}x_3=0\end{cases}\tag{4.7.7}$$

从几何上看，这是两个分别与(4.7.4)的平面平行且过原点的平面，因而这两个平面的交线过原点且与直线(4.7.5)平行. 既然与直线(4.7.5)平行，也就是有相同的方向，所以这条直线的参数方程就是

$$\begin{cases}x_1=c_1t\ ,\\x_2=c_2t,\\x_3=t\end{cases}\tag{4.7.8}$$

式(4.7.6)与式(4.7.8)正说明了线性方程组(4.7.4)与其导出组(4.7.7)的解之间的关系.

例 4.7.1 (五猴分桃问题) 在一个荒岛上，五只猴子一起采集了一整天桃子后入睡. 一只猴子先醒了，决定先拿走自己的一份桃子. 它把桃子均分为五份还剩一个，就把多的一个吃了，藏好了自己的一份后回去睡觉. 后来又有第二只猴子醒了，也吃了一个桃子然后正好五等分，它也拿走了自己的一份后又去睡觉. 剩下的猴子依次醒来分别做了同样的事. 试问原来至少有多少个桃子?

解 设原来有x_0个桃子，第i只猴子拿走了x_i个$(i=1,2,3,4,5)$，则有6元线性方程组

$$\begin{cases}x_0=5x_1+1,\\4x_1=5x_2+1,\\4x_2=5x_3+1,\\4x_3=5x_4+1,\\4x_4=5x_5+1\end{cases}$$

对上述方程组的增广矩阵作初等行变换

$$\overline{\boldsymbol{A}}=\begin{pmatrix}1&-5&0&0&0&0&1\\0&4&-5&0&0&0&1\\0&0&4&-5&0&0&1\\0&0&0&4&-5&0&1\\0&0&0&0&4&-5&1\end{pmatrix}\to\begin{pmatrix}1&-5&0&0&0&0&1\\0&1&-5/4&0&0&0&1/4\\0&0&1&-5/4&0&0&1/4\\0&0&0&1&-5/4&0&1/4\\0&0&0&0&1&-5/4&1/4\end{pmatrix}$$

取$x_5=-1$，可以得方程组的一个特解$\boldsymbol{\gamma}_0=(-4,-1,-1,-1,-1,-1)$. 显然，系数矩阵$\boldsymbol{A}$的秩为5，故导出组为

$$\begin{cases} x_0 = 5x_1, \\ 4x_1 = 5x_2, \\ 4x_2 = 5x_3, \\ 4x_3 = 5x_4, \\ 4x_4 = 5x_5 \end{cases}$$

上述导出组有 $n-r=6-5=1$ 个自由未知量，可以取 x_5 为自由未知量，由于 $x_i\ (i=1,2,3,4,5)$ 必须是整数，而 $4x_4=5x_5$，故可以令 $x_5=4^m$，m 是某一整数，解得

$$x_4 = 5\times 4^{m-1},\quad x_3 = 5^2\times 4^{m-2},\quad x_2 = 5^3\times 4^{m-3},\quad x_1 = 5^4\times 4^{m-4},\quad x_0 = 5^5\times 4^{m-4}$$

若取 $m=4$，就得导出组的一个基础解系为

$$\boldsymbol{\eta}_1 = (5^5,\ 5^4,\ 5^3\times 4,\ 5^2\times 4^2,\ 5\times 4^3,\ 4^4)$$

故原方程组的解集合为

$$\boldsymbol{\gamma} = k\boldsymbol{\eta}_1+\boldsymbol{\gamma}_0 = (k\times 5^5-4,\ k\times 5^4-1,\ k\times 5^3\times 4-1,\ k\times 5^2\times 4^2-1,\ k\times 5\times 4^3-1,\ 4^4-1),\quad k\in\mathbf{R}$$

从而，$x_0=k5^5-4$，故 x_0 的最小正整数解为

$$x_0 = 5^5-4 = 3121$$

所以，原来至少有 3121 个桃子.

4.8 应用实例

例 4.8.1 向量空间的几何意义. 向量种类繁多，形形色色的向量方向、长度各异，可以对向量进行分类，划分成向量集合. 由于向量的概念具有几何的特质，所以满足一定性质的向量集合通常叫作向量空间(空间是几何中的概念). 当然，在空间里的向量需要满足一些规律，实际上是两项基本原则：①任意两个向量的叠加(相加)不能超出空间；②任意一个向量伸缩(数乘)不能超出空间. 在数学教科书中，向量空间的标准定义通常要求集合中的向量对加法和数乘两种运算封闭. 向量空间主要有两种：①集合中的一个向量组张成的空间；②齐次线性方程组的解集组成的解空间. 实际上，线性方程组的解空间也是解向量所张成的. 这两种空间都包含有无穷多的向量. 把向量的加法和数乘结合到一起，就得到线性组合表达式 $x_1\boldsymbol{\alpha}_1+x_2\boldsymbol{\alpha}_2+\cdots+x_n\boldsymbol{\alpha}_n$，故可以用向量组的线性组合来表示一个空间里的全部的无穷个向量. 反过来，若空间里的所有向量都可以分解成一个向量组的线性组合，则该空间就称为向量组张成的空间. 具体来说，给定一个向量组 $\{\boldsymbol{\alpha}_1,\boldsymbol{\alpha}_2,\cdots,\boldsymbol{\alpha}_n\}$，该向量组的所有的线性组合生成一个向量集合：

$$\{x_1\boldsymbol{\alpha}_1+x_2\boldsymbol{\alpha}_2+\cdots+x_n\boldsymbol{\alpha}_n \mid x_1,x_2,\cdots,x_n\in\mathbf{R}\}$$

此集合常称为 $\mathrm{Span}\{\boldsymbol{\alpha}_1,\boldsymbol{\alpha}_2,\cdots,\boldsymbol{\alpha}_n\}$，称为由向量组 $\{\boldsymbol{\alpha}_1,\boldsymbol{\alpha}_2,\cdots,\boldsymbol{\alpha}_n\}$ 张成的向量空间.

图 4.8.1 给出了由向量组 $\{\boldsymbol{\alpha}_1,\boldsymbol{\alpha}_2\}$ 张成的向量空间平面 S 的例子：

$$S=\mathrm{Span}\{\boldsymbol{\alpha}_1,\boldsymbol{\alpha}_2\}=\{x_1\boldsymbol{\alpha}_1+x_2\boldsymbol{\alpha}_2 \mid x_1,x_2\in\mathbf{R}\}$$

如图 4.8.1 显示，由两个线性不相关的向量使用平行四边形法则可以生成平面上所有的向量.

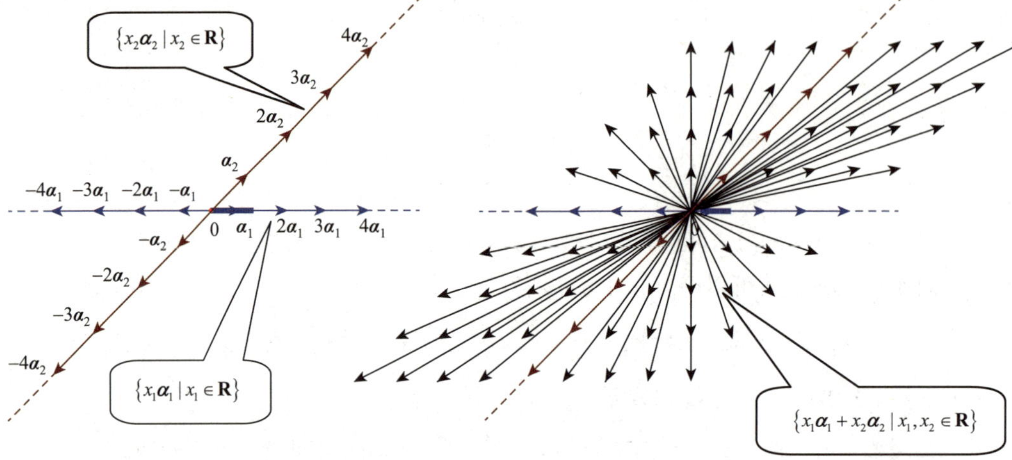

图 4.8.1

例 4.8.2 求空间中的四个平面 $a_i x + b_i y + c_i z + d_i = 0\,(i=1,2,3,4)$ 相交于一点的条件.

解 四个平面相交于一点, 即下面的线性方程组

$$\begin{cases} a_1 x + b_1 y + c_1 z + d_1 = 0, \\ a_2 x + b_2 y + c_2 z + d_2 = 0, \\ a_3 x + b_3 y + c_3 z + d_3 = 0, \\ a_4 x + b_4 y + c_4 z + d_4 = 0 \end{cases}$$

有唯一解.

从另一角度看, 形式上可以把 $(x,y,z,1)$ 看作是以下四元线性方程组

$$\begin{cases} a_1 x_1 + b_1 x_2 + c_1 x_3 + d_1 x_4 = 0, \\ a_2 x_1 + b_2 x_2 + c_2 x_3 + d_2 x_4 = 0, \\ a_3 x_1 + b_3 x_2 + c_3 x_3 + d_3 x_4 = 0, \\ a_4 x_1 + b_4 x_2 + c_4 x_3 + d_4 x_4 = 0 \end{cases}$$

的一组非零解.

因为齐次线性方程组有非零解的充要条件是系数行列式为 0, 所以四个平面相交于一点的条件为

$$\begin{vmatrix} a_1 & b_1 & c_1 & d_1 \\ a_2 & b_2 & c_2 & d_2 \\ a_3 & b_3 & c_3 & d_3 \\ a_4 & b_4 & c_4 & d_4 \end{vmatrix} = 0$$

例 4.8.3 配平化学方程式. 化学方程式表示化学反应中消耗和产生的物质的量. 配平化学反应方程式就是必须找出一组数使得方程式左右两端的各类原子的总数对应相等. 一个系统的方法就是建立能够描述反应过程中每种原子数目的向量方程, 然后找出该方程组的最简的正整数解. 下面我们利用此思路来配平如下化学反应方程式

$$x_1 \mathrm{KM}_n\mathrm{O}_4 + x_2 \mathrm{M}_n\mathrm{SO}_4 + x_3 \mathrm{H}_2\mathrm{O} \longrightarrow x_4 \mathrm{M}_n\mathrm{O}_2 + x_5 \mathrm{K}_2\mathrm{SO}_4 + x_6 \mathrm{H}_2\mathrm{SO}_4$$

其中，$x_1,x_2,\cdots,x_6$ 均取正整数.

解 上述化学反应式中包含 5 种不同的原子(钾、锰、氧、硫、氢)，于是在 $\mathbf{R}^5$ 中为每一种反应物和生成物构成如下向量:

$$KM_nO_4:\ (1,1,4,0,0);\quad M_nSO_4:\ (0,1,4,1,0);\quad H_2O:\ (0,0,1,0,2)$$

$$M_nO_2:\ (0,1,2,0,0);\quad K_2SO_4:\ (2,0,4,1,0);\quad H_2SO_4:\ (0,0,4,1,2)$$

其中，每一个向量的各个分量依次表示反应物和生成物中钾、锰、氧、硫、氢的原子数目. 为了配平化学方程式，系数 $x_1,x_2,\cdots,x_6$ 必须满足线性方程组

$$x_1\begin{pmatrix}1\\1\\4\\0\\0\end{pmatrix}+x_2\begin{pmatrix}0\\1\\4\\1\\0\end{pmatrix}+x_3\begin{pmatrix}0\\0\\1\\0\\2\end{pmatrix}=x_4\begin{pmatrix}0\\1\\2\\0\\0\end{pmatrix}+x_5\begin{pmatrix}2\\0\\4\\1\\0\end{pmatrix}+x_6\begin{pmatrix}0\\0\\4\\1\\2\end{pmatrix}$$

求解上述齐次线性方程组，得到通解

$$\begin{pmatrix}x_1\\x_2\\x_3\\x_4\\x_5\\x_6\end{pmatrix}=c\begin{pmatrix}2\\3\\2\\5\\1\\2\end{pmatrix},\quad c\in\mathbf{R}$$

由于化学方程式通常取最简的正整数，因此，在通解中取 $c=1$ 即得配平后的化学方程式:

$$2KM_nO_4+3M_nSO_4+2H_2O\longrightarrow 5M_nO_2+K_2SO_4+2H_2SO_4$$

例 4.8.4 营养食谱问题. 一个饮食专家计划一份膳食，提供一定量的维生素 C、钙和镁. 在此过程中，需要用到 3 种食物，它们的质量用合适的单位计量. 这些食品提供的营养以及食谱需要的营养由表 4.8.1 给出.

表 4.8.1

营养	每单位食谱所含的营养/mg			需要的营养总量/mg
	食物 1	食物 2	食物 3	
维生素 C	10	20	20	100
钙	50	40	10	300
镁	30	10	40	200

针对这个问题写出一个向量方程，说明方程中的变量表示什么，并求解这个方程.

解 设 x_1,x_2,x_3 分别表示这三种食物的量. 对每一种食物考虑一个向量，其分量依次表示每单位食物中营养成分维生素 C、钙和镁的含量: 食物 1: $\boldsymbol{\alpha}_1=(10,50,30)$; 食物 2: $\boldsymbol{\alpha}_2=(20,40,10)$; 食物 3: $\boldsymbol{\alpha}_3=(20,10,40)$; 需求: $\boldsymbol{\beta}=(100,300,200)$.

那么，$x_1\boldsymbol{\alpha}_1,x_2\boldsymbol{\alpha}_2,x_3\boldsymbol{\alpha}_3$ 分别表示三种食物提供的营养成分，因此，需要的向量方程为

$$x_1\boldsymbol{\alpha}_1+x_2\boldsymbol{\alpha}_2+x_3\boldsymbol{\alpha}_3=\boldsymbol{\beta}$$

解此方程组，得到 $x_1=\dfrac{50}{11},x_2=\dfrac{50}{33},x_3=\dfrac{40}{33}$，所以，食谱中应该包含 $\dfrac{50}{11}$ 个单位的食物 1，$\dfrac{50}{33}$ 个单位的食物 2 和 $\dfrac{40}{33}$ 个单位的食物 3.

例 4.8.5 在经济学中的应用. 一个国家包括煤炭、电力和钢铁三个部门，各部门都产出一定的资源，同时也消耗一定的资源(为方便讨论，本例中只考虑煤炭、电力、钢铁这三种资源，并且假设所有产出的资源都会被消耗). 比如，煤炭部门生产的每 100 份煤炭中, 60 份被电力部门消耗, 40 份被钢铁部门消耗；电力部门每生产 100 份煤炭, 40 份被煤炭部门消耗, 10 份被自己消耗，还有 50 份被钢铁部门消耗；钢铁部门每生产 100 份钢铁, 60 份被煤炭部门消耗, 20 份被电力部门消耗，还有 20 份被自己消耗. 那么，如何给这三种资源定价，使得各部门的收支达到平衡?

解 设 p_c,p_e,p_s 分别表示煤炭、电力和钢铁三种资源的价格，同时，煤炭部门每生产 1 单位的煤炭，就有 0.6 单位被电力部门消耗, 0.4 单位被钢铁部门消耗；此外，煤炭部门也会消耗 0.4 单位的电力和 0.6 单位的钢铁来保证生产. 考虑用如下的向量表示各个部门消耗 3 种资源的量:

$$\boldsymbol{O}_c=(0,0.4,0.6),\quad \boldsymbol{O}_e=(0.6,0.1,0.2),\quad \boldsymbol{O}_s=(0.4,0.5,0.2)$$

其中，$\boldsymbol{O}_c,\boldsymbol{O}_e,\boldsymbol{O}_s$ 分别表示煤炭、电力、钢铁各个部门消耗三种资源的量. 于是，煤炭部门的总支出为

$$0\cdot p_c+0.4p_e+0.6p_s=\boldsymbol{O}_c\cdot\begin{pmatrix}p_c\\p_e\\p_s\end{pmatrix}$$

类似地，电力部门和钢铁部门的总支出分别为

$$\boldsymbol{O}_e\cdot\begin{pmatrix}p_c\\p_e\\p_s\end{pmatrix},\quad \boldsymbol{O}_s\cdot\begin{pmatrix}p_c\\p_e\\p_s\end{pmatrix}$$

也就是说，煤炭部门每生产出 1 单位价值为 p_c 的煤炭，它需要消耗 $\boldsymbol{O}_c\cdot\begin{pmatrix}p_c\\p_e\\p_s\end{pmatrix}$ 的资源.

要使得煤炭部门收支平衡，就需要满足

$$\boldsymbol{O}_c\cdot\begin{pmatrix}p_c\\p_e\\p_s\end{pmatrix}=p_c$$

类似地，要使三个部门都达到收支平衡，需要同时满足

$$\boldsymbol{O}_c\cdot\begin{pmatrix}p_c\\p_e\\p_s\end{pmatrix}=[0,0.4,0.6]\cdot\begin{pmatrix}p_c\\p_e\\p_s\end{pmatrix}=p_c$$

$$\boldsymbol{O}_e\cdot\begin{pmatrix}p_c\\p_e\\p_s\end{pmatrix}=[0.6,0.1,0.2]\cdot\begin{pmatrix}p_c\\p_e\\p_s\end{pmatrix}=p_e$$

$$\boldsymbol{O}_s\cdot\begin{pmatrix}p_c\\p_e\\p_s\end{pmatrix}=[0.4,0.5,0.2]\cdot\begin{pmatrix}p_c\\p_e\\p_s\end{pmatrix}=p_s$$

整理后即得到我们熟悉的齐次线性方程组的形式，解此方程组，得到通解：

$$p_c=0.94p_s,\quad p_e=0.85p_s,\quad p_s$$

为任意正值.

所以，各部门达到收支平衡时的平衡价格向量为

$$\boldsymbol{p}=p_s\begin{pmatrix}0.94\\0.85\\1\end{pmatrix}$$

换句话说，如果钢铁价格为 100 元，那么，煤炭和电力的价格分别为 94 元和 85 元时，整个经济系统可以达到平衡.

例 4.8.6　计算机层析 X 射线照相术. 计算机层析扫描仪根据仅从患者头的外部测得的 X 射线，来计算患者大脑的图像. 考虑如图 4.8.2 所示的简单情形：

这里，三个小圆圈表示三个小器官，它们的质量是未知的，分别表示为 x_1,x_2,x_3，而直线则表示 X 射线，这些小器官的位置尚属未知，这就使得每条射线不能仅对准一个器官. 如图所示，沿 L_{12} 通过的 X 射线经过 1, 2 两个器官，它们的质量分别为 x_1 和 x_2. 这两个器官要吸收一定强度的 X 射线. 通过测量吸收的强度，我们能求出射线通过的总量，从而能计算出被吸收的 X 射线总量. 这些吸收量是由 1, 2 两个器官的质量 x_1，x_2 产生的. 所以，x_1+x_2 是一个已知量，设其为 b_{12}，故有 $x_1+x_2=b_{12}$. 上述说明同样适用于其他直线. 于是，可以得到下列3个未知量3个方程构成的线性方程组：

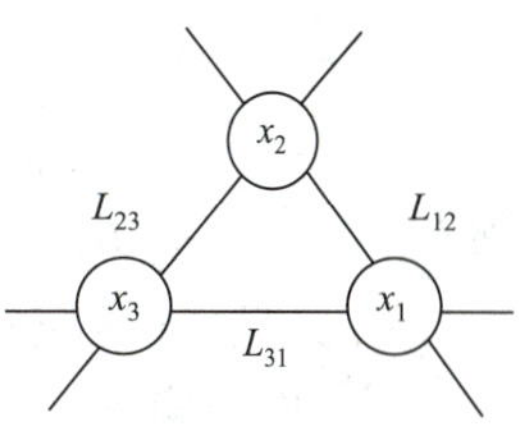

图 4.8.2

$$\begin{cases}x_1+x_2=b_{12},\\x_2+x_3=b_{23},\\x_1+x_3=b_{31}\end{cases}$$

该方程组的增广矩阵为

$$\overline{\boldsymbol{A}}=\begin{pmatrix}1&1&0&b_{12}\\0&1&1&b_{23}\\1&0&1&b_{31}\end{pmatrix}$$

又因为

$$|\boldsymbol{A}|=\begin{vmatrix}1&1&0\\0&1&1\\1&0&1\end{vmatrix}\neq 0$$

所以$r(\boldsymbol{A})=r(\overline{\boldsymbol{A}})=3$. 由定理 4.5.2 即知, 上述方程组有解, 且是唯一的. 通过求解线性方程组, 可以求出三个器官的质量为x_1,x_2,x_3.

上述讨论只是为了说明思路而将实际问题大大地简化了. 在实际中为了医学诊断的需要, 计算机层析不仅要在三个位置, 而且要在每一个器官上的几千个点处计算组织的密度, 而每条X射线要穿过许多这样的点. 于是, 可以得到含几千个未知量几千个方程的线性方程组, 其未知量$x_1,x_2,x_3,\cdots$表示第一个点, 第二个点, 第三个点等具有的密度, 计算机通过求解这种线性方程组而求出每一个器官上各点处的组织密度, 再通过图形显示或照相技术, 而得到可供医学诊断使用的图像.

习 题 4

(A)

1. 求满足下列等式的行向量$\boldsymbol{x}$:

(1) $\boldsymbol{\alpha}_1+2\boldsymbol{\alpha}_2+3\boldsymbol{\alpha}_3+4\boldsymbol{x}=\boldsymbol{0}$, 其中, $\boldsymbol{\alpha}_1=(5,-8,-1,2),\boldsymbol{\alpha}_2=(2,-1,4,-3),\boldsymbol{\alpha}_3=(-3,2,-5,4)$.

(2) $3(\boldsymbol{\alpha}_1-\boldsymbol{x})+2(\boldsymbol{\alpha}_2+\boldsymbol{x})=5(\boldsymbol{\alpha}_3+\boldsymbol{x})$, 其中, $\boldsymbol{\alpha}_1=(2,5,1,3),\boldsymbol{\alpha}_2=(10,1,5,10),\boldsymbol{\alpha}_3=(4,1,-1,1)$.

2. 证明: 如果

$$a(2,1,3)+b(1,1,2)+c(1,-1,4)=(0,0,0)$$

那么, $a=b=c=0$.

3. 证明: 在数域P上的向量空间V里, 以下运算律成立:

(1) $a(\boldsymbol{\alpha}-\boldsymbol{\beta})=a\boldsymbol{\alpha}-a\boldsymbol{\beta}$;

(2) $(a-b)\boldsymbol{\alpha}=a\boldsymbol{\alpha}-b\boldsymbol{\alpha}$,

其中, $a,b\in P,\boldsymbol{\alpha},\boldsymbol{\beta}\in V$.

4. 证明: 对于任意正整数n和任意$\boldsymbol{\alpha}$, 都有

$$n\boldsymbol{\alpha}=\overbrace{\boldsymbol{\alpha}+\cdots+\boldsymbol{\alpha}}^{n个}$$

5. 用高斯消元法求解下列齐次线性方程组:

(1) $\begin{cases}2x_1+3x_2-x_3+5x_4=0,\\3x_1+x_2+2x_3-7x_4=0,\\4x_1+x_2-3x_3+6x_4=0,\\x_1-2x_2+4x_3-7x_4=0;\end{cases}$ (2) $\begin{cases}2x_1-4x_2+5x_3+3x_4=0,\\3x_1-6x_2+4x_3+2x_4=0,\\4x_1-8x_2+17x_3+11x_4=0.\end{cases}$

6. 用高斯消元法求解下列非齐次线性方程组:

(1) $\begin{cases}2x_1+x_2+x_3=2,\\x_1+3x_2+3x_3=5,\\x_1+x_2+5x_3=-7,\\2x_1+3x_2-x_3=14;\end{cases}$ (2) $\begin{cases}5x-y+2z+w=7,\\2x+y+4z-2w=1,\\x-3y-6z+5w=0;\end{cases}$

(3) $\begin{cases} x_1-2x_2+x_3+x_4=1, \\ x_1-2x_2+x_3-x_4=-1, \\ x_1-2x_2+x_3-5x_4=5; \end{cases}$　　(4) $\begin{cases} x_1+2x_2-x_4=-1, \\ -x_1-3x_2+x_3+2x_4=3, \\ x_1-x_2+3x_3+x_4=1, \\ 2x_1+3x_2+7x_3+3x_4=4. \end{cases}$

7. 判断下列向量组中向量的线性相关性.

(1) $(1,2),(2,7),(-4,5)$;

(2) $(1,3,5),(1,1,0),(-1,1,5)$;

(3) $(1,1,3,1),(4,1,-3,2),(1,0,-1,2)$;

(4) $(1,1,2,2,1),(0,2,1,5,-1),(2,0,3,-1,3),(1,1,0,4,-1)$.

8. 证明：在一个向量组 $\boldsymbol{\alpha}_1,\boldsymbol{\alpha}_2,\cdots,\boldsymbol{\alpha}_n$ 中，如果有两个向量 $\boldsymbol{\alpha}_i,\boldsymbol{\alpha}_j$ 成比例，那么，向量组 $\boldsymbol{\alpha}_1,\boldsymbol{\alpha}_2,\cdots,\boldsymbol{\alpha}_n$ 必线性相关.

9. 设 $\boldsymbol{\alpha}_1,\boldsymbol{\alpha}_2,\boldsymbol{\alpha}_3$ 线性无关，证明：$\boldsymbol{\alpha}_1+\boldsymbol{\alpha}_2$，$\boldsymbol{\alpha}_2+\boldsymbol{\alpha}_3$，$\boldsymbol{\alpha}_3+\boldsymbol{\alpha}_1$ 也线性无关.

10. 设 $\boldsymbol{\alpha}_1,\boldsymbol{\alpha}_2,\cdots,\boldsymbol{\alpha}_n$ 是一组 n 维向量，且单位向量 $\boldsymbol{\varepsilon}_1,\boldsymbol{\varepsilon}_2,\cdots,\boldsymbol{\varepsilon}_n$ 可以由它们线性表出，证明：$\boldsymbol{\alpha}_1,\boldsymbol{\alpha}_2,\cdots,\boldsymbol{\alpha}_n$ 线性无关.

11. 证明：一个向量组的任何一个线性无关组都可以扩充成一个极大线性无关组.

12. 设 $\boldsymbol{\alpha}_1=(1,-1,2,0),\boldsymbol{\alpha}_2=(3,0,7,14),\boldsymbol{\alpha}_3=(0,3,1,2),\boldsymbol{\alpha}_4=(1,-1,2,4)$.

(1) 证明：$\boldsymbol{\alpha}_1,\boldsymbol{\alpha}_2$ 线性无关；

(2) 将 $\boldsymbol{\alpha}_1,\boldsymbol{\alpha}_2$ 扩充为向量组的一个极大线性无关组.

13. 用消元法求下列向量组的一个极大线性无关组与秩：

(1) $\boldsymbol{\alpha}_1=(1,3,6,2),\boldsymbol{\alpha}_2=(2,1,2,-1),\boldsymbol{\alpha}_3=(3,5,10,2),\boldsymbol{\alpha}_4=(-2,1,2,3)$；

(2) $\boldsymbol{\alpha}_1=(1,0,-2,1),\boldsymbol{\alpha}_2=(3,1,0,-1),\boldsymbol{\alpha}_3=(1,1,4,-3),\boldsymbol{\alpha}_4=(3,0,10,3)$；

(3) $\boldsymbol{\alpha}_1=(1,-2-1,0,2),\boldsymbol{\alpha}_2=(1,-2,-1,-3,3),\boldsymbol{\alpha}_3=(2,-1,0,2,3),\boldsymbol{\alpha}_4=(3,3,3,3,4)$.

14. 设 $\boldsymbol{\alpha}_1,\boldsymbol{\alpha}_2,\boldsymbol{\alpha}_3$ 线性相关，$\boldsymbol{\alpha}_2,\boldsymbol{\alpha}_3,\boldsymbol{\alpha}_4$ 线性无关，试讨论：

(1) $\boldsymbol{\alpha}_1$ 是否可以由 $\boldsymbol{\alpha}_2,\boldsymbol{\alpha}_3$ 线性表出?证明你的结论；

(2) $\boldsymbol{\alpha}_4$ 是否可以由 $\boldsymbol{\alpha}_1,\boldsymbol{\alpha}_2,\boldsymbol{\alpha}_3$ 线性表出?证明你的结论.

15. 设有向量组

$\boldsymbol{\alpha}_1=(1,2,3,-1),\quad \boldsymbol{\alpha}_2=(3,2,1,-1),\quad \boldsymbol{\alpha}_3=(2,3,1,1),\quad \boldsymbol{\alpha}_4=(2,2,2,-1)$

(1) 求向量组的秩，并讨论这个向量组的线性相关性；

(2) 求向量组的一个极大线性无关组；

(3) 将其余向量表示成该极大线性无关组的线性组合.

16. 设 $V=\left\{(0,a_2,a_3,0,a_5)\middle|a_2,a_3,a_5\in\mathbf{Q},\mathbf{Q}\text{是有理数域}\right\}$,

(1) 试证明 V 是 $\mathbf{Q}$ 上的向量空间；

(2) 求 V 的一个基和 $\dim V$.

17. 试证明满足方程 $x_1+x_2+\cdots+x_n=0$ 的 n 维向量全体构成一个向量空间，求它的一个基和维数.

18. 证明：数域 P 上的一个向量空间如果含有一个非零向量，那么，这个向量空间一定含有无限多个向量.

19. 对下列各矩阵，求 λ 的值，使矩阵的秩最小：

(1) $\begin{pmatrix} 3 & 1 & 1 & 4 \\ \lambda & 4 & 10 & 1 \\ 1 & 7 & 17 & 3 \\ 2 & 2 & 4 & 3 \end{pmatrix}$;　　(2) $\begin{pmatrix} 1 & \lambda & -1 & 2 \\ 2 & -1 & \lambda & 5 \\ 1 & 10 & -6 & 1 \end{pmatrix}$.

20. 求下列各矩阵的秩:

(1) $\begin{pmatrix} 1 & 0 & 1 & 0 & 0 \\ 1 & 1 & 0 & 0 & 0 \\ 0 & 1 & 1 & 0 & 0 \\ 0 & 0 & 1 & 1 & 0 \\ 0 & 1 & 0 & 1 & 1 \end{pmatrix}$;　　(2) $\begin{pmatrix} 25 & 31 & 17 & 43 \\ 75 & 94 & 53 & 132 \\ 75 & 94 & 54 & 134 \\ 25 & 32 & 20 & 48 \end{pmatrix}$;

(3) $\begin{pmatrix} 14 & 12 & 6 & 8 & 2 \\ 6 & 104 & 21 & 9 & 17 \\ 7 & 6 & 3 & 4 & 1 \\ 35 & 30 & 15 & 20 & 5 \end{pmatrix}$.

21. 试问 a 为何值时，方程组

$$\begin{cases} x+y-z=1, \\ 2x+3y+az=3, \\ x+ay+3z=2 \end{cases}$$

(1)有唯一解? (2)无解? (3)有无穷个解?有无穷个解时求出其一般解.

22. 设线性方程组 $\begin{cases} x_1+x_2-23x_3+3x_4=0, \\ 2x_1+x_2-6x_3+4x_4=-1, \\ 3x_1+2x_2+ax_3+7x_4=-1, \\ x_1-x_2-6x_3+x_4=b, \end{cases}$ 讨论 a,b 取何值，方程组有解或无解，并在有解时求出其全部解.

23. 求下列齐次线性方程组的一个基础解系(有解时)，并用该基础解系表示出全部解.

(1) $\begin{cases} 2x_1+x_2+x_4=0, \\ x_1-x_3+x_4=0; \end{cases}$　　(2) $\begin{cases} x_1+x_2-x_3+x_4=0, \\ x_1-x_2+2x_3-x_4=0, \\ 3x_1+x_2+x_4=0; \end{cases}$

(3) $\begin{cases} x_1+x_2+x_3+x_4+x_5=0, \\ 3x_1+2x_2+x_3+x_4-3x_5=0, \\ x_2+2x_3+2x_4+6x_5=0, \\ 5x_1+4x_2+3x_3+3x_4-x_5=0; \end{cases}$　　(4) $\begin{cases} 2x_1+x_2-x_3-x_4+x_5=0, \\ x_1-x_2+x_3+x_4-2x_5=0, \\ 3x_1+3x_2-3x_3-3x_4+4x_5=0, \\ 4x_1+5x_2-5x_3-5x_4+7x_5=0. \end{cases}$

24. 判断下列非齐次线性方程组是否有解，有解时求方程组的一个基础解系和一个特解，并用它们写出通解.

(1) $\begin{cases} 2x_1-x_2+4x_3-3x_4=-4, \\ x_1+x_3-x_4=-3, \\ 2x_1+x_2+x_3=1, \\ 7x_1+7x_3-3x_4=3; \end{cases}$　　(2) $\begin{cases} x_1+2x_2+3x_3-x_4=1, \\ 3x_1+2x_2+x_3-x_4=1, \\ 2x_1+3x_2+x_3+x_4=1, \\ 2x_1+2x_2+2x_3-x_4=1, \\ 5x_1+5x_2+2x_3=2; \end{cases}$

(3) $\begin{cases} x_1+x_2+x_3+x_4+x_5=7, \\ 3x_1+2x_2+x_3+x_4-3x_5=-2, \\ 0x_1+x_2+2x_3+2x_4+6x_5=23, \\ 5x_1+4x_2+3x_3+3x_4-x_5=12. \end{cases}$

25. 证明: 与基础解系等价的线性无关向量组也是基础解系.

26. 证明: 若 $\boldsymbol{\eta}_1,\boldsymbol{\eta}_2,\cdots,\boldsymbol{\eta}_t$ 是一线性方程组的解, 那么, $u_1\boldsymbol{\eta}_1+u_2\boldsymbol{\eta}_2+\cdots+u_t\boldsymbol{\eta}_t$ (其中 $u_1+u_2+\cdots+u_t=1$) 也是一个解.

(B)

1. 证明: 如果在有序线性无关向量组 $\boldsymbol{\alpha}_1,\boldsymbol{\alpha}_2,\cdots,\boldsymbol{\alpha}_n$ 的前面添加一个向量 $\boldsymbol{\beta}$, 则在所得到的向量组中, 能用其前面的向量线性表示的向量不多于一个.

2. 设 $\boldsymbol{\alpha}_1=(1,0,1,1),\boldsymbol{\alpha}_2=(2,1,2,1),\boldsymbol{\alpha}_3=(4,5,a-2,-1),\boldsymbol{\alpha}_4=(3,b+4,3,1)$, 试问

(1) a,b 为何值时, $\boldsymbol{\alpha}_1,\boldsymbol{\alpha}_2,\boldsymbol{\alpha}_3,\boldsymbol{\alpha}_4$ 线性无关?

(2) a,b 为何值时, $\boldsymbol{\alpha}_1,\boldsymbol{\alpha}_2,\boldsymbol{\alpha}_3,\boldsymbol{\alpha}_4$ 线性相关?

(3) 当 $\boldsymbol{\alpha}_1,\boldsymbol{\alpha}_2,\boldsymbol{\alpha}_3,\boldsymbol{\alpha}_4$ 线性相关时, 求极大线性无关组, 并将其余向量由极大线性无关组线性表出.

3. 设 $\boldsymbol{\alpha}_1,\boldsymbol{\alpha}_2,\cdots,\boldsymbol{\alpha}_k$ 线性无关, $\boldsymbol{\beta}_i=\sum\limits_{j=1}^{k}a_{ij}\boldsymbol{\alpha}_j$ $,i=1,2,\cdots,k$. 证明: $\boldsymbol{\beta}_1,\boldsymbol{\beta}_2,\cdots,\boldsymbol{\beta}_k$ 线性无关的充分必要条件为

$$\begin{vmatrix} a_{11} & a_{12} & \cdots & a_{1k} \\ a_{21} & a_{22} & \cdots & a_{2k} \\ \vdots & \vdots & & \vdots \\ a_{k1} & a_{k2} & \cdots & a_{kk} \end{vmatrix} \neq 0$$

4. 设 $\mathbf{R}^n$ 中的向量组 $\boldsymbol{\beta}_1,\boldsymbol{\beta}_2,\cdots,\boldsymbol{\beta}_m$ 线性无关, 证明向量组 $\boldsymbol{\alpha}_1=\boldsymbol{\beta}_1+\boldsymbol{\beta}_2,\boldsymbol{\alpha}_2=\boldsymbol{\beta}_2+\boldsymbol{\beta}_3,\cdots,\boldsymbol{\alpha}_n=\boldsymbol{\beta}_n+\boldsymbol{\beta}_1$, 当 n 为奇数时线性无关, 当 n 为偶数时线性相关.

5. 设 $\boldsymbol{A}$ 是 $m\times n$ 矩阵, 试证:

(1) 若存在矩阵 $\boldsymbol{B}_{n\times m}$, 使 $\boldsymbol{BA}=\boldsymbol{I}_n$, 则 $\boldsymbol{A}$ 的列向量线性无关;

(2) 若存在矩阵 $\boldsymbol{C}_{n\times m}$, 使 $\boldsymbol{AC}=\boldsymbol{I}_m$, 则 $\boldsymbol{A}$ 的行向量线性无关.

6. 如果 $\boldsymbol{\alpha}_1,\boldsymbol{\alpha}_2,\boldsymbol{\alpha}_3,\boldsymbol{\alpha}_4$ 线性相关, 但其中任意三个向量都线性无关, 证明必存在一组全不为零的数 k_1,k_2,k_3,k_4, 使得

$$k_1\boldsymbol{\alpha}_1+k_2\boldsymbol{\alpha}_2+k_3\boldsymbol{\alpha}_3+k_4\boldsymbol{\alpha}_4=\mathbf{0}$$

7. 如果 $\boldsymbol{\alpha}_1,\boldsymbol{\alpha}_2,\cdots,\boldsymbol{\alpha}_k$ 线性无关, 证明: $\boldsymbol{\beta},\boldsymbol{\alpha}_1,\boldsymbol{\alpha}_2,\cdots,\boldsymbol{\alpha}_k$ 线性无关的充要条件是 $\boldsymbol{\beta}$ 不能由 $\boldsymbol{\alpha}_1,\boldsymbol{\alpha}_2,\cdots,\boldsymbol{\alpha}_k$ 线性表出.

8. 证明: 三条不同直线 $l_1:ax+by+c=0;\ l_2:bx+cy+a=0;\ l_3:cx+ay+b=0$ 相交于一点的充要条件是 $a+b+c=0$.

9. 设 $\boldsymbol{\alpha}_1,\boldsymbol{\alpha}_2,\boldsymbol{\alpha}_3,\boldsymbol{\alpha}_4$ 均为已知的 4 维列向量, $\boldsymbol{\alpha}_1=2\boldsymbol{\alpha}_2-\boldsymbol{\alpha}_3$, $\boldsymbol{\beta}=\boldsymbol{\alpha}_1+\boldsymbol{\alpha}_2+\boldsymbol{\alpha}_3+\boldsymbol{\alpha}_4$, 而 $\boldsymbol{\alpha}_2,\boldsymbol{\alpha}_3,\boldsymbol{\alpha}_4$ 线性无关, 求线性方程组 $x_1\boldsymbol{\alpha}_1+x_2\boldsymbol{\alpha}_2+x_3\boldsymbol{\alpha}_3+x_4\boldsymbol{\alpha}_4=\boldsymbol{\beta}$ 的通解.

10. 已知齐次线性方程组

$$\sum_{j=1}^{n} a_{ij}x_j = 0, \quad i=1,2,\cdots,m \quad (m<n)$$

的基础解系为 $\boldsymbol{\beta}_i=(b_{i1},b_{i2},\cdots,b_{in})(i=1,2,\cdots,n-m)$. 试求齐次线性方程组

$$\sum_{j=1}^{n} b_{ij}y_j = 0, \quad i=1,2,\cdots,n-m$$

的基础解系，并说明其理由.

11. 已知 $\boldsymbol{\alpha}_1=(0,1,0),\boldsymbol{\alpha}_2=(-3,2,2)$ 是线性方程组

$$\begin{cases} x-y+2z=-1, \\ 3x+y+4z=1, \\ ax+by+cz=d \end{cases}$$

的两个解，求该方程组的通解.

12. 设非齐次线性方程组（Ⅰ）与（Ⅱ）分别为

$$(\text{Ⅰ})\begin{cases} x_1+x_2+0x_3-2x_4=-6, \\ 4x_1-x_2-x_3-x_4=1, \\ 3x_1-x_2-x_3+0x_4=3; \end{cases} \qquad (\text{Ⅱ})\begin{cases} x_1+mx_2-x_3-x_4=-5, \\ 0x_1+nx_2-x_3-2x_4=-11, \\ 0x_1+0x_2+x_3-2x_4=-t+11. \end{cases}$$

(1) 求方程组（Ⅰ）的通解;

(2) 方程组（Ⅱ）中参数 m,n,t 取何值时，线性方程组（Ⅰ）与（Ⅱ）是同解的方程组.

13. 设有

$$(\text{Ⅰ})\begin{cases} a_{11}x_1+a_{12}x_2+\cdots+a_{1n}x_n=b_1, \\ a_{21}x_1+a_{22}x_2+\cdots+a_{2n}x_n=b_2, \\ \cdots\cdots \\ a_{s1}x_1+a_{s2}x_2+\cdots+a_{sn}x_n=b_s \end{cases} \text{和}(\text{Ⅱ})\begin{cases} a_{11}x_1+a_{21}x_2+\cdots+a_{s1}x_s=0, \\ a_{12}x_1+a_{22}x_2+\cdots+a_{s2}x_s=0, \\ \cdots\cdots \\ a_{1n}x_1+a_{2n}x_2+\cdots+a_{sn}x_s=0, \\ b_1x_1+b_2x_2+\cdots+b_sx_s=1 \end{cases}$$

两个线性方程组. 试证: 方程组（Ⅰ）有解的充要条件是方程组（Ⅱ）无解.

14. 设 $\boldsymbol{\eta}_0$ 是一线性方程组的一个解，$\boldsymbol{\eta}_1,\boldsymbol{\eta}_2,\cdots,\boldsymbol{\eta}_t$ 是它的导出方程组的一个基础解系，令 $\boldsymbol{\gamma}_1=\boldsymbol{\eta}_0,\boldsymbol{\gamma}_2=\boldsymbol{\eta}_1+\boldsymbol{\eta}_0,\cdots,\boldsymbol{\gamma}_{t+1}=\boldsymbol{\eta}_t+\boldsymbol{\eta}_0$，试证: 该线性方程组的任一个解 $\boldsymbol{\gamma}$，都可以表示成

$$\boldsymbol{\gamma}=k_1\boldsymbol{\gamma}_1+k_2\boldsymbol{\gamma}_2+\cdots+k_{t+1}\boldsymbol{\gamma}_{t+1}$$

其中，$k_1+k_2+\cdots+k_{t+1}=1$.

15. 设齐次线性方程组（Ⅰ）为

$$\begin{cases} x_1+x_2=0, \\ x_2-x_4=0 \end{cases}$$

又已知某齐次线性方程组（Ⅱ）的通解为 $\boldsymbol{x}=k_1(0,1,1,0)+k_2(-1,2,2,1)$.

(1) 求齐次线性方程组（Ⅰ）的一个基础解系;

(2) 试问方程组（Ⅰ）和（Ⅱ）是否有非零公共解？如果有，试求出所有非零公共解. 如果没有，试说明其理由.

16. 已知齐次线性方程组

$$
(\text{I})\begin{cases} a_{11}x_1 + a_{12}x_2 + \cdots + a_{1,2n}x_{2n} = 0, \\ a_{21}x_1 + a_{22}x_2 + \cdots + a_{2,2n}x_{2n} = 0, \\ \qquad\qquad \cdots\cdots \\ a_{n1}x_1 + a_{n2}x_2 + \cdots + a_{n,2n}x_{2n} = 0 \end{cases}
$$

的一个基础解系为$(b_{11},b_{12},\cdots,b_{1,2n}),(b_{21},b_{22},\cdots,b_{2,2n}),\cdots,(b_{n1},b_{n2},\cdots,b_{n,2n})$. 试写出齐次线性方程组

$$
(\text{II})\begin{cases} b_{11}y_1 + b_{12}y_2 + \cdots + b_{1,2n}y_{2n} = 0, \\ b_{21}y_1 + b_{22}y_2 + \cdots + b_{2,2n}y_{2n} = 0, \\ \qquad\qquad \cdots\cdots \\ b_{n1}y_1 + b_{n2}y_2 + \cdots + b_{n,2n}y_{2n} = 0 \end{cases}
$$

的通解, 并说明其理由.

本章小结　　　习题答案 4

第5章

矩　阵

在前面章节的学习中，我们已经看到矩阵的初等行变换、行列式以及秩在线性方程组理论中起着非常重要的作用．作为高等代数的主要研究对象，矩阵的重要性远不止于此．它在近代数学、物理学、工程技术乃至社会学科中都有着广泛的应用．诸如算法处理、系统工程、优化方法、现代控制理论、自动化技术、稳定性理论等都与矩阵理论有着密切的联系．毫不夸张地说，矩阵理论的诞生极大地推动和丰富了其他众多学科的发展．因此无论是作为抽象数学对象的具体模型，还是作为解决实际问题的一种工具，矩阵一直都是十分活跃的研究领域．

本章主要介绍矩阵的基本理论，包括矩阵的各种运算(加法运算、数量乘法运算、乘法运算等)及其性质、矩阵的逆，以及矩阵的分块等．

第 5 章知识导图

5.1 矩阵的加法、数量乘法与乘法

矩阵是从各种各样现实问题中抽象出来的概念，它像数字一样也可以定义运算. 需要指出的是，矩阵的运算是应实际需求引入的而非数学家的随意创造. 本节要介绍的运算是矩阵的加法、数量乘法以及乘法. 它们是矩阵之间、矩阵与数之间最基本的运算和关系.

5.1.1 矩阵的加法

1. 矩阵加法的定义及运算规律

某药店有 3 个分店经营 4 种药品，一月份和二月份的销售量分别用矩阵 $\boldsymbol{A},\boldsymbol{B}$ 表示：

$$\boldsymbol{A}=\begin{pmatrix} a_{11} & a_{12} & a_{13} & a_{14} \\ a_{21} & a_{22} & a_{23} & a_{24} \\ a_{31} & a_{32} & a_{33} & a_{34} \end{pmatrix},\quad \boldsymbol{B}=\begin{pmatrix} b_{11} & b_{12} & b_{13} & b_{14} \\ b_{21} & b_{22} & b_{23} & b_{24} \\ b_{31} & b_{32} & b_{33} & b_{34} \end{pmatrix}$$

其中 a_{ij},b_{ij} 分别表示一、二月份第 i 个分店销售第 j 种药品的数量，$i=1,2,3,\ j=1,2,3,4$.

易知，一、二月份这 3 个分店销售 4 种药品的数量之和可表示为如下矩阵：

$$\boldsymbol{C}=\begin{pmatrix} a_{11}+b_{11} & a_{12}+b_{12} & a_{13}+b_{13} & a_{14}+b_{14} \\ a_{21}+b_{21} & a_{22}+b_{22} & a_{23}+b_{23} & a_{24}+b_{24} \\ a_{31}+b_{31} & a_{32}+b_{32} & a_{33}+b_{33} & a_{34}+b_{34} \end{pmatrix}$$

矩阵 $\boldsymbol{C}$ 被认为是矩阵 $\boldsymbol{A}$ 和 $\boldsymbol{B}$ 的和.

定义 5.1.1

设有两个 $s\times n$ 矩阵

$$\boldsymbol{A}=(a_{ij})_{s\times n}=\begin{pmatrix} a_{11} & a_{12} & \cdots & a_{1n} \\ a_{21} & a_{22} & \cdots & a_{2n} \\ \vdots & \vdots & & \vdots \\ a_{s1} & a_{s2} & \cdots & a_{sn} \end{pmatrix},\quad \boldsymbol{B}=(b_{ij})_{s\times n}=\begin{pmatrix} b_{11} & b_{12} & \cdots & b_{1n} \\ b_{21} & b_{22} & \cdots & b_{2n} \\ \vdots & \vdots & & \vdots \\ b_{s1} & b_{s2} & \cdots & b_{sn} \end{pmatrix}$$

则把矩阵

$$\boldsymbol{C}=(c_{ij})_{s\times n}=(a_{ij}+b_{ij})_{s\times n}=\begin{pmatrix} a_{11}+b_{11} & a_{12}+b_{12} & \cdots & a_{1n}+b_{1n} \\ a_{21}+b_{21} & a_{22}+b_{22} & \cdots & a_{2n}+b_{2n} \\ \vdots & \vdots & & \vdots \\ a_{s1}+b_{s1} & a_{s2}+b_{s2} & \cdots & a_{sn}+b_{sn} \end{pmatrix}$$

称为 $\boldsymbol{A}$ 和 $\boldsymbol{B}$ 的和，记为

$$\boldsymbol{C}=\boldsymbol{A}+\boldsymbol{B}$$

由此定义可知，只有行数相等，列数也相等的两个同型矩阵才能相加. 矩阵的加法就是矩阵对应的元素相加. 所以，不难验证，矩阵的加法具有以下规律.

结合律：$\boldsymbol{A}+(\boldsymbol{B}+\boldsymbol{C})=(\boldsymbol{A}+\boldsymbol{B})+\boldsymbol{C}$.

交换律：$A+B=B+A$.

元素全为 0 的 $s\times n$ 矩阵称为 $s\times n$ **零矩阵**，记为 $O_{s\times n}$，在不致引起混淆的时候简记为 O.

显然，对所有的矩阵 $A=(a_{ij})_{s\times n}$，

$$A+O=A$$

矩阵

$$\begin{pmatrix} -a_{11} & -a_{12} & \cdots & -a_{1n} \\ -a_{21} & -a_{22} & \cdots & -a_{2n} \\ \vdots & \vdots & & \vdots \\ -a_{s1} & -a_{s2} & \cdots & -a_{sn} \end{pmatrix}$$

称为矩阵 A 的**负矩阵**，记为 $-A$. 显然有

$$A+(-A)=O$$

将矩阵的**减法**定义为

$$A-B=A+(-B)$$

2. 矩阵和的秩

定理 5.1.1

矩阵和的秩不超过矩阵秩的和，即 $r(A+B)\leqslant r(A)+r(B)$.

证明　设 A 的列向量组为 $\alpha_1,\alpha_2,\cdots,\alpha_n$，$B$ 的列向量组为 $\beta_1,\beta_2,\cdots,\beta_n$，则 $A+B$ 的列向量组为 $\alpha_1+\beta_1,\alpha_2+\beta_2,\cdots,\alpha_n+\beta_n$. $A+B$ 的列向量组可由 $\alpha_1,\cdots,\alpha_n,\beta_1,\cdots,\beta_n$ 线性表出，所以 $A+B$ 的列向量组的秩不超过 $\alpha_1,\cdots,\alpha_n,\beta_1,\cdots,\beta_n$ 的秩，从而不超过 $\alpha_1,\alpha_2,\cdots,\alpha_n$ 的秩与 $\beta_1,\beta_2,\cdots,\beta_n$ 的秩的和.

5.1.2　矩阵的数量乘法

1. 矩阵的数量乘法的定义及运算规律

某工厂有两个车间，生产 3 种产品，今年完成的产量统计表用如下矩阵表示

$$A=\begin{pmatrix} a_{11} & a_{12} & a_{13} \\ a_{21} & a_{22} & a_{23} \end{pmatrix}$$

其中 a_{ij} 表示今年第 i 个车间生产第 j 种产品的总量. 现在要制定明年的生产计划，要求各车间每种产品都增产 50%，则明年的计划表为

$$B=\begin{pmatrix} 1.5a_{11} & 1.5a_{12} & 1.5a_{13} \\ 1.5a_{21} & 1.5a_{22} & 1.5a_{23} \end{pmatrix}$$

矩阵 B 称作矩阵 A 与数 1.5 的数量乘积.

定义 5.1.2

矩阵 $\boldsymbol{A}=(a_{ij})_{s\times n}$，$k\in P$，令

$$\boldsymbol{D}=\begin{pmatrix} ka_{11} & ka_{12} & \cdots & ka_{1n} \\ ka_{21} & ka_{22} & \cdots & ka_{2n} \\ \vdots & \vdots & & \vdots \\ ka_{s1} & ka_{s2} & \cdots & ka_{sn} \end{pmatrix}$$

则称 $\boldsymbol{D}$ 为矩阵 $\boldsymbol{A}$ 与数 k 的**数量乘积**，记为 $\boldsymbol{D}=k\boldsymbol{A}$．该运算称为矩阵的**数量乘法**，简称为**数乘**.

由该定义可以看出，用数 k 乘矩阵就是把矩阵的每个元素都乘以 k.

容易验证数量乘法满足以下规律:

$$(k+l)\boldsymbol{A}=k\boldsymbol{A}+l\boldsymbol{A}$$

$$k(\boldsymbol{A}+\boldsymbol{B})=k\boldsymbol{A}+k\boldsymbol{B}$$

$$k(l\boldsymbol{A})=(kl)\boldsymbol{A}$$

$$1\boldsymbol{A}=\boldsymbol{A}$$

其中 $k,l\in P$，$\boldsymbol{A},\boldsymbol{B}$ 为同型矩阵.

2. 数量乘积的秩

定理 5.1.2

若 $k\neq 0$，则矩阵 $\boldsymbol{A}$ 的秩与矩阵 $k\boldsymbol{A}$ 的秩相等.

证明 由于矩阵 $\boldsymbol{A}$ 的列向量组和矩阵 $k\boldsymbol{A}$ 的列向量组等价，所以矩阵 $\boldsymbol{A}$ 的秩与矩阵 $k\boldsymbol{A}$ 的秩相等.

5.1.3 矩阵的乘法

1. 矩阵乘法的定义及运算规律

设 $x_1,x_2;y_1,y_2;z_1,z_2,z_3$ 为 3 组变量，其中 x_1,x_2 与 y_1,y_2 具有如下关系

$$\begin{cases} x_1=a_{11}y_1+a_{12}y_2, \\ x_2=a_{21}y_1+a_{22}y_2 \end{cases}$$

令上式中系数对应的矩阵记为

$$\boldsymbol{A}=\begin{pmatrix} a_{11} & a_{12} \\ a_{21} & a_{22} \end{pmatrix}$$

再假设 y_1,y_2 与 z_1,z_2,z_3 的关系为

$$\begin{cases} y_1=b_{11}z_1+b_{12}z_2+b_{13}z_3, \\ y_2=b_{21}z_1+b_{22}z_2+b_{23}z_3 \end{cases}$$

并令

$$\boldsymbol{B}=\begin{pmatrix} b_{11} & b_{12} & b_{13} \\ b_{21} & b_{22} & b_{23} \end{pmatrix}$$

不难得出 x_1,x_2 与 z_1,z_2,z_3 的关系为

$$\begin{cases}x_1=(a_{11}b_{11}+a_{12}b_{21})z_1+(a_{11}b_{12}+a_{12}b_{22})z_2+(a_{11}b_{13}+a_{12}b_{23})z_3,\\ x_2=(a_{21}b_{11}+a_{22}b_{21})z_1+(a_{21}b_{12}+a_{22}b_{22})z_2+(a_{21}b_{13}+a_{22}b_{23})z_3\end{cases}$$

上式系数对应的矩阵为

$$\boldsymbol{C}=(c_{ij})_{2\times3}=\begin{pmatrix}a_{11}b_{11}+a_{12}b_{21} & a_{11}b_{12}+a_{12}b_{22} & a_{11}b_{13}+a_{12}b_{23}\\ a_{21}b_{11}+a_{22}b_{21} & a_{21}b_{12}+a_{22}b_{22} & a_{21}b_{13}+a_{22}b_{23}\end{pmatrix}$$

注意到矩阵 $\boldsymbol{C}$ 中的元素 c_{ij} 为矩阵 $\boldsymbol{A}$ 的第 i 行元素与矩阵 $\boldsymbol{B}$ 的第 j 列元素对应乘积之和. 我们称矩阵 $\boldsymbol{C}$ 为矩阵 $\boldsymbol{A}$ 与矩阵 $\boldsymbol{B}$ 的乘积.

由此得到启发, 定义矩阵的乘法如下:

定义 5.1.3

设 $\boldsymbol{A}=(a_{ij})_{s\times n},\boldsymbol{B}=(b_{ij})_{n\times m}$,

称矩阵

$$\boldsymbol{C}=(c_{ij})_{s\times m}$$

其中

$$c_{ij}=a_{i1}b_{1j}+a_{i2}b_{2j}+\cdots+a_{in}b_{nj}=\sum_{k=1}^{n}a_{ik}b_{kj},\quad i=1,2,\cdots,s,\ j=1,2,\cdots,m$$

为矩阵 $\boldsymbol{A}$ 与 $\boldsymbol{B}$ 的**乘积**, 记为

$$\boldsymbol{C}=\boldsymbol{AB}$$

由上述定义可以看出, 矩阵的乘法有以下几点需要注意:

(1) 只有左矩阵 $\boldsymbol{A}$ 的列数与右矩阵 $\boldsymbol{B}$ 的行数相同的时候才能相乘;

(2) $\boldsymbol{A}$ 与 $\boldsymbol{B}$ 的乘积的 (i,j) 元 C_{ij} 等于左矩阵 $\boldsymbol{A}$ 的第 i 行与右矩阵 $\boldsymbol{B}$ 的第 j 列的对应元素的乘积之和;

(3) 乘积矩阵的行数等于左矩阵的行数, 乘积矩阵的列数等于右矩阵的列数.

例 5.1.1 设 $\boldsymbol{A}=\begin{pmatrix}2&-1\\-4&0\\3&1\end{pmatrix},\boldsymbol{B}=\begin{pmatrix}7&-9\\-8&10\end{pmatrix}$, 求 $\boldsymbol{AB}$.

解

$$\boldsymbol{AB}=\begin{pmatrix}2&-1\\-4&0\\3&1\end{pmatrix}\begin{pmatrix}7&-9\\-8&10\end{pmatrix}=\begin{pmatrix}2\times7+(-1)\times(-8) & 2\times(-9)+(-1)\times10\\(-4)\times7+0\times(-8) & (-4)\times(-9)+0\times10\\3\times7+1\times(-8) & 3\times(-9)+1\times10\end{pmatrix}$$

$$=\begin{pmatrix}22&-28\\-28&36\\13&-17\end{pmatrix}$$

由定义可以看出矩阵的乘法比我们熟悉的数的乘法要复杂得多. 其实矩阵的乘法如此定义主要是出于实际需求. 从下面的例子可见一斑.

例 5.1.2 给定线性方程组

$$\begin{cases} a_{11}x_1 + a_{12}x_2 + \cdots + a_{1n}x_n = b_1, \\ a_{21}x_1 + a_{22}x_2 + \cdots + a_{2n}x_n = b_2, \\ \cdots\cdots \\ a_{s1}x_1 + a_{s2}x_2 + \cdots + a_{sn}x_n = b_s \end{cases}$$

令

$$\boldsymbol{A} = \begin{pmatrix} a_{11} & a_{12} & \cdots & a_{1n} \\ a_{21} & a_{22} & \cdots & a_{2n} \\ \vdots & \vdots & & \vdots \\ a_{s1} & a_{s2} & \cdots & a_{sn} \end{pmatrix}, \quad x = \begin{pmatrix} x_1 \\ x_2 \\ \vdots \\ x_n \end{pmatrix}, \quad \boldsymbol{b} = \begin{pmatrix} b_1 \\ b_2 \\ \vdots \\ b_s \end{pmatrix}$$

分别表示系数矩阵, 未知量向量和常数项向量, 那么线性方程组就可以写成如下简单的矩阵形式

$$\boldsymbol{A}x = \boldsymbol{b}$$

例 5.1.3 如图 5.1.1, 设平面坐标系 xOy 中向量 $\overrightarrow{OP}$ 的坐标为 (x,y), 与 x 轴的正半轴的夹角为 θ, 长度为 r. 现把向量 $\overrightarrow{OP}$ 沿逆时针旋转 α 角得到向量 $\overrightarrow{OP'}$. 令向量 $\overrightarrow{OP'}$ 的坐标为 (x',y'), 则有

$$\begin{cases} x = r\cos\theta, \\ y = r\sin\theta, \end{cases} \quad \begin{cases} x' = r\cos(\theta+\alpha), \\ y' = r\sin(\theta+\alpha) \end{cases}$$

由此可得

$$\begin{cases} x' = x\cos\alpha - y\sin\alpha, \\ y' = x\sin\alpha + y\cos\alpha \end{cases}$$

上式中的系数对应如下的矩阵

$$\boldsymbol{A} = \begin{pmatrix} \cos\alpha & -\sin\alpha \\ \sin\alpha & \cos\alpha \end{pmatrix}$$

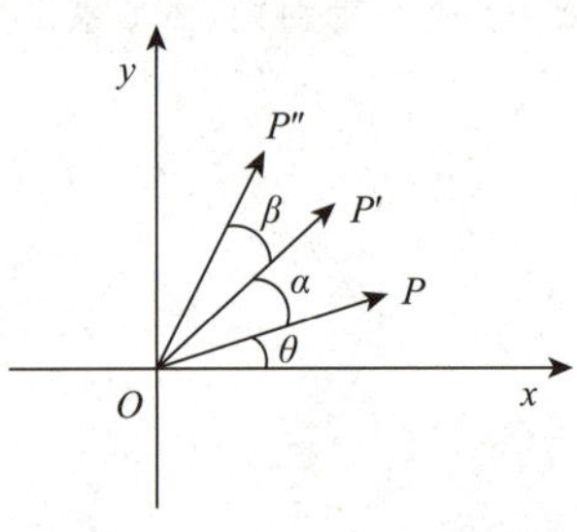

图 5.1.1

若接着把向量 $\overrightarrow{OP'}$ 沿逆时针旋转 β 角得到向量 $\overrightarrow{OP''}$, 则其坐标 (x'',y'') 满足

$$\begin{cases} x'' = x'\cos\beta - y'\sin\beta, \\ y'' = x'\sin\beta + y'\cos\beta \end{cases}$$

其对应的矩阵为

$$\boldsymbol{B} = \begin{pmatrix} \cos\beta & -\sin\beta \\ \sin\beta & \cos\beta \end{pmatrix}$$

易知

$$\begin{pmatrix} x'' \\ y'' \end{pmatrix} = \boldsymbol{B}\begin{pmatrix} x' \\ y' \end{pmatrix} = \boldsymbol{BA}\begin{pmatrix} x \\ y \end{pmatrix} = \begin{pmatrix} \cos\beta\cos\alpha - \sin\beta\sin\alpha & -\cos\beta\sin\alpha - \sin\beta\cos\alpha \\ \cos\beta\sin\alpha + \sin\beta\cos\alpha & \cos\beta\cos\alpha - \sin\beta\sin\alpha \end{pmatrix}\begin{pmatrix} x \\ y \end{pmatrix}$$

$$= \begin{pmatrix} \cos(\alpha+\beta) & -\sin(\alpha+\beta) \\ \sin(\alpha+\beta) & \cos(\alpha+\beta) \end{pmatrix}\begin{pmatrix} x \\ y \end{pmatrix}$$

上述分析过程从理论上证明了对向量相继两次作旋转其总的效果相当于作了转角为这两次旋转转角之和的一次旋转.

矩阵乘法满足如下运算规律.

结合律: 设 $\boldsymbol{A} = (a_{ij})_{s\times n}, \boldsymbol{B} = (b_{ij})_{n\times m}, \boldsymbol{C} = (c_{ij})_{m\times r}$, 则 $(\boldsymbol{AB})\boldsymbol{C} = \boldsymbol{A}(\boldsymbol{BC})$.

分配律: $A(B+C)=AB+AC$, $(B+C)A=BA+CA$.

含数量乘法的算律: $k(AB)=(kA)B=A(kB)$.

证明 先证结合律 令 $V=AB=(v_{ik})_{s\times m}$, $W=BC=(w_{jl})_{n\times r}$, 则 $(AB)C=VC$, $A(BC)=AW$, 其中

$$v_{ik}=\sum_{j=1}^{n}a_{ij}b_{jk}\quad(i=1,2,\cdots,s;k=1,2,\cdots,m)$$

$$w_{jl}=\sum_{k=1}^{m}b_{jk}c_{kl}\quad(j=1,2,\cdots,n;l=1,2,\cdots,r)$$

VC 的第 i 行第 l 列元素为

$$\sum_{k=1}^{m}v_{ik}c_{kl}=\sum_{k=1}^{m}c_{kl}\left(\sum_{j=1}^{n}a_{ij}b_{jk}\right)=\sum_{k=1}^{m}\sum_{j=1}^{n}a_{ij}b_{jk}c_{kl}$$

AW 的第 i 行第 l 列元素为

$$\sum_{j=1}^{n}a_{ij}w_{jl}=\sum_{j=1}^{n}a_{ij}\left(\sum_{k=1}^{m}b_{jk}c_{kl}\right)=\sum_{j=1}^{n}\sum_{k=1}^{m}a_{ij}b_{jk}c_{kl}$$

由于双重连加号可以交换次序, 所以上述两个结果一致, 这就证明了结合律.

分配律及含数乘的运算律请读者自己给出证明.

需要指出的是矩阵的乘法不满足交换律, 即一般说来,

$$AB\neq BA$$

原因如下: 首先, 矩阵乘积中要求左矩阵的列数等于右矩阵的行数, 否则没有意义. 当 AB 有意义时, BA 未必有意义. 其次, 即使两者都有意义, 它们的阶数也不一定相等. 因为乘积的行数等于左矩阵的行数, 乘积的列数等于右矩阵的列数. 比如, 若矩阵 A 是 4×3 的, 矩阵 B 是 3×4 的, 则 AB 是 4×4 的, BA 是 3×3 的. 最后, 即使两者都有意义, 两者的阶数也一样(当然只能是两个矩阵都是方阵的情况), AB 与 BA 也不一定相等. 例如

$$A=\begin{pmatrix}1&1\\-1&-1\end{pmatrix},\quad B=\begin{pmatrix}1&-1\\-1&1\end{pmatrix}$$

$$AB=\begin{pmatrix}1&1\\-1&-1\end{pmatrix}\begin{pmatrix}1&-1\\-1&1\end{pmatrix}=\begin{pmatrix}0&0\\0&0\end{pmatrix}$$

而

$$BA=\begin{pmatrix}1&-1\\-1&1\end{pmatrix}\begin{pmatrix}1&1\\-1&-1\end{pmatrix}=\begin{pmatrix}2&2\\-2&-2\end{pmatrix}$$

由这个例子还可看出, 两个不为零的矩阵的乘积可以是零矩阵. 这是矩阵乘法的一个特点. 还可得出矩阵消去律不成立, 即当 $AB=AC$ 时, 不一定有 $B=C$ (在什么情况下, 消去律成立? 这是本章后面将要讨论的问题.).

虽然矩阵的乘法不满足交换律(即矩阵相乘是讲究顺序的), 但是对于具体的两个矩阵 A 和 B, 也有可能 $AB=BA$. 如果 A 和 B 满足 $AB=BA$, 则称 A 与 B **可交换**. 两个矩阵可交换的一个必要条件是它们是同阶方阵.

在数字乘法中, 1 扮演了非常特殊的角色, 在矩阵乘法中也有这样的成员——单位矩阵.

定义 5.1.4

主对角线上的元素全是 1，其余元素全是 0 的 $n\times n$ 矩阵

$$\begin{pmatrix} 1 & 0 & \cdots & 0 \\ 0 & 1 & \cdots & 0 \\ \vdots & \vdots & & \vdots \\ 0 & 0 & \cdots & 1 \end{pmatrix}$$

称为 n 阶**单位矩阵**，记为 $\boldsymbol{E}_n$ 或者简记为 $\boldsymbol{E}$.

显然，对于任意的矩阵 $\boldsymbol{A}_{s\times n}$，有

$$\boldsymbol{A}_{s\times n}\boldsymbol{E}_n = \boldsymbol{A}_{s\times n}$$

$$\boldsymbol{E}_s\boldsymbol{A}_{s\times n} = \boldsymbol{A}_{s\times n}$$

特别地，若 $\boldsymbol{A}$ 是 n 阶方阵，则有

$$\boldsymbol{E}\boldsymbol{A} = \boldsymbol{A}\boldsymbol{E} = \boldsymbol{A}$$

其中 $\boldsymbol{E}$ 为 n 阶单位矩阵. 可见，单位矩阵和与之同阶的方阵可交换.

2. 矩阵的幂及多项式

设 $\boldsymbol{A}$ 是一 $n\times n$ 矩阵，定义

$$\begin{cases} \boldsymbol{A}^0 = \boldsymbol{E}, \\ \boldsymbol{A}^1 = \boldsymbol{A}, \\ \boldsymbol{A}^{k+1} = \boldsymbol{A}^k\boldsymbol{A} \end{cases}$$

换句话说，$\boldsymbol{A}^k$ 就是 k 个 $\boldsymbol{A}$ 连乘. 由乘法的结合律，不难证明

$$\boldsymbol{A}^k\boldsymbol{A}^l = \boldsymbol{A}^{k+l}$$

$$(\boldsymbol{A}^k)^l = \boldsymbol{A}^{kl}$$

这里 k,l 是任意正整数. 因为矩阵乘法不适合交换律，所以 $(\boldsymbol{A}\boldsymbol{B})^k$ 与 $\boldsymbol{A}^k\boldsymbol{B}^k$ 一般不相等.

例 5.1.4 证明：若 $\boldsymbol{A}$ 与 $\boldsymbol{B}$ 可交换，则 $(\boldsymbol{A}+\boldsymbol{B})^2 = \boldsymbol{A}^2+\boldsymbol{B}^2+2\boldsymbol{A}\boldsymbol{B}$.

证明 按照矩阵幂的定义有

$$(\boldsymbol{A}+\boldsymbol{B})^2 = (\boldsymbol{A}+\boldsymbol{B})(\boldsymbol{A}+\boldsymbol{B}) = \boldsymbol{A}^2+\boldsymbol{B}^2+\boldsymbol{A}\boldsymbol{B}+\boldsymbol{B}\boldsymbol{A}$$

又 $\boldsymbol{A}$ 与 $\boldsymbol{B}$ 可交换，即 $\boldsymbol{A}\boldsymbol{B}=\boldsymbol{B}\boldsymbol{A}$，所以

$$(\boldsymbol{A}+\boldsymbol{B})^2 = \boldsymbol{A}^2+\boldsymbol{B}^2+2\boldsymbol{A}\boldsymbol{B}$$

一般地，当 $\boldsymbol{A}$ 与 $\boldsymbol{B}$ 可交换时，二项式定理成立，即有

$$(\boldsymbol{A}+\boldsymbol{B})^m = \sum_{k=0}^{m} \mathrm{C}_m^k \boldsymbol{A}^k\boldsymbol{B}^{m-k}$$

例 5.1.5 计算

$$\begin{pmatrix} 1 & 1 \\ 0 & 1 \end{pmatrix}^n, \quad n \text{ 是正整数}$$

解法一 令

$$\boldsymbol{A} = \begin{pmatrix} 1 & 1 \\ 0 & 1 \end{pmatrix}$$

则

$$A=\begin{pmatrix}1&0\\0&1\end{pmatrix}+\begin{pmatrix}0&1\\0&0\end{pmatrix}=E+B$$

其中 $B=\begin{pmatrix}0&1\\0&0\end{pmatrix}$.

显然

$$B^2=\begin{pmatrix}0&1\\0&0\end{pmatrix}\begin{pmatrix}0&1\\0&0\end{pmatrix}=\begin{pmatrix}0&0\\0&0\end{pmatrix}=O$$

所以 $B^k=O$，对于 $k\geqslant 2$.

因为 E 与 B 可交换，由二项式定理得

$$\begin{aligned}A^n&=(E+B)^n=E+nEB=E+nB\\&=\begin{pmatrix}1&0\\0&1\end{pmatrix}+\begin{pmatrix}0&n\\0&0\end{pmatrix}=\begin{pmatrix}1&n\\0&1\end{pmatrix}\end{aligned}$$

解法二

$$A^2=\begin{pmatrix}1&1\\0&1\end{pmatrix}\begin{pmatrix}1&1\\0&1\end{pmatrix}=\begin{pmatrix}1&2\\0&1\end{pmatrix}$$

$$A^3=AA^2=\begin{pmatrix}1&1\\0&1\end{pmatrix}\begin{pmatrix}1&2\\0&1\end{pmatrix}=\begin{pmatrix}1&3\\0&1\end{pmatrix}$$

$$A^4=AA^3=\begin{pmatrix}1&1\\0&1\end{pmatrix}\begin{pmatrix}1&3\\0&1\end{pmatrix}=\begin{pmatrix}1&4\\0&1\end{pmatrix}$$

于是猜测

$$A^n=\begin{pmatrix}1&n\\0&1\end{pmatrix}$$

下面用数学归纳法来证明上述猜测是正确的.

当 $n=1$ 时，上式明显成立；

假设对于 A^{n-1} 猜测成立，即

$$A^{n-1}=\begin{pmatrix}1&n-1\\0&1\end{pmatrix}$$

则有

$$A^n=AA^{n-1}=\begin{pmatrix}1&1\\0&1\end{pmatrix}\begin{pmatrix}1&n-1\\0&1\end{pmatrix}=\begin{pmatrix}1&n\\0&1\end{pmatrix}$$

由数学归纳法原理，对于任意正整数 n 猜测成立.

定义 5.1.5

设 $f(x)=a_mx^m+a_{m-1}x^{m-1}+\cdots+a_1x+a_0$ 是一个多项式，A 为一 n 阶方阵，则称

$$f(x)=a_mA^m+a_{m-1}A^{m-1}+\cdots+a_1A+a_0E$$

为矩阵 A 的多项式，其中 E 为 n 阶单位矩阵.

不难验证，若 $f(x),g(x)$ 为两个多项式，且满足

$$f(x)+g(x)=h(x),\quad f(x)g(x)=s(x)$$

则

$$f(\boldsymbol{A})+g(\boldsymbol{A})=h(\boldsymbol{A}),\quad f(\boldsymbol{A})g(\boldsymbol{A})=s(\boldsymbol{A})$$

3. 矩阵乘积的秩

定理 5.1.3

设 $\boldsymbol{A}=(a_{ij})_{n\times m}$，$\boldsymbol{B}=(b_{ij})_{m\times s}$ 是数域 P 上的两个矩阵，则

$$r(\boldsymbol{AB})\leqslant \min\{r(\boldsymbol{A}),r(\boldsymbol{B})\}$$

证明 $\boldsymbol{AB}$ 的第一列是

$$\begin{pmatrix}\sum_{k=1}^{m}a_{1k}b_{k1}\\ \sum_{k=1}^{m}a_{2k}b_{k1}\\ \vdots\\ \sum_{k=1}^{m}a_{nk}b_{k1}\end{pmatrix}=b_{11}\begin{pmatrix}a_{11}\\a_{21}\\ \vdots\\a_{n1}\end{pmatrix}+b_{21}\begin{pmatrix}a_{12}\\a_{22}\\ \vdots\\a_{n2}\end{pmatrix}+\cdots+b_{m1}\begin{pmatrix}a_{1m}\\a_{2m}\\ \vdots\\a_{nm}\end{pmatrix}$$

即 $\boldsymbol{AB}$ 的第一列可由 $\boldsymbol{A}$ 的列向量组线性表出. 类似可得 $\boldsymbol{AB}$ 的任一列均可由 $\boldsymbol{A}$ 的列向量组线性表出. 因此

$$r(\boldsymbol{AB})\leqslant r(\boldsymbol{A})$$

同理, $\boldsymbol{AB}$ 的任一行均可由 $\boldsymbol{B}$ 的行向量组线性表出. 即有

$$r(\boldsymbol{AB})\leqslant r(\boldsymbol{B}).$$

所以

$$r(\boldsymbol{AB})\leqslant \min[r(\boldsymbol{A}),r(\boldsymbol{B})].$$

用数学归纳法，定理 5.1.3 可以推广到多个矩阵的情形，即有

推论 5.1.1

如果 $\boldsymbol{A}=\boldsymbol{A}_1\boldsymbol{A}_2\cdots\boldsymbol{A}_t$，那么 $r(\boldsymbol{A})\leqslant \min\limits_{1\leqslant j\leqslant t} r(\boldsymbol{A}_j)$.

5.2 矩阵的其他运算及特殊矩阵

5.2.1 矩阵的转置

定义 5.2.1

把矩阵 $\boldsymbol{A}$ 的行列互换得到的矩阵称为 $\boldsymbol{A}$ 的转置，记为 $\boldsymbol{A}^{\mathrm{T}}$. 具体地，对于矩阵

$$\boldsymbol{A}=\begin{pmatrix}a_{11}&a_{12}&\cdots&a_{1n}\\a_{21}&a_{22}&\cdots&a_{2n}\\ \vdots&\vdots&&\vdots\\a_{s1}&a_{s2}&\cdots&a_{sn}\end{pmatrix}$$

则把矩阵

$$A^{\mathrm{T}}=\begin{pmatrix} a_{11} & a_{21} & \cdots & a_{s1} \\ a_{12} & a_{22} & \cdots & a_{s2} \\ \vdots & \vdots & & \vdots \\ a_{1n} & a_{2n} & \cdots & a_{sn} \end{pmatrix}$$

称为 $\boldsymbol{A}$ 的**转置**. 显然 $s\times n$ 矩阵的转置是 $n\times s$ 矩阵.

矩阵的转置满足以下的规律:

$$(\boldsymbol{A}^{\mathrm{T}})^{\mathrm{T}}=\boldsymbol{A} \tag{5.2.1}$$

$$(\boldsymbol{A}+\boldsymbol{B})^{\mathrm{T}}=\boldsymbol{A}^{\mathrm{T}}+\boldsymbol{B}^{\mathrm{T}} \tag{5.2.2}$$

$$(\boldsymbol{A}\boldsymbol{B})^{\mathrm{T}}=\boldsymbol{B}^{\mathrm{T}}\boldsymbol{A}^{\mathrm{T}} \tag{5.2.3}$$

$$(k\boldsymbol{A})^{\mathrm{T}}=k\boldsymbol{A}^{\mathrm{T}} \tag{5.2.4}$$

第一个性质式(5.2.1)表示两次转置就还原, 这是显然的.

下面仅就式(5.2.3)证明. 设

$$\boldsymbol{A}=(a_{ij})_{s\times n}=\begin{pmatrix} a_{11} & a_{12} & \cdots & a_{1n} \\ a_{21} & a_{22} & \cdots & a_{2n} \\ \vdots & \vdots & & \vdots \\ a_{s1} & a_{s2} & \cdots & a_{sn} \end{pmatrix}, \quad \boldsymbol{B}=(b_{ij})_{n\times m}=\begin{pmatrix} b_{11} & b_{12} & \cdots & b_{1m} \\ b_{21} & b_{22} & \cdots & b_{2m} \\ \vdots & \vdots & & \vdots \\ b_{n1} & b_{n2} & \cdots & b_{nm} \end{pmatrix}$$

$(\boldsymbol{AB})^{\mathrm{T}}$ 的 (i,j) 元是 $\boldsymbol{AB}$ 的 (j,i) 元

$$\sum_{k=1}^{n}a_{jk}b_{ki}$$

$\boldsymbol{B}^{\mathrm{T}}\boldsymbol{A}^{\mathrm{T}}$ 的 (i,j) 元是 $\boldsymbol{B}^{\mathrm{T}}$ 的第 i 行与 $\boldsymbol{A}^{\mathrm{T}}$ 的第 j 列对应元素乘积之和, 也就是 $\boldsymbol{B}$ 的第 i 列与 $\boldsymbol{A}$ 的第 j 行对应元素乘积之和

$$\sum_{k=1}^{n}b_{ki}a_{jk}$$

比较上述两式, 即得证. (5.2.2)和(5.2.4)留给读者来证明.

另外, 由矩阵秩的相关结论, 易知.

$$r(\boldsymbol{A})=r(\boldsymbol{A}^{\mathrm{T}})$$

对于实数域上一个矩阵 $\boldsymbol{A}$, 关于 $\boldsymbol{AA}^{\mathrm{T}}$ 的秩有更进一步的结论.

定理 5.2.1

设 $\boldsymbol{A}$ 是实数域上一个 $s\times n$ 矩阵, 则

$$r(\boldsymbol{AA}^{\mathrm{T}})=r(\boldsymbol{A}^{\mathrm{T}}\boldsymbol{A})=r(\boldsymbol{A})$$

证明 先证 $r(\boldsymbol{A}^{\mathrm{T}}\boldsymbol{A})=r(\boldsymbol{A})$. 如果 n 元齐次线性方程组 $(\boldsymbol{A}^{\mathrm{T}}\boldsymbol{A})\boldsymbol{x}=\boldsymbol{0}$ 和 $\boldsymbol{Ax}=\boldsymbol{0}$ 同解, 那么它们的解空间相同, 解空间的维数自然也一样, 解空间的维数等于

$$n-r(\boldsymbol{A}^{\mathrm{T}}\boldsymbol{A})=n-r(\boldsymbol{A})$$

进而可得 $r(\boldsymbol{A}^{\mathrm{T}}\boldsymbol{A})=r(\boldsymbol{A})$.

下证 $(\boldsymbol{A}^{\mathrm{T}}\boldsymbol{A})\boldsymbol{x}=\boldsymbol{0}$ 和 $\boldsymbol{A}\boldsymbol{x}=\boldsymbol{0}$ 同解.

设 $\boldsymbol{\beta}$ 是 $\boldsymbol{A}\boldsymbol{x}=\boldsymbol{0}$ 的解，即 $\boldsymbol{A}\boldsymbol{\beta}=\boldsymbol{0}$，从而 $\boldsymbol{A}^{\mathrm{T}}(\boldsymbol{A}\boldsymbol{\beta})=\boldsymbol{0}$，即 $(\boldsymbol{A}^{\mathrm{T}}\boldsymbol{A})\boldsymbol{\beta}=\boldsymbol{0}$，所以 $\boldsymbol{\beta}$ 是 $(\boldsymbol{A}^{\mathrm{T}}\boldsymbol{A})\boldsymbol{x}=\boldsymbol{0}$ 的解.

反之，如果 $\boldsymbol{\eta}$ 是 $(\boldsymbol{A}^{\mathrm{T}}\boldsymbol{A})\boldsymbol{x}=\boldsymbol{0}$ 的解，即 $(\boldsymbol{A}^{\mathrm{T}}\boldsymbol{A})\boldsymbol{\eta}=\boldsymbol{0}$，从而 $\boldsymbol{\eta}^{\mathrm{T}}(\boldsymbol{A}^{\mathrm{T}}\boldsymbol{A})\boldsymbol{\eta}=\boldsymbol{0}$，即

$$(\boldsymbol{A}\boldsymbol{\eta})^{\mathrm{T}}(\boldsymbol{A}\boldsymbol{\eta})=\boldsymbol{0}.$$

设

$$\boldsymbol{A}\boldsymbol{\eta}=(a_1,a_2,\cdots,a_s)^{\mathrm{T}}$$

则由上式得到

$$a_1^2+a_2^2+\cdots+a_s^2=0$$

由于 $a_1,a_2,\cdots,a_s$ 都是实数，所以 $a_1=a_2=\cdots=a_s=0$，于是 $\boldsymbol{A}\boldsymbol{\eta}=\boldsymbol{0}$，这表明 $\boldsymbol{\eta}$ 是 $\boldsymbol{A}\boldsymbol{x}=\boldsymbol{0}$ 的解. 从而 $(\boldsymbol{A}^{\mathrm{T}}\boldsymbol{A})\boldsymbol{x}=\boldsymbol{0}$ 和 $\boldsymbol{A}\boldsymbol{x}=\boldsymbol{0}$ 同解. 由前面的讨论，得到

$$r(\boldsymbol{A}^{\mathrm{T}}\boldsymbol{A})=r(\boldsymbol{A})$$

再者，$r(\boldsymbol{A}\boldsymbol{A}^{\mathrm{T}})=r((\boldsymbol{A}^{\mathrm{T}})^{\mathrm{T}}(\boldsymbol{A}^{\mathrm{T}}))=r(\boldsymbol{A}^{\mathrm{T}})=r(\boldsymbol{A})$.

例 5.2.1 设

$$\boldsymbol{A}=(1,-1,2),\quad \boldsymbol{B}=\begin{pmatrix}2&-1&0\\1&1&3\\4&2&1\end{pmatrix}$$

求 $(\boldsymbol{A}\boldsymbol{B})^{\mathrm{T}}$, $\boldsymbol{B}^{\mathrm{T}}\boldsymbol{A}^{\mathrm{T}}$.

解

$$\boldsymbol{A}\boldsymbol{B}=(2-1+8,-1-1+4,0-3+2)=(9,2,-1)$$

$$\boldsymbol{A}^{\mathrm{T}}=\begin{pmatrix}1\\-1\\2\end{pmatrix},\quad \boldsymbol{B}^{\mathrm{T}}=\begin{pmatrix}2&1&4\\-1&1&2\\0&3&1\end{pmatrix},\quad \boldsymbol{B}^{\mathrm{T}}\boldsymbol{A}^{\mathrm{T}}=(\boldsymbol{A}\boldsymbol{B})^{\mathrm{T}}=\begin{pmatrix}9\\2\\-1\end{pmatrix}$$

定义 5.2.2

方阵 $\boldsymbol{A}$ 如果满足

$$\boldsymbol{A}=\boldsymbol{A}^{\mathrm{T}}$$

即 $a_{ij}=a_{ji}$ $(i,j=1,2,\cdots,n)$. 则称 $\boldsymbol{A}$ 为**对称矩阵**.

对称矩阵 $\boldsymbol{A}$ 具有如下形式

$$\begin{pmatrix}a_{11}&a_{12}&a_{13}&\cdots&a_{1n}\\a_{12}&a_{22}&a_{23}&\cdots&a_{2n}\\a_{13}&a_{23}&a_{33}&\cdots&a_{3n}\\\vdots&\vdots&\vdots&&\vdots\\a_{1n}&a_{2n}&a_{3n}&\cdots&a_{nn}\end{pmatrix}$$

即对称矩阵以主对角线为对称轴，各元素对应相等.

定义 5.2.3

若方阵 $\boldsymbol{A}$ 满足

$$\boldsymbol{A}=-\boldsymbol{A}^{\mathrm{T}}, \quad 即\ a_{ij}=-a_{ji} \quad (i,j=1,2,\cdots,n)$$

则称 $\boldsymbol{A}$ 为**反对称矩阵**.

容易从定义看出，实数域上反对称矩阵的主对角元素全为零. 反对称实矩阵必形如

$$\begin{pmatrix} 0 & a_{12} & a_{13} & \cdots & a_{1n} \\ -a_{12} & 0 & a_{23} & \cdots & a_{2n} \\ -a_{13} & -a_{23} & 0 & \cdots & a_{3n} \\ \vdots & \vdots & \vdots & & \vdots \\ -a_{1n} & -a_{2n} & -a_{3n} & \cdots & 0 \end{pmatrix}$$

例 5.2.2　试证任意一个方阵 $\boldsymbol{A}$ 可以表示成一个对称矩阵与一个反对称矩阵的和.

证明　令 $\boldsymbol{C}=\boldsymbol{A}+\boldsymbol{A}^{\mathrm{T}}$，$\boldsymbol{D}=\boldsymbol{A}-\boldsymbol{A}^{\mathrm{T}}$，则

$$\boldsymbol{C}^{\mathrm{T}}=\boldsymbol{A}^{\mathrm{T}}+\boldsymbol{A}=\boldsymbol{C}, \quad \boldsymbol{D}^{\mathrm{T}}=\boldsymbol{A}^{\mathrm{T}}-\boldsymbol{A}=-\boldsymbol{D}$$

于是 $\boldsymbol{C}$ 是对称矩阵，$\boldsymbol{D}$ 是反对称矩阵. 而 $\boldsymbol{A}=\dfrac{\boldsymbol{C}+\boldsymbol{D}}{2}$，即证.

例 5.2.3　设 $\boldsymbol{A}$ 为实对称矩阵，若 $\boldsymbol{A}^2=\boldsymbol{O}$，求证 $\boldsymbol{A}=\boldsymbol{O}$.

证明　设 $\boldsymbol{A}=(a_{ij})_{n\times n}$，而 $\boldsymbol{B}=(b_{ij})_{n\times n}=\boldsymbol{A}^2$，则对于 $\boldsymbol{B}$ 的主对角线上的元素 b_{ii} 有

$$b_{ii}=a_{i1}a_{1i}+a_{i2}a_{2i}+\cdots+a_{in}a_{ni}, \quad i=1,2,\cdots,n$$

因为 $\boldsymbol{A}$ 是对称矩阵，即 $a_{ij}=a_{ji}$，所以

$$b_{ii}=a_{i1}^2+a_{i2}^2+\cdots+a_{in}^2$$

由于 $\boldsymbol{A}^2=\boldsymbol{O}$，因此从上式可得

$$a_{i1}^2+a_{i2}^2+\cdots+a_{in}^2=0$$

又由于 $\boldsymbol{A}$ 是实矩阵，所以

$$a_{ij}=0, \quad j=1,2,\cdots,n$$

即 $\boldsymbol{A}=\boldsymbol{O}$.

5.2.2　方阵的行列式

从 3.5 节可知，由 n 阶方阵 $\boldsymbol{A}$ 的元素按照原来的位置构成的行列式称为方阵 $\boldsymbol{A}$ 的行列式，记作 $|\boldsymbol{A}|$. 由矩阵 $\boldsymbol{A}$ 确定的行列式满足如下运算规律.

定理 5.2.2

设 $\boldsymbol{A},\boldsymbol{B}$ 是数域 P 上的 n 阶方阵，l 为数域 P 上的任一数，则

$$|\boldsymbol{A}^{\mathrm{T}}|=|\boldsymbol{A}|$$

$$|l\boldsymbol{A}|=l^n|\boldsymbol{A}|$$

$$|\boldsymbol{AB}|=|\boldsymbol{A}||\boldsymbol{B}|$$

只证明最后一个性质，其余证明留给读者.

证明 设 $A=\begin{pmatrix} a_{11} & a_{12} & \cdots & a_{1n} \\ a_{21} & a_{22} & \cdots & a_{2n} \\ \vdots & \vdots & & \vdots \\ a_{n1} & a_{n2} & \cdots & a_{nn} \end{pmatrix}$，$B=\begin{pmatrix} b_{11} & b_{12} & \cdots & b_{1n} \\ b_{21} & b_{22} & \cdots & b_{2n} \\ \vdots & \vdots & & \vdots \\ b_{n1} & b_{n2} & \cdots & b_{nn} \end{pmatrix}$，$AB=(c_{ij})_{n\times n}$，作一个 $2n$ 阶矩阵行列式

$$D=\begin{vmatrix} a_{11} & a_{12} & \cdots & a_{1n} & 0 & 0 & \cdots & 0 \\ a_{21} & a_{22} & \cdots & a_{2n} & 0 & 0 & \cdots & 0 \\ \vdots & \vdots & & \vdots & \vdots & \vdots & & \vdots \\ a_{n1} & a_{n2} & \cdots & a_{nn} & 0 & 0 & \cdots & 0 \\ -1 & 0 & \cdots & 0 & b_{11} & b_{12} & \cdots & b_{1n} \\ 0 & -1 & \cdots & 0 & b_{21} & b_{22} & \cdots & b_{2n} \\ \vdots & \vdots & & \vdots & \vdots & \vdots & & \vdots \\ 0 & 0 & \cdots & -1 & b_{n1} & b_{n2} & \cdots & b_{nn} \end{vmatrix}$$

一方面，按照行列式的定义

$$D=\sum_{j_1j_2\cdots j_ni_1i_2\cdots i_n}(-1)^{\tau(j_1j_2\cdots j_ni_1i_2\cdots i_n)}a_{1j_1}a_{2j_2}\cdots a_{nj_n}b_{1k_1}b_{2k_2}\cdots b_{nk_n}$$

其中，$j_1,j_2,\cdots,j_n$ 是 $1,2,\cdots,n$ 的一个排列，$i_1,i_2,\cdots,i_n$ 是 $n+1,n+2,\cdots,2n$ 的一个排列. 若令 $i_l=k_l+n$，$l=1,2,\cdots,n$，则有 $\tau(k_1,k_2,\cdots,k_n)=\tau(i_1,i_2,\cdots,i_n)$.

由于排列 $j_1,j_2,\cdots,j_n$ 中的每个数都比排列 $i_1,i_2,\cdots,i_n$ 中的数小，所以

$$\tau(j_1,j_2,\cdots,j_n,i_1,i_2,\cdots,i_n)=\tau(j_1,j_2,\cdots,j_n)+\tau(i_1,i_2,\cdots,i_n)$$

则

$$\begin{aligned} D&=\sum_{j_1j_2\cdots j_n}(-1)^{\tau(j_1j_2\cdots j_n)}a_{1j_1}a_{2j_2}\cdots a_{nj_n}\sum_{i_1i_2\cdots i_n}(-1)^{\tau(i_1i_2\cdots i_n)}b_{1k_1}b_{2k_2}\cdots b_{nk_n} \\ &=\sum_{j_1j_2\cdots j_n}(-1)^{\tau(j_1j_2\cdots j_n)}a_{1j_1}a_{2j_2}\cdots a_{nj_n}\sum_{k_1k_2\cdots k_n}(-1)^{\tau(k_1k_2\cdots k_n)}b_{1k_1}b_{2k_2}\cdots b_{nk_n}=|A||B| \end{aligned}$$

另一方面，对 D 作初等变换，将第一列的 b_{11} 倍，第二列的 b_{21} 倍，…，第 n 列的 b_{n1} 倍加到第 $n+1$ 列，得到

$$D=\begin{vmatrix} a_{11} & a_{12} & \cdots & a_{1n} & c_{11} & 0 & \cdots & 0 \\ a_{21} & a_{22} & \cdots & a_{2n} & c_{21} & 0 & \cdots & 0 \\ \vdots & \vdots & & \vdots & \vdots & \vdots & & \vdots \\ a_{n1} & a_{n2} & \cdots & a_{nn} & c_{n1} & 0 & \cdots & 0 \\ -1 & 0 & \cdots & 0 & 0 & b_{12} & \cdots & b_{1n} \\ 0 & -1 & \cdots & 0 & 0 & b_{22} & \cdots & b_{2n} \\ \vdots & \vdots & & \vdots & \vdots & \vdots & & \vdots \\ 0 & 0 & \cdots & -1 & 0 & b_{n2} & \cdots & b_{nn} \end{vmatrix}$$

再依次将第1列的 b_{1k} 倍，第二列的 b_{2k} 倍，…，第 n 列的 b_{nk} 倍加到第 $n+k$ 列 $(k=2,3,\cdots,n)$，得到

$$D=\begin{vmatrix} a_{11} & a_{12} & \cdots & a_{1n} & c_{11} & c_{12} & \cdots & c_{1n} \\ a_{21} & a_{22} & \cdots & a_{2n} & c_{21} & c_{22} & \cdots & c_{2n} \\ \vdots & \vdots & & \vdots & \vdots & \vdots & & \vdots \\ a_{n1} & a_{n2} & \cdots & a_{nn} & c_{n1} & c_{n2} & \cdots & c_{nn} \\ -1 & 0 & \cdots & 0 & 0 & 0 & \cdots & 0 \\ 0 & -1 & \cdots & 0 & 0 & 0 & \cdots & 0 \\ \vdots & \vdots & & \vdots & \vdots & \vdots & & \vdots \\ 0 & 0 & \cdots & -1 & 0 & 0 & \cdots & 0 \end{vmatrix}$$

根据拉普拉斯定理，把上面的行列式按照最后 n 行进行展开，有

$$D=(-1)^{1+2+\cdots+2n}\begin{vmatrix} -1 & & & \\ & -1 & & \\ & & \ddots & \\ & & & -1 \end{vmatrix}\begin{vmatrix} c_{11} & c_{12} & \cdots & c_{1n} \\ c_{21} & c_{22} & \cdots & c_{2n} \\ \vdots & \vdots & & \vdots \\ c_{n1} & c_{n2} & \cdots & c_{nn} \end{vmatrix}$$

$$=(-1)^{n(2n+1)}(-1)^n|\boldsymbol{C}|=(-1)^{2n(n+1)}|\boldsymbol{C}|=|\boldsymbol{C}|$$

于是，$|\boldsymbol{C}|=|\boldsymbol{AB}|=|\boldsymbol{A}||\boldsymbol{B}|$.

例 5.2.4 设矩阵 $\boldsymbol{A}=\begin{pmatrix} a & b & c & d \\ -b & a & -d & c \\ -c & d & a & -b \\ -d & -c & b & a \end{pmatrix}$，计算行列式 $|\boldsymbol{A}|$.

解 因为

$$\boldsymbol{AA}^{\mathrm{T}}=\begin{pmatrix} a^2+b^2+c^2+d^2 & & & \\ & a^2+b^2+c^2+d^2 & & \\ & & a^2+b^2+c^2+d^2 & \\ & & & a^2+b^2+c^2+d^2 \end{pmatrix}$$

所以

$$|\boldsymbol{AA}^{\mathrm{T}}|=(a^2+b^2+c^2+d^2)^4$$

由定理 5.2.2 知

$$|\boldsymbol{AA}^{\mathrm{T}}|=|\boldsymbol{A}||\boldsymbol{A}^{\mathrm{T}}|=|\boldsymbol{A}|^2$$

故

$$|\boldsymbol{A}|=(a^2+b^2+c^2+d^2)^2 \quad (\text{因为按照行列式的定义 } a^4 \text{ 是 } |\boldsymbol{A}| \text{ 中的一项})$$

用数学归纳法，定理 5.2.2 可以推广到多个方阵相乘的情形，即有如下结论.

推论 5.2.1

设 $\boldsymbol{A}_1,\boldsymbol{A}_2,\cdots,\boldsymbol{A}_m$ 是数域 P 上的 n 阶方阵，于是

$$|\boldsymbol{A}_1\boldsymbol{A}_2\cdots\boldsymbol{A}_m|=|\boldsymbol{A}_1||\boldsymbol{A}_2|\cdots|\boldsymbol{A}_m|$$

推论 5.2.2

设 $\boldsymbol{A}$ 是 n 阶方阵，l 为正整数，则 $|\boldsymbol{A}^l|=|\boldsymbol{A}|^l$.

定义 5.2.4

对于数域 P 上的 $n\times n$ 矩阵 $\boldsymbol{A}$，若 $|\boldsymbol{A}|\neq 0$，称 $\boldsymbol{A}$ 为**非退化的**，否则称为**退化的**.

显然一个 $n\times n$ 矩阵是非退化的充要条件是它的秩等于 n.

推论 5.2.3

设 $\boldsymbol{A}$ 和 $\boldsymbol{B}$ 是数域 P 上的 n 阶矩阵，矩阵 $\boldsymbol{AB}$ 为退化矩阵的充要条件是至少有一个矩阵是退化的. 或者，矩阵 $\boldsymbol{AB}$ 是非退化矩阵的充要条件是 $\boldsymbol{A}$ 和 $\boldsymbol{B}$ 都是非退化的.

5.2.3 特殊矩阵

1. 对角矩阵

定义 5.2.5

主对角线以外的元素全为 0 的方阵称为**对角矩阵**，它形如

$$\begin{pmatrix} d_1 & 0 & \cdots & 0 \\ 0 & d_2 & \cdots & 0 \\ \vdots & \vdots & & \vdots \\ 0 & 0 & \cdots & d_n \end{pmatrix}$$

简记为 $\operatorname{diag}\{d_1,d_2,\cdots,d_n\}$.

定理 5.2.3

用一个对角矩阵左（右）乘一个矩阵 $\boldsymbol{A}$ 相当于用对角矩阵的主对角元分别去乘 $\boldsymbol{A}$ 相应的行（列）.

证明 设 $\boldsymbol{A}=(a_{ij})_{s\times n}$，由矩阵的乘法知

$$\begin{pmatrix} d_1 & 0 & \cdots & 0 \\ 0 & d_2 & \cdots & 0 \\ \vdots & \vdots & & \vdots \\ 0 & 0 & \cdots & d_s \end{pmatrix}\begin{pmatrix} a_{11} & a_{12} & \cdots & a_{1n} \\ a_{21} & a_{22} & \cdots & a_{2n} \\ \vdots & \vdots & & \vdots \\ a_{s1} & a_{s2} & \cdots & a_{sn} \end{pmatrix}=\begin{pmatrix} d_1a_{11} & d_1a_{12} & \cdots & d_1a_{1n} \\ d_2a_{21} & d_2a_{22} & \cdots & d_2a_{2n} \\ \vdots & \vdots & & \vdots \\ d_sa_{s1} & d_sa_{s2} & \cdots & d_sa_{sn} \end{pmatrix}$$

同理

$$\begin{pmatrix} a_{11} & a_{12} & \cdots & a_{1n} \\ a_{21} & a_{22} & \cdots & a_{2n} \\ \vdots & \vdots & & \vdots \\ a_{s1} & a_{s2} & \cdots & a_{sn} \end{pmatrix}\begin{pmatrix} d_1 & 0 & \cdots & 0 \\ 0 & d_2 & \cdots & 0 \\ \vdots & \vdots & & \vdots \\ 0 & 0 & \cdots & d_n \end{pmatrix}=\begin{pmatrix} d_1a_{11} & d_2a_{12} & \cdots & d_na_{1n} \\ d_1a_{21} & d_2a_{22} & \cdots & d_na_{2n} \\ \vdots & \vdots & & \vdots \\ d_1a_{s1} & d_2a_{s2} & \cdots & d_na_{sn} \end{pmatrix}$$

特别地，两个 n 阶对角矩阵的乘积还是 n 阶对角阵，且乘积的主对角线元素是这两个对角矩阵对应主对角线元素的乘积，即

$$\begin{pmatrix} c_1 & 0 & \cdots & 0 \\ 0 & c_2 & \cdots & 0 \\ \vdots & \vdots & & \vdots \\ 0 & 0 & \cdots & c_n \end{pmatrix}\begin{pmatrix} d_1 & 0 & \cdots & 0 \\ 0 & d_2 & \cdots & 0 \\ \vdots & \vdots & & \vdots \\ 0 & 0 & \cdots & d_n \end{pmatrix}=\begin{pmatrix} c_1d_1 & 0 & \cdots & 0 \\ 0 & c_2d_2 & \cdots & 0 \\ \vdots & \vdots & & \vdots \\ 0 & 0 & \cdots & c_nd_n \end{pmatrix}$$

2. 基本矩阵

定义 5.2.6

只有一个元素为 1 其余元素都是 0 的矩阵，称为**基本矩阵**. 用 $\boldsymbol{E}_{ij}$ 表示 (i,j) 元为 1，其余元素为 0 的基本矩阵.

易知数域 P 上的所有 $s\times n$ 矩阵所构成的集合中共有 $s\times n$ 个基本矩阵，且有

$$\boldsymbol{A}=(a_{ij})_{s\times n}=\begin{pmatrix} a_{11} & 0 & \cdots & 0 \\ 0 & 0 & \cdots & 0 \\ \vdots & \vdots & & \vdots \\ 0 & 0 & \cdots & 0 \end{pmatrix}+\begin{pmatrix} 0 & a_{12} & \cdots & 0 \\ 0 & 0 & \cdots & 0 \\ \vdots & \vdots & & \vdots \\ 0 & 0 & \cdots & 0 \end{pmatrix}+\cdots+\begin{pmatrix} 0 & 0 & \cdots & 0 \\ 0 & 0 & \cdots & 0 \\ \vdots & \vdots & & \vdots \\ 0 & 0 & \cdots & a_{sn} \end{pmatrix}$$

$$=a_{11}\boldsymbol{E}_{11}+a_{12}\boldsymbol{E}_{12}+\cdots+a_{sn}\boldsymbol{E}_{sn}$$

定理 5.2.4

用 $\boldsymbol{E}_{ij}$ 左乘一个矩阵 $\boldsymbol{A}$ 相当于把 $\boldsymbol{A}$ 的第 j 行移动到第 i 行的位置，而乘积矩阵的其余行全为零行；用 $\boldsymbol{E}_{ij}$ 右乘一个矩阵 $\boldsymbol{A}$ 相当于把 $\boldsymbol{A}$ 的第 i 列移动到第 j 列的位置，而乘积矩阵的其余列全为零列.

此定理的证明与定理 5.2.3 相似，请读者自己完成.

3. 上(下)三角形矩阵

定义 5.2.7

主对角线下(上)方的元素全为 0 的方阵称为**上(下)三角形矩阵**.

显然，$\boldsymbol{A}=(a_{ij})_{n\times n}$ 是上三角形矩阵的充要条件是 $a_{ij}=0$，当 $i>j$ 时.

定理 5.2.5

两个 n 阶上(下)三角形矩阵 $\boldsymbol{A}$ 和 $\boldsymbol{B}$ 的乘积仍是上(下)三角形矩阵，并且 $\boldsymbol{AB}$ 的主对角线元素等于 $\boldsymbol{A}$ 与 $\boldsymbol{B}$ 的相应主对角线元素的乘积.

证明　只关注上三角形矩阵的情形，对于下三角形矩阵的结论的证明可以类似给出. 设 $\boldsymbol{A}=(a_{ij})_{n\times n},\boldsymbol{B}=(b_{ij})_{n\times n}$ 都是上三角形矩阵，令 $\boldsymbol{AB}=(c_{ij})_{n\times n}$，则

$$c_{ij}=\sum_{k=1}^{n}a_{ik}b_{kj}=\sum_{k=1}^{j}a_{ik}b_{kj}+\sum_{k=j+1}^{n}a_{ik}b_{kj}$$

若 $i>j$，当 $1\leqslant k\leqslant j$ 时，有 $i>k$，因此 $a_{ik}=0$；当 $j<k\leqslant n$ 时，有 $b_{kj}=0$，从而 $c_{ij}=0$. 于是 $\boldsymbol{AB}$ 是上三角形矩阵. 另外，

$$c_{ii}=\sum_{k=1}^{i-1}a_{ik}b_{ki}+a_{ii}b_{ii}+\sum_{k=i+1}^{n}a_{ik}b_{ki}=0+a_{ii}b_{ii}+0=a_{ii}b_{ii}$$

5.3 矩阵的逆

在数的乘法中，如果常数 $a \neq 0$，则一定存在其倒数 $a^{-1} = \dfrac{1}{a}$ 使得 $a^{-1}a = aa^{-1} = 1$. 由 5.1 节知，对于任意的方阵 $\boldsymbol{A}$ 都有 $\boldsymbol{AE} = \boldsymbol{EA} = \boldsymbol{A}$. 这里 $\boldsymbol{E}$ 是与 $\boldsymbol{A}$ 同阶的单位矩阵. 因此，从乘法的角度来看，单位矩阵在方阵中的地位类似于数 1 在复数中的地位. 那么对于矩阵 $\boldsymbol{A}$ 是否也存在一个矩阵 $\boldsymbol{B}$ 使得 $\boldsymbol{AB} = \boldsymbol{BA} = \boldsymbol{E}$ 呢？为此，本节学习逆矩阵的相关知识.

定义 5.3.1

n 阶方阵 $\boldsymbol{A}$ 称为可逆的，如果存在 n 阶方阵 $\boldsymbol{B}$，使得

$$\boldsymbol{AB} = \boldsymbol{BA} = \boldsymbol{E} \tag{5.3.1}$$

这里 $\boldsymbol{E}$ 是 n 阶单位矩阵. 此时也称 $\boldsymbol{B}$ 是 $\boldsymbol{A}$ 的逆矩阵.

必须指出：首先，由矩阵的乘法规则知只有方阵才能满足式(5.3.1)；其次，由于矩阵乘积不满足交换律，所以同时要求 $\boldsymbol{AB} = \boldsymbol{E}, \boldsymbol{BA} = \boldsymbol{E}$；再次，对于任意的矩阵 $\boldsymbol{A}$，它的逆矩阵是唯一的(如果有的话).

事实上，若 $\boldsymbol{B}$ 和 $\boldsymbol{C}$ 都是 $\boldsymbol{A}$ 的逆矩阵，那么

$$\boldsymbol{B} = \boldsymbol{BE} = \boldsymbol{B}(\boldsymbol{AC}) = (\boldsymbol{BA})\boldsymbol{C} = \boldsymbol{EC} = \boldsymbol{C}$$

由于可逆矩阵 $\boldsymbol{A}$ 的逆矩阵是唯一的，那么以后就用一个统一的符号 $\boldsymbol{A}^{-1}$ 来表示 $\boldsymbol{A}$ 的逆矩阵. 另外，注意到在上述定义中矩阵 $\boldsymbol{A}$ 和矩阵 $\boldsymbol{B}$ 的地位是平等的，即如果式(5.3.1)成立，那么 $\boldsymbol{B}$ 也是可逆的，且有 $\boldsymbol{B}^{-1} = \boldsymbol{A}$.

例如，设

$$\boldsymbol{A} = \begin{pmatrix} 1 & 0 \\ 1 & 1 \end{pmatrix}, \quad \boldsymbol{B} = \begin{pmatrix} 1 & 0 \\ -1 & 1 \end{pmatrix}$$

易知

$$\boldsymbol{AB} = \boldsymbol{BA} = \boldsymbol{E}$$

因而，$\boldsymbol{A}$ 是可逆矩阵且 $\boldsymbol{A}^{-1} = \boldsymbol{B}$. 同时，$\boldsymbol{B}$ 也是可逆矩阵且 $\boldsymbol{B}^{-1} = \boldsymbol{A}$.

然而，对于矩阵

$$\boldsymbol{C} = \begin{pmatrix} 0 & 0 \\ 1 & 1 \end{pmatrix}$$

可以看出，对于任何的二阶矩阵 $\boldsymbol{D}$，乘积 $\boldsymbol{CD}$ 的第一行元素必定全为 0，故 $\boldsymbol{CD} \neq \boldsymbol{E}$. 也就是说矩阵 $\boldsymbol{C}$ 不可能有逆矩阵. 这说明不是任何方阵都有逆矩阵. 那么，问题自然就来了：在什么条件下方阵 $\boldsymbol{A}$ 才是可逆的？如果 $\boldsymbol{A}$ 可逆，怎样求 $\boldsymbol{A}^{-1}$？

联想到矩阵 $\boldsymbol{A} = (a_{ij})_{n\times n}$ 的行列式按行(列)展开的时候，代数余子式有如下性质：

$$a_{i1}A_{k1} + a_{i2}A_{k2} + \cdots + a_{in}A_{kn} = \begin{cases} |\boldsymbol{A}|, & i = k, \\ 0, & i \neq k \end{cases}$$

$$a_{1i}A_{1k} + a_{2i}A_{2k} + \cdots + a_{ni}A_{nk} = \begin{cases} |\boldsymbol{A}|, & i = k, \\ 0, & i \neq k \end{cases}$$

其中 A_{ij} 表示 a_{ij} 的代数余子式. 针对矩阵 $\boldsymbol{A}$ 构造如下的矩阵.

定义 5.3.2

设 A_{ij} 是矩阵

$$A=\begin{pmatrix} a_{11} & a_{12} & \cdots & a_{1n} \\ a_{21} & a_{22} & \cdots & a_{2n} \\ \vdots & \vdots & & \vdots \\ a_{n1} & a_{n2} & \cdots & a_{nn} \end{pmatrix}$$

中元素 a_{ij} 的代数余子式，矩阵

$$A^*=\begin{pmatrix} A_{11} & A_{21} & \cdots & A_{n1} \\ A_{12} & A_{22} & \cdots & A_{n2} \\ \vdots & \vdots & & \vdots \\ A_{1n} & A_{2n} & \cdots & A_{nn} \end{pmatrix}$$

称为矩阵 A 的**伴随矩阵**.

由代数余子式的性质可立即得出

$$AA^*=A^*A=\begin{pmatrix} |A| & 0 & \cdots & 0 \\ 0 & |A| & \cdots & 0 \\ \vdots & \vdots & & \vdots \\ 0 & 0 & \cdots & |A| \end{pmatrix}=|A|E \tag{5.3.2}$$

如果 $|A|\neq 0$，那么由式(5.3.2)得

$$A\left(\frac{1}{|A|}A^*\right)=\left(\frac{1}{|A|}A^*\right)A=E \tag{5.3.3}$$

于是就有了下面的定理.

定理 5.3.1

矩阵 A 可逆的充要条件是 A 非退化，即 $|A|\neq 0$，而且

$$A^{-1}=\frac{1}{|A|}A^* \tag{5.3.4}$$

证明 当 $|A|\neq 0$，由(5.3.3)可知，A 可逆且 $A^{-1}=\dfrac{1}{|A|}A^*$. 反之，若 A 可逆，则有 $AA^{-1}=E$，取行列式得

$$|A||A^{-1}|=1$$

因而 $|A|\neq 0$，即它是非退化的.

推论 5.3.1

对于 n 阶方阵 A,B，如果 $AB=E$（或 $BA=E$），那么 A,B 都是可逆的，且互为逆矩阵.

证明 由于 $AB=E$，故 $|AB|=|A||B|=1\neq 0$. 由此可得 $|A|\neq 0$，于是 A^{-1} 存在，且有

$$B=EB=A^{-1}AB=A^{-1}(AB)=A^{-1}E=A^{-1}$$

同理可证 B^{-1} 存在且 $A=B^{-1}$.

这个推论表明，检验矩阵 $\boldsymbol{B}$ 是 $\boldsymbol{A}$ 的逆矩阵，只需验证 $\boldsymbol{AB}=\boldsymbol{E}$ 或 $\boldsymbol{BA}=\boldsymbol{E}$ 成立，而不必验证两者都成立. 因此，这比用定义检验某个矩阵是否可逆更为简单.

例 5.3.1 设

$$\boldsymbol{A}=\begin{pmatrix} a & b \\ c & d \end{pmatrix}$$

问：当 a,b,c,d 满足什么条件时，$\boldsymbol{A}$ 可逆？当 $\boldsymbol{A}$ 可逆时，求 $\boldsymbol{A}^{-1}$.

解 $\boldsymbol{A}$ 可逆 $\Leftrightarrow |\boldsymbol{A}|\neq 0 \Leftrightarrow ad-bc\neq 0$，求得

$$\boldsymbol{A}^{*}=\begin{pmatrix} d & -b \\ -c & a \end{pmatrix}$$

若 $ad-bc\neq 0$，则

$$\boldsymbol{A}^{-1}=\frac{\boldsymbol{A}^{*}}{|\boldsymbol{A}|}=\frac{1}{ad-bc}\begin{pmatrix} d & -b \\ -c & a \end{pmatrix}$$

例 5.3.2 判断矩阵

$$\boldsymbol{A}=\begin{pmatrix} 3 & -1 & 0 \\ -2 & 1 & 1 \\ 2 & -1 & 4 \end{pmatrix}$$

是否可逆，若可逆求出逆矩阵 $\boldsymbol{A}^{-1}$.

解 由

$$|\boldsymbol{A}|=\begin{vmatrix} 3 & -1 & 0 \\ -2 & 1 & 1 \\ 2 & -1 & 4 \end{vmatrix}=5\neq 0$$

知 $\boldsymbol{A}$ 可逆. 根据上述定理，知 $\boldsymbol{A}^{-1}=\dfrac{1}{|\boldsymbol{A}|}\boldsymbol{A}^{*}$. 为求出 $\boldsymbol{A}^{*}$ 需计算 $\boldsymbol{A}$ 中各元素的代数余子式：

$$\begin{aligned} &A_{11}=5, \quad && A_{21}=4, \quad && A_{31}=-1, \\ &A_{12}=10, && A_{22}=12, && A_{32}=-3, \\ &A_{13}=0, && A_{23}=1, && A_{33}=1 \end{aligned}$$

于是

$$\boldsymbol{A}^{*}=\begin{pmatrix} 5 & 4 & -1 \\ 10 & 12 & -3 \\ 0 & 1 & 1 \end{pmatrix}$$

所以

$$\boldsymbol{A}^{-1}=\frac{1}{|\boldsymbol{A}|}\boldsymbol{A}^{*}=\begin{pmatrix} 1 & \frac{4}{5} & -\frac{1}{5} \\ 2 & \frac{12}{5} & -\frac{3}{5} \\ 0 & \frac{1}{5} & \frac{1}{5} \end{pmatrix}$$

定理 5.3.1 不但给出了矩阵可逆的条件，同时也给出了求逆矩阵的公式(5.3.4). 这种求逆的方法称为伴随矩阵法. 若按这个公式来求逆矩阵，需要计算一个 n 阶行列式和 n^2 个 $n-1$ 阶行

列式，计算量非常大. 所以这种方法的应用价值主要体现在理论上. 以后将给出另一种求法.

方阵的逆矩阵满足下述运算规律:

(1) 若 $\boldsymbol{A}$ 可逆，则 $\left|\boldsymbol{A}^{-1}\right|=|\boldsymbol{A}|^{-1}$;

(2) 若 $\boldsymbol{A}$ 可逆，则 $\boldsymbol{A}^{-1}$ 也可逆，且有 $(\boldsymbol{A}^{-1})^{-1}=\boldsymbol{A}$;

(3) 若 $\boldsymbol{A}$ 可逆，数 $k\neq 0$，则 $k\boldsymbol{A}$ 也可逆，且 $(k\boldsymbol{A})^{-1}=\dfrac{1}{k}\boldsymbol{A}^{-1}$;

(4) 若 $\boldsymbol{A}$ 可逆，则 $\boldsymbol{A}^{\mathrm{T}}$ 也可逆，且 $(\boldsymbol{A}^{\mathrm{T}})^{-1}=(\boldsymbol{A}^{-1})^{\mathrm{T}}$;

(5) 若矩阵 $\boldsymbol{A},\boldsymbol{B}$ 可逆，那么 $\boldsymbol{AB}$ 也可逆，且 $(\boldsymbol{AB})^{-1}=\boldsymbol{B}^{-1}\boldsymbol{A}^{-1}$.

证明 只对性质(4)给出证明. 因为 $\boldsymbol{A}$ 可逆，所以 $|\boldsymbol{A}|=\left|\boldsymbol{A}^{\mathrm{T}}\right|\neq 0$，于是 $\boldsymbol{A}^{\mathrm{T}}$ 也可逆. 由

$$\boldsymbol{A}\boldsymbol{A}^{-1}=\boldsymbol{A}^{-1}\boldsymbol{A}=\boldsymbol{E}$$

两边取转置，得到

$$(\boldsymbol{A}^{-1})^{\mathrm{T}}\boldsymbol{A}^{\mathrm{T}}=\boldsymbol{A}^{\mathrm{T}}(\boldsymbol{A}^{-1})^{\mathrm{T}}=\boldsymbol{E}^{\mathrm{T}}=\boldsymbol{E}$$

因此

$$(\boldsymbol{A}^{\mathrm{T}})^{-1}=(\boldsymbol{A}^{-1})^{\mathrm{T}}$$

上式表明转置和求逆两种运算能够交换顺序. 其余几个性质的证明留给读者.

例 5.3.3 已知 n 阶方阵 $\boldsymbol{A}$ 的行列式为 2，求 $|(2\boldsymbol{A})^{-1}+\boldsymbol{A}^*|$.

解 由 $\boldsymbol{A}\boldsymbol{A}^*=|\boldsymbol{A}|\boldsymbol{E}$，得出 $\boldsymbol{A}^*=|\boldsymbol{A}|\boldsymbol{A}^{-1}=2\boldsymbol{A}^{-1}$，$(2\boldsymbol{A})^{-1}=\dfrac{1}{2}\boldsymbol{A}^{-1}$. 所以

$$|(2\boldsymbol{A})^{-1}+\boldsymbol{A}^*|=\left|\left(\frac{1}{2}+2\right)\boldsymbol{A}^{-1}\right|=\left(\frac{5}{2}\right)^n\frac{1}{2}=\frac{5^n}{2^{n+1}}$$

利用矩阵的逆可以给出克拉默法则的另一种推导法.

设有线性方程组

$$\begin{cases}a_{11}x_1+a_{12}x_2+\cdots+a_{1n}x_n=b_1,\\ a_{21}x_1+a_{22}x_2+\cdots+a_{2n}x_n=b_2,\\ \qquad\cdots\cdots\\ a_{n1}x_1+a_{n2}x_2+\cdots+a_{nn}x_n=b_n\end{cases}$$

令

$$\boldsymbol{A}=(a_{ij})_{n\times n},\quad \boldsymbol{x}=(x_1,x_2,\cdots,x_n)^{\mathrm{T}},\quad \boldsymbol{b}=(b_1,b_2,\cdots,b_n)^{\mathrm{T}}$$

则线性方程组可写成

$$\boldsymbol{Ax}=\boldsymbol{b}$$

如果 $D=|\boldsymbol{A}|\neq 0$，那么 $\boldsymbol{A}$ 可逆. 用 $\boldsymbol{A}^{-1}$ 左乘方程组的两边得到

$$\boldsymbol{x}=\boldsymbol{A}^{-1}\boldsymbol{b}$$

用 $\boldsymbol{A}^{-1}$ 的公式(5.3.4)代入得

$$\begin{pmatrix}x_1\\x_2\\ \vdots\\x_n\end{pmatrix}=\frac{1}{D}\begin{pmatrix}A_{11}&A_{21}&\cdots&A_{n1}\\A_{12}&A_{22}&\cdots&A_{n2}\\ \vdots&\vdots&&\vdots\\A_{1n}&A_{2n}&\cdots&A_{nn}\end{pmatrix}\begin{pmatrix}b_1\\b_2\\ \vdots\\b_n\end{pmatrix}$$

于是

$$x_j = \frac{1}{D}(A_{1j}b_1 + A_{2j}b_2 + \cdots + A_{nj}b_n) = \frac{D_j}{D}, \quad j = 1,2,\cdots,n$$

这正是克拉默法则给出的线性方程组的解.

定理 5.3.2　$\boldsymbol{A}$ 是一个 $s\times n$ 矩阵，如果 $\boldsymbol{P}$ 是 $s\times s$ 可逆矩阵，$\boldsymbol{Q}$ 是 $n\times n$ 可逆矩阵，那么

$$r(\boldsymbol{A}) = r(\boldsymbol{PA}) = r(\boldsymbol{AQ}) = r(\boldsymbol{PAQ})$$

证明　令 $\boldsymbol{B} = \boldsymbol{PA}$，由定理 5.1.3，

$$r(\boldsymbol{B}) \leqslant r(\boldsymbol{A})$$

另一方面，$\boldsymbol{A} = \boldsymbol{P}^{-1}\boldsymbol{B}$，又有

$$r(\boldsymbol{A}) \leqslant r(\boldsymbol{B})$$

所以

$$r(\boldsymbol{A}) = r(\boldsymbol{PA})$$

类似地，可以证明另外两个等式.

最后我们讨论下面的矩阵方程

$$\boldsymbol{AX} = \boldsymbol{B}$$

这里 $\boldsymbol{A}$ 是 n 阶方阵，而 $\boldsymbol{B}$ 是一个 $n\times m$ 矩阵. 这样 $\boldsymbol{X}$ 只能是一个 $n\times m$ 矩阵. 若 $\boldsymbol{A}$ 是可逆的，则对上述矩阵方程两边同时左乘 $\boldsymbol{A}^{-1}$，得

$$\boldsymbol{X} = \boldsymbol{A}^{-1}\boldsymbol{B}$$

对于矩阵方程 $\boldsymbol{XA} = \boldsymbol{B}$，在 $\boldsymbol{A}$ 可逆时，也可相似讨论，得到 $\boldsymbol{X} = \boldsymbol{BA}^{-1}$.

例 5.3.4　已知矩阵

$$\boldsymbol{A} = \begin{pmatrix} 2 & 5 \\ 1 & 3 \end{pmatrix}, \quad \boldsymbol{B} = \begin{pmatrix} 4 & -6 \\ 2 & 1 \end{pmatrix}$$

试求解 $\boldsymbol{X}$，使得 $\boldsymbol{AX} = \boldsymbol{B}$.

解　易知 $\boldsymbol{A}$ 可逆，所以

$$\boldsymbol{X} = \boldsymbol{A}^{-1}\boldsymbol{B} = \begin{pmatrix} 3 & -5 \\ -1 & 2 \end{pmatrix}\begin{pmatrix} 4 & -6 \\ 2 & 1 \end{pmatrix} = \begin{pmatrix} 2 & -23 \\ 0 & 8 \end{pmatrix}$$

例 5.3.5　已知 $\boldsymbol{AB} = \boldsymbol{AC}$ 且 $\boldsymbol{A}$ 可逆，证明 $\boldsymbol{B} = \boldsymbol{C}$.

证明　$\boldsymbol{AB} - \boldsymbol{AC} = \boldsymbol{A}(\boldsymbol{B} - \boldsymbol{C}) = \boldsymbol{O}$，用矩阵 $\boldsymbol{A}^{-1}$ 左乘等式两边，得到 $\boldsymbol{B} - \boldsymbol{C} = \boldsymbol{O}$，即

$$\boldsymbol{B} = \boldsymbol{C}$$

于是消去律在矩阵 $\boldsymbol{A}$ 可逆的情况下成立.

同样地，$\boldsymbol{BA} = \boldsymbol{CA}$ 在 $\boldsymbol{A}$ 可逆的条件下也可推出 $\boldsymbol{B} = \boldsymbol{C}$.

5.4　矩阵的分块

对于行数和列数较大的矩阵，常常把它分割成一些较小的矩阵(称为块)，然后把每个小块

作为元素，则由此构成的以块为元素的形式上的矩阵“阶数”迅速减小. 这种方法在矩阵理论中非常有用，常常可使问题简单明了. 本节就来介绍矩阵的分块运算及其应用.

5.4.1 矩阵的分块及其运算

定义 5.4.1

将矩阵 $\boldsymbol{A}$ 用任意的一些横线及竖线分成若干小块，每一小块称为 $\boldsymbol{A}$ 的**子块**，以子块为元素的形式上的矩阵，称为**分块矩阵**.

由于横线和竖线划分方法的不同，同一个矩阵可以对应着多个不同的分块矩阵. 例如，在

$$\boldsymbol{A}=\left(\begin{array}{cc|ccc}1&0&-2&0&4\\0&1&2&1&5\\\hline 0&0&4&0&-6\\0&0&1&1&0\end{array}\right)=\begin{pmatrix}\boldsymbol{A}_{11}&\boldsymbol{A}_{12}\\\boldsymbol{A}_{21}&\boldsymbol{A}_{22}\end{pmatrix}$$

中含有四个子块，分别是

$$\boldsymbol{A}_{11}=\boldsymbol{E}_2,\quad \boldsymbol{A}_{12}=\begin{pmatrix}-2&0&4\\2&1&5\end{pmatrix}$$

$$\boldsymbol{A}_{21}=\boldsymbol{O}_{2\times2},\quad \boldsymbol{A}_{22}=\begin{pmatrix}4&0&-6\\1&1&0\end{pmatrix}$$

也可将矩阵 $\boldsymbol{A}$ 分块为

$$\boldsymbol{A}=\left(\begin{array}{cc|cc|c}1&0&-2&0&4\\0&1&2&1&5\\\hline 0&0&4&0&-6\\0&0&1&1&0\end{array}\right)=\begin{pmatrix}\boldsymbol{A}_{11}&\boldsymbol{A}_{12}&\boldsymbol{A}_{13}\\\boldsymbol{A}_{21}&\boldsymbol{A}_{22}&\boldsymbol{A}_{23}\end{pmatrix}$$

其中

$$\boldsymbol{A}_{11}=\boldsymbol{E}_2,\quad \boldsymbol{A}_{12}=\begin{pmatrix}-2&0\\2&1\end{pmatrix},\quad \boldsymbol{A}_{13}=\begin{pmatrix}4\\5\end{pmatrix}$$

$$\boldsymbol{A}_{21}=\boldsymbol{O}_{2\times2},\quad \boldsymbol{A}_{22}=\begin{pmatrix}4&0\\1&1\end{pmatrix},\quad \boldsymbol{A}_{23}=\begin{pmatrix}-6\\0\end{pmatrix}$$

读者还可以将 $\boldsymbol{A}$ 分成其他情形.

需要注意的是，无论矩阵如何分块，它的实际行数和列数是不变的. 例如，上面的矩阵 $\boldsymbol{A}$ 是 4×5 的矩阵，不能因为进行了分块就把它看成 2×2 的矩阵或者 2×3 的矩阵.

在对分块矩阵进行运算时，应当把每一个子块看成一个元素处理. 分块矩阵的运算规则与普通矩阵的运算规则相类似，分别作下述说明.

1. 分块矩阵的加法

设 $\boldsymbol{A},\boldsymbol{B}$ 均为 $m\times n$ 矩阵，用相同的方法将 $\boldsymbol{A}$ 与 $\boldsymbol{B}$ 分块

$$A=\begin{pmatrix} A_{11} & A_{12} & \cdots & A_{1t} \\ A_{21} & A_{22} & \cdots & A_{2t} \\ \vdots & \vdots & & \vdots \\ A_{s1} & A_{s2} & \cdots & A_{st} \end{pmatrix},\quad B=\begin{pmatrix} B_{11} & B_{12} & \cdots & B_{1t} \\ B_{21} & B_{22} & \cdots & B_{2t} \\ \vdots & \vdots & & \vdots \\ B_{s1} & B_{s2} & \cdots & B_{st} \end{pmatrix}$$

其中 A_{ij} 与 B_{ij} $(i=1,2,\cdots,s;\ j=1,2,\cdots,t)$ 的行数、列数相同，那么

$$A+B=\begin{pmatrix} A_{11}+B_{11} & A_{12}+B_{12} & \cdots & A_{1t}+B_{1t} \\ A_{21}+B_{21} & A_{22}+B_{22} & \cdots & A_{2t}+B_{2t} \\ \vdots & \vdots & & \vdots \\ A_{s1}+B_{s1} & A_{s2}+B_{s2} & \cdots & A_{st}+B_{st} \end{pmatrix}$$

2. 分块矩阵的数乘

设 λ 为数，分块矩阵 A 为

$$A=\begin{pmatrix} A_{11} & A_{12} & \cdots & A_{1t} \\ A_{21} & A_{22} & \cdots & A_{2t} \\ \vdots & \vdots & & \vdots \\ A_{s1} & A_{s2} & \cdots & A_{st} \end{pmatrix}$$

则

$$\lambda A=\begin{pmatrix} \lambda A_{11} & \lambda A_{12} & \cdots & \lambda A_{1t} \\ \lambda A_{21} & \lambda A_{22} & \cdots & \lambda A_{2t} \\ \vdots & \vdots & & \vdots \\ \lambda A_{s1} & \lambda A_{s2} & \cdots & \lambda A_{st} \end{pmatrix}$$

3. 分块矩阵的转置

设分块矩阵为

$$A=\begin{pmatrix} A_{11} & A_{12} & \cdots & A_{1t} \\ A_{21} & A_{22} & \cdots & A_{2t} \\ \vdots & \vdots & & \vdots \\ A_{s1} & A_{s2} & \cdots & A_{st} \end{pmatrix}$$

则

$$A^{\mathrm{T}}=\begin{pmatrix} A_{11}^{\mathrm{T}} & A_{21}^{\mathrm{T}} & \cdots & A_{s1}^{\mathrm{T}} \\ A_{12}^{\mathrm{T}} & A_{22}^{\mathrm{T}} & \cdots & A_{s2}^{\mathrm{T}} \\ \vdots & \vdots & & \vdots \\ A_{1t}^{\mathrm{T}} & A_{2t}^{\mathrm{T}} & \cdots & A_{st}^{\mathrm{T}} \end{pmatrix}$$

即对分块矩阵求转置，不仅要将分块矩阵的行与列互换，还要对每一个子块求转置.

4. 分块矩阵的乘法

设 $A=(a_{ij})_{s\times n}$，$B=(b_{ij})_{n\times m}$，把 A,B 分块如下

$$A=\begin{matrix} & n_1 & n_2 & \cdots & n_l \\ s_1 \\ s_2 \\ \vdots \\ s_t\end{matrix}\begin{pmatrix} A_{11} & A_{12} & \cdots & A_{1l} \\ A_{21} & A_{22} & \cdots & A_{2l} \\ \vdots & \vdots & & \vdots \\ A_{t1} & A_{t2} & \cdots & A_{tl}\end{pmatrix} \tag{5.4.1}$$

$$B=\begin{matrix} & m_1 & m_2 & \cdots & m_r \\ n_1 \\ n_2 \\ \vdots \\ n_l\end{matrix}\begin{pmatrix} B_{11} & B_{12} & \cdots & B_{1r} \\ B_{21} & B_{22} & \cdots & B_{2r} \\ \vdots & \vdots & & \vdots \\ B_{l1} & B_{l2} & \cdots & B_{lr}\end{pmatrix} \tag{5.4.2}$$

其中每个 A_{ij} 是 $s_i \times n_j$ 小矩阵，每个 B_{ij} 是 $n_i \times m_j$ 小矩阵，于是有

$$C=AB=\begin{matrix} & m_1 & m_2 & \cdots & m_r \\ s_1 \\ s_2 \\ \vdots \\ s_t\end{matrix}\begin{pmatrix} C_{11} & C_{12} & \cdots & C_{1r} \\ C_{21} & C_{22} & \cdots & C_{2r} \\ \vdots & \vdots & & \vdots \\ C_{t1} & C_{t2} & \cdots & C_{tr}\end{pmatrix}$$

其中

$$C_{pq}=A_{p1}B_{1q}+A_{p2}B_{2q}+\cdots+A_{pl}B_{lq}=\sum_{k=1}^{l}A_{pk}B_{kq} \quad (p=1,2,\cdots,t;q=1,2,\cdots,r)$$

这个结果由矩阵乘积的定义直接验证即可得.

应该注意：为满足乘法运算的要求，式(5.4.1)中矩阵 A 的列的分法和式(5.4.2)中矩阵 B 的行的分法必须一致.

5.4.2　分块矩阵的应用

将矩阵分块可以使矩阵的结构变得更加清晰，应用起来也更加方便. 下面给出几个例子.

例 5.4.1　请用分块矩阵相关知识证明：设矩阵 $A=(a_{ij})_{s\times n}$，$B=(b_{ij})_{n\times m}$，则

$$r(AB)\leqslant \min[r(A),r(B)]$$

证明　用 $\alpha_1,\alpha_2,\cdots,\alpha_n$ 表示 A 的列向量，于是

$$A=(\alpha_1,\alpha_2,\cdots,\alpha_n)$$

这就是 A 的按列分块. 依据分块矩阵的乘法，有

$$AB=(\alpha_1,\alpha_2,\cdots,\alpha_n)\begin{pmatrix} b_{11} & b_{12} & \cdots & b_{1m} \\ b_{21} & b_{22} & \cdots & b_{2m} \\ \vdots & \vdots & & \vdots \\ b_{n1} & b_{n2} & \cdots & b_{nm}\end{pmatrix}=\left(\sum_{k=1}^{n}b_{k1}\alpha_k,\sum_{k=1}^{n}b_{k2}\alpha_k,\cdots,\sum_{k=1}^{n}b_{km}\alpha_k\right)$$

从这个式子很容易看出 AB 的列向量是 A 的列向量的线性组合，于是

$$r(AB)\leqslant r(A)$$

同样地，设 $\boldsymbol{\beta}_1^{\mathrm{T}},\boldsymbol{\beta}_2^{\mathrm{T}},\cdots,\boldsymbol{\beta}_n^{\mathrm{T}}$ 表示 $\boldsymbol{B}$ 的行向量，于是

$$\boldsymbol{B}=\begin{pmatrix}\beta_1^{\mathrm{T}}\\ \beta_2^{\mathrm{T}}\\ \vdots\\ \beta_n^{\mathrm{T}}\end{pmatrix}$$

按分块矩阵的乘法有

$$\boldsymbol{AB}=\begin{pmatrix}a_{11}&a_{12}&\cdots&a_{1n}\\ a_{21}&a_{22}&\cdots&a_{2n}\\ \vdots&\vdots&&\vdots\\ a_{s1}&a_{s2}&\cdots&a_{sn}\end{pmatrix}\begin{pmatrix}\beta_1^{\mathrm{T}}\\ \beta_2^{\mathrm{T}}\\ \vdots\\ \beta_n^{\mathrm{T}}\end{pmatrix}=\begin{pmatrix}\sum\limits_{k=1}^{n}a_{1k}\beta_k^{\mathrm{T}}\\ \sum\limits_{k=1}^{n}a_{2k}\beta_k^{\mathrm{T}}\\ \vdots\\ \sum\limits_{k=1}^{n}a_{sk}\beta_k^{\mathrm{T}}\end{pmatrix}$$

即 $\boldsymbol{AB}$ 的行向量是 $\boldsymbol{B}$ 的行向量的线性组合，于是

$$r(\boldsymbol{AB})\leqslant r(\boldsymbol{B})$$

故

$$r(\boldsymbol{AB})\leqslant \min[r(\boldsymbol{A}),r(\boldsymbol{B})]$$

例 5.4.2 证明:

$$\begin{vmatrix}\boldsymbol{A}&\boldsymbol{O}\\ \boldsymbol{C}&\boldsymbol{B}\end{vmatrix}=|\boldsymbol{A}||\boldsymbol{B}| \tag{5.4.3}$$

其中 $\boldsymbol{A},\boldsymbol{B}$ 分别是 k 阶和 r 阶方阵，$\boldsymbol{C}$ 是 $r\times k$ 矩阵，$\boldsymbol{O}$ 是 $k\times r$ 零矩阵.

证明 因为

$$\boldsymbol{D}=\begin{pmatrix}\boldsymbol{A}&\boldsymbol{O}\\ \boldsymbol{C}&\boldsymbol{B}\end{pmatrix}=\begin{pmatrix}\boldsymbol{A}&\boldsymbol{O}\\ \boldsymbol{O}&\boldsymbol{E}\end{pmatrix}\begin{pmatrix}\boldsymbol{E}&\boldsymbol{O}\\ \boldsymbol{C}&\boldsymbol{E}\end{pmatrix}\begin{pmatrix}\boldsymbol{E}&\boldsymbol{O}\\ \boldsymbol{O}&\boldsymbol{B}\end{pmatrix}$$

所以

$$|\boldsymbol{D}|=\begin{vmatrix}\boldsymbol{A}&\boldsymbol{O}\\ \boldsymbol{C}&\boldsymbol{B}\end{vmatrix}=\begin{vmatrix}\boldsymbol{A}&\boldsymbol{O}\\ \boldsymbol{O}&\boldsymbol{E}\end{vmatrix}\begin{vmatrix}\boldsymbol{E}&\boldsymbol{O}\\ \boldsymbol{C}&\boldsymbol{E}\end{vmatrix}\begin{vmatrix}\boldsymbol{E}&\boldsymbol{O}\\ \boldsymbol{O}&\boldsymbol{B}\end{vmatrix}$$

而

$$\begin{vmatrix}\boldsymbol{A}&\boldsymbol{O}\\ \boldsymbol{O}&\boldsymbol{E}\end{vmatrix}=|\boldsymbol{A}|,\quad \begin{vmatrix}\boldsymbol{E}&\boldsymbol{O}\\ \boldsymbol{C}&\boldsymbol{E}\end{vmatrix}=1,\quad \begin{vmatrix}\boldsymbol{E}&\boldsymbol{O}\\ \boldsymbol{O}&\boldsymbol{B}\end{vmatrix}=|\boldsymbol{B}|$$

所以

$$|\boldsymbol{D}|=|\boldsymbol{A}||\boldsymbol{B}|$$

同样地，可以证明

$$\begin{vmatrix}\boldsymbol{A}&\boldsymbol{C}\\ \boldsymbol{O}&\boldsymbol{B}\end{vmatrix}=|\boldsymbol{A}||\boldsymbol{B}|$$

其中 $\boldsymbol{A},\boldsymbol{B}$ 分别是 k 阶和 r 阶方阵，$\boldsymbol{C}$ 是 $k\times r$ 矩阵，$\boldsymbol{O}$ 是 $r\times k$ 零矩阵.

特别地,

$$\begin{vmatrix} A & O \\ O & B \end{vmatrix} = |A||B|$$

例 5.4.3　求 $D=\begin{pmatrix} A & O \\ C & B \end{pmatrix}$ 的逆矩阵，其中 A,B 分别是 k 阶和 r 阶的可逆矩阵，C 是 $r\times k$ 矩阵，O 是 $k\times r$ 零矩阵.

解　由例 5.4.1 知，

$$D=\begin{vmatrix} A & O \\ C & B \end{vmatrix} = |A||B|$$

所以当 A,B 可逆时，D 也可逆. 设

$$D^{-1}=\begin{pmatrix} X_{11} & X_{12} \\ X_{21} & X_{22} \end{pmatrix}$$

则

$$\begin{pmatrix} A & O \\ C & B \end{pmatrix}\begin{pmatrix} X_{11} & X_{12} \\ X_{21} & X_{22} \end{pmatrix}=\begin{pmatrix} E_k & O \\ O & E_r \end{pmatrix}$$

即

$$\begin{cases} AX_{11}=E_k, \\ AX_{12}=O, \\ CX_{11}+BX_{21}=O, \\ CX_{12}+BX_{22}=E_r \end{cases}$$

由前两个等式得

$$X_{11}=A^{-1},\quad X_{12}=A^{-1}O=O$$

代入第四式得

$$X_{22}=B^{-1}$$

代入第三式得

$$BX_{21}=-CX_{11}=-CA^{-1},\quad X_{21}=-B^{-1}CA^{-1}$$

因此

$$D^{-1}=\begin{pmatrix} A^{-1} & O \\ -B^{-1}CA^{-1} & B^{-1} \end{pmatrix}$$

特别地，当 $C=O$ 时，有

$$\begin{pmatrix} A & O \\ O & B \end{pmatrix}^{-1}=\begin{pmatrix} A^{-1} & O \\ O & B^{-1} \end{pmatrix}$$

例 5.4.4　设 A 是 $s\times n$ 矩阵，B 是 $l\times m$ 矩阵，证明

$$r\begin{pmatrix} A & O \\ O & B \end{pmatrix} = r(A) + r(B)$$

证明　对矩阵$\begin{pmatrix} A & O \\ O & B \end{pmatrix}$的前 s 行作初等行变换，化成

$$\begin{pmatrix} J_p & O \\ O & O \\ O & B \end{pmatrix}$$

其中 J_p 为 $p\times n$ 行阶梯形矩阵，它的所有行(共 p 行)都是非零行，即 $p=r(J_p)=r(A)$. 再对上面的矩阵的后 l 行作初等行变换，化成

$$\begin{pmatrix} J_p & O \\ O & O \\ O & J_t \\ O & O \end{pmatrix}$$

其中 J_t 为 $t\times m$ 行阶梯形矩阵，它的所有行(共 t 行)也都是非零行，即 $t=r(J_t)=r(B)$. 对上面矩阵交换行，可得

$$\begin{pmatrix} J_r & O \\ O & J_t \\ O & O \\ O & O \end{pmatrix}$$

则它为行阶梯形矩阵，并且有 $p+t$ 个非零行. 因此

$$r\begin{pmatrix} A & O \\ O & B \end{pmatrix} = p+t = r(A) + r(B)$$

关于矩阵分块还有很多其他的应用，在后面将继续讨论. 最后，介绍两类特殊的分块矩阵.

5.4.3　分块对角矩阵和分块上(下)三角形矩阵

形式为

$$A=\begin{pmatrix} A_1 & O & \cdots & O \\ O & A_2 & \cdots & O \\ \vdots & \vdots & \ddots & \vdots \\ O & O & \cdots & A_l \end{pmatrix}$$

简记为 $A=\begin{pmatrix} A_1 & & & O \\ & A_2 & & \\ & & \ddots & \\ O & & & A_l \end{pmatrix}$

的矩阵，其中 $\boldsymbol{A}_i$ 是 $n_i \times n_i$ 矩阵 $(i=1,2,\cdots,l)$，通常被称为**分块对角矩阵**. 当然，分块对角矩阵包括对角矩阵作为特殊情形. 分块对角矩阵具有如下性质.

(1) 对于两个有相同分块的分块对角矩阵

$$\boldsymbol{A}=\begin{pmatrix} \boldsymbol{A}_1 & & & \boldsymbol{O} \\ & \boldsymbol{A}_2 & & \\ & & \ddots & \\ \boldsymbol{O} & & & \boldsymbol{A}_l \end{pmatrix}, \quad \boldsymbol{B}=\begin{pmatrix} \boldsymbol{B}_1 & & & \boldsymbol{O} \\ & \boldsymbol{B}_2 & & \\ & & \ddots & \\ \boldsymbol{O} & & & \boldsymbol{B}_l \end{pmatrix}$$

如果它们相应的分块是同阶的，那么显然有

$$\boldsymbol{A}+\boldsymbol{B}=\begin{pmatrix} \boldsymbol{A}_1+\boldsymbol{B}_1 & & & \boldsymbol{O} \\ & \boldsymbol{A}_2+\boldsymbol{B}_2 & & \\ & & \ddots & \\ \boldsymbol{O} & & & \boldsymbol{A}_l+\boldsymbol{B}_l \end{pmatrix}$$

$$\boldsymbol{AB}=\begin{pmatrix} \boldsymbol{A}_1\boldsymbol{B}_1 & & & \boldsymbol{O} \\ & \boldsymbol{A}_2\boldsymbol{B}_2 & & \\ & & \ddots & \\ \boldsymbol{O} & & & \boldsymbol{A}_l\boldsymbol{B}_l \end{pmatrix}$$

它们还是分块对角矩阵.

(2) 对于分块对角矩阵

$$\boldsymbol{A}=\begin{pmatrix} \boldsymbol{A}_1 & & & \boldsymbol{O} \\ & \boldsymbol{A}_2 & & \\ & & \ddots & \\ \boldsymbol{O} & & & \boldsymbol{A}_l \end{pmatrix}$$

的行列式满足

$$|\boldsymbol{A}|=|\boldsymbol{A}_1||\boldsymbol{A}_2|\cdots|\boldsymbol{A}_l|$$

于是，如果 $\boldsymbol{A}_1,\boldsymbol{A}_2,\cdots,\boldsymbol{A}_l$ 都是可逆矩阵，那么

$$\boldsymbol{A}^{-1}=\begin{pmatrix} \boldsymbol{A}_1 & & & \boldsymbol{O} \\ & \boldsymbol{A}_2 & & \\ & & \ddots & \\ \boldsymbol{O} & & & \boldsymbol{A}_l \end{pmatrix}^{-1}=\begin{pmatrix} \boldsymbol{A}_1^{-1} & & & \boldsymbol{O} \\ & \boldsymbol{A}_2^{-1} & & \\ & & \ddots & \\ \boldsymbol{O} & & & \boldsymbol{A}_l^{-1} \end{pmatrix}$$

(3) $r(\boldsymbol{A})=r(\boldsymbol{A}_1)+r(\boldsymbol{A}_2)+\cdots+r(\boldsymbol{A}_l)$.

证明 性质 (1) 显然成立. 性质 (2) 和性质 (3) 分别是例 5.4.2 和例 5.4.4 的推广.

例 5.4.5 已知 $\boldsymbol{A}=\begin{pmatrix} 5 & 2 & 0 & 0 \\ 2 & 1 & 0 & 0 \\ 0 & 0 & 2 & 3 \\ 0 & 0 & -3 & -4 \end{pmatrix}$，求 $\boldsymbol{A}^{-1}$.

解 $\boldsymbol{A}$ 可划分成分块对角矩阵

$$\boldsymbol{A}=\begin{pmatrix} \boldsymbol{A}_1 & \boldsymbol{O} \\ \boldsymbol{O} & \boldsymbol{A}_2 \end{pmatrix}$$

其中

$$A_1=\begin{pmatrix}5&2\\2&1\end{pmatrix},\quad A_2=\begin{pmatrix}2&3\\-3&-4\end{pmatrix}$$

可求得

$$A_1^{-1}=\begin{pmatrix}1&-2\\-2&5\end{pmatrix},\quad A_2^{-1}=\begin{pmatrix}-4&-3\\3&2\end{pmatrix}$$

所以

$$A^{-1}=\begin{pmatrix}1&-2&0&0\\-2&5&0&0\\0&0&-4&-3\\0&0&3&2\end{pmatrix}$$

主对角线上的所有子块都是方阵，而位于主对角线下方的所有子块都是零矩阵的分块矩阵称为**分块上三角形矩阵**，它形如

$$\begin{pmatrix}A_{11}&A_{12}&\cdots&A_{1s}\\O&A_{22}&\cdots&A_{2s}\\\vdots&\vdots&&\vdots\\O&O&\cdots&A_{ss}\end{pmatrix}$$

其中 A_{ii} $(i=1,2,\cdots,s)$ 都是方阵，于是分块上三角形矩阵一定是方阵.

容易证明分块上三角形矩阵的行列式等于主对角线上各子块对应的行列式的乘积；两个分块上三角形矩阵的和仍然是上三角形矩阵；数乘分块上三角形矩阵仍为分块上三角形矩阵；两个分块上三角形矩阵的乘积还是分块上三角形矩阵，并且乘积矩阵的主对角线上的子块等于因子矩阵的相应主对角线上的子块的乘积.

类似地，可以讨论**分块下三角形矩阵**. 这里不再详述.

5.5 初等矩阵

在第 2 章，介绍了矩阵的初等变换的概念，并且“任何一个矩阵都可以通过初等行变换化为行阶梯形矩阵及行最简形矩阵”的结论和方法，对线性方程组用消元法求解和矩阵求秩都起了重要的作用. 这一节将通过引入初等矩阵的概念建立矩阵的初等变换与矩阵乘法之间的联系，并给出用初等变换求逆矩阵的方法.

5.5.1 初等矩阵

定义 5.5.1

由单位矩阵 E 经过一次初等变换得到的矩阵称为**初等矩阵**.

显然，每种初等变换都有一个与之相对应的初等矩阵. 互换矩阵 E 的第 i，j 行(或 i，j 列)的位置，得

$$P(i,j)=\begin{pmatrix}1&&&&&&&&&\\&\ddots&&&&&&&&\\&&1&&&&&&&\\&&&0&\cdots&1&&&&\\&&&&1&&&&&\\&&&\vdots&\ddots&\vdots&&&&\\&&&&&1&&&&\\&&&1&\cdots&0&&&&\\&&&&&&1&&&\\&&&&&&&\ddots&&\\&&&&&&&&1\end{pmatrix}\begin{matrix}\\\\\\第i行\\\\\\\\第j行\\\\\\\\\end{matrix}$$

用数域 P 中非零数 c 乘单位矩阵 $\boldsymbol{E}$ 的第 i 行(或第 i 列)，得

$$P(i(c))=\begin{pmatrix}1&&&&&&\\&\ddots&&&&&\\&&1&&&&\\&&&c&&&\\&&&&1&&\\&&&&&\ddots&\\&&&&&&1\end{pmatrix}第i行$$

把单位矩阵 $\boldsymbol{E}$ 的第 j 行的 k 倍加到第 i 行(或者第 i 列的 k 倍加到第 j 列)上，有

$$P(i,j(k))=\begin{pmatrix}1&&&&&&\\&\ddots&&&&&\\&&1&\cdots&k&&\\&&&\ddots&\vdots&&\\&&&&1&&\\&&&&&\ddots&\\&&&&&&1\end{pmatrix}\begin{matrix}\\\\第i行\\\\第j行\\\\\\\end{matrix}$$

以上三类矩阵统称为初等矩阵.

因为初等矩阵都是单位矩阵经过一次初等变换得到的，所以它们的行列式都不等于零.因此初等矩阵都是可逆的. 由于

$$\boldsymbol{P}(i,j)\boldsymbol{P}(i,j)=\boldsymbol{E}$$

$$\boldsymbol{P}(i(c))\boldsymbol{P}(i(c^{-1}))=\boldsymbol{E}$$

$$\boldsymbol{P}(i,j(k))\boldsymbol{P}(i,j(-k))=\boldsymbol{E}$$

因此

$$\boldsymbol{P}(i,j)^{-1}=\boldsymbol{P}(i,j)$$

$$\boldsymbol{P}(i(c))^{-1}=\boldsymbol{P}(i(c^{-1}))$$

$$\boldsymbol{P}(i,j(k))^{-1}=\boldsymbol{P}(i,j(-k))$$

引理 5.5.1

对一个 $s\times n$ 矩阵 $\boldsymbol{A}$ 作一初等行变换相当于在 $\boldsymbol{A}$ 的左边乘上相应的 $s\times s$ 的初等矩阵；对 $\boldsymbol{A}$ 作一初等列变换相当于在 $\boldsymbol{A}$ 的右边乘上相应的 $n\times n$ 的初等矩阵.

证明 只证初等行变换的情形，初等列变换的情形可类似地证明. 令 $\boldsymbol{B}=(b_{ij})$ 为任意 $s\times s$ 矩阵，对矩阵 $\boldsymbol{A}$ 按行分块，令

$$\boldsymbol{A}=\begin{pmatrix}\boldsymbol{\alpha}_1^{\mathrm{T}}\\ \boldsymbol{\alpha}_2^{\mathrm{T}}\\ \vdots\\ \boldsymbol{\alpha}_s^{\mathrm{T}}\end{pmatrix}$$

由矩阵的分块乘法，

$$\boldsymbol{BA}=\begin{pmatrix}b_{11}\boldsymbol{\alpha}_1^{\mathrm{T}}+b_{12}\boldsymbol{\alpha}_2^{\mathrm{T}}+\cdots+b_{1s}\boldsymbol{\alpha}_s^{\mathrm{T}}\\ b_{21}\boldsymbol{\alpha}_1^{\mathrm{T}}+b_{22}\boldsymbol{\alpha}_2^{\mathrm{T}}+\cdots+b_{2s}\boldsymbol{\alpha}_s^{\mathrm{T}}\\ \vdots\\ b_{s1}\boldsymbol{\alpha}_1^{\mathrm{T}}+b_{s2}\boldsymbol{\alpha}_2^{\mathrm{T}}+\cdots+b_{ss}\boldsymbol{\alpha}_s^{\mathrm{T}}\end{pmatrix}$$

特别地，令 $\boldsymbol{B}=\boldsymbol{P}(i,j)$，得

$$\boldsymbol{P}(i,j)\boldsymbol{A}=\begin{pmatrix}\boldsymbol{\alpha}_1^{\mathrm{T}}\\ \vdots\\ \boldsymbol{\alpha}_j^{\mathrm{T}}\\ \vdots\\ \boldsymbol{\alpha}_i^{\mathrm{T}}\\ \vdots\\ \boldsymbol{\alpha}_s^{\mathrm{T}}\end{pmatrix}\begin{matrix}\\ \\ \text{第}i\text{行}\\ \\ \text{第}j\text{行}\\ \\ \\ \end{matrix}$$

这等价于把矩阵 $\boldsymbol{A}$ 的第 i 行与第 j 行互换. 令 $\boldsymbol{B}=\boldsymbol{P}(i(c))$，得

$$\boldsymbol{P}(i(c))\boldsymbol{A}=\begin{pmatrix}\boldsymbol{\alpha}_1^{\mathrm{T}}\\ \vdots\\ c\boldsymbol{\alpha}_i^{\mathrm{T}}\\ \vdots\\ \boldsymbol{\alpha}_s^{\mathrm{T}}\end{pmatrix}\begin{matrix}\\ \\ \text{第}i\text{行}\\ \\ \\ \end{matrix}$$

这等价于用数 c 乘矩阵 $\boldsymbol{A}$ 的第 i 行. 令 $\boldsymbol{B}=\boldsymbol{P}(i,j(k))$，得

$$\boldsymbol{P}(i,j(k))\boldsymbol{A}=\begin{pmatrix}\boldsymbol{\alpha}_1^{\mathrm{T}}\\ \vdots\\ \boldsymbol{\alpha}_i^{\mathrm{T}}+k\boldsymbol{\alpha}_j^{\mathrm{T}}\\ \vdots\\ \boldsymbol{\alpha}_j^{\mathrm{T}}\\ \vdots\\ \boldsymbol{\alpha}_s^{\mathrm{T}}\end{pmatrix}\begin{matrix}\\ \\ \text{第}i\text{行}\\ \\ \text{第}j\text{行}\\ \\ \\ \end{matrix}$$

这相当于把矩阵 $\boldsymbol{A}$ 的第 j 行的 k 倍加到第 i 行上.

这个引理表明对矩阵作一系列的初等变换，可以通过左乘或者右乘若干初等矩阵来实现.

定义 5.5.2

矩阵 $\boldsymbol{A}$ 与 $\boldsymbol{B}$ 称为是等价的，如果 $\boldsymbol{B}$ 可以由 $\boldsymbol{A}$ 经过一系列初等变换得到.

等价是矩阵间的一种关系. 它具有反身性、对称性与传递性.

因此有如下推论.

推论 5.5.1

矩阵 $\boldsymbol{A},\boldsymbol{B}$ 等价的充要条件是有初等矩阵 $\boldsymbol{P}_1,\cdots,\boldsymbol{P}_l,\boldsymbol{Q}_1,\cdots,\boldsymbol{Q}_t$ 使

$$\boldsymbol{A}=\boldsymbol{P}_1\boldsymbol{P}_2\cdots\boldsymbol{P}_l\boldsymbol{B}\boldsymbol{Q}_1\boldsymbol{Q}_2\cdots\boldsymbol{Q}_t$$

5.5.2 矩阵的标准形

由前面章节的内容可知用初等行变换可以将任一矩阵化为行阶梯形矩阵和行最简形矩阵. 如果同时用行与列的初等变换，那么矩阵还可以进一步化简.

定理 5.5.1

任意一个 $s\times n$ 矩阵 $\boldsymbol{A}$ 都与一个形式为

$$\begin{pmatrix}\boldsymbol{E}_r & \boldsymbol{O}\\ \boldsymbol{O} & \boldsymbol{O}\end{pmatrix}$$

的矩阵等价，它称为矩阵 $\boldsymbol{A}$ 的标准形，其中 $r=r(\boldsymbol{A})$.

证明 如果 $\boldsymbol{A}=\boldsymbol{O}$，那么它已经是标准形了. 以下不妨设 $\boldsymbol{A}\neq\boldsymbol{O}$. 经过初等变换，$\boldsymbol{A}$ 一定可以变成左上角元素不为零的矩阵.

当 $a_{11}\neq 0$ 时，将第一行的 $-a_{11}^{-1}a_{i1}(i=1,2,\cdots,s)$ 倍加到第 i 行上，将第一列的 $-a_{11}^{-1}a_{1j}(i=2,3,\cdots,n)$ 倍加到第 j 列上. 然后，用 a_{11}^{-1} 乘 $\boldsymbol{A}$ 的第一行，$\boldsymbol{A}$ 变成

$$\begin{pmatrix}1 & \boldsymbol{O}_{1\times(n-1)}\\ \boldsymbol{O}_{(s-1)\times 1} & \boldsymbol{A}_1\end{pmatrix}$$

$\boldsymbol{A}_1$ 是一个 $(s-1)\times(s-1)$ 的矩阵. 对矩阵 $\boldsymbol{A}_1$ 再重复以上的步骤就可得到所要的标准形.

例 5.5.1 用初等变换将下列矩阵化为标准形，

$$\boldsymbol{A}=\begin{pmatrix}1 & 4 & -1 & 0\\ 0 & 0 & -1 & -1\\ -1 & -4 & 2 & -1\\ 2 & 8 & 1 & 1\end{pmatrix}$$

解

$$\boldsymbol{A}=\begin{pmatrix}1 & 4 & -1 & 0\\ 0 & 0 & -1 & -1\\ -1 & -4 & 2 & -1\\ 2 & 8 & 1 & 1\end{pmatrix}\xrightarrow[\substack{c_2-4c_1\\ c_3+c_1}]{\substack{r_3+r_1\\ r_4-2r_1}}\begin{pmatrix}1 & 0 & 0 & 0\\ 0 & 0 & -1 & -1\\ 0 & 0 & 1 & -1\\ 0 & 0 & 3 & 1\end{pmatrix}$$

$$\xrightarrow[c_3\leftrightarrow c_4]{c_2\leftrightarrow c_3}\begin{pmatrix}1&0&0&0\\0&-1&-1&0\\0&1&-1&0\\0&3&1&0\end{pmatrix}\xrightarrow{-1\times r_2}\begin{pmatrix}1&0&0&0\\0&1&1&0\\0&1&-1&0\\0&3&1&0\end{pmatrix}$$

$$\xrightarrow[c_3-c_2]{\substack{r_3-r_2\\r_4-3r_2}}\begin{pmatrix}1&0&0&0\\0&1&0&0\\0&0&-2&0\\0&0&-2&0\end{pmatrix}\xrightarrow{\substack{r_4-r_3\\-\frac{1}{2}\times r_3}}\begin{pmatrix}1&0&0&0\\0&1&0&0\\0&0&1&0\\0&0&0&0\end{pmatrix}$$

于是 $\boldsymbol{A}$ 的标准形为

$$\begin{pmatrix}1&0&0&0\\0&1&0&0\\0&0&1&0\\0&0&0&0\end{pmatrix}$$

推论 5.5.2

可逆矩阵的标准形为单位矩阵；反之，标准形为单位矩阵的矩阵是可逆矩阵.

即若 $\boldsymbol{A}$ 可逆，则 $\boldsymbol{A}$ 一定可以通过若干次初等变换化为单位矩阵，也就是说

$$\boldsymbol{A}=\boldsymbol{P}_1\boldsymbol{P}_2\cdots\boldsymbol{P}_l\boldsymbol{E}\boldsymbol{Q}_1\boldsymbol{Q}_2\cdots\boldsymbol{Q}_t=\boldsymbol{P}_1\boldsymbol{P}_2\cdots\boldsymbol{P}_l\boldsymbol{Q}_1\boldsymbol{Q}_2\cdots\boldsymbol{Q}_t$$

其中 $\boldsymbol{P}_1,\boldsymbol{P}_2,\cdots,\boldsymbol{P}_l$ 及 $\boldsymbol{Q}_1,\boldsymbol{Q}_2,\cdots,\boldsymbol{Q}_t$ 皆为初等矩阵. 于是就有了如下的结论.

定理 5.5.2

n 阶矩阵 $\boldsymbol{A}$ 可逆的充要条件是它能表示成一些初等矩阵的乘积.

证明 必要性可由上面的推论直接得到，因此这里只证明充分性的成立. 若矩阵 $\boldsymbol{A}$ 可以表示成一些初等矩阵的乘积，由于初等矩阵都是可逆矩阵，而可逆矩阵的乘积仍然是可逆矩阵，故 $\boldsymbol{A}$ 是可逆矩阵.

由此定理还可以得到如下结论.

推论 5.5.3

两个 $s\times n$ 矩阵 $\boldsymbol{A}$ 和 $\boldsymbol{B}$ 等价的充要条件为：存在可逆的 s 阶矩阵 $\boldsymbol{P}$ 与可逆的 n 阶矩阵 $\boldsymbol{Q}$ 使

$$\boldsymbol{B}=\boldsymbol{PAQ}$$

证明 设 $\boldsymbol{A}$ 和 $\boldsymbol{B}$ 等价，即 $\boldsymbol{A}$ 可通过一些初等变换化为 $\boldsymbol{B}$，于是存在 s 阶初等矩阵 $\boldsymbol{P}_1,\boldsymbol{P}_2,\cdots,\boldsymbol{P}_l$ 及 n 阶初等矩阵 $\boldsymbol{Q}_1,\boldsymbol{Q}_2,\cdots,\boldsymbol{Q}_t$ 使

$$\boldsymbol{B}=\boldsymbol{P}_1\boldsymbol{P}_2\cdots\boldsymbol{P}_l\boldsymbol{A}\boldsymbol{Q}_1\boldsymbol{Q}_2\cdots\boldsymbol{Q}_t$$

令 $\boldsymbol{P}=\boldsymbol{P}_1\cdots\boldsymbol{P}_l$，$\boldsymbol{Q}=\boldsymbol{Q}_1\cdots\boldsymbol{Q}_t$，则 $\boldsymbol{P}$ 和 $\boldsymbol{Q}$ 分别是 s 阶和 n 阶可逆矩阵，且有

$$\boldsymbol{B}=\boldsymbol{PAQ}$$

反之，设有可逆矩阵 $\boldsymbol{P}$ 和 $\boldsymbol{Q}$ 使上式成立，由定理 5.5.2，$\boldsymbol{P}$ 和 $\boldsymbol{Q}$ 都可以表示成一些初等矩阵的乘积，从而 $\boldsymbol{A}$ 和 $\boldsymbol{B}$ 等价.

由定理 5.3.2 及推论 5.5.3 可得下面的推论.

推论 5.5.4

若矩阵 $\boldsymbol{A}$ 和 $\boldsymbol{B}$ 等价，则它们的秩相等，即 $r(\boldsymbol{A})=r(\boldsymbol{B})$.

推论 5.5.5

可逆矩阵总可以经过一系列初等行变换化成单位矩阵.

证明 由定理 5.5.2 知，若 $\boldsymbol{A}$ 可逆，则 $\boldsymbol{A}$ 可以表示为若干个初等矩阵的乘积，即

$$\boldsymbol{A}=\boldsymbol{P}_1\boldsymbol{P}_2\cdots\boldsymbol{P}_s$$

其中 $\boldsymbol{P}_1,\boldsymbol{P}_2,\cdots,\boldsymbol{P}_s$ 都是初等矩阵. 将上式两端同时左乘 $\boldsymbol{P}_s^{-1}\boldsymbol{P}_{s-1}^{-1}\cdots\boldsymbol{P}_1^{-1}$，得

$$\boldsymbol{P}_s^{-1}\boldsymbol{P}_{s-1}^{-1}\cdots\boldsymbol{P}_1^{-1}\boldsymbol{A}=\boldsymbol{P}_s^{-1}\boldsymbol{P}_{s-1}^{-1}\cdots\boldsymbol{P}_1^{-1}\boldsymbol{P}_1\boldsymbol{P}_2\cdots\boldsymbol{P}_s=\boldsymbol{E}$$

因为初等矩阵的逆矩阵还是初等矩阵，所以上式说明，用若干个初等矩阵左乘 $\boldsymbol{A}$，则其乘积为单位矩阵 $\boldsymbol{E}$，而左乘一个初等矩阵相当于作了一次初等行变换，所以上式表明，$\boldsymbol{A}$ 可以通过一系列初等行变换变成单位矩阵 $\boldsymbol{E}$.

同样地，可逆矩阵总可以经过一系列初等列变换化成单位矩阵.

5.5.3 初等变换法求逆矩阵

上面的讨论提供了一个求逆矩阵的方法——初等变换法.

设 $\boldsymbol{A}$ 是一个 n 阶可逆矩阵，则 $\boldsymbol{A}$ 可通过一系列的初等行变换化为单位矩阵，即存在初等矩阵 $\boldsymbol{P}_1,\boldsymbol{P}_2,\cdots,\boldsymbol{P}_l$ 使得

$$\boldsymbol{P}_1\boldsymbol{P}_2\cdots\boldsymbol{P}_l\boldsymbol{A}=\boldsymbol{E}$$

将上式两端同时右乘 $\boldsymbol{A}^{-1}$，得

$$\boldsymbol{P}_1\boldsymbol{P}_2\cdots\boldsymbol{P}_l=\boldsymbol{A}^{-1}$$

于是对于分块矩阵 $(\boldsymbol{A},\boldsymbol{E})$ 就有

$$\boldsymbol{P}_1\boldsymbol{P}_2\cdots\boldsymbol{P}_l(\boldsymbol{A},\boldsymbol{E})=(\boldsymbol{E},\boldsymbol{A}^{-1})$$

这就说明，如果用一系列的初等行变换把 $\boldsymbol{A}$ 化成单位矩阵 $\boldsymbol{E}$，那么用同样系列的初等行变换正好把单位矩阵 $\boldsymbol{E}$ 变成 $\boldsymbol{A}^{-1}$. 于是就有了如下求逆矩阵的方法.

将 n 阶可逆矩阵 $\boldsymbol{A}$ 和 $\boldsymbol{E}$ 放在一起，作成一个分块矩阵 $(\boldsymbol{A},\boldsymbol{E})$. 对这个矩阵作初等行变换，目标是把左半部分的 $\boldsymbol{A}$ 化成单位矩阵 $\boldsymbol{E}$，这时候右半部分的 $\boldsymbol{E}$ 跟着进行了相同的初等行变换. 于是由上面所说，当 $\boldsymbol{A}$ 化成单位矩阵后，$(\boldsymbol{A},\boldsymbol{E})$ 中右半部分的 $\boldsymbol{E}$ 同时就被化成 $\boldsymbol{A}^{-1}$ 了，即

$$(\boldsymbol{A},\boldsymbol{E})\xrightarrow{\text{初等行变换}}(\boldsymbol{E},\boldsymbol{A}^{-1})$$

例 5.5.2 用初等变换法求

$$\boldsymbol{A}=\begin{pmatrix}1&-1&-1\\2&-1&-3\\-3&4&4\end{pmatrix}$$

的逆矩阵.

解

$$(A,E)=\begin{pmatrix}1&-1&-1&1&0&0\\2&-1&-3&0&1&0\\-3&4&4&0&0&1\end{pmatrix}\xrightarrow[r_3+3r_1]{r_2-2r_1}\begin{pmatrix}1&-1&-1&1&0&0\\0&1&-1&-2&1&0\\0&1&1&3&0&1\end{pmatrix}$$

$$\xrightarrow[r_3-r_2]{r_1+r_2}\begin{pmatrix}1&0&-2&-1&1&0\\0&1&-1&-2&1&0\\0&0&2&5&-1&1\end{pmatrix}\xrightarrow[\frac{1}{2}\times r_3]{\substack{r_1+r_3\\ r_2+\frac{1}{2}r_3}}\begin{pmatrix}1&0&0&4&0&1\\0&1&0&\frac{1}{2}&\frac{1}{2}&\frac{1}{2}\\0&0&1&\frac{5}{2}&-\frac{1}{2}&\frac{1}{2}\end{pmatrix}$$

所以

$$A^{-1}=\begin{pmatrix}4&0&1\\\frac{1}{2}&\frac{1}{2}&\frac{1}{2}\\\frac{5}{2}&-\frac{1}{2}&\frac{1}{2}\end{pmatrix}=\frac{1}{2}\begin{pmatrix}8&0&2\\1&1&1\\5&-1&1\end{pmatrix}$$

例 5.5.3 求下述 n 阶矩阵 A 的逆矩阵.

$$A=\begin{pmatrix}1&b&b^2&\cdots&b^{n-1}\\0&1&b&\cdots&b^{n-2}\\\vdots&\vdots&\vdots&&\vdots\\0&0&0&\cdots&b\\0&0&0&\cdots&1\end{pmatrix}$$

解 $$(A,E)=\begin{pmatrix}1&b&b^2&\cdots&b^{n-1}&1&0&0&\cdots&0\\0&1&b&\cdots&b^{n-2}&0&1&0&\cdots&0\\\vdots&\vdots&\vdots&&\vdots&\vdots&\vdots&\vdots&&\vdots\\0&0&0&\cdots&b&0&0&0&\cdots&0\\0&0&0&\cdots&1&0&0&0&\cdots&1\end{pmatrix}$$

$$\xrightarrow[r_{n-1}-br_n]{\substack{r_1-br_2\\ r_2-br_3\\ \vdots}}\begin{pmatrix}1&0&0&\cdots&0&1&-b&0&\cdots&0\\0&1&0&\cdots&0&0&1&-b&\cdots&0\\\vdots&\vdots&\vdots&&\vdots&\vdots&\vdots&\vdots&&\vdots\\0&0&0&\cdots&0&0&0&0&\cdots&-b\\0&0&0&\cdots&1&0&0&0&\cdots&1\end{pmatrix}$$

从而

$$A^{-1}=\begin{pmatrix}1&-b&0&\cdots&0\\0&1&-b&\cdots&0\\\vdots&\vdots&\vdots&&\vdots\\0&0&0&\cdots&-b\\0&0&0&\cdots&1\end{pmatrix}$$

对于阶数较高的方阵，利用初等变换法求逆矩阵比起用公式法求逆矩阵要更为简单.

值得注意的是，这里对 $(\boldsymbol{A}, \boldsymbol{E})$ 所进行的初等变换必须是行变换，而不能施以初等列变换. 当然，可逆矩阵也能用初等列变换化成单位矩阵，同样地，也可给出用初等列变换求逆矩阵的方法. 读者可以按照上面的讨论方式自行给出.

5.6 分块矩阵的初等变换及初等矩阵

将初等变换应用到分块矩阵上，得到类似于初等矩阵的分块初等矩阵，结合分块矩阵的乘法将使得矩阵运算更加简洁、迅速.

对分块矩阵有类似于普通矩阵的初等变换与初等矩阵的概念.

定义 5.6.1

以下的变换称为分块矩阵的**初等变换**.

(1) 任意交换分块矩阵的块行(块列)；

(2) 用一个可逆矩阵左(右)乘某一块行(块列)；

(3) 用一个矩阵左(右)乘某一块行(块列)后加到另一块行(块列)上去.

需要注意的是，这里的块行或者块列是指分块矩阵中由子块构成的行或者列. 针对分块矩阵的块行的变换，还是称为**初等行变换**，而针对块列的变换则称为**初等列变换**. 在 (2) 和 (3) 中，初等行变换必须是左乘，而初等列变换则需要右乘. 另外，由于 $k\boldsymbol{A}=k\boldsymbol{E}\boldsymbol{A}$ ($k\boldsymbol{A}=\boldsymbol{A}(k\boldsymbol{E})$)，故块行(块列)乘非零数 k 以及块行(块列)乘数 k 加到另外一块行(块列)分别是变换 (2) 和 (3) 的特殊情况.

例如，

$$\begin{pmatrix} \boldsymbol{A} & \boldsymbol{B} \\ \boldsymbol{C} & \boldsymbol{D} \end{pmatrix} \xrightarrow{\text{交换第1, 2块行}} \begin{pmatrix} \boldsymbol{C} & \boldsymbol{D} \\ \boldsymbol{A} & \boldsymbol{B} \end{pmatrix}$$

$$\begin{pmatrix} \boldsymbol{A} & \boldsymbol{B} \\ \boldsymbol{C} & \boldsymbol{D} \end{pmatrix} \xrightarrow{\text{第1块行左乘可逆矩阵}\boldsymbol{P}} \begin{pmatrix} \boldsymbol{PA} & \boldsymbol{PB} \\ \boldsymbol{C} & \boldsymbol{D} \end{pmatrix}$$

$$\begin{pmatrix} \boldsymbol{A} & \boldsymbol{B} \\ \boldsymbol{C} & \boldsymbol{D} \end{pmatrix} \xrightarrow{\text{第1块行左乘}\boldsymbol{Q}\text{加到第2块行}} \begin{pmatrix} \boldsymbol{A} & \boldsymbol{B} \\ \boldsymbol{C}+\boldsymbol{QA} & \boldsymbol{D}+\boldsymbol{QB} \end{pmatrix}$$

现在把分块矩阵的初等变换与分块矩阵的乘法联系起来. 为此先引进分块初等矩阵的概念.

定义 5.6.2

分块单位矩阵(即把单位矩阵分块而形成的矩阵)经过一次分块矩阵的初等变换得到的矩阵称为**分块初等矩阵**.

以具有两个块行和块列的分块单位矩阵为例，将分块单位矩阵进行如下分块

$$\begin{pmatrix} \boldsymbol{E}_m & \boldsymbol{O} \\ \boldsymbol{O} & \boldsymbol{E}_n \end{pmatrix}$$

互换两块行(块列)得

$$\begin{pmatrix} O & E_n \\ E_m & O \end{pmatrix} \quad 或 \quad \begin{pmatrix} O & E_m \\ E_n & O \end{pmatrix}$$

某一块行(块列)左乘(右乘)具有合适阶数的可逆矩阵 P 得

$$\begin{pmatrix} P & O \\ O & E_n \end{pmatrix} \quad 或 \quad \begin{pmatrix} E_m & O \\ O & P \end{pmatrix}$$

用具有合适阶数的矩阵 P 左(右)乘第二块行(块列)后加到第一块行(块列)上得

$$\begin{pmatrix} E_m & P \\ O & E_n \end{pmatrix} 或 \begin{pmatrix} E_m & O \\ P & E_n \end{pmatrix}$$

和初等矩阵与初等变换的关系一样，用这些分块初等矩阵左乘任意一个分块矩阵

$$\begin{pmatrix} A & B \\ C & D \end{pmatrix}$$

只要分块乘法能够进行，其结果就相当于对它进行相应的初等行变换

$$\begin{pmatrix} O & E_n \\ E_m & O \end{pmatrix}\begin{pmatrix} A & B \\ C & D \end{pmatrix} = \begin{pmatrix} C & D \\ A & B \end{pmatrix} \tag{5.6.1}$$

$$\begin{pmatrix} P & O \\ O & E_n \end{pmatrix}\begin{pmatrix} A & B \\ C & D \end{pmatrix} = \begin{pmatrix} PA & PB \\ C & D \end{pmatrix} \tag{5.6.2}$$

$$\begin{pmatrix} E_m & O \\ P & E_n \end{pmatrix}\begin{pmatrix} A & B \\ C & D \end{pmatrix} = \begin{pmatrix} A & B \\ C+PA & D+PB \end{pmatrix} \tag{5.6.3}$$

同样，用分块初等矩阵右乘任意矩阵，进行分块乘法其结果相当于对分块矩阵进行相应的初等列变换.

在式(5.6.3)中，适当选择 P 可使 $C+PA=O$. 例如，当矩阵 A 可逆时，选取 $P=-CA^{-1}$，则 $C+PA=O$. 于是(5.6.3)的右端成为

$$\begin{pmatrix} A & B \\ O & D-CA^{-1}B \end{pmatrix}$$

这种形式的矩阵在求行列式、逆矩阵和解决其他问题时是比较方便的，因此式(5.6.3)中的运算非常有用.

例 5.6.1 试用分块矩阵的初等变换的相关知识求下面分块矩阵的逆矩阵

$$T = \begin{pmatrix} A & O \\ C & D \end{pmatrix}$$

其中 A, D 为同阶方阵且皆可逆.

解 因为对角分块矩阵的逆矩阵很容易求出. 先将矩阵化成分块对角矩阵，只要将第 1 块行的 $-CA^{-1}$ 倍加到第 2 块行上，即

$$\begin{pmatrix} E_m & O \\ -CA^{-1} & E_n \end{pmatrix}\begin{pmatrix} A & O \\ C & D \end{pmatrix} = \begin{pmatrix} A & O \\ O & D \end{pmatrix}$$

所以

$$T^{-1} = \begin{pmatrix} A & O \\ O & D \end{pmatrix}^{-1}\begin{pmatrix} E_m & O \\ -CA^{-1} & E_n \end{pmatrix}$$

又

$$\begin{pmatrix} A & O \\ O & D \end{pmatrix}^{-1} = \begin{pmatrix} A^{-1} & O \\ O & D^{-1} \end{pmatrix}$$

所以

$$T^{-1} = \begin{pmatrix} A^{-1} & O \\ -D^{-1}CA^{-1} & D^{-1} \end{pmatrix}$$

例 5.6.2　设

$$T_1 = \begin{pmatrix} A & B \\ C & D \end{pmatrix}$$

其中 T_1, D 可逆，试证 $(A-BD^{-1}C)^{-1}$ 存在，并求 T_1^{-1}.

解　如果可以把 T_1 化为分块下三角形矩阵，则可直接套用例 5.6.1 的结论得到要求的逆矩阵.因此，先将 T_1 用初等变换化成分块下三角形矩阵. 为此，用 $-BD^{-1}$ 左乘分块矩阵的第 2 块行加到第 1 块行上，即

$$\begin{pmatrix} E_m & -BD^{-1} \\ O & E_n \end{pmatrix}\begin{pmatrix} A & B \\ C & D \end{pmatrix} = \begin{pmatrix} A-BD^{-1}C & O \\ C & D \end{pmatrix} \tag{5.6.4}$$

由于

$$|T_1| = \begin{vmatrix} A-BD^{-1}C & O \\ C & D \end{vmatrix} = |A-BD^{-1}C||D|$$

已知 T_1, D 可逆，所以 $|T_1| \neq 0$，$|D| \neq 0$. 得 $|A-BD^{-1}C| \neq 0$，即 $(A-BD^{-1}C)^{-1}$ 存在.

由式(5.6.4)知

$$T_1^{-1} = \begin{pmatrix} A-BD^{-1}C & O \\ C & D \end{pmatrix}^{-1}\begin{pmatrix} E_m & -BD^{-1} \\ O & E_n \end{pmatrix}$$

根据例 5.6.1 的结论

$$\begin{pmatrix} A-BD^{-1}C & O \\ C & D \end{pmatrix}^{-1} = \begin{pmatrix} (A-BD^{-1}C)^{-1} & O \\ -D^{-1}C(A-BD^{-1}C)^{-1} & D^{-1} \end{pmatrix}$$

所以

$$\begin{aligned} T_1^{-1} &= \begin{pmatrix} (A-BD^{-1}C)^{-1} & O \\ -D^{-1}C(A-BD^{-1}C)^{-1} & D^{-1} \end{pmatrix}\begin{pmatrix} E_m & -BD^{-1} \\ O & E_n \end{pmatrix} \\ &= \begin{pmatrix} (A-BD^{-1}C)^{-1} & -(A-BD^{-1}C)^{-1}BD^{-1} \\ -D^{-1}C(A-BD^{-1}C)^{-1} & D^{-1}C(A-BD^{-1}C)^{-1}BD^{-1}+D^{-1} \end{pmatrix} \end{aligned}$$

例 5.6.3　设 A, D 均为方阵，且 A 可逆，证明

$$\begin{vmatrix} A & B \\ C & D \end{vmatrix} = |A||D-CA^{-1}B|$$

证明　由于分块三角矩阵的行列式容易求出，因此先尝试把矩阵

$$\begin{pmatrix} A & B \\ C & D \end{pmatrix}$$

化成分块三角矩阵.

因为

$$\begin{pmatrix} E & O \\ -CA^{-1} & E \end{pmatrix}\begin{pmatrix} A & B \\ C & D \end{pmatrix}=\begin{pmatrix} A & B \\ O & D-CA^{-1}B \end{pmatrix}$$

两端取行列式

$$\begin{vmatrix} E & O \\ -CA^{-1} & E \end{vmatrix}\begin{vmatrix} A & B \\ C & D \end{vmatrix}=\begin{vmatrix} A & B \\ O & D-CA^{-1}B \end{vmatrix}$$

得到

$$\begin{vmatrix} A & B \\ C & D \end{vmatrix}=|A||D-CA^{-1}B|$$

例 5.6.4 设 A，B 分别是 $s\times n$，$n\times s$ 矩阵，证明 $\begin{vmatrix} E_n & B \\ A & E_s \end{vmatrix}=|E_s-AB|=|E_n-BA|$.

证明 与例 5.6.3 相似，设法把左端变成分块上三角形矩阵的行列式. 为此，作分块矩阵的初等行变换

$$\begin{pmatrix} E_n & B \\ A & E_s \end{pmatrix}\xrightarrow{\text{第1块行左乘}-A\text{加到第2块行}}\begin{pmatrix} E_n & B \\ O & E_s-AB \end{pmatrix}$$

于是有

$$\begin{pmatrix} E_n & O \\ -A & E_s \end{pmatrix}\begin{pmatrix} E_n & B \\ A & E_s \end{pmatrix}=\begin{pmatrix} E_n & B \\ O & E_s-AB \end{pmatrix}$$

上式两端同取行列式，得

$$\begin{vmatrix} E_n & O \\ -A & E_s \end{vmatrix}\begin{vmatrix} E_n & B \\ A & E_s \end{vmatrix}=\begin{vmatrix} E_n & B \\ O & E_s-AB \end{vmatrix}$$

由此得出

$$|E_n||E_s|\begin{vmatrix} E_n & B \\ A & E_s \end{vmatrix}=|E_n||E_s-AB|$$

从而

$$\begin{vmatrix} E_n & B \\ A & E_s \end{vmatrix}=|E_s-AB|$$

类似地，可以得出

$$\begin{vmatrix} E_n & B \\ A & E_s \end{vmatrix}=|E_n-BA|$$

请读者自行给出证明.

例 5.6.5 设 $A=(a_{ij})_{n\times n}$，且

$$\begin{vmatrix} a_{11} & \cdots & a_{1k} \\ \vdots & & \vdots \\ a_{k1} & \cdots & a_{kk} \end{vmatrix} \neq 0, \quad 1 \leqslant k \leqslant n$$

则有下三角形矩阵 $\boldsymbol{B}_{n\times n}$ 使 $\boldsymbol{BA}$ 为上三角形矩阵.

证明 对 n 作数学归纳.

当 $n=1$ 时，一阶矩阵既是上三角形矩阵又是下三角形矩阵. 命题成立.

现假设命题对于 $n-1$ 时成立. 考虑矩阵

$$\boldsymbol{A}_1 = \begin{pmatrix} a_{11} & \cdots & a_{1,n-1} \\ \vdots & & \vdots \\ a_{n-1,1} & \cdots & a_{n-1,n-1} \end{pmatrix}$$

它是 $n-1$ 阶矩阵. 由归纳假设知，存在 $n-1$ 阶下三角形矩阵 $\boldsymbol{B}_1$ 使得 $\boldsymbol{B}_1\boldsymbol{A}_1$ 是上三角形矩阵. 自然地，将矩阵 $\boldsymbol{A}$ 进行如下分块

$$\boldsymbol{A} = \begin{pmatrix} \boldsymbol{A}_1 & \boldsymbol{\beta} \\ \boldsymbol{\alpha} & a_{nn} \end{pmatrix}$$

首先，将 $\boldsymbol{A}$ 化成分块上三角形矩阵

$$\begin{pmatrix} \boldsymbol{E} & \boldsymbol{O} \\ -\boldsymbol{\alpha}\boldsymbol{A}_1^{-1} & 1 \end{pmatrix}\begin{pmatrix} \boldsymbol{A}_1 & \boldsymbol{\beta} \\ \boldsymbol{\alpha} & a_{nn} \end{pmatrix} = \begin{pmatrix} \boldsymbol{A}_1 & \boldsymbol{\beta} \\ \boldsymbol{O} & a_{nn} - \boldsymbol{\alpha}\boldsymbol{A}_1^{-1}\boldsymbol{\beta} \end{pmatrix}$$

其次，利用 $\boldsymbol{B}_1$ 构造矩阵继续将之化成上三角形矩阵

$$\begin{pmatrix} \boldsymbol{B}_1 & \boldsymbol{O} \\ \boldsymbol{O} & 1 \end{pmatrix}\begin{pmatrix} \boldsymbol{A}_1 & \boldsymbol{\beta} \\ \boldsymbol{O} & a_{nn} - \boldsymbol{\alpha}\boldsymbol{A}_1^{-1}\boldsymbol{\beta} \end{pmatrix} = \begin{pmatrix} \boldsymbol{B}_1\boldsymbol{A}_1 & \boldsymbol{B}_1\boldsymbol{\beta} \\ \boldsymbol{O} & a_{nn} - \boldsymbol{\alpha}\boldsymbol{A}_1^{-1}\boldsymbol{\beta} \end{pmatrix}$$

这个矩阵中 $\boldsymbol{B}_1\boldsymbol{A}_1$ 是上三角形矩阵，$a_{nn} - \boldsymbol{\alpha}\boldsymbol{A}_1^{-1}\boldsymbol{\beta}$ 是一个数，所以它是上三角形矩阵.

故要求的下三角形矩阵为

$$\boldsymbol{B} = \begin{pmatrix} \boldsymbol{B}_1 & \boldsymbol{O} \\ \boldsymbol{O} & 1 \end{pmatrix}\begin{pmatrix} \boldsymbol{E} & \boldsymbol{O} \\ -\boldsymbol{\alpha}\boldsymbol{A}_1^{-1} & 1 \end{pmatrix} = \begin{pmatrix} \boldsymbol{B}_1 & \boldsymbol{O} \\ -\boldsymbol{\alpha}\boldsymbol{A}_1^{-1} & 1 \end{pmatrix}$$

5.7 应用实例

由相互作用的动力学个体组成的复杂网络在自然、社会以及技术领域中广泛存在，例如食物链网、互联网、社交网、交通网、引文网等. 在最近的几十年里，来自数学、物理、生物、工程技术等学科的科研工作者花费了大量精力去研究复杂网络的演变、结构以及控制等问题. 简单地说，复杂网络是由许多相互连接、相互作用的个体构成的复杂系统. 网络中每一个个体都可以被抽象为一个点，而个体与个体之间的相互作用可以看作点与点之间的连线. 因此，图论就成为研究复杂网络最常用的工具之一. 图论的研究对象是图，而图由点和点与点之间的连线构成. 图中的点称为节点，图中的连线称为边. 如果图中的边指定了方向，则称之为有向图

(图 5.7.1)，否则称为无向图(图 5.7.2)．在有向图中节点之间的信息传输沿着箭头方向进行；而在无向图中，信息则被认为是双向传递的．

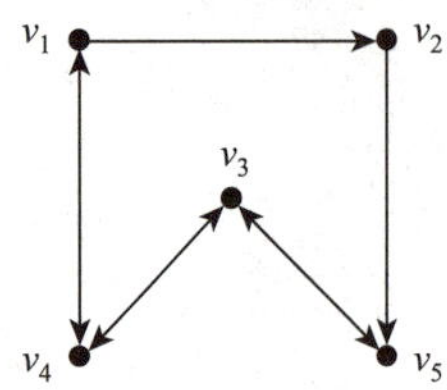

图 5.7.1　有向图

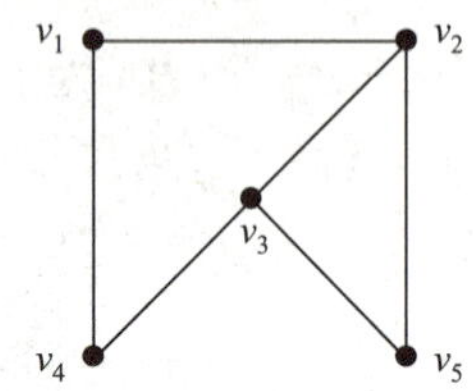

图 5.7.2　无向图

一般来说，图 G 是由非空节点集 $V=\{v_1,v_2,\cdots,v_n\}$ 和边集 $E=\{e_1,e_2,\cdots,e_m\}$ 按一定的对应关系构成的连接结构，记为 $G=(V,E)$．图 G 的每一条边是由连接 G 中两个节点得到的一条线，因此通常把边记作 $e_k=(v_i,v_j)$，其中 v_i,v_j 称为边 e_k 的两个端点，有时也称 (v_i,v_j) 为与边 e_k 对应的节点相关联．如果一条边的两个端点是同一个节点，则称这条边为环．如果有两条边或多条边的端点是同一对节点，则称这些边为重边或者平行边．称不与任何边相连的节点为孤立点．

对无向图来说，对应一条边的节点对表示是无序的，即 (v_i,v_j) 与 (v_j,v_i) 表示的是同一条边．而对有向图来说，每一条边与一个有序的节点对相对应，边 $e_k=(v_i,v_j)$ 表示边的方向自节点 v_i 指向节点 v_j，节点 v_i 称为边 e_k 的始端，节点 v_j 称为边 e_k 的末端．与无向图不同，在有向图中，(v_i,v_j) 与 (v_j,v_i) 表示不同的边．图 G 中的点边序列 $w=v_ie_iv_{i+1}e_{i+1}\cdots e_jv_j$，其中 $e_k=(v_k,v_{k+1})$，则称 w 为以节点 v_i 为起点，节点 v_j 为终点的一条道路．比如在图 5.7.1 中，点边序列 $v_1(v_1,v_2)v_2(v_2,v_5)v_5(v_5,v_3)v_3(v_3,v_5)v_5$ 就是以节点 v_1 为起点，节点 v_5 为终点的一条道路．特别地，若 $v_i,v_{i+1},\cdots,v_j$ 互异，则称 w 为一条轨道．同样在图 5.7.1 中，点边序列 $v_1(v_1,v_2)v_2(v_2,v_5)v_5$ 就是以节点 v_1 为起点，节点 v_5 为终点的一条轨道．起点和终点重合的道路称为回路；一条道路所包含的边的个数称为该道路的长度．

在复杂网络动态系统中，每个个体通过感知自身与其邻居的状态差异而改变自己的运动状态，进而达到相互协作以完成个体难以实现的复杂任务的目的．因此，在复杂网络的拓扑结构图中一般不包含环，也不包含重边． 这样的图，我们称之为简单图．为建立复杂网络动态系统的数学模型，人们通常会用邻接矩阵来描述图中节点之间的信息传递方式．用邻接矩阵表示图，不仅可以用代数的知识研究图的性质，也有利于用计算机技术来处理图形．

对于图 G，其邻接矩阵 $\boldsymbol{A}=(a_{ij})_{n\times n}$ 定义为

$$a_{ij}=\begin{cases}1, & (v_i,v_j)\in E,\\ 0, & (v_i,v_j)\notin E\end{cases}$$

例如，图 5.7.1 和图 5.7.2 的邻接矩阵分别为

$$\boldsymbol{A}_1=\begin{pmatrix}0&1&0&1&0\\0&0&0&0&1\\0&0&0&1&1\\1&0&1&0&0\\0&0&1&0&0\end{pmatrix},\quad \boldsymbol{A}_2=\begin{pmatrix}0&1&0&1&0\\1&0&1&0&1\\0&1&0&1&1\\1&0&1&0&0\\0&1&1&0&0\end{pmatrix}$$

由无向图的定义容易得知，无向图的邻接矩阵是对称矩阵. 另外，如果把无向图的每一条边都看作起始点相反的两条有向边，则邻接矩阵中所有元素的和就是图G中的边数，而主对角线元素之和则表示图G中环的个数.

如果一个复杂网络由完全独立的几个社团组成，即这几个社团之间不存在边，只有社团内部才存在边，那么该网络的邻接矩阵就是一个分块对角矩阵，其中每一个对角块对应着一个社团. 例如，在图5.7.3中给出的复杂网络就是由两个相互独立的社团$V_1=\{v_1,v_2\}$，$V_2=\{v_3,v_4,v_5\}$组成的.

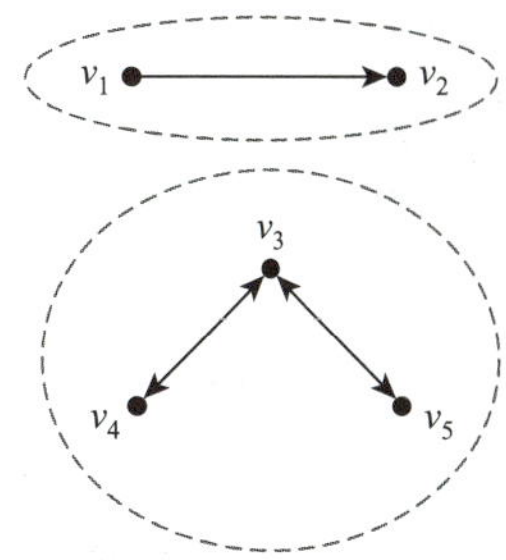

图 5.7.3

它的邻接矩阵为

$$A_3=\begin{pmatrix} A_{31} & O \\ O & A_{32} \end{pmatrix}$$

其中

$$A_{31}=\begin{pmatrix} 0 & 1 \\ 0 & 0 \end{pmatrix}，\quad A_{32}=\begin{pmatrix} 0 & 1 & 1 \\ 1 & 0 & 0 \\ 1 & 0 & 0 \end{pmatrix}$$

现在考察邻接矩阵的幂$A^m=(a_{ij}{}^{(m)})_{n\times n}$中各元素代表的意义. 以$A^2=(a_{ij}{}^{(2)})_{n\times n}$为例，根据矩阵的乘法运算的定义有$a_{ij}^{(2)}=a_{i1}a_{1j}+a_{i2}a_{2j}+\cdots+a_{in}a_{nj}$，其中$a_{ik}a_{kj}$表示图$G$中由节点$v_i$经过节点$v_k$到节点$v_j$的道路个数，所以$a_{ij}{}^{(2)}$就表示图$G$中从$v_i$到$v_j$长度为 2 的道路总个数. 类似地可以证明，$A^m$中的任一元素$a_{ij}^{(m)}$表示图$G$中从节点$v_i$到节点$v_j$长度为$m$的道路的总个数，特别地，$a_{ii}^{(m)}$表示节点$v_i$到自身长度为$m$的回路的个数. 例如，

$$A_1^3=\begin{pmatrix} 0 & 1 & 1 & 2 & 1 \\ 0 & 0 & 0 & 1 & 1 \\ 0 & 1 & 0 & 3 & 2 \\ 2 & 0 & 1 & 0 & 1 \\ 1 & 0 & 2 & 0 & 0 \end{pmatrix}$$

反映了图 5.7.3 中长度为 3 的道路连接情况. 例如，$a_{13}^{(3)}=1$表示以节点v_1为起点，以节点v_3为终点长度为 3 的道路仅有 1 条，即$v_1(v_1,v_2)v_2(v_2,v_5)v_5(v_5,v_3)v_3$；而$a_{34}^{(3)}=3$表示以$v_3$为起点，$v_4$为终点长度为3的道路有3条，分别是$v_3(v_3,v_4)v_4(v_4,v_3)v_3(v_3,v_4)v_4$，$v_3(v_3,v_5)v_5(v_5,v_3)v_3(v_3,v_4)v_4$，$v_3(v_3,v_4)v_4(v_4,v_1)v_1(v_1,v_4)v_4$.

如果图G的每条边e都附有一个实数$h(e)$，则称图G为赋权图，实数$h(e)$称为边e的权. 赋权图也称为网络. 赋权图中的权可以是距离、费用、时间、效益、成本等. 赋权图一般记作$G=(V,E,H)$，其中$H=(h_{ij})_{n\times n}$为图G的赋权邻接矩阵，定义如下:

$$h_{ij}=\begin{cases}(v_i,v_j)\text{的权}, & (v_i,v_j)\in E, \\ 0, & (v_i,v_j)\notin E\end{cases}$$

邻接矩阵在复杂网络研究中的其他应用，这里不再详述.

习 题 5

(A)

1. 设

(1) $A=\begin{pmatrix}3&1&4\\2&1&-2\\1&2&3\end{pmatrix}$, $B=\begin{pmatrix}1&1&-1\\2&1&0\\1&2&1\end{pmatrix}$;

(2) $A=\begin{pmatrix}a&b&c\\c&b&a\\1&1&1\end{pmatrix}$, $B=\begin{pmatrix}1&a&c\\1&b&b\\1&c&a\end{pmatrix}$,

计算 AB, $AB-BA$.

2. 计算:

(1) $\begin{pmatrix}3&2\\-4&-2\end{pmatrix}^5$;

(2) $(2,3,-1)\begin{pmatrix}1\\-1\\-1\end{pmatrix}$, $\begin{pmatrix}1\\-1\\-1\end{pmatrix}(2,3,-1)$;

(3) $(x,y,z)\begin{pmatrix}a_{11}&a_{12}&a_{13}\\a_{12}&a_{22}&a_{23}\\a_{13}&a_{23}&a_{33}\end{pmatrix}\begin{pmatrix}x\\y\\z\end{pmatrix}$;

(4) $\begin{pmatrix}\cos\varphi&-\sin\varphi\\\sin\varphi&\cos\varphi\end{pmatrix}^n$;

(5) $\begin{pmatrix}\lambda&1&0\\0&\lambda&1\\0&0&\lambda\end{pmatrix}^n$;

(6) $\begin{pmatrix}0&1&0&\cdots&0\\0&0&1&\cdots&0\\\vdots&\vdots&\vdots&&\vdots\\0&0&0&\cdots&1\\0&0&0&\cdots&0\end{pmatrix}_{n\times n}^m$.

3. 设 $f(x)=x^3+7x^2+13x-5$, $A=\begin{pmatrix}5&2&-3\\1&3&-1\\2&2&-1\end{pmatrix}$, 求 $f(A)$.

4. 设

(1) $A=\begin{pmatrix}1&1\\0&1\end{pmatrix}$; (2) $A=\begin{pmatrix}1&0&0\\0&1&2\\3&1&2\end{pmatrix}$; (3) $A=\begin{pmatrix}0&1&0&0\\0&0&1&0\\0&0&0&1\\0&0&0&0\end{pmatrix}$, 求所有与 A 可交换的矩阵.

5. 设

$$A=\begin{pmatrix}a_1&0&\cdots&0\\0&a_2&\cdots&0\\\vdots&\vdots&&\vdots\\0&0&\cdots&a_n\end{pmatrix}$$

其中 $a_i \neq a_j$，当$i \neq j\ (i,j=1,2,\cdots,n)$. 证明所有与 $\boldsymbol{A}$ 可交换的矩阵只能是对角矩阵.

6. 设

$$\boldsymbol{A}=\begin{pmatrix} a_1\boldsymbol{E}_1 & & & \boldsymbol{O} \\ & a_2\boldsymbol{E}_2 & & \\ & & \ddots & \\ \boldsymbol{O} & & & a_r\boldsymbol{E}_r \end{pmatrix}$$

其中 $a_i \neq a_j$，当$i \neq j\ (i,j=1,2,\cdots,r)$. $\boldsymbol{E}_i$ 是 n_i 阶单位矩阵，$\sum\limits_{i=1}^{r} n_i = n$. 证明与 $\boldsymbol{A}$ 可交换的矩阵只能是分块对角矩阵

$$\begin{pmatrix} \boldsymbol{A}_1 & & & \boldsymbol{O} \\ & \boldsymbol{A}_2 & & \\ & & \ddots & \\ \boldsymbol{O} & & & \boldsymbol{A}_r \end{pmatrix}$$

其中 $\boldsymbol{A}_i$ 是 n_i 阶矩阵 $(i=1,2,\cdots,r)$.

7. 设 $\boldsymbol{A}=(a_{ij})_{n\times n}$. 求证

(1) 如果 $\boldsymbol{AE}_{12}=\boldsymbol{E}_{12}\boldsymbol{A}$，那么当 $k\neq 1$ 时，$a_{k1}=0$；当 $k\neq 2$ 时，$a_{2k}=0$.

(2) 如果 $\boldsymbol{AE}_{ij}=\boldsymbol{E}_{ij}\boldsymbol{A}$，那么当 $k\neq i$ 时，$a_{ki}=0$；当 $k\neq j$ 时，$a_{jk}=0$ 且 $a_{ii}=a_{jj}$.

(3) 如果 $\boldsymbol{A}$ 与所有的 n 阶矩阵可交换，那么 $\boldsymbol{A}$ 一定是数量矩阵，即 $\boldsymbol{A}=k\boldsymbol{E}$.

8. 设 $\boldsymbol{A}$ 是一个可逆矩阵，若 $\boldsymbol{A}$ 的每一行元素之和都为 a，则 $a\neq 0$ 且 $\boldsymbol{A}^{-1}$ 每一行元素之和均为 a^{-1}.

9. 如果 $\boldsymbol{A}=\dfrac{1}{2}(\boldsymbol{B}+\boldsymbol{E})$，证明 $\boldsymbol{A}^2=\boldsymbol{A}$ 当且仅当 $\boldsymbol{B}^2=\boldsymbol{E}$.

10. 证明：如果 $\boldsymbol{A}$ 是实对称矩阵且 $\boldsymbol{A}^2=\boldsymbol{O}$，那么 $\boldsymbol{A}=\boldsymbol{O}$.

11. 设 $\boldsymbol{A},\boldsymbol{B}$ 是 $n\times n$ 的对称矩阵，证明 $\boldsymbol{AB}$ 为对称矩阵当且仅当 $\boldsymbol{A},\boldsymbol{B}$ 可交换.

12. 设 $s_k=x_1^k+x_2^k+\cdots+x_n^k$，$k=0,1,\cdots$；$a_{ij}=s_{i+j-2}$，$i,j=1,2,\cdots,n$. 求证

$$|a_{ij}|=\prod_{i<j}(x_i-x_j)^2$$

13. 设 $\boldsymbol{A}$ 是 $n\times n$ 矩阵，如果对任一 n 维向量 $\boldsymbol{x}=(x_1,x_2,\cdots,x_n)^{\mathrm{T}}$ 都有 $\boldsymbol{Ax}=\boldsymbol{0}$，那么 $\boldsymbol{A}=\boldsymbol{O}$.

14. 设 $\boldsymbol{A}$ 是 $n\times n$ 矩阵，证明存在一个 $n\times n$ 非零矩阵 $\boldsymbol{B}$ 使得 $\boldsymbol{AB}=\boldsymbol{O}$ 的充分必要条件是 $|\boldsymbol{A}|=0$.

15. 设 $\boldsymbol{B}$ 为一 $n\times n$ 矩阵，$\boldsymbol{C}$ 为一 $n\times m$ 矩阵，且 $r(\boldsymbol{C})=n$. 证明：

(1) $\boldsymbol{BC}=\boldsymbol{O}$，那么 $\boldsymbol{B}=\boldsymbol{O}$；

(2) $\boldsymbol{BC}=\boldsymbol{C}$，那么 $\boldsymbol{B}=\boldsymbol{E}$.

16. 设 $\boldsymbol{A},\boldsymbol{B}$ 为 $n\times n$ 矩阵. 证明：如果 $\boldsymbol{AB}=\boldsymbol{O}$，则 $r(\boldsymbol{A})+r(\boldsymbol{B})\leqslant n$.

17. 证明：一个秩为 r 的矩阵总可以表示为 r 个秩为 1 的矩阵的和.

18. 证明：如果 $\boldsymbol{A}^k=\boldsymbol{O}$，那么 $\boldsymbol{E}-\boldsymbol{A}$ 可逆且 $(\boldsymbol{E}-\boldsymbol{A})^{-1}=\boldsymbol{E}+\boldsymbol{A}+\boldsymbol{A}^2+\cdots+\boldsymbol{A}^{k-1}$.

19. 如果 $\boldsymbol{A}^2=\boldsymbol{A}$，证明 $\boldsymbol{A}+\boldsymbol{E}$ 可逆.

20. 设 $\boldsymbol{A},\boldsymbol{B}$ 可逆, 且 $\boldsymbol{A}^{-1}+\boldsymbol{B}^{-1}$ 可逆, 证明 $\boldsymbol{A}+\boldsymbol{B}$ 可逆, 且

$$(\boldsymbol{A}+\boldsymbol{B})^{-1}=\boldsymbol{A}^{-1}-\boldsymbol{A}^{-1}(\boldsymbol{A}^{-1}+\boldsymbol{B}^{-1})\boldsymbol{A}^{-1}$$

21. 求 $\boldsymbol{A}^{-1}$, 设

(1) $\boldsymbol{A}=\begin{pmatrix}2&1&-2\\1&2&2\\2&-2&1\end{pmatrix}$;

(2) $\boldsymbol{A}=\begin{pmatrix}2&5&7\\5&-2&-3\\6&3&4\end{pmatrix}$;

(3) $\boldsymbol{A}=\begin{pmatrix}0&0&-1\\2&1&0\\1&1&0\end{pmatrix}$;

(4) $\boldsymbol{A}=\begin{pmatrix}1&2&3&4\\2&3&1&2\\1&1&1&-1\\1&0&-2&-6\end{pmatrix}$;

(5) $\boldsymbol{A}=\begin{pmatrix}1&1&1&1\\1&1&-1&-1\\1&-1&1&-1\\1&-1&-1&1\end{pmatrix}$;

(6) $\boldsymbol{A}=\begin{pmatrix}1&3&-5&7\\0&1&2&-3\\0&0&1&2\\0&0&0&1\end{pmatrix}$;

(7) $\boldsymbol{A}=\begin{pmatrix}2&1&0&0\\3&2&0&0\\5&7&1&8\\-1&-3&-1&-6\end{pmatrix}$.

22. 设

$$\boldsymbol{X}=\begin{pmatrix}\boldsymbol{O}&\boldsymbol{A}\\\boldsymbol{C}&\boldsymbol{O}\end{pmatrix}$$

已知 $\boldsymbol{A}^{-1},\boldsymbol{C}^{-1}$ 存在, 求 $\boldsymbol{X}^{-1}$.

23. 设

$$\boldsymbol{X}=\begin{pmatrix}0&a_1&0&\cdots&0&0\\0&0&a_2&\cdots&0&0\\\vdots&\vdots&\vdots&&\vdots&\vdots\\0&0&0&\cdots&0&a_{n-1}\\a_n&0&0&\cdots&0&0\end{pmatrix}$$

其中 $a_i\neq 0(i=1,2,\cdots,n)$, 求 $\boldsymbol{X}^{-1}$.

24. 求矩阵 $\boldsymbol{X}$.

(1) $\begin{pmatrix}2&5\\1&3\end{pmatrix}\boldsymbol{X}=\begin{pmatrix}7&19\\4&11\end{pmatrix}$;

(2) $\begin{pmatrix}1&1&-1\\0&2&2\\1&-1&0\end{pmatrix}\boldsymbol{X}=\begin{pmatrix}1&-1&1\\1&1&0\\2&1&1\end{pmatrix}$;

(3) $\begin{pmatrix} 1 & 1 & 1 & \cdots & 1 & 1 \\ 0 & 1 & 1 & \cdots & 1 & 1 \\ 0 & 0 & 1 & \cdots & 1 & 1 \\ \vdots & \vdots & \vdots & & \vdots & \vdots \\ 0 & 0 & 0 & \cdots & 0 & 1 \end{pmatrix}_n X = \begin{pmatrix} 2 & 1 & 0 & \cdots & 0 & 0 \\ 1 & 2 & 1 & \cdots & 0 & 0 \\ 0 & 1 & 2 & \cdots & 0 & 0 \\ \vdots & \vdots & \vdots & & \vdots & \vdots \\ 0 & 0 & 0 & \cdots & 1 & 2 \end{pmatrix}_n$；

(4) $X\begin{pmatrix} 2 & 1 & -1 \\ 1 & 1 & 1 \\ 3 & 2 & 1 \end{pmatrix} = \begin{pmatrix} 1 & -1 & 3 \\ 4 & 3 & 2 \\ 2 & -2 & 5 \end{pmatrix}$；

(5) $A = \begin{pmatrix} 2 & 1 & 1 \\ 1 & 2 & 1 \\ 1 & 1 & 2 \end{pmatrix}$，$AX = A + 2X$.

25. 若方阵 A 满足 $A^2 - A - 2E = O$，证明 A 及 $A + 2E$ 可逆，并求出它们的逆矩阵.

26. 设 $P = \begin{pmatrix} 1 & 2 \\ 1 & 4 \end{pmatrix}$，$\Lambda = \begin{pmatrix} 1 & 0 \\ 0 & 2 \end{pmatrix}$，$AP = P\Lambda$，求 A^n.

27. 设

$$A = \begin{pmatrix} 1 & 1 & 1 \\ 1 & 2 & 4 \\ 1 & 4 & 9 \end{pmatrix}$$

求 $(A^*)^{-1}$.

28. 设

$$A = \begin{pmatrix} 1 & 5 \\ -2 & 3 \end{pmatrix}, \quad B = \begin{pmatrix} 2 & 1 \\ -5 & 1 \end{pmatrix}$$

求 $\left|A^n B^n\right|$ 及 $\left|(AB)^n\right|$ 的值.

29. 设 A 和 B 都是 n 阶矩阵，且 $AB = A + B$，证明 $AB = BA$.

30. 证明:

(1) 如果 A 可逆对称(反对称)，那么 A^{-1} 也对称(反对称)；

(2) 不存在奇数阶的可逆反对称矩阵.

31. 证明:

(1) 两个上(下)三角形矩阵的乘积仍是上(下)三角形矩阵;

(2) 可逆的上(下)三角形矩阵的逆仍是上(下)三角形矩阵.

32. 证明: 如果 A 是 $n \times n$ 矩阵 $(n \geqslant 2)$，那么

$$r(A^*) = \begin{cases} n, & r(A) = n, \\ 1, & r(A) = n-1, \\ 0, & r(A) < n-1 \end{cases}$$

33. 设 A 是 m 阶可逆矩阵，B 是 n 阶可逆矩阵，求

$$\begin{pmatrix} A & O \\ O & B \end{pmatrix} \text{ 和 } \begin{pmatrix} O & A \\ B & O \end{pmatrix}$$

的伴随矩阵.

34. 若 A,B 均为 n 阶可逆矩阵, 证明:

(1) $(AB)^* = B^*A^*$;

(2) $(A^*)^* = |A|^{n-2}A$.

35. 用两种方法求矩阵 A 的逆矩阵, 其中

$$A = \left(\begin{array}{cc:cc} 1 & 1 & 1 & 1 \\ 1 & -1 & 1 & 1 \\ \hdashline 1 & 1 & -1 & 1 \\ 1 & -1 & 1 & -1 \end{array}\right)$$

(1) 用初等变换;

(2) 按照 A 中的划分, 利用分块乘法的初等变换(注意各小块矩阵的特点).

(B)

1. 设 A 是一个 $n\times n$ 矩阵, $r(A)=1$. 证明:

(1) $A = \begin{pmatrix} a_1 \\ a_2 \\ \vdots \\ a_n \end{pmatrix}(b_1, b_2, b_3, b_4)$;

(2) $A^2 = kA$.

2. 设 A 为 2×2 矩阵, 证明: 如果 $A^l = O$, $l \geqslant 2$, 那么 $A^2 = O$.

3. 设 A 为 $n\times n$ 矩阵, 证明: 如果 $A^2 = E$, 那么

$$r(A+E) + r(A-E) = n$$

4. 设 A 为 $n\times n$ 矩阵, 且 $A^2 = A$. 证明:

$$r(A) + r(A-E) = n$$

5. 设 A, B, C, D 都是 $n\times n$ 矩阵, 且 $|A| \neq 0$, $AC = CA$. 证明:

$$\begin{vmatrix} A & B \\ C & D \end{vmatrix} = |AD - BC|$$

6. 设 A 是一个 $n\times n$ 矩阵, 且 $r(A)=r$. 证明: 存在一 $n\times n$ 可逆矩阵 P 使得 $P^{-1}AP$ 的后 $n-r$ 行全为零.

7. 设

$$A = (a_{ij})_{sn}, \quad B = (b_{ij})_{nm}$$

证明: $r(AB) \geqslant r(A) + r(B) - n$.

8. 矩阵的列(行)向量如果是线性无关的, 就称该矩阵为列(行)满秩的. 设 $\boldsymbol{A}$ 是 $m\times r$ 矩阵, 则 $\boldsymbol{A}$ 是列满秩的充分必要条件是存在 $m\times m$ 可逆矩阵 $\boldsymbol{P}$ 使

$$\boldsymbol{A}=\boldsymbol{P}\begin{pmatrix}\boldsymbol{E}_r\\ \boldsymbol{O}\end{pmatrix}$$

同样地, $\boldsymbol{A}$ 为行满秩矩阵的充分必要条件是存在 $r\times r$ 矩阵 $\boldsymbol{Q}$ 使

$$\boldsymbol{A}=(\boldsymbol{E}_m\quad \boldsymbol{O})\boldsymbol{Q}$$

9. $m\times n$ 矩阵 $\boldsymbol{A}$ 的秩为 r, 则有 $m\times r$ 的列满秩矩阵 $\boldsymbol{P}$ 和 $r\times n$ 的行满秩矩阵 $\boldsymbol{Q}$, 使 $\boldsymbol{A}=\boldsymbol{P}\boldsymbol{Q}$.

本章小结　　　　习题答案 5

第 6 章

二 次 型

二次型的理论起源于解析几何二次曲线与二次曲面方程的化简，它在数学、物理、力学上都有着广泛的应用. 数学分析的很多极值问题往往也归结为一个二次型的讨论. 本章我们将介绍二次型的基本性质.

第 6 章知识导图

6.1 二次型及其矩阵表示

定义 6.1.1

设 P 是一个数域, 一个系数在数域 P 中的 $x_1,x_2,\cdots,x_n$ 的二次齐次多项式

$$f(x_1,x_2,\cdots,x_n)=a_{11}x_1^2+2a_{12}x_1x_2+\cdots+2a_{1n}x_1x_n+a_{22}x_2^2+\cdots+2a_{2n}x_2x_n+\cdots+a_{nn}x_n^2 \tag{6.1.1}$$

称为数域 P 上的一个 n 元二次型, 简称二次型.

例如, $f(x_1,x_2,x_3)=x_1^2-2x_1x_2+8x_1x_3-x_2^2+5x_2x_3+x_3^2$ 就是实数域上的一个三元二次型. 为了讨论方便, 把式(6.1.1)中 $x_ix_j(i<j)$ 的系数写成 $2a_{ij}$, 而不简单地写成 a_{ij}. 二次型 $f(x_1,x_2,\cdots,x_n)$ 常简记为 f. 若系数 a_{ij} 均为实数, 则称 f 为实二次型; 若有系数 a_{ij} 为复数, 则称 f 为复二次型.

令 $a_{ij}=a_{ji}(i<j)$. 由于 $x_ix_j=x_jx_i$, 则二次型(6.1.1)可写成

$$\begin{aligned}f(x_1,x_2,\cdots,x_n)&=x_1(a_{11}x_1+a_{12}x_2+\cdots+a_{1n}x_n)\\&\quad+x_2(a_{21}x_1+a_{22}x_2+\cdots+a_{2n}x_n)+\cdots\\&\quad+x_n(a_{n1}x_1+a_{n2}x_2+\cdots+a_{nn}x_n)\\&=(x_1,x_2,\cdots,x_n)\begin{pmatrix}a_{11}x_1+a_{12}x_2+\cdots+a_{1n}x_n\\a_{21}x_1+a_{22}x_2+\cdots+a_{2n}x_n\\\vdots\\a_{n1}x_1+a_{n2}x_2+\cdots+a_{nn}x_n\end{pmatrix}\\&=(x_1,x_2,\cdots,x_n)\begin{pmatrix}a_{11}&a_{12}&\cdots&a_{1n}\\a_{21}&a_{22}&\cdots&a_{2n}\\\vdots&\vdots&&\vdots\\a_{n1}&a_{n2}&\cdots&a_{nn}\end{pmatrix}\begin{pmatrix}x_1\\x_2\\\vdots\\x_n\end{pmatrix}\end{aligned}$$

记

$$\boldsymbol{A}=\begin{pmatrix}a_{11}&a_{12}&\cdots&a_{1n}\\a_{21}&a_{22}&\cdots&a_{2n}\\\vdots&\vdots&&\vdots\\a_{n1}&a_{n2}&\cdots&a_{nn}\end{pmatrix},\quad \boldsymbol{X}=\begin{pmatrix}x_1\\x_2\\\vdots\\x_n\end{pmatrix}$$

则二次型可表示为

$$f=\boldsymbol{X}^{\mathrm{T}}\boldsymbol{A}\boldsymbol{X} \tag{6.1.2}$$

因为 $a_{ij}=a_{ji}(i,j=1,2,\cdots,n)$, 所以 $\boldsymbol{A}^{\mathrm{T}}=\boldsymbol{A}$, 即 $\boldsymbol{A}$ 为对称矩阵. $\boldsymbol{A}$ 的对角线上元素 a_{ii} 正好是二次型 f 平方项 x_i^2 的系数, 而 $a_{ij}=a_{ji}(i\neq j)$ 正好为 f 的混合项 x_ix_j 的系数的一半. 因为混合项的系数分为相等的两半只有一个分法, 所以式(6.1.2)的表示法是唯一的.

由此可见, 任给一个二次型, 唯一确定一个对称矩阵; 反过来, 任给一个对称矩阵, 亦唯一确定一个二次型. 因此二次型和对称矩阵存在一一对应关系. 于是, 我们把对称矩阵 $\boldsymbol{A}$ 称为

二次型 f 的矩阵. 对称矩阵 $\boldsymbol{A}$ 的秩称为二次型 f 的秩.

例 6.1.1 写出二次型 $f(x_1,x_2,x_3)=x_1^2-3x_2^2+5x_3^2$ 的矩阵表示, 并求出二次型 f 的秩.

解 易知

$$f(x_1,x_2,x_3)=(x_1,x_2,x_3)\begin{pmatrix}1&0&0\\0&-3&0\\0&0&5\end{pmatrix}\begin{pmatrix}x_1\\x_2\\x_3\end{pmatrix}$$

对应的矩阵为

$$\boldsymbol{A}=\begin{pmatrix}1&0&0\\0&-3&0\\0&0&5\end{pmatrix}$$

显然 $\boldsymbol{A}$ 是一个对称矩阵, 易知 $\boldsymbol{A}$ 的秩为 3, 所以二次型 f 的秩为 3.

例 6.1.2 写出二次型 $f(x_1,x_2,x_3)=x_1^2-2x_1x_2+8x_1x_3-x_2^2+5x_2x_3+x_3^2$ 的矩阵表示, 并求出二次型 f 的秩.

解 易知

$$f(x_1,x_2,x_3)=(x_1,x_2,x_3)\begin{pmatrix}1&-1&4\\-1&-1&\dfrac{5}{2}\\4&\dfrac{5}{2}&1\end{pmatrix}\begin{pmatrix}x_1\\x_2\\x_3\end{pmatrix}$$

对应的矩阵为

$$\boldsymbol{A}=\begin{pmatrix}1&-1&4\\-1&-1&\dfrac{5}{2}\\4&\dfrac{5}{2}&4\end{pmatrix}$$

显然 $\boldsymbol{A}$ 是一个对称矩阵, 易知 $\boldsymbol{A}$ 的秩为 3, 所以二次型 f 的秩为 3.

例 6.1.3 写出二次型 $f(x_1,x_2,x_3)=x_1x_2+x_1x_3+x_2x_3$ 的矩阵表示.

解 易知

$$f(x_1,x_2,x_3)=(x_1,x_2,x_3)\begin{pmatrix}0&\dfrac{1}{2}&\dfrac{1}{2}\\\dfrac{1}{2}&0&\dfrac{1}{2}\\\dfrac{1}{2}&\dfrac{1}{2}&0\end{pmatrix}\begin{pmatrix}x_1\\x_2\\x_3\end{pmatrix}$$

对应的矩阵为

$$A=\begin{pmatrix}0&\frac{1}{2}&\frac{1}{2}\\\frac{1}{2}&0&\frac{1}{2}\\\frac{1}{2}&\frac{1}{2}&0\end{pmatrix}$$

显然 $\boldsymbol{A}$ 是一个对称矩阵.

6.2 标 准 形

二次型中最简单的一种是只包含平方项的二次型

$$d_1x_1^2+d_2x_2^2+\cdots+d_nx_n^2 \tag{6.2.1}$$

容易看出，只含平方项的二次型对应的矩阵为对角矩阵(如例 6.1.1)．现在我们来讨论对于数域 P 上任意一个二次型，能否通过某种替换，把二次型 f 化成只含平方项的形式？回答是肯定的．首先，我们引入下面定义

定义 6.2.1

设 $x_1,\cdots,x_n;y_1,\cdots,y_n$ 是两组变量，令

$$\boldsymbol{X}=\begin{pmatrix}x_1\\x_2\\\vdots\\x_n\end{pmatrix},\quad \boldsymbol{Y}=\begin{pmatrix}y_1\\y_2\\\vdots\\y_n\end{pmatrix}$$

设 $\boldsymbol{C}=(c_{ij})_{n\times n}$ 是数域 P 上的矩阵．关系式 $\boldsymbol{X}=\boldsymbol{CY}$，即

$$\begin{cases}x_1=c_{11}y_1+c_{12}y_2+\cdots+c_{1n}y_n,\\x_2=c_{21}y_1+c_{22}y_2+\cdots+c_{2n}y_n,\\\qquad\cdots\cdots\\x_n=c_{n1}y_1+c_{n2}y_2+\cdots+c_{nn}y_n\end{cases} \tag{6.2.2}$$

称为由 $x_1,\cdots,x_n$ 到 $y_1,\cdots,y_n$ 的一个线性替换(或线性变换)．如果系数矩阵 $\boldsymbol{C}$ 可逆，则线性替换(6.2.2)就称为非退化的(或可逆的)．令 $\boldsymbol{S}=(s_{ij})_{n\times n}=\boldsymbol{C}^{-1}$，则有 $\boldsymbol{Y}=\boldsymbol{C}^{-1}\boldsymbol{X}=\boldsymbol{SX}$，即

$$\begin{cases}y_1=s_{11}x_1+s_{12}x_2+\cdots+s_{1n}x_n,\\y_2=s_{21}x_1+s_{22}x_2+\cdots+s_{2n}x_n,\\\qquad\cdots\cdots\\y_n=s_{n1}x_1+s_{n2}x_2+\cdots+s_{nn}x_n\end{cases} \tag{6.2.3}$$

式(6.2.3)称为式(6.2.2)的可逆线性替换.

对于二次型 $f=\boldsymbol{X}^{\mathrm{T}}\boldsymbol{AX}$，如果作一个线性替换(6.2.2)，则

$$f=\boldsymbol{X}^{\mathrm{T}}\boldsymbol{AX}=(\boldsymbol{CY})^{\mathrm{T}}\boldsymbol{A}(\boldsymbol{CY})=\boldsymbol{Y}^{\mathrm{T}}\boldsymbol{C}^{\mathrm{T}}\boldsymbol{ACY}=\boldsymbol{Y}^{\mathrm{T}}(\boldsymbol{C}^{\mathrm{T}}\boldsymbol{AC})\boldsymbol{Y}$$

显然，$\boldsymbol{Y}^{\mathrm{T}}(\boldsymbol{C}^{\mathrm{T}}\boldsymbol{AC})\boldsymbol{Y}$ 是关于 $y_1,y_2\cdots,y_n$ 的二次型，变换后的新矩阵 $\boldsymbol{C}^{\mathrm{T}}\boldsymbol{AC}$ 仍为对称矩阵，从而 $\boldsymbol{C}^{\mathrm{T}}\boldsymbol{AC}$ 是二次型 $\boldsymbol{Y}^{\mathrm{T}}(\boldsymbol{C}^{\mathrm{T}}\boldsymbol{AC})\boldsymbol{Y}$ 的矩阵．这说明：线性替换把二次型变成二次型，并且替换后

的二次型 $\boldsymbol{Y}^{\mathrm{T}}(\boldsymbol{C}^{\mathrm{T}}\boldsymbol{A}\boldsymbol{C})\boldsymbol{Y}$ 的矩阵为 $\boldsymbol{C}^{\mathrm{T}}\boldsymbol{A}\boldsymbol{C}$．关于矩阵 $\boldsymbol{C}^{\mathrm{T}}\boldsymbol{A}\boldsymbol{C}$ 与 $\boldsymbol{A}$ 的关系，现引入下面定义和结论.

定义 6.2.2

设 $\boldsymbol{A},\boldsymbol{B}$ 是数域 P 上两个 n 阶矩阵，如果存在数域 P 上 n 阶可逆矩阵 $\boldsymbol{C}$，使得

$$\boldsymbol{B}=\boldsymbol{C}^{\mathrm{T}}\boldsymbol{A}\boldsymbol{C}$$

则称 $\boldsymbol{B}$ 与 $\boldsymbol{A}$ 合同.

矩阵的合同关系，具有以下性质.

性质 6.2.1

自反性：任意矩阵 $\boldsymbol{A}$ 都与自身合同.

这是因为 $\boldsymbol{A}=\boldsymbol{E}^{\mathrm{T}}\boldsymbol{A}\boldsymbol{E}$.

性质 6.2.2

对称性：如果 $\boldsymbol{B}$ 与 $\boldsymbol{A}$ 合同，那么 $\boldsymbol{A}$ 与 $\boldsymbol{B}$ 合同.

这是因为，由 $\boldsymbol{B}=\boldsymbol{C}^{\mathrm{T}}\boldsymbol{A}\boldsymbol{C}$ 可得出 $\boldsymbol{A}=(\boldsymbol{C}^{-1})^{\mathrm{T}}\boldsymbol{A}\boldsymbol{C}^{-1}$.

性质 6.2.3

传递性：如果 $\boldsymbol{A}$ 与 $\boldsymbol{B}$ 合同，$\boldsymbol{B}$ 与 $\boldsymbol{C}$ 合同，那么 $\boldsymbol{A}$ 与 $\boldsymbol{C}$ 合同.

这是因为，由 $\boldsymbol{B}=\boldsymbol{C}_1^{\mathrm{T}}\boldsymbol{A}\boldsymbol{C}_1$，$\boldsymbol{C}=\boldsymbol{C}_2^{\mathrm{T}}\boldsymbol{B}\boldsymbol{C}_2$，可得 $\boldsymbol{C}=(\boldsymbol{C}_1\boldsymbol{C}_2)^{\mathrm{T}}\boldsymbol{A}(\boldsymbol{C}_1\boldsymbol{C}_2)$.

总结以上的讨论有如下定理.

定理 6.2.1

二次型 $f=\boldsymbol{X}^{\mathrm{T}}\boldsymbol{A}\boldsymbol{X}$ 经过非退化的线性替换 $\boldsymbol{X}=\boldsymbol{C}\boldsymbol{Y}$ 变为二次型 $f=\boldsymbol{Y}^{\mathrm{T}}\boldsymbol{B}\boldsymbol{Y}$，那么 $\boldsymbol{B}=\boldsymbol{C}^{\mathrm{T}}\boldsymbol{A}\boldsymbol{C}$．换句话说，经过非退化的线性替换，新二次型的矩阵与原来的二次型的矩阵是合同关系.

根据定义可知，合同矩阵的秩相等，从而由定理 6.2.1 知，二次型经过非退化的线性替换，它的秩不变.

下面证明本节提出的问题.

定理 6.2.2

数域 P 上任意一个二次型都可以经过非退化线性替换变成平方和(6.2.1)的形式.

证明 对二次型的变量个数 n 作数学归纳法.

当 $n=1$ 时，二次型 $f(x_1)=a_{11}x_1^2$ 已经是平方和了，定理结论成立.

现假定对 $n-1$ 元的二次型，定理结论成立．我们来证明结论对 n 也成立．分三种情形来证明:

情形 1 $a_{ii}(i=1,2,\cdots,n)$ 中至少有一个不为 0．不妨设 $a_{11}\neq 0$，则

$$f(x_1,x_2,\cdots,x_n)=a_{11}x_1^2+2\sum_{j=2}^{n}a_{1j}x_1x_j+\sum_{i=2}^{n}\sum_{j=2}^{n}a_{ij}x_ix_j$$

$$=a_{11}\left(x_1^2+2x_1\sum_{j=2}^{n}a_{11}^{-1}a_{1j}x_j\right)+\sum_{i=2}^{n}\sum_{j=2}^{n}a_{ij}x_ix_j$$

$$=a_{11}\left(x_1+\sum_{j=2}^{n}a_{11}^{-1}a_{1j}x_j\right)^2-a_{11}^{-1}\left(\sum_{j=2}^{n}a_{1j}x_j\right)^2+\sum_{i=2}^{n}\sum_{j=2}^{n}a_{ij}x_ix_j$$

令

$$\begin{cases} y_1=x_1+\sum\limits_{j=2}^{n}a_{11}^{-1}a_{1j}x_j, \\ y_2=x_2, \\ \qquad\cdots\cdots \\ y_n=x_n \end{cases}$$

即

$$\begin{cases} x_1=y_1-\sum\limits_{j=2}^{n}a_{11}^{-1}a_{1j}x_j, \\ x_2=y_2, \\ \qquad\cdots\cdots \\ x_n=y_n \end{cases}$$

显然这是一个非退化线性替换，它使得

$$f(x_1,x_2,\cdots,x_n)=a_{11}y_1^2+f_1(y_2,\cdots,y_n)$$

其中 $f_1(y_2,\cdots,y_n)=-a_{11}^{-1}\left(\sum\limits_{j=2}^{n}a_{1j}y_j\right)^2+\sum\limits_{i=2}^{n}\sum\limits_{j=2}^{n}a_{ij}y_iy_j$ 是关于 $y_2,\cdots,y_n$ 的一个 $n-1$ 元二次型. 由归纳假设，存在非退化线性替换

$$\begin{cases} y_2=c_{22}z_2+c_{23}z_2+\cdots+c_{2n}z_n, \\ y_3=c_{32}z_2+c_{33}z_2+\cdots+c_{3n}z_n, \\ \qquad\cdots\cdots \\ y_n=c_{n2}z_2+c_{n3}z_2+\cdots+c_{nn}z_n \end{cases}$$

使 $f_1(y_2,y_3,\cdots,y_n)$ 变成标准形

$$d_2z_2^2+d_3z_3^2+\cdots+d_nz_n^2$$

从而非退化线性替换

$$\begin{cases} y_1=z_1, \\ y_2=c_{22}z_2+c_{23}z_3+\cdots+c_{2n}z_n, \\ \qquad\cdots\cdots \\ y_n=c_{n2}z_2+c_{n3}z_3+\cdots+c_{nn}z_n \end{cases}$$

可将 $f(x_1,x_2,\cdots,x_n)$ 变为标准形

$$a_{11}z_1^2+d_2z_2^2+d_3z_3^2+\cdots+d_nz_n^2$$

由于线性替换均为非退化，故从 $x_1,x_2,\cdots,x_n$ 到 $z_1,z_2,\cdots,z_n$ 的线性替换也非退化，结论成立.

情形 2 $a_{ii}(i=1,2,\cdots,n)$ 均为 0，但至少有一个 $a_{1j}(j>1)$，不妨设 $a_{12}\neq 0$，令

$$\begin{cases} x_1 = y_1 + y_2, \\ x_2 = y_1 - y_2, \\ x_3 = y_3, \\ \quad \cdots\cdots \\ x_n = y_n \end{cases}$$

该替换是非退化线性替换，并且使得

$$f(x_1,x_2,\cdots,x_n) = 2a_{12}x_1x_2 + \cdots = 2a_{12}(y_1+y_2)(y_1-y_2)+\cdots$$
$$= 2a_{12}y_1^2 - 2a_{12}y_2^2 + \cdots$$

这时上式右端是关于 $y_1,y_2,\cdots,y_n$ 的二次型，且 y_1^2 的系数 $2a_{12}\neq 0$．属于第一种情况，定理成立.

情形 3 $a_{ii}(i=1,2,\cdots,n)$ 均为 0，$a_{1j}=0(j=1,2,\cdots,n)$．此时

$$f(x_1,x_2,\cdots,x_n)=\sum_{i=2}^{n}\sum_{j=2}^{n}a_{ij}x_ix_j$$

是一个关于 $x_2,x_3,\cdots,x_n$ 的 $n-1$ 元二次型．由归纳假设，它能用非退化线性替换化为标准形.

综上所述，数域 P 上任意一个二次型都可以经过非退化线性替换变成平方和(6.2.1)的形式．定理得证.

二次型 $f(x_1,x_2,\cdots,x_n)$ 经过非退化线性替换所变成的平方和式(6.2.1)的形式称为 $f(x_1,x_2,\cdots,x_n)$ 的标准形.

易知，二次型(6.2.1)的矩阵为对角矩阵

$$\begin{pmatrix} d_1 & 0 & \cdots & 0 \\ 0 & d_2 & \cdots & 0 \\ \vdots & \vdots & & \vdots \\ 0 & 0 & \cdots & d_n \end{pmatrix}$$

因此用矩阵的语言，定理 6.2.2 可以叙述为以下定理.

定理 6.2.3

对于任意一个对称矩阵 $\boldsymbol{A}$ 都可以找到一个可逆矩阵 $\boldsymbol{C}$ 使 $\boldsymbol{C}^{\mathrm{T}}\boldsymbol{AC}$ 成对角矩阵，即对称矩阵与对角矩阵合同.

根据定理 6.2.2，进一步有以下结论.

定理 6.2.4

数域 P 上 n 元二次型 $f=\boldsymbol{X}^{\mathrm{T}}\boldsymbol{AX}$ 的任一标准形中，系数不为零的平方项个数等于二次型的秩.

证明 设二次型 $f=\boldsymbol{X}^{\mathrm{T}}\boldsymbol{AX}$ 经过非退化线性替换 $\boldsymbol{X}=\boldsymbol{CY}$ 化为标准形

$$f=d_1y_1^2+d_2y_2^2+\cdots+d_ty_t^2,\quad d_i\neq 0,\ i=1,2,\cdots,t$$

由定理 6.2.2，有

$$C^{\mathrm{T}}AC=\Lambda=\begin{pmatrix} d_1 & & & & & & \\ & d_2 & & & & & \\ & & \ddots & & & & \\ & & & d_t & & & \\ & & & & 0 & & \\ & & & & & \ddots & \\ & & & & & & 0 \end{pmatrix}$$

易知，Λ 中主对角线非零元素个数 $t=r(\Lambda)=r(A)$，即系数不为零的平方项个数等于二次型的秩.

例 6.2.1 化二次型

$$f(x_1,x_2)=x_1^2+2x_1x_2$$

成标准形.

解 本例二次型含平方项 x_1^2，属于定理 6.2.2 的情形(1). 因为

$$f(x_1,x_2)=x_1^2+2x_1x_2=(x_1+x_2)^2-x_2^2$$

令

$$\begin{cases} y_1=x_1+x_2, \\ y_2=x_2 \end{cases} \quad 或 \quad \begin{cases} x_1=y_1-y_2, \\ x_2=y_2 \end{cases}$$

表示成矩阵形式

$$X=\begin{pmatrix} x_1 \\ x_2 \end{pmatrix}=\begin{pmatrix} 1 & -1 \\ 0 & 1 \end{pmatrix}\begin{pmatrix} y_1 \\ y_2 \end{pmatrix}=CY$$

于是二次型化作标准形

$$f(x_1,x_2)=y_1^2-y_2^2$$

所作的线性替换为

$$X=\begin{pmatrix} x_1 \\ x_2 \end{pmatrix}=\begin{pmatrix} 1 & -1 \\ 0 & 1 \end{pmatrix}\begin{pmatrix} y_1 \\ y_2 \end{pmatrix}=CY$$

其中 $C=\begin{pmatrix} 1 & -1 \\ 0 & 1 \end{pmatrix}$.

例 6.2.2 化二次型 $f(x_1,x_2,x_3)=x_1x_2+x_1x_3-3x_2x_3$ 成标准形.

解 本例二次型中不含平方项，属于定理 6.2.2 的情形(2). 作非退化线性替换

$$\begin{cases} x_1=y_1-y_2, \\ x_2=y_1+y_2, \\ x_3=y_3 \end{cases}$$

表示成矩阵形式

$$X=\begin{pmatrix} x_1 \\ x_2 \\ x_3 \end{pmatrix}=\begin{pmatrix} 1 & -1 & 0 \\ 1 & 1 & 0 \\ 0 & 0 & 1 \end{pmatrix}\begin{pmatrix} y_1 \\ y_2 \\ y_3 \end{pmatrix}=C_1Y$$

则二次型化为

$$
\begin{aligned}
f(x_1,x_2,x_3) &= x_1x_2 + x_1x_3 - 3x_2x_3 \\
&= (y_1 - y_2)(y_1 + y_2) + (y_1 - y_2)y_3 - 3(y_1 + y_2)y_3 \\
&= y_1^2 - y_2^2 - 2y_1y_3 - 4y_2y_3 \\
&= (y_1 - y_3)^2 - (y_2 + 2y_3)^2 + 3y_3^2
\end{aligned}
$$

再令

$$
\begin{cases} z_1 = y_1 - y_3, \\ z_2 - y_2 + 2y_3, \\ z_3 = y_3 \end{cases} \quad 或 \quad \begin{cases} y_1 = z_1 + z_3, \\ y_2 = z_2 - 2z_3, \\ y_3 = z_3 \end{cases}
$$

表示成矩阵形式

$$
\boldsymbol{Y} = \begin{pmatrix} y_1 \\ y_2 \\ y_3 \end{pmatrix} = \begin{pmatrix} 1 & 0 & 1 \\ 0 & 1 & -2 \\ 0 & 0 & 1 \end{pmatrix} \begin{pmatrix} z_1 \\ z_2 \\ z_3 \end{pmatrix} = \boldsymbol{C}_2\boldsymbol{Z}
$$

则由二次型化为标准形

$$
f(x_1,x_2,x_3) = z_1^2 - z_2^2 + 3z_3^2
$$

因为 $\boldsymbol{X} = \boldsymbol{C}_1\boldsymbol{Y}$，$\boldsymbol{Y} = \boldsymbol{C}_2\boldsymbol{Z}$，所以 $\boldsymbol{X} = (\boldsymbol{C}_1\boldsymbol{C}_2)\boldsymbol{Z} = \boldsymbol{C}\boldsymbol{Z}$，故

$$
\boldsymbol{C} = \boldsymbol{C}_1\boldsymbol{C}_2 = \begin{pmatrix} 1 & -1 & 0 \\ 1 & 1 & 0 \\ 0 & 0 & 1 \end{pmatrix} \begin{pmatrix} 1 & 0 & 1 \\ 0 & 1 & -2 \\ 0 & 0 & 1 \end{pmatrix} = \begin{pmatrix} 1 & -1 & 3 \\ 1 & 1 & -1 \\ 0 & 0 & 1 \end{pmatrix}
$$

在线性替换过程中 $\boldsymbol{C}_1, \boldsymbol{C}_2$ 均可逆，所以乘积 $\boldsymbol{C}$ 也是可逆的，所以线性替换 $\boldsymbol{X} = \boldsymbol{C}\boldsymbol{Z}$ 为可逆线性替换. 二次型化为标准形所作的线性替换为

$$
\begin{pmatrix} x_1 \\ x_2 \\ x_3 \end{pmatrix} = \begin{pmatrix} 1 & -1 & 3 \\ 1 & 1 & -1 \\ 0 & 0 & 1 \end{pmatrix} \begin{pmatrix} z_1 \\ z_2 \\ z_3 \end{pmatrix}
$$

需要注意的是，在利用上述方法将二次型化为标准形时，必须每一步线性替换都是可逆的，从而它们乘积所得的总的线性变换 $\boldsymbol{C}$ 也一定是可逆的. 另外，一个二次型的标准形并不是唯一的，用不同的方法有可能得到不同的标准形. 关于这一个点，我们在 6.3 节再仔细研究.

6.3 唯 一 性

一个二次型化为标准形时，若所用的非退化线性替换不同，则得到的标准形也有可能不同. 例如，二次型 $f(x_1,x_2,x_3) = x_1x_2 + x_2x_3 + x_1x_3$，经过非退化线性替换

$$
\begin{pmatrix} x_1 \\ x_2 \\ x_3 \end{pmatrix} = \begin{pmatrix} 1 & -1 & -1 \\ 1 & 1 & -1 \\ 0 & 0 & 1 \end{pmatrix} \begin{pmatrix} y_1 \\ y_2 \\ y_3 \end{pmatrix}
$$

化成标准形

$$
f(x_1,x_2,x_3) = y_1^2 - y_2^2 - y_3^2
$$

而经过非退化线性替换

$$\begin{pmatrix} x_1 \\ x_2 \\ x_3 \end{pmatrix} = \begin{pmatrix} 0 & 1 & 0 \\ 3 & -1 & -2 \\ 3 & -1 & 2 \end{pmatrix} \begin{pmatrix} z_1 \\ z_2 \\ z_3 \end{pmatrix}$$

化成标准形

$$f(x_1, x_2, x_3) = 9z_1^2 - z_2^2 - 4z_3^2$$

这说明二次型的标准形并不唯一. 下面就复二次型和实二次型的唯一性作进一步的讨论.

1. 复二次型

设 $f(x_1, x_2, \cdots, x_n)$ 是一个秩为 r 的复二次型, 由定理 6.2.4 经过适当的非退化线性替换后, 得

$$f = d_1 y_1^2 + d_2 y_2^2 + \cdots + d_r y_r^2, \quad d_i \neq 0, \quad i = 1, 2, \cdots, r \tag{6.3.1}$$

因为复数总可以开平方, 再作一非退化线性替换

$$\begin{cases} y_1 = \dfrac{1}{\sqrt{d_1}} z_1, \\ \cdots\cdots \\ y_r = \dfrac{1}{\sqrt{d_r}} z_r, \\ y_{r+1} = z_{r+1}, \\ \cdots\cdots \\ y_n = z_n \end{cases} \tag{6.3.2}$$

式(6.3.1)化作

$$f = z_1^2 + z_2^2 + \cdots + z_r^2 \tag{6.3.3}$$

式(6.3.3)称为复二次型 $f(x_1, x_2, \cdots, x_n)$ 的规范形, 它的系数为 1 或 0, 并且系数为 1 的平方的项数个数等于这个二次型的秩. 因此, 一个复二次型的规范形由二次型的秩所唯一确定. 这就证明了下面的定理.

定理 6.3.1

任一个复二次型经过一适当的非退化线性替换可以变成规范形, 且规范形是唯一的.

定理 6.3.1 换成矩阵语言, 即为下面的推论.

推论 6.3.1

任一 n 阶复对称矩阵 $\boldsymbol{A}$ 合同于一个形式为

$$\begin{pmatrix} 1 & & & & & \\ & \ddots & & & & \\ & & 1 & & & \\ & & & 0 & & \\ & & & & \ddots & \\ & & & & & 0 \end{pmatrix} = \begin{pmatrix} \boldsymbol{I}_r & \boldsymbol{O} \\ \boldsymbol{O} & \boldsymbol{O} \end{pmatrix} \tag{6.3.4}$$

的对角矩阵, 其中 r 为矩阵 $\boldsymbol{A}$ 的秩.

进一步, 有如下推论.

推论 6.3.2

两个复对称矩阵合同的充要条件是它们的秩相等.

例 6.3.1 设复二次型 $f(x_1,x_2,x_3)=x_1^2-2x_2^2$, 求该二次型的规范形.

解 因为二次型 f 的矩阵

$$A=\begin{pmatrix}1&0&0\\0&-2&0\\0&0&0\end{pmatrix}$$

的秩是 2, 于是二次型的规范形为 $f=y_1^2+y_2^2$.

例 6.3.2 设复二次型 $f(x_1,x_2,x_3)=x_1x_2+x_2x_3+x_1x_3$, 求该二次型的规范形.

解 因为二次型 f 的矩阵

$$A=\begin{pmatrix}0&\frac{1}{2}&\frac{1}{2}\\\frac{1}{2}&0&\frac{1}{2}\\\frac{1}{2}&\frac{1}{2}&0\end{pmatrix}$$

的秩是 3, 所以二次型的规范形为 $f=y_1^2+y_2^2+y_3^2$.

2. 实二次型

设 $f(x_1,x_2,\cdots,x_n)$ 是一个秩为 r 的实二次型, 由定理 6.2.2, 经过某一个非退化线性替换, 再适当排列字母的次序, 可以使 $f(x_1,x_2,\cdots,x_n)$ 变成标准形

$$d_1y_1^2+d_2y_2^2+\cdots+d_py_p^2-d_{p+1}y_{p+1}^2-\cdots-d_ry_r^2 \tag{6.3.5}$$

其中 $d_i>0,i=1,2,\cdots,r;r$ 是 $f(x_1,x_2,\cdots,x_n)$ 的矩阵的秩. 因为在实数域中, 正实数总可以开平方, 所以再作一非退化线性替换

$$\begin{cases}y_1=\dfrac{1}{\sqrt{d_1}}z_1,\\ \quad\cdots\cdots\\ y_r=\dfrac{1}{\sqrt{d_r}}z_r,\\ y_{r+1}=z_{r+1},\\ \quad\cdots\cdots\\ y_n=z_n\end{cases} \tag{6.3.6}$$

式(6.3.5)化作

$$z_1^2+z_2^2+\cdots+z_p^2-z_{p+1}^2-\cdots-z_r^2 \tag{6.3.7}$$

式(6.3.7)称为实二次型 $f(x_1,x_2,\cdots,x_n)$ 的规范形, 它的系数为 1, −1 或 0. 显然, 规范形完全被 r,p 这两个数所决定, 其中 $0\leqslant p\leqslant r$.

定理 6.3.2（惯性定理）

任意一个实数域上的二次型，经过一适当的非退化线性替换可以变成规范形式(6.3.7)，且规范形是唯一的.

证明　由以上讨论可知，任意一个实数域上的二次型，经过一适当的非退化线性替换都可以变成规范形式(6.3.7). 现在证明唯一性.

设实二次型 $f(x_1,x_2,\cdots,x_n)$ 经过一个非退化线性替换 $\boldsymbol{X}=\boldsymbol{CY}$ 化成规范形

$$f(x_1,x_2,\cdots,x_n)=y_1^2+y_2^2+\cdots+y_p^2-y_{p+1}^2-\cdots-y_r^2 \tag{6.3.8}$$

而经过非退化线性替换 $\boldsymbol{X}=\boldsymbol{BZ}$ 也可化成规范形

$$f(x_1,x_2,\cdots,x_n)=z_1^2+z_2^2+\cdots+z_q^2-z_{q+1}^2-\cdots-z_r^2 \tag{6.3.9}$$

从式(6.3.8)和式(6.3.9)可知，经过非退化线性替换 $\boldsymbol{Z}=\boldsymbol{B}^{-1}\boldsymbol{CY}$，

$$y_1^2+y_2^2+\cdots+y_p^2-y_{p+1}^2-\cdots-y_r^2=z_1^2+z_2^2+\cdots+z_q^2-z_{q+1}^2-\cdots-z_r^2 \tag{6.3.10}$$

我们来证明 $p=q$，从而 f 的规范形唯一. 用反证法. 假设 $p>q$，设 $\boldsymbol{B}^{-1}\boldsymbol{C}=(g_{ij})_{n\times n}$，则

$$\begin{pmatrix} z_1\\ z_2\\ \vdots\\ z_n\end{pmatrix}=\begin{pmatrix} g_{11} & g_{12} & \cdots & g_{1n}\\ g_{21} & g_{22} & \cdots & g_{2n}\\ \vdots & \vdots & & \vdots\\ g_{n1} & g_{n2} & \cdots & g_{nn}\end{pmatrix}\begin{pmatrix} y_1\\ y_2\\ \vdots\\ y_n\end{pmatrix}$$

取 $y_{p+1}=y_{p+2}=\cdots=y_n=0$，考虑下列方程组

$$\begin{pmatrix} g_{11} & \cdots & g_{1p}\\ \vdots & & \vdots\\ g_{q1} & \cdots & g_{qp}\end{pmatrix}\begin{pmatrix} y_1\\ \vdots\\ y_p\end{pmatrix}=0 \tag{6.3.11}$$

若 $p>q$，则式(6.3.11)中系数矩阵的秩小于 p，于是式(6.3.11)有非零解. 取一个非零解 $(k_1,k_2,\cdots,k_p)$，则当 $y_1=k_1,\cdots,y_p=k_p,y_{p+1}=\cdots=y_n=0$ 时，有 $z_1=z_2=\cdots=z_q=0$，从而式(6.3.10)的左端 $=k_1^2+k_2^2+\cdots+k_p^2>0$. 而右端 $=-z_{q+1}^2-\cdots-z_r^2\leqslant 0$. 这是矛盾的. 因此，$p>q$ 不可能，故 $p\leqslant q$.

同理可证 $q\leqslant p$，从而 $p=q$，故 $f(x_1,x_2,\cdots,x_n)$ 的规范形是唯一的.

定义 6.3.1

在实二次型 $f(x_1,x_2,\cdots,x_n)$ 的规范形式(6.3.7)中，正平方项的个数 p 称为 $f(x_1,x_2,\cdots,x_n)$ 的正惯性指数；负平方项的个数 $r-p$ 称为 $f(x_1,x_2,\cdots,x_n)$ 的负惯性指数；正惯性指数减去的负惯性指数差 $p-(r-p)=2p-r$ 称为 $f(x_1,x_2,\cdots,x_n)$ 的符号差.

由定理 6.3.2 可知，实二次型的规范形由它的秩和正惯性指数决定.

虽然实二次型的标准形不是唯一的，但是由上面化成规范形的过程可以看出，标准形中系数为正的平方项的个数等于正惯性指数；系数为负的平方项的个数等于负惯性指数. 也就是说，标准形中系数为正的平方项的个数是唯一的，标准形中系数为负的平方项的个数也是唯一的.

例 6.3.3　设实二次型 $f(x_1,x_2,x_3)=x_1x_2+x_2x_3+x_1x_3$，求该二次型的标准形、规范形、正负惯性指数和符号差.

解 由本节前面的讨论可以看到，此例的标准形可以是 $f(x_1,x_2,x_3)=y_1^2-y_2^2-y_3^2$ 或 $f(x_1,x_2,x_3)=9z_1^2-z_2^2-4z_3^2$，因此标准形不唯一. 但标准形中系数为正的平方项的个数是 1，是唯一的；标准形中系数为负的平方项的个数为 2，也是唯一的.

此例的规范形表示为 $f(x_1,x_2,x_3)=y_1^2-y_2^2-y_3^2$，规范形是唯一的. 正惯性指数为1，负惯性指数2，符号差为 $1-2=-1$.

惯性定理换成矩阵语言，可以表述为以下推论.

推论 6.3.3

任一秩为 r 的实对称矩阵 $\boldsymbol{A}$ 都合同于一个下述形式的对角矩阵：

$$\begin{pmatrix} \boldsymbol{I}_p & \boldsymbol{O} & \boldsymbol{O} \\ \boldsymbol{O} & -\boldsymbol{I}_{r-p} & \boldsymbol{O} \\ \boldsymbol{O} & \boldsymbol{O} & \boldsymbol{O} \end{pmatrix}$$

其中对角线上1的个数 p 及 -1 的个数 $r-p$ 都是唯一确定的，分别称为 $\boldsymbol{A}$ 的正惯性指数和负惯性指数.

推论 6.3.4

两个实对称矩阵合同的充分必要条件是它们的秩相等，而且正惯性指数相等，负惯性指数相等.

从推论 6.3.2 可知，复二次型只要秩相等就能用非退化线性变换相互转化. 但实二次型不能这样，因为由推论 6.3.4，两个秩相等的二次型它们的正惯性指数不一定相等，因此不一定有相同的规范形，从而它们不一定能用非退化线性变换相互转化.

6.4 正定二次型

由惯性定理(定理 6.3.2)可知，实二次型的规范形中正、负系数的个数是由它的秩和正惯性指数确定的. 我们据此对实二次型予以分类.

定义 6.4.1

设有实二次型 $f(x_1,x_2,\cdots,x_n)=\boldsymbol{X}^{\mathrm{T}}\boldsymbol{A}\boldsymbol{X}$，如果对任意 $\boldsymbol{X}\neq\boldsymbol{O}$，都有 $f(x_1,x_2,\cdots,x_n)>0$，则称 $f(x_1,x_2,\cdots,x_n)$ 为正定二次型，并称二次型的矩阵 $\boldsymbol{A}$ 是正定的.

例 6.4.1 判断下列二次型是否正定.

(1) $f(x_1,x_2,x_3)=x_1^2+x_2^2+x_3^2$；

(2) $f(x_1,x_2,x_3)=x_1^2+x_2^2$；

(3) $f(x_1,x_2,x_3)=x_1^2+x_2^2-x_3^2$.

解 (1) 因为对于任意一组不全为零的实数 c_1,c_2,c_3 都有 $f(c_1,c_2,c_3)=c_1^2+c_2^2+c_3^2>0$，所以 $f(x_1,x_2,x_3)$ 是正定的.

(2) 因为 $f(0,0,1)=0$，所以 $f(x_1,x_2,x_3)$ 不是正定的.

(3) 因为 $f(0,0,1)=-1$，所以 $f(x_1,x_2,x_3)$ 不是正定的.

例 6.4.1 中的三个二次型都是规范形，从中容易看出，当正惯性指数等于变量个数时，该二次型是正定的；否则，就不是正定的. 这个结论对于任意一个实二次型都成立.

定理 6.4.1

n 元实二次型 $f(x_1,x_2,\cdots,x_n)=\boldsymbol{X}^{\mathrm{T}}\boldsymbol{AX}$ 是正定的充分必要条件是它的正惯性指数等于 n.

证明 设有非退化线性变换 $\boldsymbol{X}=\boldsymbol{CY}$ 使

$$f(x_1,x_2,\cdots,x_n)=f(\boldsymbol{CY})=k_1y_1^2+k_2y_2^2+\cdots+k_ny_n^2 \tag{6.4.1}$$

充分性. 若它的正惯性指数等于 n，则式(6.4.1)中每个 $k_i>0$，对任意 $\boldsymbol{X}\neq\boldsymbol{O}$，有 $\boldsymbol{Y}=\boldsymbol{C}^{-1}\boldsymbol{X}\neq\boldsymbol{O}$，故

$$f(x_1,x_2,\cdots,x_n)=f(\boldsymbol{CY})=k_1y_1^2+k_2y_2^2+\cdots+k_ny_n^2>0$$

从而 f 是正定的.

必要性. 用反证法，设有某个 $k_s\leqslant 0$，则当 $\boldsymbol{Y}=\boldsymbol{e}_s=(0,\cdots,\underset{\text{第}s\text{个分量}}{1},\cdots,0)$ 时，由式(6.4.1)

$$f(\boldsymbol{Ce}_s)=k_s\leqslant 0$$

又 $\boldsymbol{Ce}_s\neq\boldsymbol{0}$（若 $\boldsymbol{Ce}_s=\boldsymbol{0}$，由 $\boldsymbol{C}$ 可逆可得 $\boldsymbol{e}_s=\boldsymbol{0}$，这与已知 $\boldsymbol{e}_s$ 为单位向量矛盾），这与 $f(x_1,x_2,\cdots,x_n)$ 正定矛盾.

定理 6.4.1 说明，正定二次型 $f(x_1,x_2,\cdots,x_n)$ 的规范形为

$$y_1^2+y_2^2+\cdots+y_n^2 \tag{6.4.2}$$

而二次型(6.4.2)的矩阵是单位矩阵 $\boldsymbol{E}$，由此可得如下推论.

推论 6.4.1

一个实对称矩阵是正定的当且仅当它与单位矩阵合同.

例 6.4.2 试证：实对称矩阵 $\boldsymbol{A}$ 是正定的充要条件是 $\boldsymbol{A}=\boldsymbol{C}^{\mathrm{T}}\boldsymbol{C}$，这里 $\boldsymbol{C}$ 是实可逆矩阵.

证明 必要性. 假定 $\boldsymbol{A}$ 是正定的，那么由推论 6.4.1，有可逆矩阵 $\boldsymbol{P}$ 使 $\boldsymbol{P}^{\mathrm{T}}\boldsymbol{AP}=\boldsymbol{E}$. 因此 $\boldsymbol{A}=(\boldsymbol{P}^{\mathrm{T}})^{-1}\boldsymbol{P}^{-1}=(\boldsymbol{P}^{-1})^{\mathrm{T}}\boldsymbol{P}^{-1}$. 取 $\boldsymbol{C}=\boldsymbol{P}^{-1}$，有 $\boldsymbol{A}=\boldsymbol{C}^{\mathrm{T}}\boldsymbol{C}$.

充分性. 假定 $\boldsymbol{A}=\boldsymbol{C}^{\mathrm{T}}\boldsymbol{C}$，因为 $\boldsymbol{C}$ 是可逆矩阵，所以 $(\boldsymbol{C}^{\mathrm{T}})^{-1}\boldsymbol{AC}^{-1}=\boldsymbol{E}$，即 $(\boldsymbol{C}^{-1})^{\mathrm{T}}\boldsymbol{AC}^{-1}=\boldsymbol{E}$. 故 $\boldsymbol{A}$ 与单位矩阵合同，由推论 6.4.1，$\boldsymbol{A}$ 是正定的.

一个实二次型是否正定，我们可以根据定义或者把它化为标准形来判断. 下面我们介绍一种行列式的判别方法.

定义 6.4.2

子式

$$P_i=\begin{vmatrix} a_{11} & a_{12} & \cdots & a_{1i} \\ a_{21} & a_{22} & \cdots & a_{2i} \\ \vdots & \vdots & & \vdots \\ a_{i1} & a_{i2} & \cdots & a_{ii} \end{vmatrix} \quad (i=1,2,\cdots,n)$$

称为矩阵 $\boldsymbol{A}=(a_{ij})_{n\times n}$ 的 i 阶顺序主子式.

定理 6.4.2(赫尔维茨(Hurwitz)定理)

实二次型

$$f(x_1,x_2,\cdots,x_n)=\sum_{i=1}^{n}\sum_{j=1}^{n}a_{ij}x_ix_j=\boldsymbol{X}^{\mathrm{T}}\boldsymbol{A}\boldsymbol{X}$$

是正定的充分必要条件是矩阵 $\boldsymbol{A}$ 的各阶顺序主子式全大于零.

证明 先证必要性. 设二次型

$$f(x_1,x_2,\cdots,x_n)=\sum_{i=1}^{n}\sum_{j=1}^{n}a_{ij}x_ix_j$$

是正定的. 对于每个 $k,1\leqslant k\leqslant n$，令

$$f_k(x_1,x_2,\cdots,x_k)=\sum_{i=1}^{k}\sum_{j=1}^{k}a_{ij}x_ix_j$$

任取一组不全为零的实数 $c_1,c_2,\cdots,c_k$，则

$$f_k(c_1,c_2,\cdots,c_k)=\sum_{i=1}^{k}\sum_{j=1}^{k}a_{ij}c_ic_j=f(c_1,c_2,\cdots,c_k,0,\cdots,0)>0$$

从而实二次型 $f_k(x_1,x_2,\cdots,x_k)$ 正定，故其矩阵的行列式

$$\begin{vmatrix}a_{11}&a_{12}&\cdots&a_{1k}\\a_{21}&a_{22}&\cdots&a_{2k}\\\vdots&\vdots&&\vdots\\a_{k1}&a_{k2}&\cdots&a_{kk}\end{vmatrix}>0,\quad k=1,2,\cdots,n$$

即 $\boldsymbol{A}$ 的顺序主子式全大于零.

再证充分性. 设 $\boldsymbol{A}=(a_{ij})_{n\times n}$，对 n 作数学归纳法.

当 $n=1$ 时，由条件知 $a_{11}>0$，从而 $\boldsymbol{A}$ 正定.

假设 $n-1$ 阶实对称矩阵充分性成立. 现在我们来证当 n 阶实对称矩阵 $\boldsymbol{A}$ 的顺序主子式全大于零时，$\boldsymbol{A}$ 是正定矩阵. 为此，对 $\boldsymbol{A}$ 分块写成

$$\boldsymbol{A}=\begin{pmatrix}\boldsymbol{A}_{n-1}&\boldsymbol{\alpha}\\\boldsymbol{\alpha}^{\mathrm{T}}&a_{nn}\end{pmatrix}$$

其中，$\boldsymbol{A}_{n-1}$ 为 $n-1$ 阶实对称矩阵，$\boldsymbol{\alpha}$ 为 $n-1$ 维实列向量. 由于 $\boldsymbol{A}_{n-1}$ 的所有顺序主子式即为 $\boldsymbol{A}$ 的 $1,2,\cdots,n-1$ 阶顺序主子式，从而 $\boldsymbol{A}_{n-1}$ 的所有顺序主子式均为大于零，由归纳假设知 $\boldsymbol{A}_{n-1}$ 为正定矩阵. 故存在 $n-1$ 阶可逆矩阵 $\boldsymbol{C}_1$，使

$$\boldsymbol{C}_1^{\mathrm{T}}\boldsymbol{A}_{n-1}\boldsymbol{C}_1=\boldsymbol{E}_{n-1}$$

由于

$$\begin{pmatrix}\boldsymbol{E}_{n-1}&\boldsymbol{O}\\-\boldsymbol{\alpha}^{\mathrm{T}}\boldsymbol{A}_{n-1}^{-1}&1\end{pmatrix}\begin{pmatrix}\boldsymbol{A}_{n-1}&\boldsymbol{\alpha}\\\boldsymbol{\alpha}^{\mathrm{T}}&a_{nn}\end{pmatrix}\begin{pmatrix}\boldsymbol{E}_{n-1}&-\boldsymbol{A}_{n-1}^{-1}\boldsymbol{\alpha}\\\boldsymbol{O}^{\mathrm{T}}&1\end{pmatrix}=\begin{pmatrix}\boldsymbol{A}_{n-1}&\boldsymbol{O}\\\boldsymbol{O}^{\mathrm{T}}&a_{nn}-\boldsymbol{\alpha}^{\mathrm{T}}\boldsymbol{A}_{n-1}^{-1}\boldsymbol{\alpha}\end{pmatrix}$$

令

$$\boldsymbol{C}_2=\begin{pmatrix}\boldsymbol{E}_{n-1}&-\boldsymbol{A}_{n-1}^{-1}\boldsymbol{\alpha}\\\boldsymbol{O}^{\mathrm{T}}&1\end{pmatrix},\quad b=a_{nn}-\boldsymbol{\alpha}^{\mathrm{T}}\boldsymbol{A}_{n-1}^{-1}\boldsymbol{\alpha}$$

则

$$C_2^{\mathrm{T}}AC_2=\begin{pmatrix}A_{n-1} & O\\ O^{\mathrm{T}} & b\end{pmatrix}$$

显然 C_2 可逆，对上式两边取行列式，

$$|C_2|^2|A|=|A_{n-1}|b$$

由条件，$|A|>0,|A_{n-1}|>0$，故 $b>0$．又

$$\begin{pmatrix}C_1^{\mathrm{T}} & O\\ O^{\mathrm{T}} & 1\end{pmatrix}C_2^{\mathrm{T}}AC_2\begin{pmatrix}C_1 & O\\ O^{\mathrm{T}} & 1\end{pmatrix}=\begin{pmatrix}E_{n-1} & O\\ O^{\mathrm{T}} & b\end{pmatrix}$$

显然 $C_2\begin{pmatrix}C_1 & O\\ O^{\mathrm{T}} & 1\end{pmatrix}$ 可逆，且

$$\begin{pmatrix}E_{n-1} & O\\ O^{\mathrm{T}} & b\end{pmatrix}=\begin{pmatrix}E_{n-1} & O\\ O^{\mathrm{T}} & \sqrt{b}\end{pmatrix}\begin{pmatrix}E_{n-1} & O\\ O^{\mathrm{T}} & 1\end{pmatrix}\begin{pmatrix}E_{n-1} & O\\ O^{\mathrm{T}} & \sqrt{b}\end{pmatrix}$$

这就是说 A 与单位矩阵合同，故 A 正定或二次型 $f(x_1,x_2,\cdots,x_n)$ 正定．

例 6.4.3 判定实二次型

$$f(x_1,x_2,x_3)=5x_1^2+x_2^2+5x_3^2+4x_1x_2-8x_1x_3-4x_2x_3$$

是否正定．

解 $f(x_1,x_2,x_3)$ 的矩阵为

$$\begin{pmatrix}5 & 2 & -4\\ 2 & 1 & -2\\ -4 & -2 & 5\end{pmatrix}$$

它的顺序主子式

$$5>0,\quad \begin{vmatrix}5 & 2\\ 2 & 1\end{vmatrix}>0,\quad \begin{vmatrix}5 & 2 & -4\\ 2 & 1 & -2\\ -4 & -2 & 5\end{vmatrix}>0$$

故 $f(x_1,x_2,x_3)$ 正定．

例 6.4.4 试求 t 的值，使得实二次型

$$f(x_1,x_2,x_3)=x_1^2+2x_2^2+5x_3^2-2x_1x_2+2tx_1x_3+6x_2x_3$$

正定．

解 $f(x_1,x_2,x_3)$ 的矩阵为

$$\begin{pmatrix}1 & -1 & t\\ -1 & 2 & 3\\ t & 3 & 5\end{pmatrix}$$

要使二次型正定，要求

$$1>0,\quad \begin{vmatrix}1 & -1\\ -1 & 2\end{vmatrix}>0,\quad \begin{vmatrix}1 & -1 & t\\ -1 & 2 & 3\\ t & 3 & 5\end{vmatrix}=-2t^2-6t-4>0$$

求解可得当 $-2<t<-1$ 时，二次型为正定的．

与正定性平行，还有下面的概念.

定义 6.4.3

设 $f(x_1,x_2,\cdots,x_n)$ 是一实二次型，如果对任意 $\boldsymbol{X}\neq\boldsymbol{O}$，都有 $f(x_1,x_2,\cdots,x_n)<0$，那么 $f(x_1,x_2,\cdots,x_n)$ 称为负定的；如果都有 $f(x_1,x_2,\cdots,x_n)\geqslant 0$，那么 $f(x_1,x_2,\cdots,x_n)$ 称为半正定的；如果都有 $f(x_1,x_2,\cdots,x_n)\leqslant 0$，那么 $f(x_1,x_2,\cdots,x_n)$ 称为半负定的；如果它既不是半正定又不是半负定，那么 $f(x_1,x_2,\cdots,x_n)$ 称为不定的.

假如 $f(x_1,x_2,\cdots,x_n)$ 是负定的，那么 $-f(x_1,x_2,\cdots,x_n)$ 就是正定的. 因此有 $-f=y_1^2+y_2^2+\cdots+y_n^2$，即 $f=-y_1^2-y_2^2-\cdots-y_n^2$. 于是得以下三个定理.

定理 6.4.3

n 元实二次型 $f(x_1,x_2,\cdots,x_n)=\boldsymbol{X}^{\mathrm{T}}\boldsymbol{A}\boldsymbol{X}$ 是负定的充分必要条件是它的负惯性指数等于 n.

证明 因为 $f(x_1,x_2,\cdots,x_n)=\sum\limits_{i=1}^{n}\sum\limits_{j=1}^{n}a_{ij}x_ix_j$ 是负定的充要条件 $-f(x_1,x_2,\cdots,x_n)=\sum\limits_{i=1}^{n}\sum\limits_{j=1}^{n}(-a_{ij})x_ix_j$ 是正定的.

定理 6.4.4

实二次型

$$f(x_1,x_2,\cdots,x_n)=\sum_{i=1}^{n}\sum_{j=1}^{n}a_{ij}x_ix_j=\boldsymbol{X}^{\mathrm{T}}\boldsymbol{A}\boldsymbol{X}$$

是负定的充分必要条件为矩阵 $\boldsymbol{A}$ 奇数阶顺序主子式全小于0，偶数阶顺序主子式全大于0.

证明 设 $\boldsymbol{A}=(a_{ij})$ 是 n 阶负定矩阵，则 $-\boldsymbol{A}$ 是 n 阶正定矩阵. 由定理 6.4.2，矩阵 $-\boldsymbol{A}$ 为正定的充分必要条件是 $-\boldsymbol{A}$ 的各阶顺序主子式

$$\begin{vmatrix}-a_{11}&\cdots&-a_{1k}\\ \vdots&&\vdots\\ -a_{k1}&\cdots&-a_{kk}\end{vmatrix}=(-1)^k\begin{vmatrix}a_{11}&\cdots&a_{1k}\\ \vdots&&\vdots\\ a_{k1}&\cdots&a_{kk}\end{vmatrix}>0\quad(k=1,2,\cdots,n)$$

于是，当 k 取奇数时，

$$\begin{vmatrix}a_{11}&\cdots&a_{1k}\\ \vdots&&\vdots\\ a_{k1}&\cdots&a_{kk}\end{vmatrix}<0$$

当 k 取偶数时，

$$\begin{vmatrix}a_{11}&\cdots&a_{1k}\\ \vdots&&\vdots\\ a_{k1}&\cdots&a_{kk}\end{vmatrix}>0$$

即负定矩阵 $\boldsymbol{A}$ 的奇数阶顺序主子式全小于 0，偶数阶顺序主子式全大于 0.

定理 6.4.5

对于实二次型 $f(x_1,x_2,\cdots,x_n)=\boldsymbol{X}^{\mathrm{T}}\boldsymbol{A}\boldsymbol{X}$，下列条件等价:

(1) $f(x_1,x_2,\cdots,x_n)$ 是半正定的;

(2) $f(x_1,x_2,\cdots,x_n)$ 的正惯性指数与秩相等;

(3) $f(x_1,x_2,\cdots,x_n)$ 有可逆实矩阵 $\boldsymbol{C}$，使

$$\boldsymbol{C}^{\mathrm{T}}\boldsymbol{A}\boldsymbol{C}=\begin{pmatrix} d_1 & & & \\ & d_2 & & \\ & & \ddots & \\ & & & d_n \end{pmatrix}$$

其中 $d_i\geqslant 0, i=1,2,\cdots,n$;

(4) 有实矩阵 $\boldsymbol{C}$ 使

$$\boldsymbol{A}=\boldsymbol{C}^{\mathrm{T}}\boldsymbol{C}$$

(5) $\boldsymbol{A}$ 的所有主子式皆大于或等于零.

证明略.

6.5 应用实例

二次型与不等式的证明

例 6.5.1 证明三元不等式 $x^2+3y^2+2z^2>xy+xz$，其中 x,y,z 不同时为 0.

证明　设函数 $f(x,y,z)=x^2+3y^2+2z^2-xy-xz$，要证原不等式成立，只需证明函数 $f(x,y,z)>0$.

将函数 $f(x,y,z)$ 可以看成三元二次型，则对应的矩阵为

$$\begin{pmatrix} 1 & -\frac{1}{2} & -\frac{1}{2} \\ -\frac{1}{2} & 3 & 0 \\ -\frac{1}{2} & 0 & 2 \end{pmatrix}$$

其顺序主子式

$$1>0,\quad \begin{vmatrix} 1 & -\frac{1}{2} \\ -\frac{1}{2} & 3 \end{vmatrix}>0,\quad \begin{vmatrix} 1 & -\frac{1}{2} & -\frac{1}{2} \\ -\frac{1}{2} & 3 & 0 \\ -\frac{1}{2} & 0 & 2 \end{vmatrix}>0$$

由赫尔维茨定理(定理 6.4.2)可知，$f(x,y,z)$ 正定及对任意的 (x,y,z) 都有 $f(x,y,z)>0$. 所以，原不等式成立.

习 题 6

(A)

1. 写出下列二次型的矩阵，并求其二次型的秩.

(1) $f(x_1,x_2)=5x_1^2-x_1x_2+2x_2^2$；

(2) $f(x_1,x_2,x_3,x_4)=(x_1+2x_2+3x_3+4x_4)^2$；

(3) $f(x_1,x_2,x_3,x_4)=x_1^2+2x_2^2-x_3^2+x_1x_2-2x_1x_3+3x_2x_3$.

2. 证明：秩等于r的对称矩阵可以表示成r个秩等于1的对称矩阵之和.

3. 设$\boldsymbol{A}$是数域P上的一个n阶矩阵. 证明：$\boldsymbol{A}$是反对称阵的充要条件是对于P^n中任一列向量$\boldsymbol{\alpha}$，有$\boldsymbol{\alpha}^{\mathrm{T}}\boldsymbol{A}\boldsymbol{\alpha}=0$.

4. 证明：设$\boldsymbol{A}$是数域P上的一个n阶对称矩阵，如果对于P^n中任一列向量$\boldsymbol{\alpha}$，有$\boldsymbol{\alpha}^{\mathrm{T}}\boldsymbol{A}\boldsymbol{\alpha}=0$，则$\boldsymbol{A}=\boldsymbol{O}$.

5. 化下列二次型为标准形，并写出所用的非退化线性替换.

(1) $f(x_1,x_2,x_3)=x_1^2+2x_2^2+x_3^2+2x_1x_2+2x_1x_3+4x_2x_3$；

(2) $f(x_1,x_2,x_3)=-4x_1x_2+2x_1x_3+2x_2x_3$.

6. 用可逆线性替换将下列复二次型化为规范形.

(1) $f(x_1,x_2,x_3)=x_1^2+2x_2^2+x_3^2+2x_1x_2+2x_1x_3+4x_2x_3$；

(2) $f(x_1,x_2,x_3)=-4x_1x_2+2x_1x_3+2x_2x_3$；

(3) $f(x_1,x_2)=(-1-\mathrm{i})x_1x_2+2\mathrm{i}x_2^2$.

7. 用可逆线性替换将下列实二次型化为规范形，并求出其秩，正、负惯性指数和符号差.

(1) $f(x_1,x_2,x_3)=x_1^2+2x_2^2+x_3^2+2x_1x_2+2x_1x_3+4x_2x_3$；

(2) $f(x_1,x_2,x_3)=-4x_1x_2+2x_1x_3+2x_2x_3$；

(3) $f(x_1,x_2,x_3,x_4)=x_1^2+x_2^2+x_3^2+x_4^2+2x_1x_2-2x_1x_4-2x_2x_3+2x_3x_4$.

8. 判断下列二阶矩阵

$$\boldsymbol{A}=\begin{pmatrix}1&3\\3&5\end{pmatrix},\quad \boldsymbol{B}=\begin{pmatrix}1&-2\\-2&7\end{pmatrix}$$

在实数域内是否合同.

9. 证明：

(1) 在实数域上$\boldsymbol{E}_n$与$-\boldsymbol{E}_n$不是合同的；

(2) 在复数域上$\boldsymbol{E}_n$与$-\boldsymbol{E}_n$是合同的.

10. 判断下列二次型是否正定.

(1) $f(x_1,x_2,x_3)=5x_1^2+6x_2^2+4x_3^2-4x_1x_2-4x_2x_3$；

(2) $f(x_1,x_2,x_3)=x_1^2+2x_2^2+6x_3^2+2x_1x_2+2x_1x_3+6x_2x_3$；

(3) $f(x_1,x_2,x_3,x_4)=x_1^2+2x_2^2+3x_4^2$.

11. 确定t的取值范围，使得下列的二次型正定.

(1) $f(x_1,x_2,x_3)=5x_1^2+x_2^2+tx_3^2+4x_1x_2-2x_1x_3-2x_2x_3$；

(2) $f(x_1,x_2,x_3)=tx_1^{\ 2}+x_2^{\ 2}+5x_3^{\ 2}-2tx_1x_2-2x_1x_3+4x_2x_3$.

12. 设 $\boldsymbol{A},\boldsymbol{B}$ 为正定矩阵. 证明: $\boldsymbol{A}+\boldsymbol{B}$ 也是正定矩阵.

13. 设 $\boldsymbol{A}$ 为正定矩阵. 证明: $\boldsymbol{A}^{-1}$ 也是正定矩阵.

14. 证明: $\boldsymbol{A}$ 是正定矩阵的充分必要条件是 $\boldsymbol{A}$ 的主子式全大于零. 所谓主子式就是行指标与列指标相同的式子.

(B)

1. n 阶复对称矩阵组成的集合有多少个合同类?

2. n 阶实对称矩阵组成的集合有多少个合同类?

3. 设 $\boldsymbol{A}$ 为 n 阶正定矩阵, 设 $\boldsymbol{B}$ 为 n 级实反对称矩阵. 证明: $\boldsymbol{A}-\boldsymbol{B}^2$ 为正定矩阵.

4. 设 $\boldsymbol{A}$ 为 n 阶实对称矩阵, 且 $|\boldsymbol{A}|<0$. 证明: 必然存在实的 n 维向量 $\boldsymbol{X}$ 使得 $\boldsymbol{X}^{\mathrm{T}}\boldsymbol{AX}<0$.

5. 设 $\boldsymbol{X}^{\mathrm{T}}\boldsymbol{AX}$ 是一个 n 元实二次型, 证明: 如果有 n 维列向量 $\boldsymbol{\alpha}_1,\boldsymbol{\alpha}_2$, 使得 $\boldsymbol{\alpha}_1^{\mathrm{T}}\boldsymbol{A}\boldsymbol{\alpha}_1>0$, $\boldsymbol{\alpha}_2^{\mathrm{T}}\boldsymbol{A}\boldsymbol{\alpha}_2<0$, 那么存在 n 维列向量 $\boldsymbol{\alpha}_3$, 使得 $\boldsymbol{\alpha}_3^{\mathrm{T}}\boldsymbol{A}\boldsymbol{\alpha}_3=0$.

6. 证明: $f(x_1,x_2,\cdots,x_n)=n\sum\limits_{i=1}^{n}x_i^{\ 2}-\left(\sum\limits_{i=1}^{n}x_i\right)^2$ 是半正定的.

本章小结

习题答案 6

第 7 章

线 性 空 间

线性空间是高等代数最基本的概念之一，是描述现实世界中线性关系的抽象模型，是对几何空间中仿射性质的最本质推广．线性空间的子空间、维数、同构等以及相关的理论与方法是研究无穷维抽象空间的重要基础．

第 7 章知识导图

7.1 线性空间的定义与简单性质

7.1.1 线性空间的定义

在解析几何中，空间中的向量可以按照三角形法则(或者平行四边形法则)相加；加法满足结合律、交换律. 向量可以与实数作数量乘法. 每个向量有负向量(即反向量). 此外，考虑全体定义在区间$[a,b]$上的连续函数. 连续函数的和是连续函数，连续函数与实数的数量乘积还是连续函数. 从这些例子我们可以看到，所考虑的对象虽然完全不同，但是它们有一个共同点，那就是它们都有加法和数量乘法这两种运算. 当然，这两种运算的定义也会随着对象的不同而有所不同. 为了考虑其共同点并加以研究，我们进入线性空间的概念.

定义 7.1.1

设V是一个非空集合，P为一个数域：

(1) 在集合V的元素之间定义了一种代数运算，称为加法，即对于任意两个元素$\boldsymbol{\alpha},\boldsymbol{\beta}\in V$，都有唯一的一个元素$\boldsymbol{\gamma}\in V$与之对应，称为$\boldsymbol{\alpha}$与$\boldsymbol{\beta}$的和，记作$\boldsymbol{\gamma}=\boldsymbol{\alpha}+\boldsymbol{\beta}$.

(2) 在数域P与集合V的元素之间还定义了一种运算，称为数量乘法，即对于数域P中任意数λ与V中任一个元素$\boldsymbol{\alpha}$，都有唯一的一个元素$\boldsymbol{\delta}\in V$与之对应，称为λ与$\boldsymbol{\alpha}$的数量乘积，记作$\boldsymbol{\delta}=\lambda\boldsymbol{\alpha}$.

如果加法与数量乘法满足下述八条运算规则，那么V称为数域P上的一个线性空间.

加法满足下面几条规则：

(1) 对于任意两个元素$\boldsymbol{\alpha},\boldsymbol{\beta}\in V$，有$\boldsymbol{\alpha}+\boldsymbol{\beta}=\boldsymbol{\beta}+\boldsymbol{\alpha}$；

(2) 对于任意两个元素$\boldsymbol{\alpha},\boldsymbol{\beta},\boldsymbol{\gamma}\in V$，有$(\boldsymbol{\alpha}+\boldsymbol{\beta})+\boldsymbol{\gamma}=\boldsymbol{\alpha}+(\boldsymbol{\beta}+\boldsymbol{\gamma})$；

(3) 在V中存在元素$\mathbf{0}$，对任何$\boldsymbol{\alpha}\in V$，都有$\boldsymbol{\alpha}+\mathbf{0}=\boldsymbol{\alpha}$（$\mathbf{0}$称为$V$的零元素）；

(4) 对任何$\boldsymbol{\alpha}\in V$，都有$\boldsymbol{\beta}\in V$，使$\boldsymbol{\alpha}+\boldsymbol{\beta}=\mathbf{0}$，$\boldsymbol{\beta}$称为$\boldsymbol{\alpha}$负元素，记作$\boldsymbol{\beta}=-\boldsymbol{\alpha}$.

数量乘法满足下面规则：

(5) $1\boldsymbol{\alpha}=\boldsymbol{\alpha}$；

(6) $\lambda(\mu\boldsymbol{\alpha})=(\lambda\mu)\boldsymbol{\alpha}$.

数量乘法与加法满足下面规则：

(7) $(\lambda+\mu)\boldsymbol{\alpha}=\lambda\boldsymbol{\alpha}+\mu\boldsymbol{\alpha}$；

(8) $\lambda(\boldsymbol{\alpha}+\boldsymbol{\beta})=\lambda\boldsymbol{\alpha}+\lambda\boldsymbol{\beta}$.

在以上规则中，λ,μ等表示数域P中的任意数，$\boldsymbol{\alpha},\boldsymbol{\beta},\boldsymbol{\gamma}$等表示集合$V$中的任意元素(线性空间中的元素称为向量). 读者可以证明线性空间定义的八条运算规则中第一条加法交换律是多余的(可由其他条规则证明得出，读者自行证明).

例 7.1.1 数域P按照复数的加法与乘法构成一个自身上的线性空间.

例 7.1.2 数域P上全体n维向量所成的集合按照向量的加法和数乘运算构成线性空间.

例 7.1.3 数域P上全体$s\times n$矩阵所构成的集合(记作$P^{s\times n}$)按照矩阵的加法和数乘构成线性空间.

例 7.1.4 数域 P 上一元多项式环 $P[x]$，按通常的多项式加法和数与多项式的乘法乘构成线性空间. 如果只考虑其中次数小于 n 的多项式，再添上零多项式构成的集合(记作 $P[x]_n$)也满足以上规律.

例 7.1.5 全体实函数按函数加法和数与函数的数量乘法构成一个实数域上的线性空间.

例 7.1.6 实轴上的一个闭区间 $[a,b]$ 上的连续函数全体记作 $C[a,b]$，由数学分析课程知，$[a,b]$ 上两个连续函数的和仍是连续函数，实数 k 与连续函数 f 的数量乘积 kf 仍是连续函数，因此 $C[a,b]$ 是实数域上一个线性空间. 同样地，在 $[a,b]$ 上可微函数的集合，可积函数的集合都构成实数域上的线性空间.

例 7.1.7 在所有正实数的集合 F 中规定

加法: $x \oplus y = xy, \forall x, y \in F$；

数量乘法: $a \circ x = x^a, \forall a \in \mathbf{R}, \forall x \in F$，

可验证 F 为实数域上的一个线性空间.

注 为了与通常的加法和乘法区别，我们分别用 $\oplus$ 和 $\circ$ 来代表所定义的向量加法与数量乘法.

例 7.1.8 在实数域上的所有二元向量的集合中，规定

$$(x,y)+(x_1,y_1)=(x+x_1,y+y_1)$$

对于任意实数 a，规定

$$a \circ (x,y)=(ay,ax)$$

在此两种运算之下，二元向量的集合不构成实数域上的线性空间. 因为不满足定义中的(5)和(6).

例 7.1.9 设 V 是数域 P 上的线性空间，A 是一个非空集合，且存在 A 到 V 的一个单、满射 f，在 A 中定义加法、数乘如下:

(1)对任意 $\boldsymbol{\alpha}, \boldsymbol{\beta} \in A$，令 $\boldsymbol{\alpha}+\boldsymbol{\beta}=f^{-1}[f(\boldsymbol{\alpha})+f(\boldsymbol{\beta})]$;

(2)对任意 $k \in P$，$\boldsymbol{\alpha} \in A$，令 $k\boldsymbol{\alpha}=f^{-1}[kf(\boldsymbol{\alpha})]$.

证明 A 关于上述加法、数乘组成 P 上的线性空间(读者自行证明).

线性空间的元素也称为**向量**. 当然这里的向量比几何中所谓向量的含义要广泛些. 线性空间有时也称为**向量空间**. 以下用黑体的小写字母 $\boldsymbol{\alpha},\boldsymbol{\beta},\boldsymbol{\gamma},\cdots$ 代表线性空间 V 中的元素，用小写字母 $a,b,c,\cdots$ 代表数域 P 中的数.

下面直接从定义来证明线性空间的一些简单性质.

7.1.2 线性空间的简单性质

(1)零元素唯一.

证明 若线性空间 V 存在两个零元素 $\mathbf{0}_1,\mathbf{0}_2$，则

$$\mathbf{0}_1=\mathbf{0}_1+\mathbf{0}_2=\mathbf{0}_2+\mathbf{0}_1=\mathbf{0}_2$$

(2)负元素唯一.

证明 若 $\boldsymbol{\beta}$ 和 $\boldsymbol{\gamma}$ 都是 $\boldsymbol{\alpha}$ 的负元素，则

$$\boldsymbol{\beta}=\boldsymbol{\beta}+\mathbf{0}=\boldsymbol{\beta}+(\boldsymbol{\alpha}+\boldsymbol{\gamma})=(\boldsymbol{\beta}+\boldsymbol{\alpha})+\boldsymbol{\gamma}=\mathbf{0}+\boldsymbol{\gamma}=\boldsymbol{\gamma}$$

向量$\boldsymbol{\alpha}$的负元素计为$-\boldsymbol{\alpha}$. 利用负元素, 可以定义减法:

$$\boldsymbol{\alpha}-\boldsymbol{\beta}=\boldsymbol{\alpha}+(-\boldsymbol{\beta})$$

(3) $0\boldsymbol{\alpha}=\mathbf{0}$; $(-1)\boldsymbol{\alpha}=-\boldsymbol{\alpha}$; $\lambda\mathbf{0}=\mathbf{0}$.

证明　因为

$$\boldsymbol{\alpha}+0\boldsymbol{\alpha}=1\boldsymbol{\alpha}+0\boldsymbol{\alpha}=(1+0)\boldsymbol{\alpha}=1\boldsymbol{\alpha}=\boldsymbol{\alpha}$$

所以$0\boldsymbol{\alpha}=\mathbf{0}$. 又

$$\boldsymbol{\alpha}+(-1)\boldsymbol{\alpha}=1\boldsymbol{\alpha}+(-1)\boldsymbol{\alpha}=(1-1)\boldsymbol{\alpha}=0\boldsymbol{\alpha}=\mathbf{0}$$

所以$(-1)\boldsymbol{\alpha}=-\boldsymbol{\alpha}$. 而

$$\lambda\mathbf{0}=\lambda[\boldsymbol{\alpha}+(-1)\boldsymbol{\alpha}]=\lambda\boldsymbol{\alpha}+(-\lambda)\boldsymbol{\alpha}=[\lambda+(-\lambda)]\boldsymbol{\alpha}=0\boldsymbol{\alpha}=\mathbf{0}$$

(4) 若$\lambda\boldsymbol{\alpha}=\mathbf{0}$, 则$\lambda=0$或$\boldsymbol{\alpha}=\mathbf{0}$.

证明　若$\lambda\neq0$, 则

$$\boldsymbol{\alpha}=1\boldsymbol{\alpha}=\left(\frac{1}{\lambda}\lambda\right)\boldsymbol{\alpha}=\frac{1}{\lambda}(\lambda\boldsymbol{\alpha})=\frac{1}{\lambda}\mathbf{0}=\mathbf{0}$$

7.2　基维数与坐标

7.2.1　线性相关性

数域P上的线性空间V具有加法运算以及P与V之间的数量乘法运算, 因此首先要研究V的元素之间关于这两种运算的性质, 即线性相关性.

定义 7.2.1

设V是数域P上的一个线性空间, $\boldsymbol{\alpha}_1,\boldsymbol{\alpha}_2,\cdots,\boldsymbol{\alpha}_r$ $(r\geqslant1)$是V中的一组向量, $k_1,k_2,\cdots,k_r$是数域P中的数, 那么向量

$$\boldsymbol{\alpha}=k_1\boldsymbol{\alpha}_1+k_2\boldsymbol{\alpha}_2+\cdots+k_r\boldsymbol{\alpha}_r \tag{7.2.1}$$

称为向量组$\boldsymbol{\alpha}_1,\boldsymbol{\alpha}_2,\cdots,\boldsymbol{\alpha}_r$的一个线性组合, 或者称向量$\boldsymbol{\alpha}$可以由$\boldsymbol{\alpha}_1,\boldsymbol{\alpha}_2,\cdots,\boldsymbol{\alpha}_r$线性表出.

定义 7.2.2

设有V中的两个向量组

$$A:\ \boldsymbol{\alpha}_1,\boldsymbol{\alpha}_2,\cdots,\boldsymbol{\alpha}_r \quad 和 \quad B:\ \boldsymbol{\beta}_1,\boldsymbol{\beta}_2,\cdots,\boldsymbol{\beta}_s$$

如果A中每个向量都可以用B中的向量线性表出, 那么称向量组A可以用向量组B线性表出. 如果A与B可以互相线性表出, 那么向量组A与B称为等价的.

定义 7.2.3

线性空间V中向量$\boldsymbol{\alpha}_1,\boldsymbol{\alpha}_2,\cdots,\boldsymbol{\alpha}_r$ $(r\geqslant1)$称为线性相关, 如果数域P中存在r个不全为零的数$k_1,k_2,\cdots,k_r$, 使得

$$k_1\boldsymbol{\alpha}_1+k_2\boldsymbol{\alpha}_2+\cdots+k_r\boldsymbol{\alpha}_r=\mathbf{0} \tag{7.2.2}$$

否则就称为线性无关, 即式(7.2.2)只在$k_1=k_2=\cdots=k_r=0$时才成立.

这些定义都是大家熟悉的，和n维向量组相应概念的定义一样．而且，从这些定义出发对n维向量组的那些论证也完全可以搬到数域P上的抽象的线性空间中，并得到相同的结论．我们不再重复，将常用的结论叙述如下．

(1) 单个向量$\boldsymbol{\alpha}$线性相关的充要条件是$\boldsymbol{\alpha}=0$．两个以上的向量组$\boldsymbol{\alpha}_1,\boldsymbol{\alpha}_2,\cdots,\boldsymbol{\alpha}_r$线性相关的充要条件是：至少有一个向量是其余向量的线性组合．

(2) 如果向量组$\boldsymbol{\alpha}_1,\boldsymbol{\alpha}_2,\cdots,\boldsymbol{\alpha}_r$线性无关而且可以被$\boldsymbol{\beta}_1,\boldsymbol{\beta}_2,\cdots,\boldsymbol{\beta}_s$线性表出，那么$r\leqslant s$．由此推出，两个等价的线性无关的向量组必含有相同个数的向量．

(3) 如果向量组$\boldsymbol{\alpha}_1,\boldsymbol{\alpha}_2,\cdots,\boldsymbol{\alpha}_r$线性无关，而$\boldsymbol{\alpha}_1,\boldsymbol{\alpha}_2,\cdots,\boldsymbol{\alpha}_r,\boldsymbol{\beta}$线性相关，那么$\boldsymbol{\beta}$可以由$\boldsymbol{\alpha}_1,\boldsymbol{\alpha}_2,\cdots,\boldsymbol{\alpha}_r$线性表出，而且表示法唯一．

7.2.2 基、维数和坐标

在关于n维向量组的讨论中，其极大无关组具有重大的意义：向量组中的每一个向量都可以由它线性表出，它包含有最大个数的线性无关的向量．对于线性空间V这个向量组而言，它的极大无关组就是线性空间的基，它的秩就是线性空间的维数．V中向量在基下的表示称为坐标．

定义 7.2.4

在线性空间V中，向量$\boldsymbol{\varepsilon}_1,\boldsymbol{\varepsilon}_2,\cdots,\boldsymbol{\varepsilon}_n$称为$V$的一组基，如果满足以下条件：

(1) $\boldsymbol{\varepsilon}_1,\boldsymbol{\varepsilon}_2,\cdots,\boldsymbol{\varepsilon}_n$线性无关；

(2) V中任一向量$\boldsymbol{\alpha}$可以由$\boldsymbol{\varepsilon}_1,\boldsymbol{\varepsilon}_2,\cdots,\boldsymbol{\varepsilon}_n$线性表出，数$n$称为$V$的维数，记作$\dim V=n$．$V$称为$n$维线性空间．

如果线性空间V有一个由有限个向量构成的基或者只含零向量，那么称V为有限维向量空间．否则称为无限维向量空间．只含有零向量的线性空间(零空间)的维数规定为0．

无限维空间是一个专门研究的对象，与有限维空间有着较大的差别，但是前面讨论的向量的线性相关性只要不涉及维数和基，对无限维空间就同样成立．我们主要讨论有限维空间．

定义 7.2.5

设V是数域P上的一个线性空间，$\boldsymbol{\varepsilon}_1,\boldsymbol{\varepsilon}_2,\cdots,\boldsymbol{\varepsilon}_n$为$V$的一组基．$V$中任一向量$\boldsymbol{\alpha}$可由$\boldsymbol{\varepsilon}_1,\boldsymbol{\varepsilon}_2,\cdots,\boldsymbol{\varepsilon}_n$线性表出：

$$\boldsymbol{\alpha}=a_1\boldsymbol{\varepsilon}_1+a_2\boldsymbol{\varepsilon}_2+\cdots+a_n\boldsymbol{\varepsilon}_n,$$

其中系数$(a_1,a_2,\cdots,a_n)$被向量$\boldsymbol{\alpha}$和基$\boldsymbol{\varepsilon}_1,\boldsymbol{\varepsilon}_2,\cdots,\boldsymbol{\varepsilon}_n$唯一确定，这组数称作$\boldsymbol{\alpha}$在基$\boldsymbol{\varepsilon}_1,\boldsymbol{\varepsilon}_2,\cdots,\boldsymbol{\varepsilon}_n$下的坐标，记为$(a_1,a_2,\cdots,a_n)$．

定理 7.2.1

设V是一个n维线性空间，$\boldsymbol{\upsilon}_1,\boldsymbol{\upsilon}_2,\cdots,\boldsymbol{\upsilon}_n\in V$，则下列条件等价：

(1) $\boldsymbol{\upsilon}_1,\boldsymbol{\upsilon}_2,\cdots,\boldsymbol{\upsilon}_n$是$V$的一个基；

(2) $\boldsymbol{\upsilon}_1,\boldsymbol{\upsilon}_2,\cdots,\boldsymbol{\upsilon}_n$线性无关；

(3) V中每个向量都可由$\boldsymbol{\upsilon}_1,\boldsymbol{\upsilon}_2,\cdots,\boldsymbol{\upsilon}_n$线性表出．

证明 根据基的定义，我们只需要证明(2)与(3)等价．

(2)⇒(3)．先证V中任意$n+1$个向量都是线性相关的．设$\boldsymbol{\varepsilon}_1,\boldsymbol{\varepsilon}_2,\cdots,\boldsymbol{\varepsilon}_n$是$V$的一组基．若存在$n+1$个向量线性无关，这$n+1$个向量又可由$\boldsymbol{\varepsilon}_1,\boldsymbol{\varepsilon}_2,\cdots,\boldsymbol{\varepsilon}_n$线性表示，则$n+1\leqslant n$，显然矛盾．所以$V$中任意$n+1$个向量线性相关．故对于$\forall\boldsymbol{\alpha}\in V$，有$\boldsymbol{\alpha},\boldsymbol{\upsilon}_1,\boldsymbol{\upsilon}_2,\cdots,\boldsymbol{\upsilon}_n$线性相关，进而$\boldsymbol{\alpha}$可由$\boldsymbol{\upsilon}_1,\boldsymbol{\upsilon}_2,\cdots,\boldsymbol{\upsilon}_n$线性表出．

(3)⇒(2)．若$\boldsymbol{\upsilon}_1,\boldsymbol{\upsilon}_2,\cdots,\boldsymbol{\upsilon}_n$线性相关，则至少存在一个向量可由其他的$n-1$个向量线性表出．又$V$的一组基$\boldsymbol{\varepsilon}_1,\boldsymbol{\varepsilon}_2,\cdots,\boldsymbol{\varepsilon}_n$可由$\boldsymbol{\upsilon}_1,\boldsymbol{\upsilon}_2,\cdots,\boldsymbol{\upsilon}_n$线性表示，进而可由这$n-1$个向量线性表出，则$n\leqslant n-1$，矛盾．所以$\boldsymbol{\upsilon}_1,\boldsymbol{\upsilon}_2,\cdots,\boldsymbol{\upsilon}_n$线性无关．

例 7.2.1 在线性空间$P[x]_n$中，

$$1,x,x^2,\cdots,x^{n-1}$$

是n个线性无关的向量，而且每一个次数小于n的数域P上的多项式都可以被它们线性表出，所以$P[x]_n$是n维的，$1,x,x^2,\cdots,x^{n-1}$就是一组基．

如果取它的另外一组基

$$\boldsymbol{\varepsilon}_1'=1,\boldsymbol{\varepsilon}_2'=(x-a),\cdots,\boldsymbol{\varepsilon}_n'=(x-a)^{n-1}\quad(\text{其中}a\neq 0)$$

那么根据泰勒展开式

$$f(x)=f(a)+f'(a)(x-a)+\cdots+\frac{f^{(n-1)}(a)}{(n-1)!}(x-a)^{n-1}$$

因此$f(x)$在这组基下的坐标是

$$\left(f(a),f'(a),\cdots,\frac{f^{(n-1)}(a)}{(n-1)!}\right)$$

即同一个向量在两组基下的坐标不同．

例 7.2.2 在n维向量空间P^n中，显然

$$\begin{cases}\boldsymbol{\varepsilon}_1=(1,0,\cdots,0),\\ \boldsymbol{\varepsilon}_2=(0,1,\cdots,0),\\ \qquad\cdots\cdots\\ \boldsymbol{\varepsilon}_n=(0,0,\cdots,1)\end{cases}$$

是一组基．对于每一个向量$\boldsymbol{\alpha}=(a_1,a_2,\cdots,a_n)$，都有

$$\boldsymbol{\alpha}=a_1\boldsymbol{\varepsilon}_1+a_2\boldsymbol{\varepsilon}_2+\cdots+a_n\boldsymbol{\varepsilon}_n$$

所以$(a_1,a_2,\cdots,a_n)$就是向量$\boldsymbol{\alpha}$在这组基下的坐标．

例 7.2.3 在线性空间$P^{s\times n}p$中，显然$\boldsymbol{E}_{ij}(i=1,2,\cdots,s;j=1,2,\cdots,n)$是一组基．对于每个向量$\boldsymbol{A}=(a_{ij})_{sn}$，有

$$\boldsymbol{A}=\sum_{i=1}^{s}\sum_{j=1}^{n}a_{ij}\boldsymbol{E}_{ij}$$

所以$\dim(P^{s\times n})=sn$．$(a_{11},a_{12},\cdots,a_{1n},a_{21},\cdots,a_{2n},\cdots,a_{n1},a_{n2},\cdots,a_{sn})$是向量$\boldsymbol{A}=(a_{ij})_{s\times n}$在这组基下的坐标．

例 7.2.4 如果把复数域K看作是自身上的线性空间，那么它是一维的，数 1 就是一组基．如果把复数看作是实数域上的线性空间，那么就是二维的，数 1 与 i 就是一组基．这个例子告诉我们，维数与所考虑的数域有关．

例 7.2.5 求数域

$$\mathbf{Q}(\sqrt{2},\sqrt{5})=\{a+b\sqrt{2}+c\sqrt{5}+d\sqrt{10}\,|\,a,b,c,d\in\text{有理数域}\mathbf{Q}\}$$

作为有理数域$\mathbf{Q}$上线性空间的维数和一组基.

解 首先可以验证$\mathbf{Q}(\sqrt{2},\sqrt{5})$是一个数域，且可以证明它是有理数域$\mathbf{Q}$上的线性空间. 只要证明$1,\sqrt{2},\sqrt{5},\sqrt{10}$线性无关，则可知它就是一组基，此线性空间的维数即为 4. 如何证明$1,\sqrt{2},\sqrt{5},\sqrt{10}$线性无关留给读者证明.

例 7.2.6 设V是复数域 C 上的n维线性空间. 证明V关于其向量加法及与实数的数乘成为实数域上的$2n$维线性空间.

证明 V关于其已有的加法及与实数的数乘显然成为实数域$\mathbf{R}$上的线性空间(因为限制在实数域$\mathbf{R}$内八条运算法则仍然成立). 现设$\boldsymbol{\alpha}_1,\boldsymbol{\alpha}_2,\cdots,\boldsymbol{\alpha}_n$是$V$作为复数域$\mathbf{C}$上线性空间的一组基. 现证明向量组$\boldsymbol{\alpha}_1,\boldsymbol{\alpha}_2,\cdots,\boldsymbol{\alpha}_n,\mathrm{i}\boldsymbol{\alpha}_1,\mathrm{i}\boldsymbol{\alpha}_2,\cdots,\mathrm{i}\boldsymbol{\alpha}_n$在实数域$\mathbf{R}$上线性无关. 设

$$a_1\boldsymbol{\alpha}_1+a_2\boldsymbol{\alpha}_2+\cdots+a_n\boldsymbol{\alpha}_n+b_1\mathrm{i}\boldsymbol{\alpha}_1+b_2\mathrm{i}\boldsymbol{\alpha}_2+\cdots+b_n\mathrm{i}\boldsymbol{\alpha}_n=0,\quad a_i,b_i\in\mathbf{R}$$

因为V是复数域$\mathbf{C}$上的n维线性空间，所以对任意实数a，b及$\boldsymbol{\alpha}\in V$，$a\boldsymbol{\alpha}+b(\mathrm{i}\boldsymbol{\alpha})$与$(a+b\mathrm{i})\boldsymbol{\alpha}$是$V$内同一个向量. 那么

$$(a_1+b_1\mathrm{i})\boldsymbol{\alpha}_1+(a_2+b_2\mathrm{i})\boldsymbol{\alpha}_2+\cdots+(a_n+b_n\mathrm{i})\boldsymbol{\alpha}_n=\mathbf{0}$$

因$\boldsymbol{\alpha}_1,\boldsymbol{\alpha}_2,\cdots,\boldsymbol{\alpha}_n$作为复数域$\mathbf{C}$上线性空间的线性无关的向量组，故

$$a_1+b_1\mathrm{i}=a_2+b_2\mathrm{i}=\cdots=a_n+b_n\mathrm{i}=0$$

从而$a_1=b_1=a_2=b_2=\cdots=a_n=b_n=0$. 即向量组$\boldsymbol{\alpha}_1,\boldsymbol{\alpha}_2,\cdots,\boldsymbol{\alpha}_n,\mathrm{i}\boldsymbol{\alpha}_1,\mathrm{i}\boldsymbol{\alpha}_2,\cdots,\mathrm{i}\boldsymbol{\alpha}_n$在实数域$\mathbf{R}$上线性无关.

对任意$\boldsymbol{\alpha}\in V$，有

$$\begin{aligned}\boldsymbol{\alpha}&=(a_1+b_1\mathrm{i})\boldsymbol{\alpha}_1+(a_2+b_2\mathrm{i})\boldsymbol{\alpha}_2+\cdots+(a_n+b_n\mathrm{i})\boldsymbol{\alpha}_n\\&=a_1\boldsymbol{\alpha}_1+a_2\boldsymbol{\alpha}_2+\cdots+a_n\boldsymbol{\alpha}_n+b_1(\mathrm{i}\boldsymbol{\alpha}_1)+b_2(\mathrm{i}\boldsymbol{\alpha}_2)+\cdots+b_n(\mathrm{i}\boldsymbol{\alpha}_n)\end{aligned}$$

即$\boldsymbol{\alpha}$可表示为$\boldsymbol{\alpha}_1,\boldsymbol{\alpha}_2,\cdots,\boldsymbol{\alpha}_n,\mathrm{i}\boldsymbol{\alpha}_1,\mathrm{i}\boldsymbol{\alpha}_2,\cdots,\mathrm{i}\boldsymbol{\alpha}_n$的实系数的线性组合. 这表明$V$作为实数域$\mathbf{R}$上的线性空间中$\boldsymbol{\alpha}_1,\boldsymbol{\alpha}_2,\cdots,\boldsymbol{\alpha}_n,\mathrm{i}\boldsymbol{\alpha}_1,\mathrm{i}\boldsymbol{\alpha}_2,\cdots,\mathrm{i}\boldsymbol{\alpha}_n$可以为一组基，从而$V$作为实数域$\mathbf{R}$上的线性空间是$2n$维.

7.3 基变换与坐标变换

在n维线性空间中，任意n个线性无关的向量都可以作为线性空间的基. 当然，一个向量在不同的基下的坐标一般不相同. 这在 7.2 节已经看到了. 下面研究随着基的变化同一向量的坐标是如何变化的?

设$\boldsymbol{\varepsilon}_1,\boldsymbol{\varepsilon}_2,\cdots,\boldsymbol{\varepsilon}_n$与$\boldsymbol{\varepsilon}_1',\boldsymbol{\varepsilon}_2',\cdots,\boldsymbol{\varepsilon}_n'$是$n$维线性空间$V$中的两组基，将$\boldsymbol{\varepsilon}_1,\boldsymbol{\varepsilon}_2,\cdots,\boldsymbol{\varepsilon}_n$表示成$\boldsymbol{\varepsilon}_1',\boldsymbol{\varepsilon}_2',\cdots,\boldsymbol{\varepsilon}_n'$的线性组合，系数如下:

$$\begin{cases}\boldsymbol{\varepsilon}_1'=a_{11}\boldsymbol{\varepsilon}_1+a_{21}\boldsymbol{\varepsilon}_2+\cdots+a_{n1}\boldsymbol{\varepsilon}_n,\\\boldsymbol{\varepsilon}_2'=a_{12}\boldsymbol{\varepsilon}_1+a_{22}\boldsymbol{\varepsilon}_2+\cdots+a_{n2}\boldsymbol{\varepsilon}_n,\\\qquad\cdots\cdots\\\boldsymbol{\varepsilon}_n'=a_{1n}\boldsymbol{\varepsilon}_1+a_{2n}\boldsymbol{\varepsilon}_2+\cdots+a_{nn}\boldsymbol{\varepsilon}_n\end{cases}\tag{7.3.1}$$

令

$$\boldsymbol{A}=\begin{pmatrix} a_{11} & a_{12} & \cdots & a_{1n} \\ a_{21} & a_{22} & \cdots & a_{2n} \\ \vdots & \vdots & & \vdots \\ a_{n1} & a_{n2} & \cdots & a_{nn} \end{pmatrix}$$

则

$$(\boldsymbol{\varepsilon}_1',\boldsymbol{\varepsilon}_2',\cdots,\boldsymbol{\varepsilon}_n')=(\boldsymbol{\varepsilon}_1,\boldsymbol{\varepsilon}_2,\cdots,\boldsymbol{\varepsilon}_n)\begin{pmatrix} a_{11} & a_{12} & \cdots & a_{1n} \\ a_{21} & a_{22} & \cdots & a_{2n} \\ \vdots & \vdots & & \vdots \\ a_{n1} & a_{n2} & \cdots & a_{nn} \end{pmatrix} \tag{7.3.2}$$

称矩阵 $\boldsymbol{A}$ 为由基 $\boldsymbol{\varepsilon}_1,\boldsymbol{\varepsilon}_2,\cdots,\boldsymbol{\varepsilon}_n$ 到 $\boldsymbol{\varepsilon}_1',\boldsymbol{\varepsilon}_2',\cdots,\boldsymbol{\varepsilon}_n'$ 的过渡矩阵. 向量 $\boldsymbol{\varepsilon}_1',\boldsymbol{\varepsilon}_2',\cdots,\boldsymbol{\varepsilon}_n'$ 的线性无关性就保证了式(7.3.2)中系数矩阵的行列式不为零, 即过渡矩阵 $\boldsymbol{A}$ 可逆. 此外, 对于任意 n 阶可逆方阵 $\boldsymbol{A}$ 且 $\boldsymbol{\varepsilon}_1,\boldsymbol{\varepsilon}_2,\cdots,\boldsymbol{\varepsilon}_n$ 为 n 维线性空间 V 中的一组基, 则 $(\boldsymbol{\varepsilon}_1,\boldsymbol{\varepsilon}_2,\cdots,\boldsymbol{\varepsilon}_n)\ \boldsymbol{A}$ 也是 n 维线性空间 V 中的一组基.

设向量 $\boldsymbol{\xi}$ 在这两组基下的坐标分别是 $(x_1,x_2,\cdots,x_n)$ 与 $(x_1',x_2',\cdots,x_n')$, 即

$$\boldsymbol{\xi}=x_1\boldsymbol{\varepsilon}_1+x_2\boldsymbol{\varepsilon}_2+\cdots+x_n\boldsymbol{\varepsilon}_n=x_1'\boldsymbol{\varepsilon}_1'+x_2'\boldsymbol{\varepsilon}_2'+\cdots+x_n'\boldsymbol{\varepsilon}_n' \tag{7.3.3}$$

现在找出 $(x_1,x_2,\cdots,x_n)$ 与 $(x_1',x_2',\cdots,x_n')$ 的关系.

将基看作一个 $1\times n$ 矩阵, 利用矩阵乘法有

$$\boldsymbol{\xi}=(\boldsymbol{\varepsilon}_1,\boldsymbol{\varepsilon}_2,\cdots,\boldsymbol{\varepsilon}_n)\begin{pmatrix} x_1 \\ x_2 \\ \vdots \\ x_n \end{pmatrix},\quad \boldsymbol{\xi}=(\boldsymbol{\varepsilon}_1',\boldsymbol{\varepsilon}_2',\cdots,\boldsymbol{\varepsilon}_n')\begin{pmatrix} x_1' \\ x_2' \\ \vdots \\ x_n' \end{pmatrix} \tag{7.3.4}$$

将 7.3.2 代入, 得

$$(\boldsymbol{\varepsilon}_1,\boldsymbol{\varepsilon}_2,\cdots,\boldsymbol{\varepsilon}_n)\begin{pmatrix} x_1 \\ x_2 \\ \vdots \\ x_n \end{pmatrix}=(\boldsymbol{\varepsilon}_1,\boldsymbol{\varepsilon}_2,\cdots,\boldsymbol{\varepsilon}_n)\begin{pmatrix} a_{11} & a_{12} & \cdots & a_{1n} \\ a_{21} & a_{22} & \cdots & a_{2n} \\ \vdots & \vdots & & \vdots \\ a_{n1} & a_{n2} & \cdots & a_{nn} \end{pmatrix}\begin{pmatrix} x_1' \\ x_2' \\ \vdots \\ x_n' \end{pmatrix}$$

根据基向量 $\boldsymbol{\varepsilon}_1,\boldsymbol{\varepsilon}_2,\cdots,\boldsymbol{\varepsilon}_n$ 的线性无关性, 得到

$$\begin{pmatrix} x_1 \\ x_2 \\ \vdots \\ x_n \end{pmatrix}=\begin{pmatrix} a_{11} & a_{12} & \cdots & a_{1n} \\ a_{21} & a_{22} & \cdots & a_{2n} \\ \vdots & \vdots & & \vdots \\ a_{n1} & a_{n2} & \cdots & a_{nn} \end{pmatrix}\begin{pmatrix} x_1' \\ x_2' \\ \vdots \\ x_n' \end{pmatrix} \tag{7.3.5}$$

或者

$$\begin{pmatrix} x_1' \\ x_2' \\ \vdots \\ x_n' \end{pmatrix}=\begin{pmatrix} a_{11} & a_{12} & \cdots & a_{1n} \\ a_{21} & a_{22} & \cdots & a_{2n} \\ \vdots & \vdots & & \vdots \\ a_{n1} & a_{n2} & \cdots & a_{nn} \end{pmatrix}^{-1}\begin{pmatrix} x_1 \\ x_2 \\ \vdots \\ x_n \end{pmatrix} \tag{7.3.6}$$

式(7.3.5)或式(7.3.6)称为向量的坐标变换公式.

例 7.3.1 在例 7.2.2 中我们给出了一组基, 并给出任意向量在该组基下的坐标. 现在考虑

另一组基

$$\begin{cases}\boldsymbol{\varepsilon}_1'=(1,1,\cdots,1),\\ \boldsymbol{\varepsilon}_2'=(0,1,\cdots,1),\\ \qquad\cdots\cdots\\ \boldsymbol{\varepsilon}_n'=(0,0,\cdots,1)\end{cases}$$

不难得出

$$(\boldsymbol{\varepsilon}_1',\boldsymbol{\varepsilon}_2',\cdots,\boldsymbol{\varepsilon}_n')=(\boldsymbol{\varepsilon}_1,\boldsymbol{\varepsilon}_2,\cdots,\boldsymbol{\varepsilon}_n)\begin{pmatrix}1&0&\cdots&0\\1&1&\cdots&0\\\vdots&\vdots&&\vdots\\1&1&\cdots&1\end{pmatrix}$$

由基 $\boldsymbol{\varepsilon}_1,\boldsymbol{\varepsilon}_2,\cdots,\boldsymbol{\varepsilon}_n$ 到基 $\boldsymbol{\varepsilon}_1',\boldsymbol{\varepsilon}_2',\cdots,\boldsymbol{\varepsilon}_n'$ 的过渡矩阵为

$$\boldsymbol{A}=\begin{pmatrix}1&0&\cdots&0\\1&1&\cdots&0\\\vdots&\vdots&&\vdots\\1&1&\cdots&1\end{pmatrix}$$

所以任意向量 $\boldsymbol{\alpha}=(a_1,a_2,\cdots,a_n)$ 在基 $(\boldsymbol{\varepsilon}_1',\boldsymbol{\varepsilon}_2',\cdots,\boldsymbol{\varepsilon}_n')$ 下的坐标为

$$\begin{pmatrix}x_1'\\x_2'\\x_3'\\\vdots\\x_n'\end{pmatrix}=\begin{pmatrix}1&0&0&\cdots&0\\1&1&0&\cdots&0\\1&1&1&\cdots&0\\\vdots&\vdots&\vdots&&\vdots\\1&1&1&\cdots&1\end{pmatrix}^{-1}\begin{pmatrix}a_1\\a_2\\a_3\\\vdots\\a_n\end{pmatrix}=\begin{pmatrix}1&0&0&\cdots&0\\-1&1&0&\cdots&0\\0&-1&1&\cdots&0\\\vdots&\vdots&\vdots&&\vdots\\0&0&0&\cdots&1\end{pmatrix}\begin{pmatrix}a_1\\a_2\\a_3\\\vdots\\a_n\end{pmatrix}$$

也就是

$$x_1'=a_1,\quad x_i'=a_i-a_{i-1}\quad(i=2,\cdots,n)$$

例 7.3.2 在 $P[x]_3$ 中取定两组基 A：$x^2,x,1$ 和 B：$2,(x+1)^2,(x-1)^2$，求由基 $x^2,x,1$ 到基 $2,(x+1)^2,(x-1)^2$ 的过渡矩阵，并求 $f(x)=2x^2+8x-2$ 在两组基下的坐标.

解

$$\begin{cases}2=2,\\(x+1)^2=x^2+2x+1,\\(x-1)^2=x^2-2x+1\end{cases}$$

故得

$$\left(2,(x+1)^2,(x-1)^2\right)=\left(x^2,x,1\right)\begin{pmatrix}0&1&1\\0&2&-2\\2&1&1\end{pmatrix}$$

所以过渡矩阵为

$$\begin{pmatrix}0&1&1\\0&2&-2\\2&1&1\end{pmatrix}$$

因为

$$f(x)=2x^2+8x-2=(x^2,x,1)\begin{pmatrix}2\\8\\-2\end{pmatrix}$$

即 $f(x)$ 在基 $x^2,x,1$ 下的坐标为 $(2,8,-2)$. 因为

$$\begin{pmatrix}0&1&1\\0&2&-2\\2&1&1\end{pmatrix}^{-1}\begin{pmatrix}2\\8\\-2\end{pmatrix}=\begin{pmatrix}-2\\3\\-1\end{pmatrix}$$

所以 $f(x)$ 在基 $2,(x+1)^2,(x-1)^2$ 下的坐标为 $(-2,3,-1)$.

例 7.3.3 在三维向量空间 P^3 中给定两组基

$\boldsymbol{\varepsilon}_1=(1,0,-1)$, $\boldsymbol{\varepsilon}_2=(2,1,1)$, $\boldsymbol{\varepsilon}_3=(1,1,1)$;

$\boldsymbol{\eta}_1=(0,1,1)$, $\boldsymbol{\eta}_2=(-1,1,0)$, $\boldsymbol{\eta}_3=(1,2,1)$,

求基 $\boldsymbol{\varepsilon}_1,\boldsymbol{\varepsilon}_2,\boldsymbol{\varepsilon}_3$ 到 $\boldsymbol{\eta}_1,\boldsymbol{\eta}_2,\boldsymbol{\eta}_3$ 的过渡矩阵 $\boldsymbol{A}$.

解 分别以 $\boldsymbol{\varepsilon}_1,\boldsymbol{\varepsilon}_2,\boldsymbol{\varepsilon}_3$ 和 $\boldsymbol{\eta}_1,\boldsymbol{\eta}_2,\boldsymbol{\eta}_3$ 作列向量形成矩阵 $\boldsymbol{B}_1$ 和 $\boldsymbol{B}_2$:

$$\boldsymbol{B}_1=\begin{pmatrix}1&2&1\\0&1&1\\-1&1&1\end{pmatrix},\quad \boldsymbol{B}_2=\begin{pmatrix}0&-1&1\\1&1&2\\1&0&1\end{pmatrix}$$

设由基 $\boldsymbol{\varepsilon}_1,\boldsymbol{\varepsilon}_2,\boldsymbol{\varepsilon}_3$ 到 $\boldsymbol{\eta}_1,\boldsymbol{\eta}_2,\boldsymbol{\eta}_3$ 的过渡矩阵为 $\boldsymbol{A}$, 满足 $(\boldsymbol{\eta}_1,\boldsymbol{\eta}_2,\boldsymbol{\eta}_3)=(\boldsymbol{\varepsilon}_1,\boldsymbol{\varepsilon}_2,\boldsymbol{\varepsilon}_3)\boldsymbol{A}$. 作初等行变换如下:

$$(\boldsymbol{B}_1,\boldsymbol{B}_2)=\begin{pmatrix}1&2&1&0&-1&1\\0&1&1&1&1&2\\-1&1&1&1&0&1\end{pmatrix}$$

$$\to\begin{pmatrix}1&2&1&0&-1&1\\0&1&1&1&1&2\\0&3&2&1&-1&2\end{pmatrix}$$

$$\to\begin{pmatrix}1&2&1&0&-1&1\\0&1&1&1&1&2\\0&0&-1&-2&-4&-4\end{pmatrix}$$

$$\cdots\cdots$$

$$\to\begin{pmatrix}1&0&0&0&1&1\\0&1&0&-1&-3&-2\\0&0&0&2&4&4\end{pmatrix}$$

于是

$$\boldsymbol{A}=\boldsymbol{B}_1^{-1}\boldsymbol{B}_2=\begin{pmatrix}0&1&1\\-1&-3&-2\\2&4&4\end{pmatrix}.$$

上面提供了在 P^n 中求两组基之间的过渡矩阵的一般性方法, 它是利用矩阵乘法的原理, 而矩阵乘法又来源于线性方程组. 上面的方法就是同时求解 n 个线性方程组, 它们的系数矩阵是同

一个满秩方阵 $\boldsymbol{B}_1$，总可以用初等行变换(注意解线性方程组只能作行变换，不能作列变换)化为 $\boldsymbol{E}$.

7.4 线性子空间

数域 P 上的线性空间 V 是一个由向量构成的集合，则它有许多的子集合. 这些子集合按照 V 的两种运算是否也构成数域 P 上的线性空间呢？这是我们这一节要讨论的问题.

7.4.1 线性子空间的定义

定义 7.4.1

数域 P 上的线性空间 V 的一个非空子集合 W 称为 V 的一个线性子空间(或简称子空间)，如果 W 对于 V 的加法与数乘运算也能构成数域 P 上的一个线性空间(即 W 对于 V 的加法与数乘运算是封闭的).

那么一个非空子集合要满足什么条件才能成为子空间？

设 W 是一个非空子集合. 因为 V 是线性空间，所以对于原有的两种运算，W 中的向量满足线性空间定义中的(1)，(2)，(5)，(6)，(7)，(8)是显然的，主要看是否满足两种运算的封闭性以及(3)与(4)两个规则，即

(1) $\boldsymbol{\alpha} \in W \Rightarrow k\boldsymbol{\alpha} \in W$，其中 $k \in P$；

(2) $\boldsymbol{\alpha},\boldsymbol{\beta} \in W \Rightarrow \boldsymbol{\alpha}+\boldsymbol{\beta} \in W$；

(3) $\mathbf{0} \in W$；

(4) $\boldsymbol{\alpha} \in W \Rightarrow -\boldsymbol{\alpha} \in W$.

上述四个条件中的后两个是多余的，它们是第一个条件 k 取 $0,-1$ 时的特殊情形.

定理 7.4.1

如果数域 P 上的线性空间 V 的一个非空集合 W 对于 V 的两种运算满足以下条件，那么 W 就是一个子空间.

(1) 任意 $\boldsymbol{\alpha},\boldsymbol{\beta} \in W \Rightarrow \boldsymbol{\alpha}+\boldsymbol{\beta} \in W$；

(2) 任意 $\boldsymbol{\alpha} \in W \Rightarrow k\boldsymbol{\alpha} \in W$，其中 $k \in P$.

既然线性子空间是线性空间，前面引入的概念，如维数、基、坐标等，当然也可以应用到线性子空间上. 只不过，因为线性子空间中不可能比整个空间中有更多数目线性无关的向量，所以线性子空间的维数不超过整个空间的维数.

例 7.4.1 在线性空间中，由单个的零向量所组成的子集合是一个线性子空间，它叫作零子空间.

例 7.4.2 线性空间 V 本身也是 V 的一个子空间.

零子空间和线性空间本身这两个子空间有时候叫作 V 的**平凡子空间**，而其他的线性子空间叫作非平凡子空间.

例 7.4.3 在全体实函数构成的线性空间中，所有的实系数多项式组成一个子空间.

例 7.4.4 $P[x]_n$ 是线性空间 $P[x]$ 的子空间.

例 7.4.5 在线性空间 P^n 中，齐次线性方程组

$$\begin{cases} a_{11}x_1 + a_{12}x_2 + \cdots + a_{1n}x_n = 0, \\ a_{21}x_1 + a_{22}x_2 + \cdots + a_{2n}x_n = 0, \\ \qquad\cdots\cdots \\ a_{s1}x_1 + a_{s2}x_2 + \cdots + a_{sn}x_n = 0 \end{cases}$$

的全部解向量组成一个子空间，这个子空间叫作齐次线性方程组的解空间. 解空间的基就是方程组的基础解系，维数是 $n-r$（其中 r 为系数矩阵的秩）.

例 7.4.6 在线性空间 $P^{n\times n}$ 中，所有对角矩阵组成的集合 W_1，所有上三角形矩阵组成的集合 W_2 及所有下三角形矩阵组成的集合 W_3 都是 $P^{n\times n}$ 的子空间.

7.4.2 生成子空间

数域 P 上的线性空间 V 中的每个向量 $\boldsymbol{\alpha}$ 都可表示成一个基 $\boldsymbol{\varepsilon}_1,\boldsymbol{\varepsilon}_2,\cdots,\boldsymbol{\varepsilon}_n$ 的线性组合，即

$$\boldsymbol{\alpha} = k_1\boldsymbol{\varepsilon}_1 + k_2\boldsymbol{\varepsilon}_2 + \cdots + k_n\boldsymbol{\varepsilon}_n$$

或者，V 是由 $\boldsymbol{\varepsilon}_1,\boldsymbol{\varepsilon}_2,\cdots,\boldsymbol{\varepsilon}_n$ 的所有可能的线性组合构成的集合.

设 $\boldsymbol{\alpha}_1,\boldsymbol{\alpha}_2,\cdots,\boldsymbol{\alpha}_r$ 是数域 P 上的线性空间 V 中一组向量，这组向量所有可能的线性组合

$$k_1\boldsymbol{\alpha}_1 + k_2\boldsymbol{\alpha}_2 + \cdots + k_r\boldsymbol{\alpha}_r$$

所组成的集合是非空的，而且对两种运算封闭，因而是 V 的一个子空间. 我们将此称为由 $\boldsymbol{\alpha}_1,\boldsymbol{\alpha}_2,\cdots,\boldsymbol{\alpha}_r$ 生成的子空间，记作

$$L(\boldsymbol{\alpha}_1,\boldsymbol{\alpha}_2,\cdots,\boldsymbol{\alpha}_r)$$

由子空间的定义，若 V 的某个子空间包含向量组 $\boldsymbol{\alpha}_1,\boldsymbol{\alpha}_2,\cdots,\boldsymbol{\alpha}_r$，那么就一定包含这个向量组所有的线性组合，即一定包含 $L(\boldsymbol{\alpha}_1,\boldsymbol{\alpha}_2,\cdots,\boldsymbol{\alpha}_r)$ 作为子空间.

而且，对有限维线性空间而言，任何一个子空间都可以这样得到. 事实上，设 W 是 V 的一个子空间（W 自然也是有限维的），并设 $\boldsymbol{\alpha}_1,\boldsymbol{\alpha}_2,\cdots,\boldsymbol{\alpha}_r$ 是 W 的一组基，有

$$W = L(\boldsymbol{\alpha}_1,\boldsymbol{\alpha}_2,\cdots,\boldsymbol{\alpha}_r)$$

7.4.3 生成子空间的有关结果

生成子空间 $W = L(\boldsymbol{\alpha}_1,\boldsymbol{\alpha}_2,\cdots,\boldsymbol{\alpha}_r)$ 由向量组 $\boldsymbol{\alpha}_1,\boldsymbol{\alpha}_2,\cdots,\boldsymbol{\alpha}_r$ 的线性组合构成. 所以向量组 $\boldsymbol{\alpha}_1,\boldsymbol{\alpha}_2,\cdots,\boldsymbol{\alpha}_r$ 包含了空间 $W = L(\boldsymbol{\alpha}_1,\boldsymbol{\alpha}_2,\cdots,\boldsymbol{\alpha}_r)$ 的一组基. $\boldsymbol{\alpha}_1,\boldsymbol{\alpha}_2,\cdots,\boldsymbol{\alpha}_r$ 的一个极大无关组就是空间 $W = L(\boldsymbol{\alpha}_1,\boldsymbol{\alpha}_2,\cdots,\boldsymbol{\alpha}_r)$ 的一个基. 而向量组与它的一个极大无关组等价，由上面的讨论看来，由向量组本身生成的子空间和由它的一个极大无关组生成的子空间是相等的，我们自然要问相互等价的两个向量组生成的子空间是否相等？

定理 7.4.2

(1) 两个向量组生成相同子空间的充要条件是这两个向量组等价.

(2) $L(\boldsymbol{\alpha}_1,\boldsymbol{\alpha}_2,\cdots,\boldsymbol{\alpha}_r)$ 的维数等于向量组 $\boldsymbol{\alpha}_1,\boldsymbol{\alpha}_2,\cdots,\boldsymbol{\alpha}_r$ 的秩.

证明 (1) 设有两个向量组 $\boldsymbol{\alpha}_1,\boldsymbol{\alpha}_2,\cdots,\boldsymbol{\alpha}_r$ 和 $\boldsymbol{\beta}_1,\boldsymbol{\beta}_2,\cdots,\boldsymbol{\beta}_s$. 如果它们等价, 那么 $\boldsymbol{\alpha}_1,\boldsymbol{\alpha}_2,\cdots,\boldsymbol{\alpha}_r$ 中的每个向量可由 $\boldsymbol{\beta}_1,\boldsymbol{\beta}_2,\cdots,\boldsymbol{\beta}_s$ 线性表出, 进而 $L(\boldsymbol{\alpha}_1,\boldsymbol{\alpha}_2,\cdots,\boldsymbol{\alpha}_r)$ 中的每个向量可由 $\boldsymbol{\beta}_1,\boldsymbol{\beta}_2,\cdots,\boldsymbol{\beta}_s$ 线性表出, 所以 $L(\boldsymbol{\alpha}_1,\boldsymbol{\alpha}_2,\cdots,\boldsymbol{\alpha}_r)$ 是 $L(\boldsymbol{\beta}_1,\boldsymbol{\beta}_2,\cdots,\boldsymbol{\beta}_s)$ 的子空间. 反之也成立. 所以 $L(\boldsymbol{\beta}_1,\boldsymbol{\beta}_2,\cdots,\boldsymbol{\beta}_s)=L(\boldsymbol{\alpha}_1,\boldsymbol{\alpha}_2,\cdots,\boldsymbol{\alpha}_r)$.

如果 $L(\boldsymbol{\beta}_1,\boldsymbol{\beta}_2,\cdots,\boldsymbol{\beta}_s)=L(\boldsymbol{\alpha}_1,\boldsymbol{\alpha}_2,\cdots,\boldsymbol{\alpha}_r)$. 向量组 $\boldsymbol{\alpha}_1,\boldsymbol{\alpha}_2,\cdots,\boldsymbol{\alpha}_r$ 包含在线性空间 $L(\boldsymbol{\beta}_1,\boldsymbol{\beta}_2,\cdots,\boldsymbol{\beta}_s)$ 中, 所以可以由 $\boldsymbol{\beta}_1,\boldsymbol{\beta}_2,\cdots,\boldsymbol{\beta}_s$ 线性表出. 向量组 $\boldsymbol{\beta}_1,\boldsymbol{\beta}_2,\cdots,\boldsymbol{\beta}_s$ 包含在线性空间 $L(\boldsymbol{\alpha}_1,\boldsymbol{\alpha}_2,\cdots,\boldsymbol{\alpha}_r)$ 中, 所以可以由 $\boldsymbol{\alpha}_1,\boldsymbol{\alpha}_2,\cdots,\boldsymbol{\alpha}_r$ 线性表出. 即两个向量组等价.

(2) 不妨设 $\boldsymbol{\alpha}_1,\boldsymbol{\alpha}_2,\cdots,\boldsymbol{\alpha}_k$ 是 $\boldsymbol{\alpha}_1,\boldsymbol{\alpha}_2,\cdots,\boldsymbol{\alpha}_r$ 的一个极大无关组, 则这两个向量组等价, 由上一步的结果知 $L(\boldsymbol{\alpha}_1,\boldsymbol{\alpha}_2,\cdots,\boldsymbol{\alpha}_k)=L(\boldsymbol{\alpha}_1,\boldsymbol{\alpha}_2,\cdots,\boldsymbol{\alpha}_r)$. 根据定义, $\boldsymbol{\alpha}_1,\boldsymbol{\alpha}_2,\cdots,\boldsymbol{\alpha}_k$ 是 $L(\boldsymbol{\alpha}_1,\boldsymbol{\alpha}_2,\cdots,\boldsymbol{\alpha}_k)$ 的一个基, 也是 $L(\boldsymbol{\alpha}_1,\boldsymbol{\alpha}_2,\cdots,\boldsymbol{\alpha}_r)$ 的基. 即 $L(\boldsymbol{\alpha}_1,\boldsymbol{\alpha}_2,\cdots,\boldsymbol{\alpha}_r)$ 的维数等于向量组 $\boldsymbol{\alpha}_1,\boldsymbol{\alpha}_2,\cdots,\boldsymbol{\alpha}_r$ 的秩.

设 $\boldsymbol{\alpha}_1,\boldsymbol{\alpha}_2,\cdots,\boldsymbol{\alpha}_n$ 是 V 的一组基, 那么它的任何一个非平凡子空间都是这组基中的一些向量生成的子空间. 反过来, 由子空间的基怎样得到 V 的基呢?

定理 7.4.3 (基扩充定理)

设 W 是数域 P 上 n 维线性空间 V 的一个 m 维子空间, $\boldsymbol{\alpha}_1,\boldsymbol{\alpha}_2,\cdots,\boldsymbol{\alpha}_m$ 是 W 的一组基, 那么这组向量必可扩充为整个空间的基. 也就是说, 在 V 中必定可以找到 $n-m$ 个向量 $\boldsymbol{\alpha}_{m+1},\boldsymbol{\alpha}_{m+2},\cdots,\boldsymbol{\alpha}_n$ 使得 $\boldsymbol{\alpha}_1,\boldsymbol{\alpha}_2,\cdots,\boldsymbol{\alpha}_m,\boldsymbol{\alpha}_{m+1},\boldsymbol{\alpha}_{m+2},\cdots,\boldsymbol{\alpha}_n$ 是 V 的一组基.

证明 如果 $\forall\boldsymbol{\alpha}_{m+1}\in V$, $\boldsymbol{\alpha}_1,\boldsymbol{\alpha}_2,\cdots,\boldsymbol{\alpha}_m,\boldsymbol{\alpha}_{m+1}$ 都线性相关, 则 $\boldsymbol{\alpha}_{m+1}$ 可由 $\boldsymbol{\alpha}_1,\boldsymbol{\alpha}_2,\cdots,\boldsymbol{\alpha}_m$ 线性表出, 所以 $\boldsymbol{\alpha}_1,\boldsymbol{\alpha}_2,\cdots,\boldsymbol{\alpha}_m$ 是 V 的基, 且 $m=n$.

若 $\forall\boldsymbol{\alpha}_{m+1}\in V$, 使得 $\boldsymbol{\alpha}_1,\boldsymbol{\alpha}_2,\cdots,\boldsymbol{\alpha}_m,\boldsymbol{\alpha}_{m+1}$ 线性无关, 则 $L(\boldsymbol{\alpha}_1,\boldsymbol{\alpha}_2,\cdots,\boldsymbol{\alpha}_m,\boldsymbol{\alpha}_{m+1})$ 是 V 的子空间, $\boldsymbol{\alpha}_1,\boldsymbol{\alpha}_2,\cdots,\boldsymbol{\alpha}_m,\boldsymbol{\alpha}_{m+1}$ 是 $L(\boldsymbol{\alpha}_1,\boldsymbol{\alpha}_2,\cdots,\boldsymbol{\alpha}_m,\boldsymbol{\alpha}_{m+1})$ 的基. 由于 n 是有限的数, 重复以上过程即可得到 V 的基.

7.5 子空间的交与和

集合有交、和、并等运算, 我们当然想知道线性空间 V 的子空间的交、并、和是否还是子空间?

7.5.1 子空间的交与和

定理 7.5.1

设 V_1, V_2 是线性空间 V 的子空间, 则它们的交 $V_1\cap V_2$ 也是 V 的子空间.

证明 首先, 因为 $\mathbf{0}\in V_1$, $\mathbf{0}\in V_2$, 从而 $\mathbf{0}\in V_1\cap V_2$. 故 $V_1\cap V_2$ 是非空的. 其次, 若 $\boldsymbol{\alpha},\boldsymbol{\beta}\in V_1\cap V_2$, 即 $\boldsymbol{\alpha},\boldsymbol{\beta}\in V_1$ 且 $\boldsymbol{\alpha},\boldsymbol{\beta}\in V_2$, 则 $\boldsymbol{\alpha}+\boldsymbol{\beta}\in V_1$ 且 $\boldsymbol{\alpha}+\boldsymbol{\beta}\in V_2$, 所以 $\boldsymbol{\alpha}+\boldsymbol{\beta}\in V_1\cap V_2$. 最后, 若 $\boldsymbol{\alpha}\in V_1\cap V_2$, 即 $\boldsymbol{\alpha}\in V_1$ 且 $\boldsymbol{\alpha}\in V_2$, 则 $k\boldsymbol{\alpha}\in V_1$ 且 $k\boldsymbol{\alpha}\in V_2$, 所以 $k\boldsymbol{\alpha}\in V_1\cap V_2$. 根据子集合的定义得证.

根据集合交的定义知道, 子空间的交满足下列运算规律:

$$V_1\cap V_2=V_2\cap V_1 \quad \text{(交换律)}$$

$$(V_1\cap V_2)\cap V_3=V_1\cap(V_2\cap V_3) \quad \text{(结合律)}$$

由结合律, 还可以定义多个子空间的交:

$$V_1\cap V_2\cap\cdots\cap V_s=\bigcap_{i=1}^{s}V_i$$

它是子空间.

定义 7.5.1

设有线性空间 V 的两个子空间 V_1，V_2，所谓 V_1 与 V_2 的和，是指由所有能表示成 $\boldsymbol{\alpha}_1+\boldsymbol{\alpha}_2$（其中 $\boldsymbol{\alpha}_1\in V_1,\boldsymbol{\alpha}_2\in V_2$）的向量组成的子集合，记作 V_1+V_2，即

$$V_1+V_2=\{\boldsymbol{\alpha}_1+\boldsymbol{\alpha}_2\mid\boldsymbol{\alpha}_1\in V_1,\boldsymbol{\alpha}_2\in V_2\}$$

定理 7.5.2

如果 V_1，V_2 是线性空间 V 的子空间，那么它们的和 V_1+V_2 也是 V 的子空间.

证明 首先 V_1+V_2 显然是非空的. 其次，若 $\boldsymbol{\alpha},\boldsymbol{\beta}\in V_1+V_2$，即

$$\boldsymbol{\alpha}=\boldsymbol{\alpha}_1+\boldsymbol{\alpha}_2,\quad \boldsymbol{\alpha}_1\in V_1,\boldsymbol{\alpha}_2\in V_2$$
$$\boldsymbol{\beta}=\boldsymbol{\beta}_1+\boldsymbol{\beta}_2,\quad \boldsymbol{\beta}_1\in V_1,\boldsymbol{\beta}_2\in V_2$$

则有

$$\boldsymbol{\alpha}+\boldsymbol{\beta}=(\boldsymbol{\alpha}_1+\boldsymbol{\beta}_1)+(\boldsymbol{\alpha}_2+\boldsymbol{\beta}_2)$$

而

$$\boldsymbol{\alpha}_1+\boldsymbol{\beta}_1\in V_1\text{ 且 }\boldsymbol{\alpha}_2+\boldsymbol{\beta}_2\in V_2$$

所以

$$\boldsymbol{\alpha}+\boldsymbol{\beta}\in V_1+V_2$$

类似地，

$$k\boldsymbol{\alpha}=k\boldsymbol{\alpha}_1+k\boldsymbol{\alpha}_2\in V_1+V_2$$

根据子空间的定义，得证.

注意 V_1+V_2 与 $V_1\cup V_2$ 的不同之处，后者一般不是子空间. 根据定义，子空间的和满足下列运算规律:

$$V_1+V_2=V_2+V_1\quad\text{（交换律）}$$
$$(V_1+V_2)+V_3=V_1+(V_2+V_3)\quad\text{（结合律）}$$

由结合律，可以定义多个子空间的和

$$V_1+V_2+\cdots+V_s=\sum_{i=1}^{s}V_i$$

它是由所有表示成

$$\boldsymbol{\alpha}_1+\boldsymbol{\alpha}_2+\cdots+\boldsymbol{\alpha}_s,\quad \boldsymbol{\alpha}_i\in V_i\quad(i=1,2,\cdots,s)$$

的向量组成的子空间.

关于子空间的交与和有以下结论:

(1) 若 V_1,V_2,W 都是 V 的子空间，则

$$W\subset V_1,W\subset V_2\Rightarrow W\subset V_1\cap V_2,\qquad V_1\subset W,V_2\subset W\Rightarrow V_1+V_2\subset W.$$

(2) 对于子空间 V_1 与 V_2，以下三个论断等价:

(i) $V_1\subset V_2$;

(ii) $V_1 \cap V_2 = V_1$;

(iii) $V_1 + V_2 = V_2$.

这些结论的证明留给读者.

例 7.5.1 在三维几何中用 V_1 表示一条通过原点的直线，V_2 表示一张通过原点而且与 V_1 垂直的平面，那么 $V_1 \cap V_2 = \{\mathbf{0}\}, V_1 + V_2 = \mathbf{R}^3$.

例 7.5.2 在线性空间 P^n 中，用 V_1 与 V_2 分别表示齐次方程组

$$\begin{cases} a_{11}x_1 + a_{12}x_2 + \cdots + a_{1n}x_n = 0, \\ a_{21}x_1 + a_{22}x_2 + \cdots + a_{2n}x_n = 0, \\ \qquad \cdots\cdots \\ a_{s1}x_1 + a_{s2}x_2 + \cdots + a_{sn}x_n = 0 \end{cases}$$

与

$$\begin{cases} b_{11}x_1 + b_{12}x_2 + \cdots + b_{1n}x_n = 0, \\ b_{21}x_1 + b_{22}x_2 + \cdots + b_{2n}x_n = 0, \\ \qquad \cdots\cdots \\ b_{t1}x_1 + b_{t2}x_2 + \cdots + b_{tn}x_n = 0 \end{cases}$$

的解空间，那么 $V_1 \cap V_2$ 就是齐次方程组

$$\begin{cases} a_{11}x_1 + a_{12}x_2 + \cdots + a_{1n}x_n = 0, \\ \qquad \cdots\cdots \\ a_{s1}x_1 + a_{s2}x_2 + \cdots + a_{sn}x_n = 0, \\ b_{11}x_1 + b_{12}x_2 + \cdots + b_{1n}x_n = 0, \\ \qquad \cdots\cdots \\ b_{t1}x_1 + b_{t2}x_2 + \cdots + b_{tn}x_n = 0 \end{cases}$$

的解空间.

例 7.5.3 在一个线性空间 V 中，有

$$L(\boldsymbol{\alpha}_1, \boldsymbol{\alpha}_2, \cdots, \boldsymbol{\alpha}_s) + L(\boldsymbol{\beta}_1, \boldsymbol{\beta}_2, \cdots, \boldsymbol{\beta}_t) = L(\boldsymbol{\alpha}_1, \boldsymbol{\alpha}_2, \cdots, \boldsymbol{\alpha}_s, \boldsymbol{\beta}_1, \boldsymbol{\beta}_2, \cdots, \boldsymbol{\beta}_t)$$

7.5.2 维数公式

关于两个子空间的交与和的维数，有以下定理.

定理 7.5.3 (维数公式)

如果 V_1，V_2 是线性空间 V 的两个子空间，那么

$$\dim V_1 + \dim V_2 = \dim(V_1 + V_2) + \dim(V_1 \cap V_2)$$

证明 设 V_1，V_2 维数分别是 n_1，n_2，$V_1 \cap V_2$ 的维数是 m. 并设 $\boldsymbol{\alpha}_1, \boldsymbol{\alpha}_2, \cdots, \boldsymbol{\alpha}_m$ 是 $V_1 \cap V_2$ 的一个基. 若 $m = 0$，下面的讨论中 $\boldsymbol{\alpha}_1, \boldsymbol{\alpha}_2, \cdots, \boldsymbol{\alpha}_m$ 不出现，但是讨论同样能进行. 由 $\boldsymbol{\alpha}_1, \boldsymbol{\alpha}_2, \cdots, \boldsymbol{\alpha}_m$ 可以扩充成 V_1 的一个基

$$\boldsymbol{\alpha}_1, \boldsymbol{\alpha}_2, \cdots, \boldsymbol{\alpha}_m, \boldsymbol{\beta}_{m+1}, \boldsymbol{\beta}_{m+2}, \cdots, \boldsymbol{\beta}_{n_1}$$

也可以扩充成 V_2 的一个基

$$\boldsymbol{\alpha}_1,\boldsymbol{\alpha}_2,\cdots,\boldsymbol{\alpha}_m,\boldsymbol{\gamma}_{m+1},\boldsymbol{\gamma}_{m+2},\cdots,\boldsymbol{\gamma}_{n_2}$$

我们来证明，向量组

$$\boldsymbol{\alpha}_1,\boldsymbol{\alpha}_2,\cdots,\boldsymbol{\alpha}_m,\boldsymbol{\beta}_{m+1},\boldsymbol{\beta}_{m+2},\cdots,\boldsymbol{\beta}_{n_1},\boldsymbol{\gamma}_{m+1},\boldsymbol{\gamma}_{m+2},\cdots,\boldsymbol{\gamma}_{n_2}$$

是V_1+V_2的一个基. 这样维数公式就成立.

因为

$$V_1=L(\boldsymbol{\alpha}_1,\boldsymbol{\alpha}_2,\cdots,\boldsymbol{\alpha}_m,\boldsymbol{\beta}_{m+1},\boldsymbol{\beta}_{m+2},\cdots,\boldsymbol{\beta}_{n_1})$$
$$V_2=L(\boldsymbol{\alpha}_1,\boldsymbol{\alpha}_2,\cdots,\boldsymbol{\alpha}_m,\boldsymbol{\gamma}_{m+1},\boldsymbol{\gamma}_{m+2},\cdots,\boldsymbol{\gamma}_{n_2})$$

所以

$$V_1+V_2=L(\boldsymbol{\alpha}_1,\boldsymbol{\alpha}_2,\cdots,\boldsymbol{\alpha}_m,\boldsymbol{\beta}_{m+1},\boldsymbol{\beta}_{m+2},\cdots,\boldsymbol{\beta}_{n_1},\boldsymbol{\gamma}_{m+1},\boldsymbol{\gamma}_{m+2},\cdots,\boldsymbol{\gamma}_{n_2})$$

现在只需要证明向量组

$$\boldsymbol{\alpha}_1,\boldsymbol{\alpha}_2,\cdots,\boldsymbol{\alpha}_m,\boldsymbol{\beta}_{m+1},\boldsymbol{\beta}_{m+2},\cdots,\boldsymbol{\beta}_{n_1},\boldsymbol{\gamma}_{m+1},\boldsymbol{\gamma}_{m+2},\cdots,\boldsymbol{\gamma}_{n_2}$$

是线性无关的. 假设有等式

$$\begin{aligned}&k_1\boldsymbol{\alpha}_1+k_2\boldsymbol{\alpha}_2+\cdots+k_m\boldsymbol{\alpha}_m+p_{m+1}\boldsymbol{\beta}_{m+1}+p_{m+2}\boldsymbol{\beta}_{m+2}+\cdots+p_{n_1}\boldsymbol{\beta}_{n_1}\\&\quad+q_{m+1}\boldsymbol{\gamma}_{m+1}+q_{m+2}\boldsymbol{\gamma}_{m+2}+\cdots+q_{n_2}\boldsymbol{\gamma}_{n_2}=\mathbf{0}\end{aligned}$$

令

$$\begin{aligned}\boldsymbol{\alpha}&=k_1\boldsymbol{\alpha}_1+k_2\boldsymbol{\alpha}_2+\cdots+k_m\boldsymbol{\alpha}_m+p_{m+1}\boldsymbol{\beta}_{m+1}+p_{m+2}\boldsymbol{\beta}_{m+2}+\cdots+p_{n_1}\boldsymbol{\beta}_{n_1}\\&=-q_{m+1}\boldsymbol{\gamma}_{m+1}-q_{m+2}\boldsymbol{\gamma}_{m+2}-\cdots-q_{n_2}\boldsymbol{\gamma}_{n_2}\end{aligned}$$

由第一个式子看出$\boldsymbol{\alpha}\in V_1$，第二个式子看出$\boldsymbol{\alpha}\in V_2$，即$\boldsymbol{\alpha}\in V_1\cap V_2$. 所以$\boldsymbol{\alpha}$可由$\boldsymbol{\alpha}_1,\boldsymbol{\alpha}_2,\cdots,\boldsymbol{\alpha}_m$线性表示：$\boldsymbol{\alpha}=l_1\boldsymbol{\alpha}_1+l_2\boldsymbol{\alpha}_2+\cdots+l_m\boldsymbol{\alpha}_m$，则

$$l_1\boldsymbol{\alpha}_1+l_2\boldsymbol{\alpha}_2+\cdots+l_m\boldsymbol{\alpha}_m+q_{m+1}\boldsymbol{\gamma}_{m+1}+q_{m+2}\boldsymbol{\gamma}_{m+2}+\cdots+q_{n_2}\boldsymbol{\gamma}_{n_2}=\mathbf{0}$$

由于$\boldsymbol{\alpha}_1,\boldsymbol{\alpha}_2,\cdots,\boldsymbol{\alpha}_m,\boldsymbol{\gamma}_{m+1},\boldsymbol{\gamma}_{m+2},\cdots,\boldsymbol{\gamma}_{n_2}$线性无关，所以这些系数全部为零，所以$\boldsymbol{\alpha}=\mathbf{0}$.
进而

$$k_1\boldsymbol{\alpha}_1+k_2\boldsymbol{\alpha}_2+\cdots+k_m\boldsymbol{\alpha}_m+p_{m+1}\boldsymbol{\beta}_{m+1}+p_{m+2}\boldsymbol{\beta}_{m+2}+\cdots+p_{n_1}\boldsymbol{\beta}_{n_1}=\mathbf{0}$$

再由$\boldsymbol{\alpha}_1,\boldsymbol{\alpha}_2,\cdots,\boldsymbol{\alpha}_m,\boldsymbol{\beta}_{m+1},\boldsymbol{\beta}_{m+2},\cdots,\boldsymbol{\beta}_{n_1}$的线性无关性得到这些系数全部为零. 从而证明了

$$\boldsymbol{\alpha}_1,\boldsymbol{\alpha}_2,\cdots,\boldsymbol{\alpha}_m,\boldsymbol{\beta}_{m+1},\boldsymbol{\beta}_{m+2},\cdots,\boldsymbol{\beta}_{n_1},\boldsymbol{\gamma}_{m+1},\boldsymbol{\gamma}_{m+2},\cdots,\boldsymbol{\gamma}_{n_2}$$

是线性无关的.

从维数公式可以看到，和的维数往往要比维数的和来得小. 读者也必须注意，V_1+V_2与$V_1\cup V_2$不同，后者一般不是子空间.

推论 7.5.1

如果n维线性空间V中两个子空间V_1，V_2的维数之和大于n，那么V_1，V_2必含有非零的公共向量.

证明 由假设，

$$\dim(V_1+V_2)+\dim(V_1\cap V_2)=\dim V_1+\dim V_2>n$$

由于V_1+V_2是V的子空间，有$\dim(V_1+V_2)\leqslant n$，所以$\dim(V_1\cap V_2)>0$. 也就是说$V_1\cap V_2$中含有非零向量.

例 7.5.4 在线性空间P^3中给定两个线性无关向量组

$$\alpha_1=(-1,1,0),\quad \alpha_2=(1,1,1)$$
$$\beta_1=(-1,3,0),\quad \beta_2=(-1,1,-1)$$

求 $L(\alpha_1,\alpha_2)+L(\beta_1,\beta_2)$ 与 $L(\alpha_1,\alpha_2)\cap L(\beta_1,\beta_2)$ 的维数和一组基.

解 (1) 因为 $L(\alpha_1,\alpha_2)+L(\beta_1,\beta_2)=L(\alpha_1,\alpha_2,\beta_1,\beta_2)$，所以只需要求 $\alpha_1,\alpha_2,\beta_1,\beta_2$ 的一个极大线性无关组即可:

$$\begin{pmatrix}-1&1&0&\alpha_1\\1&1&1&\alpha_2\\-1&3&0&\beta_1\\-1&1&-1&\beta_2\end{pmatrix}\to\begin{pmatrix}1&1&1&\alpha_2\\-1&1&0&\alpha_1\\-1&3&0&\beta_1\\-1&1&-1&\beta_2\end{pmatrix}\to\begin{pmatrix}1&1&1&\alpha_2\\0&2&1&\alpha_1+\alpha_2\\0&4&1&\beta_1+\alpha_2\\0&2&0&\beta_2+\alpha_2\end{pmatrix}\to\begin{pmatrix}1&1&1&\alpha_2\\0&2&1&\alpha_1+\alpha_2\\0&0&-1&-2\alpha_1-\alpha_2+\beta_1\\0&0&0&\alpha_1+\alpha_2-\beta_1+\beta_2\end{pmatrix}.$$

因此 $\alpha_1,\alpha_2,\beta_1,\beta_2$ 的秩为 3，$L(\alpha_1,\alpha_2)+L(\beta_1,\beta_2)$ 的维数为 3 且 $\alpha_1+\alpha_2-\beta_1+\beta_2=\mathbf{0}$. 故 $\alpha_1,\alpha_2,\beta_1$ 为 $L(\alpha_1,\alpha_2)+L(\beta_1,\beta_2)$ 的一组基.

(2) 因为 $\dim(\alpha_1,\alpha_2)=\dim L(\beta_1,\beta_2)=2$，再利用维数公式可得

$$\dim(L(\alpha_1,\alpha_2)\cap L(\beta_1,\beta_2))=1$$

根据 (1) 可知 $\alpha_1+\alpha_2=\beta_1-\beta_2\in L(\alpha_1,\alpha_2)\cap L(\beta_1,\beta_2)$ 且 $\alpha_1+\alpha_2\neq\mathbf{0}$. 故 $\alpha_1+\alpha_2$ 为 $L(\alpha_1,\alpha_2)\cap L(\beta_1,\beta_2)$ 的一组基.

注意上述仅限于初等行变换. 最后因为第 4 个行向量为 $\mathbf{0}$，得出 $\alpha_1+\alpha_2-\beta_1+\beta_2=\mathbf{0}$. 故而求出 $L(\alpha_1,\alpha_2)\cap L(\beta_1,\beta_2)$ 的一组基. 如果问题比较复杂，可以从最后出现的几个行向量为 $\mathbf{0}$ 中找到同样可以找出两个子空间交的一组基.

7.6 子空间的直和

这一节，我们来研究子空间的和的一种特殊情形—直和.

定义 7.6.1

设 V_1,V_2 是数域 P 上的线性空间 V 的子空间，如果和 V_1+V_2 中每个向量 α 的分解式

$$\alpha=\alpha_1+\alpha_2,\quad \alpha_1\in V_1,\quad \alpha_2\in V_2$$

是唯一的，这个和就称为直和，记为 $V_1\oplus V_2$.

定理 7.6.1

设 V_1,V_2 是数域 P 上的线性空间 V 的子空间，则和 V_1+V_2 是直和的充要条件是等式

$$\alpha_1+\alpha_2=\mathbf{0},\quad \alpha_i\in V_i\ (i=1,2)$$

只有 α_i 全为零时才成立.

证明 定理的条件实际上是: 零向量的分解式是唯一的. 因此这个条件是必要的. 我们只需证其充分性.

设 $\alpha\in V_1+V_2$，α 有两个分解式

$$\alpha=\alpha_1+\alpha_2=\beta_1+\beta_2\quad \alpha_i,\beta_i\in V_i\ (i=1,2)$$

于是

$$(\boldsymbol{\alpha}_1-\boldsymbol{\beta}_1)+(\boldsymbol{\alpha}_2-\boldsymbol{\beta}_2)=0$$

而

$$\boldsymbol{\alpha}_1-\boldsymbol{\beta}_1\in V_1,\boldsymbol{\alpha}_2-\boldsymbol{\beta}_2\in V_2$$

由零向量的分解式的唯一性，得

$$\boldsymbol{\alpha}_1-\boldsymbol{\beta}_1=0,\quad \boldsymbol{\alpha}_2-\boldsymbol{\beta}_2=0$$

即

$$\boldsymbol{\alpha}_1=\boldsymbol{\beta}_1,\quad \boldsymbol{\alpha}_2=\boldsymbol{\beta}_2$$

也就是说，V_1+V_2 中的每个向量的分解式是唯一的.

推论 7.6.1

设 V_1,V_2 是数域 P 上的线性空间 V 的子空间，则和 V_1+V_2 是直和 $\Leftrightarrow V_1\cap V_2=\{0\}$.

证明 先证充分性. 由定理 7.6.1 可知，要证明是 V_1+V_2 直和，只要证明零向量的分解式是唯一的. 假设

$$\boldsymbol{\alpha}_1+\boldsymbol{\alpha}_2=0,\quad \boldsymbol{\alpha}_1\in V_1,\ \boldsymbol{\alpha}_2\in V_2,$$

那么有

$$\boldsymbol{\alpha}_1=-\boldsymbol{\alpha}_2\in V_1\cap V_2.$$

由假设得到

$$\boldsymbol{\alpha}_1=\boldsymbol{\alpha}_2=0,$$

即零向量的分解式是唯一的. 从而 V_1+V_2 是直和.

再证必要性. $\forall\boldsymbol{\alpha}\in V_1\cap V_2$. 因为

$$0=\boldsymbol{\alpha}+(-\boldsymbol{\alpha})=0+0,$$

所以

$$\boldsymbol{\alpha}=0.$$

从而证明了

$$V_1\cap V_2=\{0\}.$$

定理 7.6.2

设 V_1,V_2 是数域 P 上的线性空间 V 的子空间，令 $W=V_1+V_2$，则

$$W=V_1\oplus V_2\Leftrightarrow \dim W=\dim V_1+\dim V_2.$$

证明 根据维数公式得

$$\dim W=\dim V_1+\dim V_2-\dim(V_1\cap V_2).$$

而由前面的定理知道 V_1+V_2 是直和的充要条件是 $V_1\cap V_2=\{0\}$，这个条件又与 $\dim(V_1\cap V_2)=0$ 等价，即与 $\dim W=\dim V_1+\dim V_2$ 等价. 定理得证.

定理 7.6.3

设 U 是线性空间 V 的一个子空间，那么一定存在一个子空间 W 使

$$V=U\oplus W.$$

证明 取U的一组基$\boldsymbol{\alpha}_1,\boldsymbol{\alpha}_2,\cdots,\boldsymbol{\alpha}_m$，将之扩充为$V$的一组基

$$\boldsymbol{\alpha}_1,\boldsymbol{\alpha}_2,\cdots,\boldsymbol{\alpha}_m,\boldsymbol{\alpha}_{m+1},\boldsymbol{\alpha}_{m+2},\cdots,\boldsymbol{\alpha}_n.$$

令

$$W=L(\boldsymbol{\alpha}_{m+1},\boldsymbol{\alpha}_{m+2},\cdots,\boldsymbol{\alpha}_n),$$

W即为满足条件的线性子空间.

子空间W称为U的余子空间.

子空间的直和的概念可以推广到多个子空间的情形.

定义 7.6.2

设$V_1,V_2,\cdots,V_s$都是数域P上线性空间V的子空间，如果和$V_1+V_2+\cdots+V_s$中每个向量$\boldsymbol{\alpha}$的分解式

$$\boldsymbol{\alpha}=\boldsymbol{\alpha}_1+\boldsymbol{\alpha}_2+\cdots+\boldsymbol{\alpha}_s,\quad \boldsymbol{\alpha}_i\in V_i\quad(i=1,2,\cdots,s)$$

是唯一的，这个和就称为直和，记为$V_1\oplus V_2\oplus\cdots\oplus V_s$.

定理 7.6.4

$V_1,V_2,\cdots,V_s$是数域P上线性空间V的一些有限维子空间，下面这些条件是等价的：

(1) $W=\sum\limits_{i=1}^{s}V_i$ 是直和；

(2) 零向量的表法唯一；

(3) $V_i\cap\sum\limits_{\substack{j\neq i\\ j=1}}^{s}V_j=\{0\}\quad(i=1,2,\cdots,s)$；

(4) $\dim\sum\limits_{i=1}^{s}V_i=\sum\limits_{i=1}^{s}\dim V_i$.

7.7 线性空间的同构

7.7.1 同构映射的定义

设$\boldsymbol{\varepsilon}_1,\boldsymbol{\varepsilon}_2,\cdots,\boldsymbol{\varepsilon}_n$是线性空间$V$的一组基，在这组基下，$V$中每个向量都有确定的坐标，而向量的坐标可以看成$P^n$中的向量，因此向量与它的坐标之间的对应实质上就是$V$到$P^n$的一个映射. 显然这个映射既是单射又是满射. 换句话说，向量的坐标给出了线性空间V与P^n的一个双射. 这个对应的重要性表现在它与线性运算的关系上. 设

$$\boldsymbol{\alpha}=a_1\boldsymbol{\varepsilon}_1+a_2\boldsymbol{\varepsilon}_2+\cdots+a_n\boldsymbol{\varepsilon}_n$$
$$\boldsymbol{\beta}=b_1\boldsymbol{\beta}_1+b_2\boldsymbol{\beta}_2+\cdots+b_n\boldsymbol{\beta}_n$$

即向量$\boldsymbol{\alpha}$和$\boldsymbol{\beta}$的坐标分别为$(a_1,a_2,\cdots,a_n)$和$(b_1,b_2,\cdots,b_n)$，那么

$$\boldsymbol{\alpha}+\boldsymbol{\beta}=(a_1+b_1)\boldsymbol{\varepsilon}_1+(a_2+b_2)\boldsymbol{\varepsilon}_2+\cdots+(a_n+b_n)\boldsymbol{\varepsilon}_n$$
$$k\boldsymbol{\alpha}=ka_1\boldsymbol{\varepsilon}_1+ka_2\boldsymbol{\varepsilon}_2+\cdots+ka_n\boldsymbol{\varepsilon}_n$$

于是向量$\boldsymbol{\alpha}+\boldsymbol{\beta}$与$k\boldsymbol{\alpha}$的坐标分别是

$$(a_1+b_1,a_2+b_2,\cdots,a_n+b_n)=(a_1,a_2,\cdots,a_n)+(b_1,b_2,\cdots,b_n)$$

和

$$(ka_1,ka_2,\cdots,ka_n)=k(a_1,a_2,\cdots,a_n)$$

以上的式子说明：向量的运算可以归结为它们坐标的运算. 因而线性空间V的讨论也可以归结为P^n的讨论.

定义 7.7.1

数域P上两个线性空间V与V'称为同构的，如果由V到V'有一个双射σ，具有以下性质:

(1) $\sigma(\boldsymbol{\alpha}+\boldsymbol{\beta})=\sigma(\boldsymbol{\alpha})+\sigma(\boldsymbol{\beta})$;

(2) $\sigma(k\boldsymbol{\alpha})=k\sigma(\boldsymbol{\alpha})$,

其中$\boldsymbol{\alpha},\boldsymbol{\beta}$是$V$中任意向量，$k$是$P$中任意数. 这样的映射$\sigma$称为同构映射.

前面的讨论说明在n维线性空间V中取定一组基后，向量与它的坐标之间的对应就是V到P^n的一个同构映射. 因而，数域P上的任一个n维线性空间都与P^n同构.

7.7.2 同构映射的性质

由定义可以看出，同构映射具有下列性质:

(1) $\sigma(0)=0,\sigma(-\boldsymbol{\alpha})=-\sigma(\boldsymbol{\alpha})$.

在定义 7.7.1 中取$k=0$和$k=-1$即得.

(2) $\sigma(k_1\boldsymbol{\alpha}_1+k_2\boldsymbol{\alpha}_2+\cdots+k_r\boldsymbol{\alpha}_r)=k_1\sigma(\boldsymbol{\alpha}_1)+k_2\sigma(\boldsymbol{\alpha}_2)+\cdots+k_r\sigma(\boldsymbol{\alpha}_r)$.

这是定义 7.7.1 中的两条结合的结果.

(3) V中向量组$\boldsymbol{\alpha}_1,\boldsymbol{\alpha}_2,\cdots,\boldsymbol{\alpha}_r$线性相关$\Leftrightarrow$它们的像$\sigma(\boldsymbol{\alpha}_1),\sigma(\boldsymbol{\alpha}_2),\cdots,\sigma(\boldsymbol{\alpha}_r)$线性相关.

因为由

$$k_1\boldsymbol{\alpha}_1+k_2\boldsymbol{\alpha}_2+\cdots+k_r\boldsymbol{\alpha}_r=0$$

可得

$$k_1\sigma(\boldsymbol{\alpha}_1)+k_2\sigma(\boldsymbol{\alpha}_2)+\cdots+k_r\sigma(\boldsymbol{\alpha}_r)=0$$

反之，由

$$k_1\sigma(\boldsymbol{\alpha}_1)+k_2\sigma(\boldsymbol{\alpha}_2)+\cdots+k_r\sigma(\boldsymbol{\alpha}_r)=0$$

有

$$\sigma(k_1\boldsymbol{\alpha}_1+k_2\boldsymbol{\alpha}_2+\cdots+k_r\boldsymbol{\alpha}_r)=0$$

因为σ是双射，所以$k_1\boldsymbol{\alpha}_1+k_2\boldsymbol{\alpha}_2+\cdots+k_r\boldsymbol{\alpha}_r=\mathbf{0}$.

因为维数就是空间中线性无关向量的最大个数，所以由同构映射的性质可以推知，同构的线性空间有相同的维数.

(4) 如果V_1是V的一个线性子空间，那么，V_1在σ下的像集合

$$\sigma(V_1)=\{\sigma(\boldsymbol{\alpha})\mid\boldsymbol{\alpha}\in V_1\}$$

是$\sigma(V)$的子空间，并且V_1与$\sigma(V_1)$维数相同.

(5) 同构映射的逆映射以及两个同构映射的乘积还是同构映射.

设σ是线性空间V到V'的同构映射，显然它的逆映射σ^{-1}是V'到V的一个双射. 下面证明σ^{-1}是同构映射.

设$\boldsymbol{\alpha}',\boldsymbol{\beta}'$是$V'$中的任意两个向量，于是

$$\sigma\sigma^{-1}(\boldsymbol{\alpha}'+\boldsymbol{\beta}')=\boldsymbol{\alpha}'+\boldsymbol{\beta}'=\sigma\sigma^{-1}(\boldsymbol{\alpha}')+\sigma\sigma^{-1}(\boldsymbol{\beta}')=\sigma(\sigma^{-1}(\boldsymbol{\alpha}')+\sigma^{-1}(\boldsymbol{\beta}'))$$

两边再用σ^{-1}作用，就有

$$\sigma^{-1}(\boldsymbol{\alpha}'+\boldsymbol{\beta}')=\sigma^{-1}(\boldsymbol{\alpha}')+\sigma^{-1}(\boldsymbol{\beta}')$$

另外一个条件可类似地证明.

再设σ与τ是线性空间V到V'和V'到V''的同构映射，下证它们的乘积$\tau\sigma$是V到V''的一个同构映射.

显然，$\tau\sigma$是双射.

$$\tau\sigma(\boldsymbol{\alpha}+\boldsymbol{\beta})=\tau(\sigma(\boldsymbol{\alpha})+\sigma(\boldsymbol{\beta}))=\tau\sigma(\boldsymbol{\alpha})+\tau\sigma(\boldsymbol{\beta})$$
$$\tau\sigma(k\boldsymbol{\alpha})=\tau(k\sigma(\boldsymbol{\alpha}))=k\tau\sigma(\boldsymbol{\alpha})$$

即满足定义 7.7.1，所以是一个同构映射.

同构作为线性空间之间的一种关系，具有反身性、对称性与传递性.

既然数域P上任意一个n维线性空间都与P^n同构，由同构的对称性与传递性即得，数域P上任意两个n维线性空间都同构.

定理 7.7.1

数域P上两个有限维线性空间同构的充要条件是它们有相同的维数.

在线性空间的抽象讨论中，并没有考虑线性空间的元素是什么，也没有考虑其中运算是怎么定义的，而只涉及线性空间在所定义的运算下的代数性质. 从这个观点看来，同构的线性空间是可以不加区别的. 因此，定理 7.7.1 说明了，维数是有限维线性空间的唯一的本质特征.

特别地，每一个数域P上的n维线性空间都与n元向量组成的向量空间P^n同构，而同构的线性空间具有相同的性质. 由此，我们以前所得到的关于n元向量的一些结论，在一般的线性空间中也是成立的.

7.8 应用实例

斐波那契数列及基的概念的应用.

实数序列$(h_n)=(h_0,h_1,h_2,\cdots)$满足$h_0=h_1=1$，且

$$h_n=h_{n-2}+h_{n-1},\quad n\geqslant 2, \tag{7.8.1}$$

这个序列称为斐波那契数列，它是由h_0,h_1及递推关系(7.8.1)所决定的. 易见所有h_n都是正整数. 能否找到一个统一的表达式来计算所有的h_n呢？

下面我们以线性空间和基为工具来解决它，在 7.5 节末尾利用矩阵的对角化的工具给出这问题的另一种解法.

我们将所有满足递推关系(7.8.1)的序列的集合记作$V(R)$. 两个序列(h_n)，$(h'_n)\in V(\mathbf{R})$，

$k\in\mathbf{R}$，令 $l_n=h_n+h_n'$，$k_n=kh_n$ $(n=0,1,2,\cdots)$．(l_n)，(k_n) 仍满足关系(7.8.1)，即 (l_n)，$(k_n)\in V(\mathbf{R})$，记 $(l_n)=(h_n)+(h_n')$，称为 (h_n) 与 (h_n') 的和．又记 $(k_n)=k(h_n)$，称为 (h_n) 的 k 倍．这就在 $V(\mathbf{R})$ 中定义了加法和数量乘法．和有限维向量空间 P^n 一样，$V(\mathbf{R})$ 构成实数域 $\mathbf{R}$ 上线性空间，虽然它的元素是无限序列，但下面可证它是 $\mathbf{R}$ 上二维空间．首先对 (h_n)，$(h_n')\in V(\mathbf{R})$ 有 $(h_n)=(h_n')$（即 $h_n=h_n',n=0,1,2,\cdots$）当且仅当 $h_0=h_0',h_1=h_1'$．这是由于(7.8.1)，若 $h_0=h_0',h_1=h_1'$，则所有 $h_n=h_n'(n=0,1,2,\cdots)$．

其次，在 $\mathbf{R}^2$ 中选任一基 (k_0,k_1) 及 (k_0',k_1')，它们用递推公式(7.8.1)决定了两个序列 (k_n)，$(k_n')\in V(\mathbf{R})$．由于 (k_0,k_1) 与 (k_0',k_1') 无关，故 (k_n)，(k_n') 无关．任一 $(h_n)\in V(\mathbf{R})$，因 (k_0,k_1) 与 (k_0',k_1') 是 $\mathbf{R}^2$ 的基，必有 a_0,a_1，使 $(h_0,h_1)=a_0(k_0,k_1)+a_1(k_0',k_1')$．由 $a_0(k_n)+a_1(k_n')\in V(\mathbf{R})$，它的第1,2个元素正是 h_0,h_1，(h_n) 也是 $V(\mathbf{R})$ 中元素，它和 $a_0(k_n)+a_1(k_n')$ 的最前两个元素相等，故 $(h_n)=a_0(k_n)+a_1(k_n')$．这就证明 (k_n)，(k_n') 是 $V(\mathbf{R})$ 的基，故 $V(\mathbf{R})$ 是二维空间．

下面设法找出 $V(\mathbf{R})$ 的一组具体的基．我们试着从等比数列中来寻找，即试找非零 $q\in\mathbf{R}$，令 $h_n=q^n$，使

$$h_n=h_{n-1}+h_{n-2},\quad n\geqslant 2.$$

它即为

$$q^n=q^{n-1}+q^{n-2},\quad n\geqslant 2.$$

它成立当且仅当

$$q^2-q-1=0.$$

此方程有两个解

$$q_1=\frac{1+\sqrt{5}}{2},\quad q_2=\frac{1-\sqrt{5}}{2}$$

得到 $V(\mathbf{R})$ 中的两个序列 (q_1^n)，(q_2^n)（由 $q_i^n=q_i^{n-1}+q_i^{n-2}$，$(q_i^n)\in V(\mathbf{R})$，$i=1,2$）．又

$$(q_1^0,q_1^1)=\left(1,\frac{1+\sqrt{5}}{2}\right),\quad (q_2^0,q_2^1)=\left(1,\frac{1-\sqrt{5}}{2}\right)$$

是 $\mathbf{R}^2$ 的基，故 (q_1^n) 和 (q_2^n) 是 $V(\mathbf{R})$ 的基．

现在可以求出斐波那契数列 (h_n) 中每个 h_n 了．令

$$\begin{cases}1=h_0=a_1\cdot 1+a_2\cdot 1\\ 1=h_1=a_1\cdot\dfrac{1+\sqrt{5}}{2}+a_2\cdot\dfrac{1-\sqrt{5}}{2}.\end{cases}$$

解出它，得

$$a_1=\frac{1+\sqrt{5}}{2\sqrt{5}},\quad a_2=\frac{-1+\sqrt{5}}{2\sqrt{5}}.$$

于是 h_n 的一般公式是 $h_n=a_1q_1^n+a_2q_2^n$，即

$$h_n=\frac{1+\sqrt{5}}{2\sqrt{5}}\left(\frac{1+\sqrt{5}}{2}\right)^n+\frac{-1+\sqrt{5}}{2\sqrt{5}}\left(\frac{1-\sqrt{5}}{2}\right)^n=\frac{1}{\sqrt{5}}\left[\left(\frac{1+\sqrt{5}}{2}\right)^{n+1}-\left(\frac{1-\sqrt{5}}{2}\right)^{n+1}\right].$$

由此例可看出线性空间的基在解决某些问题中的作用．

习 题 7

(A)

1. 检验以下集合对于所指的线性运算是否构成实数域上的线性空间:

(1) 次数等于 $n(n\geqslant 1)$ 的实系数多项式的全体, 对于多项式的加法和数量乘法;

(2) 设 $\boldsymbol{A}$ 是一个 $n\times n$ 实矩阵, $\boldsymbol{A}$ 的实系数多项式 $f(\boldsymbol{A})$ 的全体, 对于矩阵的加法和数量乘法;

(3) 全体 n 级实对称(反对称、上三角形)矩阵, 对于矩阵的加法和数量乘法;

(4) 平面上不平行于某一向量的全部向量所成的集合, 对于向量的加法和数量乘法;

(5) 全体实数的二元数列, 对于下面定义的运算

$$(a_1,b_1)\oplus(a_2,b_2)=(a_1+a_2,b_1+b_2+a_1a_2)$$

$$k\circ(a_1,b_1)=\left(ka_1,kb_1+\frac{k(k-1)}{2}a_1^2\right)$$

(6) 平面上全体向量, 对于通常的加法和如下定义的数量乘法:

$$k\circ\boldsymbol{\alpha}=\mathbf{0}$$

(7) 集合与加法同上一题, 数量乘法定义为

$$k\circ\boldsymbol{\alpha}=\boldsymbol{\alpha}$$

(8) V 是定义域为 $[a,b]$, 值域为正实数集的所有函数的集合, 加法和数量乘法定义为

$$f\oplus g=fg,\quad k\circ f=f^k$$

(9) 全体正实数 $\mathbf{R}^+$, 加法和数量乘法定义为

$$a\oplus b=ab,\quad k\circ a=a^k$$

2. 实数域 $\mathbf{R}$ 上的下列子集对于通常的加法和数量乘法能否构成有理数域 $\mathbf{Q}$ 上的线性空间.

(1) 全体正实数;

(2) 全体负实数;

(3) $\{a+b\pi\mid a,b\in\mathbf{Q}\}$.

3. 在线性空间中, 证明:

(1) $k\mathbf{0}=\mathbf{0}$;

(2) $k(\boldsymbol{\alpha}-\boldsymbol{\beta})=k\boldsymbol{\alpha}-k\boldsymbol{\beta}$.

4. 判断在实函数空间中, 下列函数组是否线性相关.

(1) $1,\cos^2 t,\cos 2t$;

(2) $1,\cos t,\cos 2t,\cos 3t$.

5. 如果 $f_1(x),f_2(x),f_3(x)$ 是线性空间 $P[x]$ 三个互素的多项式, 但是其中任意两个都不互素, 那么它们线性无关.

6. 证明: 在实函数空间中函数组 $\mathrm{e}^{\lambda_1 x},\mathrm{e}^{\lambda_2 x},\cdots,\mathrm{e}^{\lambda_n x}$ 是线性无关的, 其中 $\lambda_1,\lambda_2,\cdots,\lambda_n$ 是互不相同的实数.

7. 在 P^4 中, 求向量 $\boldsymbol{\xi}$ 在基 $\boldsymbol{\varepsilon}_1,\boldsymbol{\varepsilon}_2,\boldsymbol{\varepsilon}_3,\boldsymbol{\varepsilon}_4$ 下的坐标, 设

(1) $\boldsymbol{\varepsilon}_1=(1,1,1,1)$, $\boldsymbol{\varepsilon}_2=(1,1,-1,-1)$, $\boldsymbol{\varepsilon}_3=(1,-1,1,-1)$, $\boldsymbol{\varepsilon}_4=(1,-1,-1,1)$, $\boldsymbol{\xi}=(1,2,1,0)$;

(2) $\boldsymbol{\varepsilon}_1=(1,1,0,1)$，$\boldsymbol{\varepsilon}_2=(2,1,3,1)$，$\boldsymbol{\varepsilon}_3=(1,1,0,0)$，$\boldsymbol{\varepsilon}_4=(0,1,-1,-1)$，$\boldsymbol{\xi}=(1,0,2,1)$.

8. 求下列线性空间的维数与一组基:

(1) 数域 P 上的空间 $P^{n\times n}$；

(2) $P^{n\times n}$ 中全体对称(反对称, 上三角形)矩阵生成的数域 P 上的空间;

(3) 同例 7.1.7 中的空间;

(4) 实数域上由矩阵 $\boldsymbol{A}$ 的全体实系数多项式组成的空间, 其中

$$\boldsymbol{A}=\begin{pmatrix}1&0&0\\0&\omega&0\\0&0&\omega^2\end{pmatrix},\quad \omega=\frac{-1+\sqrt{3}\mathrm{i}}{2}.$$

9. 在 P^4 中, 求由基 $\boldsymbol{\varepsilon}_1,\boldsymbol{\varepsilon}_2,\boldsymbol{\varepsilon}_3,\boldsymbol{\varepsilon}_4$ 到基 $\boldsymbol{\eta}_1,\boldsymbol{\eta}_2,\boldsymbol{\eta}_3,\boldsymbol{\eta}_4$ 的过渡矩阵, 并求向量 $\boldsymbol{\xi}$ 在所指定基下的坐标. 设

$$(1)\begin{cases}\boldsymbol{\varepsilon}_1=(1,0,0,0),\\ \boldsymbol{\varepsilon}_2=(0,1,0,0),\\ \boldsymbol{\varepsilon}_3=(0,0,1,0),\\ \boldsymbol{\varepsilon}_4=(0,0,0,1),\end{cases}\quad \begin{cases}\boldsymbol{\eta}_1=(2,1,-1,1),\\ \boldsymbol{\eta}_2=(0,3,1,0),\\ \boldsymbol{\eta}_3=(5,3,2,1),\\ \boldsymbol{\eta}_4=(6,6,1,3),\end{cases}$$

求 $\boldsymbol{\xi}=(x_1,x_2,x_3,x_4)$ 在 $\boldsymbol{\eta}_1,\boldsymbol{\eta}_2,\boldsymbol{\eta}_3,\boldsymbol{\eta}_4$ 下的坐标;

$$(2)\begin{cases}\boldsymbol{\varepsilon}_1=(1,2,-1,0),\\ \boldsymbol{\varepsilon}_2=(1,-1,1,1),\\ \boldsymbol{\varepsilon}_3=(-1,2,1,1),\\ \boldsymbol{\varepsilon}_4=(-1,-1,0,1),\end{cases}\quad \begin{cases}\boldsymbol{\eta}_1=(2,1,0,1),\\ \boldsymbol{\eta}_2=(0,1,2,2),\\ \boldsymbol{\eta}_3=(-2,1,1,2),\\ \boldsymbol{\eta}_4=(1,3,1,2),\end{cases}$$

求 $\boldsymbol{\xi}=(1,0,0,0)$ 在 $\boldsymbol{\varepsilon}_1,\boldsymbol{\varepsilon}_2,\boldsymbol{\varepsilon}_3,\boldsymbol{\varepsilon}_4$ 下的坐标.

10. 利用第 9 题(1). 求一非零向量 $\boldsymbol{\xi}$，使得它在基 $\boldsymbol{\varepsilon}_1,\boldsymbol{\varepsilon}_2,\boldsymbol{\varepsilon}_3,\boldsymbol{\varepsilon}_4$ 与 $\boldsymbol{\eta}_1,\boldsymbol{\eta}_2,\boldsymbol{\eta}_3,\boldsymbol{\eta}_4$ 下有相同的坐标.

11. 设 V_1， V_2 是线性空间 V 的子空间, 且 $V_1\subset V_2$，证明: 如果 $\dim V_1=\dim V_2$，那么 $V_1=V_2$.

12. 设 $\boldsymbol{A}\in P^{n\times n}$.

(1) 证明: 全体与 $\boldsymbol{A}$ 可交换的矩阵组成 $P^{n\times n}$ 的子空间, 记作 $C(\boldsymbol{A})$；

(2) 当 $\boldsymbol{A}=\boldsymbol{E}$ 时, 求 $C(\boldsymbol{A})$；

(3) 当

$$\boldsymbol{A}=\begin{pmatrix}1&0&0&\cdots&0\\0&2&0&\cdots&0\\ \vdots&\vdots&\vdots&&\vdots\\0&0&0&\cdots&n\end{pmatrix}$$

时, 求 $C(\boldsymbol{A})$ 的维数和一组基.

13. 设

$$\boldsymbol{A}=\begin{pmatrix}0&0&1\\1&0&0\\4&-2&1\end{pmatrix},$$

求 $P^{3\times 3}$ 中全体与 $\boldsymbol{A}$ 可交换的矩阵所成子空间的维数和一组基.

14. 如果 $c_1\boldsymbol{\alpha}+c_2\boldsymbol{\beta}+c_3\boldsymbol{\gamma}=\boldsymbol{0}$，且 $c_1c_3\neq 0$，证明: $L(\boldsymbol{\alpha},\boldsymbol{\beta})=L(\boldsymbol{\beta},\boldsymbol{\gamma})$.

15. 在 P^4 中, 求由向量 $\boldsymbol{\alpha}_i(i=1,2,3,4)$ 生成的子空间的基与维数. 设

$$(1)\begin{cases}\boldsymbol{\alpha}_1=(2,1,3,1),\\ \boldsymbol{\alpha}_2=(1,2,0,1),\\ \boldsymbol{\alpha}_3=(-1,1,-3,0),\\ \boldsymbol{\alpha}_4=(1,1,1,1).\end{cases}\qquad (2)\begin{cases}\boldsymbol{\alpha}_1=(2,0,3,1),\\ \boldsymbol{\alpha}_2=(-1,1,-3,0),\\ \boldsymbol{\alpha}_3=(0,5,0,-1),\\ \boldsymbol{\alpha}_4=(1,5,-3,1).\end{cases}$$

16. 在 P^4 中, 求齐次方程组

$$\begin{cases}3x_1+2x_2-5x_3+4x_4=0,\\ 3x_1-x_2+3x_3-3x_4=0,\\ 3x_1+5x_2-13x_3+11x_4=0\end{cases}$$

的解空间的基与维数.

17. 求由向量 $\boldsymbol{\alpha}_i$ 生成的子空间与由向量 $\boldsymbol{\beta}_i$ 生成的子空间的交的基和维数, 其中

(1) $\begin{cases}\boldsymbol{\alpha}_1=(1,2,4,0),\\ \boldsymbol{\alpha}_2=(-1,1,0,1),\end{cases}$ $\begin{cases}\boldsymbol{\beta}_1=(2,-1,0,1),\\ \boldsymbol{\beta}_2=(1,-1,3,7);\end{cases}$

(2) $\begin{cases}\boldsymbol{\alpha}_1=(1,2,-1,-2),\\ \boldsymbol{\alpha}_2=(3,0,0,1),\\ \boldsymbol{\alpha}_3=(-1,0,1,-1),\end{cases}$ $\begin{cases}\boldsymbol{\beta}_1=(2,5,-6,-5),\\ \boldsymbol{\beta}_2=(-1,2,0,0).\end{cases}$

18. 在 P^4 中给定三个向量组:

(i) $\boldsymbol{\alpha}_1=(1,-1,0,0)$, $\boldsymbol{\alpha}_2=(2,0,0,0)$;

(ii) $\boldsymbol{\beta}_1=(0,0,1,-1)$, $\boldsymbol{\beta}_2=(0,0,2,0)$;

(iii) $\boldsymbol{\gamma}_1=(1,1,1,1)$, $\boldsymbol{\gamma}_2=(1,2,1,2)$.

它们分别生成三个子空间 $M_1=L(\boldsymbol{\alpha}_1,\boldsymbol{\alpha}_2),M_2=L(\boldsymbol{\beta}_1,\boldsymbol{\beta}_2),M_3=L(\boldsymbol{\gamma}_1,\boldsymbol{\gamma}_2)$.

(1) 判断 M_1+M_2,M_1+M_3,M_2+M_3 是不是直和;

(2) 判断 $M_1+M_2+M_3$ 是不是直和.

19. 设 V_1 与 V_2 分别是齐次方程组 $x_1+x_2+\cdots+x_n=0$ 与 $x_1=x_2=\cdots=x_n$ 的解空间, 证明 $P^n=V_1\oplus V_2$.

20. 证明: 如果 $V=V_1\oplus V_2$, $V_1=V_{11}\oplus V_{12}$, 那么 $V=V_{11}\oplus V_{12}\oplus V_2$.

21. 证明: 每一个 n 维线性空间都可以表示成 n 个一维线性子空间的直和.

22. 证明: 和 $\sum\limits_{i=1}^{s}V_i$ 是直和的充要条件是 $V_i\cap\sum\limits_{j=1}^{i-1}V_i=\{\mathbf{0}\}\ (i=1,2,\cdots,s)$.

23. 在给定了空间直角坐标系的三维空间中, 所有自原点引出的向量添上零向量构成一个三维线性空间.

(1) 问所有终点都在一个平面上的向量是否为子空间;

(2) 设有过原点的三条直线, 这三条直线上的全部向量分别成为三个子空间 L_1, L_2, L_3. 问 L_1+L_2, L_1+L_3, L_2+L_3 能构成哪些类型的子空间, 试全部列举出来.

(3) 就用几何空间的例子来说明: 若 U,V,X,Y 是子空间, 满足 $U+V=X$, $X\supset Y$, 是否一定有 $Y=Y\cap U+Y\cap V$.

24. 证明: 实数域作为它自身上的线性空间与同例 7.1.7 中的空间同构.

25. 证明：域 F 上的线性空间 $F^{m\times n}$ 与 F^{mn} 同构. 并写出一个同构映射.

(B)

1. (1) 证明：在 $P[x]_n$ 中，多项式

$$f_i=(x-a_1)\cdots(x-a_{i-1})(x-a_{i+1})\cdots(x-a_n),\qquad i=1,2,\cdots,n$$

是一组基，其中 $a_1,a_2,\cdots,a_n$ 是互不相同的数；

(2) 在 (1) 中取 $a_1,a_2,\cdots,a_n$ 是全体 n 次单位根. 求由基 $1,x,x^2,\cdots,x^{n-1}$ 到基 $f_1,f_2,\cdots,f_n$ 的过渡矩阵.

2. 设 $\boldsymbol{\alpha}_1,\boldsymbol{\alpha}_2,\cdots,\boldsymbol{\alpha}_n$ 是 n 维线性空间 V 的一组基. $\boldsymbol{A}$ 是一个 $n\times s$ 矩阵，

$$(\boldsymbol{\beta}_1,\boldsymbol{\beta}_2,\cdots,\boldsymbol{\beta}_s)=(\boldsymbol{\alpha}_1,\boldsymbol{\alpha}_2,\cdots,\boldsymbol{\alpha}_n)\boldsymbol{A}.$$

证明：$\dim L(\boldsymbol{\beta}_1,\boldsymbol{\beta}_2,\cdots,\boldsymbol{\beta}_s)=r(\boldsymbol{A})$.

3. 设 $W=\{f(x)\mid f(1)=0,f(x)\in\mathbf{R}[x]_n\}$，$\mathbf{R}[x]_n$ 表示实数域上的次数小于 n 的多项式与零多项式构成的线性空间.

(1) 证明 W 是 $\mathbf{R}[x]_n$ 的线性子空间；

(2) 求 W 的维数与一个基.

4. 设 $f(x_1,x_2,\cdots,x_n)$ 是一个秩为 n 的二次型，证明，存在 $\mathbf{R}^n$ 的一个 $\dfrac{1}{2}(n-|s|)$ 维子空间 V_1 (其中 s 是符号差)，使对任一 $(x_1,x_2,\cdots,x_n)\in V_1$，有 $f(x_1,x_2,\cdots,x_n)=0$.

5. 设 $V_1,V_2,\cdots,V_s$ 是线性空间 V 的 s 个非平凡的子空间，证明：V 中至少有一个向量不属于 $V_1,V_2,\cdots,V_s$ 中任何一个.

6. 令 $L=\left\{\begin{pmatrix} a & b\\ -\bar{b} & \bar{a}\end{pmatrix}\middle| a,b\in G\right\}$.

(1) 证明 L 对于矩阵加法，以及实数对矩阵的数量乘法构成实数域上的一个线性空间；

(2) 求这个空间的一个基和维数；

(3) 证明 L 与 $\mathbf{R}^4$ 同构，并写出一个同构映射.

7. 设 $S(A)=\{\boldsymbol{B}\in P^{n\times n}\mid \boldsymbol{A}\in P^{n\times n}且\boldsymbol{AB}=\boldsymbol{0}\}$. (1) 证明 $S(\boldsymbol{A})$ 是 $P^{n\times n}$ 的子空间；(2) 设 $\boldsymbol{A}$ 的秩为 r，求 $S(\boldsymbol{A})$ 的一个基和维数.

本章小结　　　　习题答案 7

第8章

线性变换

线性变换是线性空间到自身的线性映射，是线性空间中最简单且最基本的一种变换，它对于研究线性空间中向量之间内在联系与线性空间的结构起着重要的作用. 本章将深入讨论线性变换的一般理论，揭示线性变换与矩阵之间深刻的内在联系.

第8章知识导图

8.1 线性变换的定义与运算

8.1.1 线性变换的定义

定义 8.1.1

设数域 P 的线性空间 V 到自身的一个映射 σ 称为线性变换，如果对于 V 中任意的向量 $\boldsymbol{\alpha},\boldsymbol{\beta}$ 和数域 P 中任意数 k，都有

$$\sigma(\boldsymbol{\alpha}+\boldsymbol{\beta})=\sigma(\boldsymbol{\alpha})+\sigma(\boldsymbol{\beta})$$
$$\sigma(k\boldsymbol{\alpha})=k\sigma(\boldsymbol{\alpha})$$

下面列举一些重要的例子.

例 8.1.1 平面上的向量构成实数域上的二维线性空间. 把平面围绕坐标原点按逆时针方向旋转 θ 角，就是一个线性变换，用 L_θ 表示. 如果平面上一个向量 $\boldsymbol{\alpha}$ 在直角坐标系下的坐标是 (x,y)，那么像 $L_\theta(\boldsymbol{\alpha})$ 的坐标，即 $\boldsymbol{\alpha}$ 旋转 θ 角之后的坐标 (x',y') 是按照

$$\begin{pmatrix}x'\\y'\end{pmatrix}=\begin{pmatrix}\cos\theta & -\sin\theta\\ \sin\theta & \cos\theta\end{pmatrix}\begin{pmatrix}x\\y\end{pmatrix}$$

来计算的. 同样地，空间中绕坐标轴的旋转也是一个线性变换.

例 8.1.2 任意 $(x,y)\in\mathbf{R}^2$，有 $\sigma(x,y)=(y,x)$，证明 σ 是 $\mathbf{R}^2$ 的线性变换.

证明 显然 σ 是 $\mathbf{R}^2$ 到自身的一个映射，对任意 $k\in\mathbf{R}$，任意 $(x_1,y_1),(x_2,y_2)\in\mathbf{R}^2$，有

$$\sigma[(x_1,y_1)+(x_2,y_2)]=\sigma[(x_1+x_2),(y_1+y_2)]=(y_1+y_2,x_1+x_2)=\sigma[(x_1,y_1)]+\sigma[(x_2,y_2)]$$
$$\sigma[k(x_1,y_1)]=\sigma[(kx_1,ky_1)]=(ky_1,kx_1)=k\sigma[(x_1,y_1)]$$

所以 σ 是 $\mathbf{R}^2$ 的线性变换.

例 8.1.3 线性空间 V 中的几种特殊的线性变换:

(1) 恒等变换或称单位变换 E，即

$$E(\boldsymbol{\alpha})=\boldsymbol{\alpha}\quad(\boldsymbol{\alpha}\in V)$$

(2) 零变换 O，即

$$O(\boldsymbol{\alpha})=\mathbf{0}\quad(\boldsymbol{\alpha}\in V)$$

(3) 数乘变换 K，设 k 是数域 P 中的某个数，定义:

$$K(\boldsymbol{\alpha})=k\boldsymbol{\alpha}\quad(\boldsymbol{\alpha}\in V)$$

称为由数 k 决定的数乘变换. 显然当 $k=1$ 时，是恒等变换；当 $k=0$ 时，是零变换. 不难验证，数乘变换是 V 内的一个线性变换.

(4) 投影变换 π，设 V_1 是 V 的一个子空间，根据定理，存在 V 的子空间 V_2，有

$$V=V_1\oplus V_2$$

于是，对任意 $\boldsymbol{\alpha}\in V$，有唯一的分解式

$$\boldsymbol{\alpha}=\boldsymbol{\alpha}_1+\boldsymbol{\alpha}_2\quad(\boldsymbol{\alpha}_1\in V_1,\boldsymbol{\alpha}_2\in V_2)$$

定义 V 上的一个映射:

$$\pi(\boldsymbol{\alpha})=\boldsymbol{\alpha}_1$$

不难验证，π 是一个线性变换，该变换称为 V 对子空间 V_1 的投影变换.

例 8.1.4 在线性空间 $P[x]$ 或者 $P[x]_n$ 中，定义

$$D(f(x)) = f'(x)$$

即求多项式 $f(x)$ 的微商（或导函数）.根据微商的性质，有

$$D(f(x)+g(x)) = D(f(x)) + D(g(x))$$
$$D(kf(x)) = kD(f(x))$$

这说明求微商运算是线性空间 $P[x]$ 或者 $P[x]_n$ 的一个线性变换.

例 8.1.5 设 $C(a,b)$ 为闭区间 $[a,b]$ 上的全体连续函数所组成的实数域上的线性空间，在这个空间中定义变换：

$$L(f(x)) = \int_a^x f(t)\mathrm{d}t$$

即求每个函数 $f(x)$ 的变上限积分.根据定积分的性质，有

$$L(f(x)+g(x)) = L(f(x)) + L(g(x))$$
$$L(kf(x)) = kL(f(x))$$

这说明求变上限积分也是线性空间 $C(a,b)$ 的一个线性变换.

8.1.2 线性变换的性质

由定义可得线性变换具有以下性质.

(1) 设 σ 是 V 的线性变换，则 $\sigma(\mathbf{0}) = \mathbf{0}, \sigma(-\boldsymbol{\alpha}) = -\sigma(\boldsymbol{\alpha})$

这是因为

$$\sigma(\mathbf{0}) = \sigma(0\cdot\boldsymbol{\alpha}) = 0\sigma(\boldsymbol{\alpha}) = \mathbf{0}$$
$$\sigma(-\boldsymbol{\alpha}) = \sigma((-1)\boldsymbol{\alpha}) = (-1)\sigma(\boldsymbol{\alpha}) = -\sigma(\boldsymbol{\alpha})$$

(2) 线性变换保持线性组合与线性关系式不变.

设 $\boldsymbol{\beta}$ 是 $\boldsymbol{\alpha}_1, \boldsymbol{\alpha}_2, \cdots, \boldsymbol{\alpha}_r$ 的线性组合：

$$\boldsymbol{\beta} = k_1\boldsymbol{\alpha}_1 + k_2\boldsymbol{\alpha}_2 + \cdots + k_r\boldsymbol{\alpha}_r$$

经过线性变换 σ 之后，$\sigma(\boldsymbol{\beta})$ 是 $\sigma(\boldsymbol{\alpha}_1), \sigma(\boldsymbol{\alpha}_2), \cdots, \sigma(\boldsymbol{\alpha}_r)$ 同样的线性组合：

$$\sigma(\boldsymbol{\beta}) = k_1\sigma(\boldsymbol{\alpha}_1) + k_2\sigma(\boldsymbol{\alpha}_2) + \cdots + k_r\sigma(\boldsymbol{\alpha}_r)$$

如果 $\boldsymbol{\alpha}_1, \boldsymbol{\alpha}_2, \cdots, \boldsymbol{\alpha}_r$ 之间有一线性关系式

$$k_1\boldsymbol{\alpha}_1 + k_2\boldsymbol{\alpha}_2 + \cdots + k_r\boldsymbol{\alpha}_r = \mathbf{0}$$

那么它们的像之间也具有同样的关系式

$$k_1\sigma(\boldsymbol{\alpha}_1) + k_2\sigma(\boldsymbol{\alpha}_2) + \cdots + k_r\sigma(\boldsymbol{\alpha}_r) = \mathbf{0}$$

由此，我们有如下结论.

(3) 线性变换把线性相关的向量组变成线性相关的向量组.

但性质 (3) 的逆是不对的，线性变换可能把线性无关的向量组变成线性相关的向量组，如零变换.

8.1.3 线性变换的运算

1. 线性变换的加法

设 σ, τ 是线性空间 V 的两个线性变换，定义它们的和 $\sigma+\tau$ 为

$$(\sigma+\tau)(\boldsymbol{\alpha}) = \sigma(\boldsymbol{\alpha}) + \tau(\boldsymbol{\alpha}) \quad (\boldsymbol{\alpha}\in V)$$

则线性变换的和还是线性变换. 事实上, 对任意$\boldsymbol{\alpha},\boldsymbol{\beta}\in V$,

$$\begin{aligned}(\sigma+\tau)(\boldsymbol{\alpha}+\boldsymbol{\beta}) &= \sigma(\boldsymbol{\alpha}+\boldsymbol{\beta})+\tau(\boldsymbol{\alpha}+\boldsymbol{\beta}) = (\sigma(\boldsymbol{\alpha})+\sigma(\boldsymbol{\beta}))+(\tau(\boldsymbol{\alpha})+\tau(\boldsymbol{\beta}))\\ &= (\sigma(\boldsymbol{\alpha})+\tau(\boldsymbol{\alpha}))+(\sigma(\boldsymbol{\beta})+\tau(\boldsymbol{\beta})) = (\sigma+\tau)(\boldsymbol{\alpha})+(\sigma+\tau)(\boldsymbol{\beta})\end{aligned}$$

$$\begin{aligned}(\sigma+\tau)(k\boldsymbol{\alpha}) &= \sigma(k\boldsymbol{\alpha})+\tau(k\boldsymbol{\alpha}) = k\sigma(\boldsymbol{\alpha})+k\tau(\boldsymbol{\alpha})\\ &= k(\sigma(\boldsymbol{\alpha})+\tau(\boldsymbol{\alpha})) = k(\sigma+\tau)(\boldsymbol{\alpha})\end{aligned}$$

所以$\sigma+\tau$是线性变换.

容易证明, 线性变换的加法适合结合律与交换律, 即

$$\sigma+(\tau+\omega)=(\sigma+\tau)+\omega$$

$$\sigma+\tau=\tau+\sigma$$

对于加法, 零变换地位特殊, 它与所有线性变换σ的和仍等于σ, 即

$$\sigma+O=\sigma$$

对于每个线性变换σ, 可以定义它的负变换$(-\sigma)$:

$$(-\sigma)(\boldsymbol{\alpha})=-\sigma(\boldsymbol{\alpha}) \quad (\boldsymbol{\alpha}\in V)$$

则负变换$(-\sigma)$也是线性变换, 且

$$\sigma+(-\sigma)=O$$

2. 线性变换的乘法

设σ,τ是线性空间V的两个线性变换, 定义它们的乘积$\sigma\tau$为

$$(\sigma\tau)(\boldsymbol{\alpha})=\sigma(\tau(\boldsymbol{\alpha})) \quad (\boldsymbol{\alpha}\in V)$$

则线性变换的乘积也是线性变换. 事实上,

$$\begin{aligned}(\sigma\tau)(\boldsymbol{\alpha}+\boldsymbol{\beta}) &= \sigma(\tau(\boldsymbol{\alpha}+\boldsymbol{\beta})) = \sigma(\tau(\boldsymbol{\alpha})+\tau(\boldsymbol{\beta}))\\ &= \sigma(\tau(\boldsymbol{\alpha}))+\sigma(\tau(\boldsymbol{\beta})) = (\sigma\tau)(\boldsymbol{\alpha})+(\sigma\tau)(\boldsymbol{\beta})\end{aligned}$$

$$(\sigma\tau)(k\boldsymbol{\alpha})=\sigma(\tau(k\boldsymbol{\alpha}))=\sigma(k\tau(\boldsymbol{\alpha}))=k\sigma(\tau(\boldsymbol{\alpha}))=k(\sigma\tau)(\boldsymbol{\alpha})$$

所以$\sigma\tau$是线性变换.

同映射乘法的结合律一样, 线性变换的乘法也适合结合律, 即

$$(\sigma\tau)\omega=\sigma(\tau\omega)$$

但线性变换的乘法一般是不可交换的. 例如, 在线性空间$\mathbf{R}[x]$中, 线性变换

$$Df(x)=f'(x)$$

$$L(f(x))=\int_a^x f(t)\mathrm{d}t$$

的乘积$DL=E$, 但一般$LD\neq E$.

对于乘法, 单位变换地位特殊, 它与所有线性变换σ的乘积仍等于σ, 即

$$\sigma E=E\sigma=\sigma$$

容易验证线性变换的乘法对加法有左、右分配律, 即

$$\sigma(\tau+\omega)=\sigma\tau+\sigma\omega$$

$$(\tau+\omega)\sigma=\tau\sigma+\omega\sigma$$

3. 数与线性变换的数量乘法

在例 8.1.3 中我们看到, 数域P中的每个数k可定义一个数乘变换K. 利用线性变换的乘

法，数域 P 中的数与线性变换 σ 的数量乘法定义为

$$k\sigma = K\sigma$$

即

$$(k\sigma)(\boldsymbol{\alpha}) = K(\sigma(\boldsymbol{\alpha})) = K\sigma(\boldsymbol{\alpha})$$

显然 $k\sigma$ 还是线性变换，线性变换的数量乘法适合以下的规律:

$$(kl)\sigma = k(l\sigma)$$

$$(k+l)\sigma = k\sigma + l\sigma$$

$$k(\sigma+\tau) = k\sigma + k\tau$$

$$1\sigma = \sigma$$

容易验证，线性空间 V 上全体线性变换，对于如上定义的加法与数量乘法，也构成数域 P 上一个线性空间.

4. 线性变换的逆变换

V 的线性变换 σ 称为可逆的，如果存在 V 的一个变换 τ，使

$$\sigma\tau = \tau\sigma = E$$

这时，变换 τ 称为 σ 的逆变换. 容易证明，若 σ 可逆，则其逆变换 τ 是唯一的，此时 τ 记为 σ^{-1}. 下面证明如果线性变换 σ 是可逆的，那么它的逆变换 σ^{-1} 也是线性变换. 事实上

$$\begin{aligned}\sigma^{-1}(\boldsymbol{\alpha}+\boldsymbol{\beta}) &= \sigma^{-1}[(\sigma\sigma^{-1})(\boldsymbol{\alpha})+(\sigma\sigma^{-1})(\boldsymbol{\beta})] \\ &= \sigma^{-1}[\sigma(\sigma^{-1}(\boldsymbol{\alpha}))+\sigma(\sigma^{-1}(\boldsymbol{\beta}))] \\ &= \sigma^{-1}[\sigma(\sigma^{-1}(\boldsymbol{\alpha})+\sigma^{-1}(\boldsymbol{\beta}))] \\ &= (\sigma^{-1}\sigma)(\sigma^{-1}(\boldsymbol{\alpha})+\sigma^{-1}(\boldsymbol{\beta})) = \sigma^{-1}(\boldsymbol{\alpha})+\sigma^{-1}(\boldsymbol{\beta}) \\ \sigma^{-1}(k\boldsymbol{\alpha}) &= \sigma^{-1}(k(\sigma\sigma^{-1})(\boldsymbol{\alpha})) = \sigma^{-1}(k(\sigma(\sigma^{-1}(\boldsymbol{\alpha})))) \\ &= \sigma^{-1}(\sigma(k\sigma^{-1}(\boldsymbol{\alpha}))) = (\sigma^{-1}\sigma)(k\sigma^{-1}(\boldsymbol{\alpha})) = k\sigma^{-1}(\boldsymbol{\alpha})\end{aligned}$$

所以 σ^{-1} 是线性变换.

5. 线性变换的多项式

由于线性变换的乘法满足结合律，当若干个线性变换 σ 重复相乘时，其结果是完全确定的，与乘法的结合方法无关. 因此当 n 个（n 是正整数）线性变换 σ 相乘时，就可以用

$$\overbrace{\sigma\sigma\cdots\sigma}^{n\text{个}}$$

来表示，称为 σ 的 n 次幂，简记为 σ^n. 作为定义，令

$$\sigma^0 = E$$

根据线性变换幂的定义，可以推出指数法则:

$$\sigma^{m+n} = \sigma^m\sigma^n, \quad (\sigma^m)^n = \sigma^{mn} \qquad (m,n \geqslant 0)$$

当线性变换 σ 可逆时，可定义 σ 的负整数幂为

$$\sigma^{-n} = (\sigma^{-1})^n \quad (n\text{ 是正整数})$$

这时，指数法则可以推广到负整数幂的情形.

由于线性变换的乘法一般是不可交换, 所以线性变换乘积的指数法则不成立, 即一般来说,

$$(\sigma\tau)^n \neq \sigma^n\tau^n$$

设

$$f(x) = a_m x^m + a_{m-1}x^{m-1} + \cdots + a_0$$

是 $P[x]$ 中一多项式, σ 是 V 的一个线性变换, 定义

$$f(\sigma) = a_m\sigma^m + a_{m-1}\sigma^{m-1} + \cdots + a_0 E$$

则 $f(\sigma)$ 是一线性变换, 它称为线性变换 σ 的多项式.

容易验证, 如果在 $P[x]$ 中

$$h(x) = f(x) + g(x), \quad p(x) = f(x)g(x)$$

则

$$h(\sigma) = f(\sigma) + g(\sigma), \quad p(\sigma) = f(\sigma)g(\sigma)$$

特别地,

$$f(\sigma)g(\sigma) = g(\sigma)f(\sigma)$$

即同一个线性变换的多项式的乘法是可交换的.

例 8.1.6 设 D,S 为线性空间 $P[x]$ 的如下两个线性变换:

$$D(f(x)) = f'(x), \quad S(f(x)) = xf(x)$$

证明: (1) $DS \neq SD$; (2) $DS - SD = E$.

证明 (1) 因为

$$(DS)f(x) = D(Sf(x)) = D(xf(x)) = f(x) + xf'(x)$$
$$(SD)f(x) = S(Df(x)) = Sf'(x) = xf'(x)$$

可见当 $f(x) \neq 0$ 时, $(DS)f(x) \neq (SD)f(x)$, 故 $DS \neq SD$.

(2) 由 (1) 知, 对 $P[x]$ 中任意 $f(x)$ 都有

$$(DS)f(x) = f(x) + (SD)f(x)$$

即

$$(DS - SD)f(x) = f(x)$$

故

$$DS - SD = E$$

例 8.1.7 在线性空间 $P[x]_n$ 中, 求微商 D 是一个线性变换. 定义平移

$$f(x) \to f(x+a), \quad a \in P$$

也是 $P[x]_n$ 上的一个线性变换, 用 φ_a 表示. 事实上, 平移 φ_a 是求微商 D 的一个多项式. 根据泰勒展开式

$$f(x+a) = f(x) + af'(x) + \frac{a^2}{2!}f''(x) + \cdots + \frac{a^{n-1}}{(n-1)!}f^{(n-1)}(x)$$

从而, 有

$$\varphi_a = \mathrm{E} + aD + \frac{a^2}{2!}D^2 + \cdots + \frac{a^{n-1}}{(n-1)!}D^{n-1}$$

$\forall f(x) \in P[x]_n$, 有 $D^n(f(x)) = 0$, 从而 $D^n = O$. 但当 $1 \leqslant k \leqslant n-1$ 时, $D^k \neq O$.

8.2 线性变换的矩阵

8.2.1 线性变换的基下矩阵

设V是数域P上n维线性空间，$\boldsymbol{\varepsilon}_1,\boldsymbol{\varepsilon}_2,\cdots,\boldsymbol{\varepsilon}_n$是$V$的一组基，下面讨论在这组基下线性变换与矩阵的关系.

V中任意一个向量$\boldsymbol{\xi}$可以被基$\boldsymbol{\varepsilon}_1,\boldsymbol{\varepsilon}_2,\cdots,\boldsymbol{\varepsilon}_n$线性表出，即有关系式

$$\boldsymbol{\xi}=x_1\boldsymbol{\varepsilon}_1+x_2\boldsymbol{\varepsilon}_2+\cdots+x_n\boldsymbol{\varepsilon}_n$$

其中，系数是唯一确定的，它们就是$\boldsymbol{\xi}$在这组基下的坐标．由于线性变换保持线性关系不变，从而$\boldsymbol{\xi}$的像$\sigma(\boldsymbol{\xi})$与基的像$\sigma(\boldsymbol{\varepsilon}_1),\sigma(\boldsymbol{\varepsilon}_2),\cdots,\sigma(\boldsymbol{\varepsilon}_n)$之间也必然有相同的关系式:

$$\sigma(\boldsymbol{\xi})=\sigma(x_1\boldsymbol{\varepsilon}_1+x_2\boldsymbol{\varepsilon}_2+\cdots+x_n\boldsymbol{\varepsilon}_n)=x_1\sigma(\boldsymbol{\varepsilon}_1)+x_2\sigma(\boldsymbol{\varepsilon}_2)+\cdots+x_n\sigma(\boldsymbol{\varepsilon}_n).$$

上式表明，如果已知基$\boldsymbol{\varepsilon}_1,\boldsymbol{\varepsilon}_2,\cdots,\boldsymbol{\varepsilon}_n$的像，那么线性空间中任意一个向量$\boldsymbol{\xi}$的像都可以由这组基的像确定．由此我们得到下面两个引理.

引理 8.2.1

设$\boldsymbol{\varepsilon}_1,\boldsymbol{\varepsilon}_2,\cdots,\boldsymbol{\varepsilon}_n$是线性空间$V$的一组基，如果线性变换$\sigma$与$\tau$在这组基上的作用相同，即

$$\sigma(\boldsymbol{\varepsilon}_i)=\tau(\boldsymbol{\varepsilon}_i),\qquad i=1,2,\cdots,n$$

那么$\sigma=\tau$.

证明 设$\forall\boldsymbol{\xi}\in V$，则

$$\boldsymbol{\xi}=x_1\boldsymbol{\varepsilon}_1+x_2\boldsymbol{\varepsilon}_2+\cdots+x_n\boldsymbol{\varepsilon}_n$$

由引理中的条件，得

$$\sigma(\boldsymbol{\xi})=x_1\sigma(\boldsymbol{\varepsilon}_1)+x_2\sigma(\boldsymbol{\varepsilon}_2)+\cdots+x_n\sigma(\boldsymbol{\varepsilon}_n)=x_1\tau(\boldsymbol{\varepsilon}_1)+x_2\tau(\boldsymbol{\varepsilon}_2)+\cdots+x_n\tau(\boldsymbol{\varepsilon}_n)=\tau(\boldsymbol{\xi})$$

所以$\sigma=\tau$.

引理 8.2.1 的结论说明：一个线性变换完全由它在一组基上的作用所决定.

引理 8.2.2

设$\boldsymbol{\varepsilon}_1,\boldsymbol{\varepsilon}_2,\cdots,\boldsymbol{\varepsilon}_n$是线性空间$V$的一组基，对于任意一组向量$\boldsymbol{\alpha}_1,\boldsymbol{\alpha}_2,\cdots,\boldsymbol{\alpha}_n$，一定存在线性变换$\sigma$使

$$\sigma(\boldsymbol{\varepsilon}_i)=\boldsymbol{\alpha}_i,\quad i=1,2,\cdots,n \tag{8.2.1}$$

证明 设$\boldsymbol{\xi}$是线性空间V中的任意一个向量，则

$$\boldsymbol{\xi}=x_1\boldsymbol{\varepsilon}_1+x_2\boldsymbol{\varepsilon}_2+\cdots+x_n\boldsymbol{\varepsilon}_n$$

定义V的变换σ为

$$\sigma(\boldsymbol{\xi})=x_1\boldsymbol{\alpha}_1+x_2\boldsymbol{\alpha}_2+\cdots+x_n\boldsymbol{\alpha}_n \tag{8.2.2}$$

下面证明变换σ是线性的.

在线性空间V中，任意取两个向量,

$$\boldsymbol{\eta}=\sum_{i=1}^n b_i\boldsymbol{\varepsilon}_i,\quad \boldsymbol{\zeta}=\sum_{i=1}^n c_i\boldsymbol{\varepsilon}_i$$

于是

$$\boldsymbol{\eta}+\boldsymbol{\zeta}=\sum_{i=1}^{n}(b_i+c_i)\boldsymbol{\varepsilon}_i,\quad k\boldsymbol{\eta}=\sum_{i=1}^{n}kb_i\boldsymbol{\varepsilon}_i,\quad k\in P$$

由式(8.2.2)，得

$$\sigma(\boldsymbol{\eta}+\boldsymbol{\zeta})=\sum_{i=1}^{n}(b_i+c_i)\boldsymbol{\alpha}_i=\sum_{i=1}^{n}b_i\boldsymbol{\alpha}_i+\sum_{i=1}^{n}c_i\boldsymbol{\alpha}_i=\sigma(\boldsymbol{\eta})+\sigma(\boldsymbol{\zeta})$$

$$\sigma(k\boldsymbol{\eta})=\sum_{i=1}^{n}kb_i\boldsymbol{\alpha}_i=k\sum_{i=1}^{n}b_i\boldsymbol{\alpha}_i=k\sigma(\boldsymbol{\eta})$$

所以σ是线性变换. 又因为

$$\boldsymbol{\varepsilon}_i=0\boldsymbol{\varepsilon}_1+\cdots+0\boldsymbol{\varepsilon}_{i-1}+1\boldsymbol{\varepsilon}_i+0\boldsymbol{\varepsilon}_{i+1}+\cdots+0\boldsymbol{\varepsilon}_n,\quad i=1,2,\cdots,n$$

所以

$$\sigma\boldsymbol{\varepsilon}_i=0\boldsymbol{\alpha}_1+\cdots+0\boldsymbol{\alpha}_{i-1}+1\boldsymbol{\alpha}_i+0\boldsymbol{\alpha}_{i+1}+\cdots+0\boldsymbol{\alpha}_n=\boldsymbol{\alpha}_i,\quad i=1,2,\cdots,n$$

即σ满足式(8.2.1).

综合引理 8.2.1 与引理 8.2.2, 可得如下结论.

定理 8.2.1

设$\boldsymbol{\varepsilon}_1,\boldsymbol{\varepsilon}_2,\cdots,\boldsymbol{\varepsilon}_n$是线性空间$V$的一组基，$\boldsymbol{\alpha}_1,\boldsymbol{\alpha}_2,\cdots,\boldsymbol{\alpha}_n$是$V$中任意$n$个向量，则存在唯一的线性变换$\sigma$使

$$\sigma(\boldsymbol{\varepsilon}_1)=\boldsymbol{\alpha}_i,\quad i=1,2,\cdots,n$$

定义 8.2.1

设$\boldsymbol{\varepsilon}_1,\boldsymbol{\varepsilon}_2,\cdots,\boldsymbol{\varepsilon}_n$是数域$P$上$n$维线性空间$V$的一组基，$\sigma$是$V$中的一个线性变换. 基向量的像可以被基线性表出:

$$\begin{cases}\sigma(\boldsymbol{\varepsilon}_1)=a_{11}\boldsymbol{\varepsilon}_1+a_{21}\boldsymbol{\varepsilon}_2+\cdots+a_{n1}\boldsymbol{\varepsilon}_n,\\ \sigma(\boldsymbol{\varepsilon}_2)=a_{12}\boldsymbol{\varepsilon}_1+a_{22}\boldsymbol{\varepsilon}_2+\cdots+a_{n2}\boldsymbol{\varepsilon}_n,\\ \qquad\cdots\cdots\\ \sigma(\boldsymbol{\varepsilon}_n)=a_{1n}\boldsymbol{\varepsilon}_1+a_{2n}\boldsymbol{\varepsilon}_2+\cdots+a_{nn}\boldsymbol{\varepsilon}_n\end{cases}$$

用矩阵表示就是

$$\begin{aligned}\sigma(\boldsymbol{\varepsilon}_1,\boldsymbol{\varepsilon}_2,\cdots,\boldsymbol{\varepsilon}_n)&=(\sigma(\boldsymbol{\varepsilon}_1),\sigma(\boldsymbol{\varepsilon}_2),\cdots,\sigma(\boldsymbol{\varepsilon}_n))\\&=(\boldsymbol{\varepsilon}_1,\boldsymbol{\varepsilon}_2,\cdots,\boldsymbol{\varepsilon}_n)\boldsymbol{A}\end{aligned}\tag{8.2.3}$$

其中

$$\boldsymbol{A}=\begin{pmatrix}a_{11}&a_{12}&\cdots&a_{1n}\\a_{21}&a_{22}&\cdots&a_{2n}\\\vdots&\vdots&&\vdots\\a_{n1}&a_{n2}&\cdots&a_{nn}\end{pmatrix}$$

矩阵$\boldsymbol{A}$称为线性变换σ**在基**$\varepsilon_1,\varepsilon_2,\cdots,\varepsilon_n$**下的矩阵**.

例 8.2.1 在$P[x]_4$中，设$\sigma(f(x))=f'(x)$，求σ在基$1,x,x^2,x^3$下的矩阵.

解 $\sigma(1)=0$，$\sigma(x)=1$，$\sigma(x^2)=2x$，$\sigma(x^3)=3x^2$，所以

$$\sigma(1,x,x^2,x^3)=(1,x,x^2,x^3)\begin{pmatrix}0&1&0&0\\0&0&2&0\\0&0&0&3\\0&0&0&0\end{pmatrix}$$

则 σ 在基 $1,x,x^2,x^3$ 下的矩阵为

$$A=\begin{pmatrix}0&1&0&0\\0&0&2&0\\0&0&0&3\\0&0&0&0\end{pmatrix}$$

这样, 在取定一组基之后, 就建立了由数域 P 上的 n 维线性空间 V 的线性变换到数域 $\mathbf{P}$ 上的 $n\times n$ 矩阵的一个映射, 引理 8.2.1 说明这个映射是单射, 引理 8.2.2 说明这个映射是满射, 即这个映射是双射, 更重要的是它还保持所有运算.

定理 8.2.2

设 $\boldsymbol{\varepsilon}_1,\boldsymbol{\varepsilon}_2,\cdots,\boldsymbol{\varepsilon}_n$ 是数域 P 上 n 维线性空间 V 的一组基, 在这组基下, 每个线性变换按式 (8.2.3) 对应一个 $n\times n$ 矩阵, 这个对应具有以下性质:

(1) 线性变换的和对应于矩阵的和;

(2) 线性变换的乘积对应于矩阵的乘积;

(3) 线性变换的数量乘积对应于矩阵的数量乘积;

(4) 可逆的线性变换与可逆矩阵对应, 且逆变换对应于逆矩阵.

证明 设 σ,τ 是两个线性变换, 在基 $\boldsymbol{\varepsilon}_1,\boldsymbol{\varepsilon}_2,\cdots,\boldsymbol{\varepsilon}_n$ 下的矩阵分别为 $\boldsymbol{A},\boldsymbol{B}$, 即

$$\sigma(\boldsymbol{\varepsilon}_1,\boldsymbol{\varepsilon}_2,\cdots,\boldsymbol{\varepsilon}_n)=(\boldsymbol{\varepsilon}_1,\boldsymbol{\varepsilon}_2,\cdots,\boldsymbol{\varepsilon}_n)\boldsymbol{A}$$
$$\tau(\boldsymbol{\varepsilon}_1,\boldsymbol{\varepsilon}_2,\cdots,\boldsymbol{\varepsilon}_n)=(\boldsymbol{\varepsilon}_1,\boldsymbol{\varepsilon}_2,\cdots,\boldsymbol{\varepsilon}_n)\boldsymbol{B}$$

(1) 因为

$$\begin{aligned}(\sigma+\tau)(\boldsymbol{\varepsilon}_1,\boldsymbol{\varepsilon}_2,\cdots,\boldsymbol{\varepsilon}_n)&=\sigma(\boldsymbol{\varepsilon}_1,\boldsymbol{\varepsilon}_2,\cdots,\boldsymbol{\varepsilon}_n)+\tau(\boldsymbol{\varepsilon}_1,\boldsymbol{\varepsilon}_2,\cdots,\boldsymbol{\varepsilon}_n)\\&=(\boldsymbol{\varepsilon}_1,\boldsymbol{\varepsilon}_2,\cdots,\boldsymbol{\varepsilon}_n)\boldsymbol{A}+(\boldsymbol{\varepsilon}_1,\boldsymbol{\varepsilon}_2,\cdots,\boldsymbol{\varepsilon}_n)\boldsymbol{B}=(\boldsymbol{\varepsilon}_1,\boldsymbol{\varepsilon}_2,\cdots,\boldsymbol{\varepsilon}_n)(\boldsymbol{A}+\boldsymbol{B})\end{aligned}$$

所以, 线性变换 $\sigma+\tau$ 在基 $\boldsymbol{\varepsilon}_1,\boldsymbol{\varepsilon}_2,\cdots,\boldsymbol{\varepsilon}_n$ 下的矩阵是 $\boldsymbol{A}+\boldsymbol{B}$.

(2) 同样地

$$\begin{aligned}(\sigma\tau)(\boldsymbol{\varepsilon}_1,\boldsymbol{\varepsilon}_2,\cdots,\boldsymbol{\varepsilon}_n)&=\sigma(\tau(\boldsymbol{\varepsilon}_1,\boldsymbol{\varepsilon}_2,\cdots,\boldsymbol{\varepsilon}_n))=\sigma((\boldsymbol{\varepsilon}_1,\boldsymbol{\varepsilon}_2,\cdots,\boldsymbol{\varepsilon}_n)\boldsymbol{B})\\&=(\sigma(\boldsymbol{\varepsilon}_1,\boldsymbol{\varepsilon}_2,\cdots,\boldsymbol{\varepsilon}_n))\boldsymbol{B}=(\boldsymbol{\varepsilon}_1,\boldsymbol{\varepsilon}_2,\cdots,\boldsymbol{\varepsilon}_n)\boldsymbol{AB}\end{aligned}$$

所以, 线性变换 $\sigma\tau$ 在基 $\boldsymbol{\varepsilon}_1,\boldsymbol{\varepsilon}_2,\cdots,\boldsymbol{\varepsilon}_n$ 下的矩阵是 $\boldsymbol{AB}$.

(3) 设 K 为数乘变换, 因为

$$K(\boldsymbol{\varepsilon}_1,\boldsymbol{\varepsilon}_2,\cdots,\boldsymbol{\varepsilon}_n)=(k\boldsymbol{\varepsilon}_1,k\boldsymbol{\varepsilon}_2,\cdots,k\boldsymbol{\varepsilon}_n)=(\boldsymbol{\varepsilon}_1,\boldsymbol{\varepsilon}_2,\cdots,\boldsymbol{\varepsilon}_n)k\boldsymbol{E}$$
$$\sigma(\boldsymbol{\varepsilon}_1,\boldsymbol{\varepsilon}_2,\cdots,\boldsymbol{\varepsilon}_n)=(\boldsymbol{\varepsilon}_1,\boldsymbol{\varepsilon}_2,\cdots,\boldsymbol{\varepsilon}_n)\boldsymbol{A}$$

由 (2) 的证明, 得到

$$k\sigma(\boldsymbol{\varepsilon}_1,\boldsymbol{\varepsilon}_2,\cdots,\boldsymbol{\varepsilon}_n)=(K\sigma)(\boldsymbol{\varepsilon}_1,\boldsymbol{\varepsilon}_2,\cdots,\boldsymbol{\varepsilon}_n)=(\boldsymbol{\varepsilon}_1,\boldsymbol{\varepsilon}_2,\cdots,\boldsymbol{\varepsilon}_n)(k\boldsymbol{E})\boldsymbol{A}=(\boldsymbol{\varepsilon}_1,\boldsymbol{\varepsilon}_2,\cdots,\boldsymbol{\varepsilon}_n)k\boldsymbol{A}$$

所以, $k\sigma$ 在基 $\boldsymbol{\varepsilon}_1,\boldsymbol{\varepsilon}_2,\cdots,\boldsymbol{\varepsilon}_n$ 下矩阵是 $k\boldsymbol{A}$, 即线性变换的数量乘积对应于矩阵的数量乘积.

(4) 单位变换 E 对应于单位矩阵 $\boldsymbol{E}$, 又因为等式

$$\sigma\tau = \tau\sigma = E$$

与等式

$$\boldsymbol{AB} = \boldsymbol{BA} = \boldsymbol{E}$$

相对应，所以可逆线性变换与可逆矩阵对应，且逆变换对应于逆矩阵.

定理 8.2.2 说明数域 P 上 n 维线性空间 V 的全体线性变换组成的集合 $L(V)$ 对于线性变换的加法与数量乘法构成 P 上一个线性空间，与数域 P 上 n 级方阵构成的线性空间 $P^{n\times n}$ 同构. 换句话说，研究 n 维线性空间的线性变换与研究 n 级方阵本质上是一样的. 由于矩阵运算较具体，因而常把线性变换转化成矩阵来讨论，但有时也将矩阵的讨论化为线性变换来研究.

利用线性变换基下的矩阵可以直接计算一个向量的像.

定理 8.2.3

设线性变换 σ 在基 $\boldsymbol{\varepsilon}_1,\boldsymbol{\varepsilon}_2,\cdots,\boldsymbol{\varepsilon}_n$ 下的矩阵是 $\boldsymbol{A}$，向量 $\boldsymbol{\xi}$ 在基 $\boldsymbol{\varepsilon}_1,\boldsymbol{\varepsilon}_2,\cdots,\boldsymbol{\varepsilon}_n$ 下的坐标是 $(x_1,x_2,\cdots,x_n)$，则 $\sigma(\boldsymbol{\xi})$ 在基 $\boldsymbol{\varepsilon}_1,\boldsymbol{\varepsilon}_2,\cdots,\boldsymbol{\varepsilon}_n$ 下的坐标 $(y_1,y_2,\cdots,y_n)$ 可以按

$$\begin{pmatrix} y_1 \\ y_2 \\ \vdots \\ y_n \end{pmatrix} = \boldsymbol{A}\begin{pmatrix} x_1 \\ x_2 \\ \vdots \\ x_n \end{pmatrix}$$

计算.

证明 由假设

$$\boldsymbol{\xi} = (\boldsymbol{\varepsilon}_1,\boldsymbol{\varepsilon}_2,\cdots,\boldsymbol{\varepsilon}_n)\begin{pmatrix} x_1 \\ x_2 \\ \vdots \\ x_n \end{pmatrix}$$

$$\sigma(\boldsymbol{\xi}) = (\sigma(\boldsymbol{\varepsilon}_1),\sigma(\boldsymbol{\varepsilon}_2),\cdots,\sigma(\boldsymbol{\varepsilon}_n))\begin{pmatrix} x_1 \\ x_2 \\ \vdots \\ x_n \end{pmatrix} = (\boldsymbol{\varepsilon}_1,\boldsymbol{\varepsilon}_2,\cdots,\boldsymbol{\varepsilon}_n)\boldsymbol{A}\begin{pmatrix} x_1 \\ x_2 \\ \vdots \\ x_n \end{pmatrix}$$

另一方面，由假设

$$\sigma(\boldsymbol{\xi}) = (\boldsymbol{\varepsilon}_1,\boldsymbol{\varepsilon}_2,\cdots,\boldsymbol{\varepsilon}_n)\begin{pmatrix} y_1 \\ y_2 \\ \vdots \\ y_n \end{pmatrix}$$

由于 $\boldsymbol{\varepsilon}_1,\boldsymbol{\varepsilon}_2,\cdots,\boldsymbol{\varepsilon}_n$ 线性无关，所以

$$\begin{pmatrix} y_1 \\ y_2 \\ \vdots \\ y_n \end{pmatrix} = \boldsymbol{A}\begin{pmatrix} x_1 \\ x_2 \\ \vdots \\ x_n \end{pmatrix}$$

8.2.2 矩阵的相似

由上面的结论可知，线性变换的矩阵是在选定线性空间的一组基下确定的. 一般地，随着基的选取不同，同一个线性变换具有不同的矩阵，下面的结论表明了同一个线性变换在不同基下的矩阵之间的关系.

定理 8.2.4

设线性空间V中线性变换σ在两组基

$$\boldsymbol{\varepsilon}_1,\boldsymbol{\varepsilon}_2,\cdots,\boldsymbol{\varepsilon}_n \tag{8.2.4}$$

$$\boldsymbol{\eta}_1,\boldsymbol{\eta}_2,\cdots,\boldsymbol{\eta}_n \tag{8.2.5}$$

下的矩阵分别为$\boldsymbol{A}$和$\boldsymbol{B}$，从基(8.2.4)到基(8.2.5)的过渡矩阵是$\boldsymbol{X}$，于是$\boldsymbol{B}=\boldsymbol{X}^{-1}\boldsymbol{A}\boldsymbol{X}$.

证明 已知

$$\sigma(\boldsymbol{\varepsilon}_1,\boldsymbol{\varepsilon}_2,\cdots,\boldsymbol{\varepsilon}_n)=(\boldsymbol{\varepsilon}_1,\boldsymbol{\varepsilon}_2,\cdots,\boldsymbol{\varepsilon}_n)\boldsymbol{A}$$
$$\sigma(\boldsymbol{\eta}_1,\boldsymbol{\eta}_2,\cdots,\boldsymbol{\eta}_n)=(\boldsymbol{\eta}_1,\boldsymbol{\eta}_2,\cdots,\boldsymbol{\eta}_n)\boldsymbol{B}$$
$$(\boldsymbol{\eta}_1,\boldsymbol{\eta}_2,\cdots,\boldsymbol{\eta}_n)=(\boldsymbol{\varepsilon}_1,\boldsymbol{\varepsilon}_2,\cdots,\boldsymbol{\varepsilon}_n)\boldsymbol{X}$$

于是

$$\begin{aligned}\sigma(\boldsymbol{\eta}_1,\boldsymbol{\eta}_2,\cdots,\boldsymbol{\eta}_n)&=\sigma[(\boldsymbol{\varepsilon}_1,\boldsymbol{\varepsilon}_2,\cdots,\boldsymbol{\varepsilon}_n)\boldsymbol{X}]=[\sigma(\boldsymbol{\varepsilon}_1,\boldsymbol{\varepsilon}_2,\cdots,\boldsymbol{\varepsilon}_n)]\boldsymbol{X}\\&=(\boldsymbol{\varepsilon}_1,\boldsymbol{\varepsilon}_2,\cdots,\boldsymbol{\varepsilon}_n)\boldsymbol{A}\boldsymbol{X}=(\boldsymbol{\eta}_1,\boldsymbol{\eta}_2,\cdots,\boldsymbol{\eta}_n)\boldsymbol{X}^{-1}\boldsymbol{A}\boldsymbol{X}\end{aligned}$$

由此即得

$$\boldsymbol{B}=\boldsymbol{X}^{-1}\boldsymbol{A}\boldsymbol{X}$$

例 8.2.2 设V是数域P上一个二维线性空间，$\boldsymbol{\varepsilon}_1,\boldsymbol{\varepsilon}_2$是一组基，线性变换$\sigma$在$\boldsymbol{\varepsilon}_1,\boldsymbol{\varepsilon}_2$下的矩阵是

$$\boldsymbol{A}=\begin{pmatrix}2&1\\-1&0\end{pmatrix}$$

求σ在V的另一组基$\boldsymbol{\eta}_1,\boldsymbol{\eta}_2$下的矩阵，其中$(\boldsymbol{\eta}_1,\boldsymbol{\eta}_2)=(\boldsymbol{\varepsilon}_1,\boldsymbol{\varepsilon}_2)\boldsymbol{X}$，这里$\boldsymbol{X}=\begin{pmatrix}1&-1\\-1&2\end{pmatrix}$为基$\boldsymbol{\varepsilon}_1,\boldsymbol{\varepsilon}_2$到基$\boldsymbol{\eta}_1,\boldsymbol{\eta}_2$的过渡矩阵.

解 设线性变换σ在$\boldsymbol{\eta}_1,\boldsymbol{\eta}_2$下的矩阵为$\boldsymbol{B}$，即

$$\sigma(\boldsymbol{\eta}_1,\boldsymbol{\eta}_2)=(\boldsymbol{\eta}_1,\boldsymbol{\eta}_2)\boldsymbol{B}$$

由已知

$$(\boldsymbol{\eta}_1,\boldsymbol{\eta}_2)=(\boldsymbol{\varepsilon}_1,\boldsymbol{\varepsilon}_2)\begin{pmatrix}1&-1\\-1&2\end{pmatrix},\quad \sigma(\boldsymbol{\varepsilon}_1,\boldsymbol{\varepsilon}_2)=(\boldsymbol{\varepsilon}_1,\boldsymbol{\varepsilon}_2)\begin{pmatrix}2&1\\-1&0\end{pmatrix}$$

$$\begin{aligned}\sigma(\boldsymbol{\eta}_1,\boldsymbol{\eta}_2)&=\sigma(\boldsymbol{\varepsilon}_1,\boldsymbol{\varepsilon}_2)\begin{pmatrix}1&-1\\-1&2\end{pmatrix}\\&=(\boldsymbol{\varepsilon}_1,\boldsymbol{\varepsilon}_2)\begin{pmatrix}2&1\\-1&0\end{pmatrix}\begin{pmatrix}1&-1\\-1&2\end{pmatrix}\\&=(\boldsymbol{\eta}_1,\boldsymbol{\eta}_2)\begin{pmatrix}1&-1\\-1&2\end{pmatrix}^{-1}\begin{pmatrix}2&1\\-1&0\end{pmatrix}\begin{pmatrix}1&-1\\-1&2\end{pmatrix}=(\boldsymbol{\eta}_1,\boldsymbol{\eta}_2)\boldsymbol{X}^{-1}\boldsymbol{A}\boldsymbol{X}\end{aligned}$$

所以

$$B=X^{-1}AX=\begin{pmatrix}1&-1\\-1&2\end{pmatrix}^{-1}\begin{pmatrix}2&1\\-1&0\end{pmatrix}\begin{pmatrix}1&-1\\-1&2\end{pmatrix}=\begin{pmatrix}1&1\\0&1\end{pmatrix}$$

定义 8.2.2

设 A，B 为数域 P 上两个 n 级方阵，如果存在数域 P 上的 n 级可逆方阵 X，使得 $B=X^{-1}AX$，那么称 A 相似于 B，记作 $A\sim B$.

相似是矩阵之间的一种关系，这种关系具有如下三个性质.

(1) 反身性：$A\sim A$；

(2) 对称性：如果 $A\sim B$，那么 $B\sim A$；

(3) 传递性：如果 $A\sim B$，$B\sim C$，那么 $A\sim C$.

用相似关系来阐述定理 8.2.4.

定理 8.2.5

同一个线性变换在不同基下的矩阵是相似的；反过来，如果两个矩阵相似，那么它们可以看作同一个线性变换在两组基下的矩阵.

证明 定理 8.2.4 已给出前一部分的证明，现在证明后一部分. 设 n 阶矩阵 A 和 B 相似，A 可以看成 n 维线性空间 V 中一个线性变换 σ 在基 $\varepsilon_1,\varepsilon_2,\cdots,\varepsilon_n$ 下的矩阵. 因为 $B=X^{-1}AX$，令

$$(\eta_1,\eta_2,\cdots,\eta_n)=(\varepsilon_1,\varepsilon_2,\cdots,\varepsilon_n)X$$

容易证明 $\eta_1,\eta_2,\cdots,\eta_n$ 也是一组基，σ 在这组基下的矩阵就是 B.

相似矩阵的运算有下面的性质.

如果 $B_1=X^{-1}A_1X$，$B_2=X^{-1}A_2X$，那么

$$B_1+B_2=X^{-1}(A_1+A_2)X$$

$$B_1B_2=X^{-1}(A_1A_2)X$$

由此可知，如果 $B=X^{-1}AX$，且 $f(x)\in P[x]$，那么

$$f(B)=f(X^{-1}AX)=X^{-1}f(A)X$$

利用矩阵相似的这个性质可以简化矩阵的计算.

例 8.2.3 已知 $\begin{pmatrix}1&1\\0&1\end{pmatrix}^k=\begin{pmatrix}1&k\\0&1\end{pmatrix}$,求 $\begin{pmatrix}2&1\\-1&0\end{pmatrix}^k$.

解 由例 8.2.2,

$$\begin{pmatrix}1&-1\\-1&2\end{pmatrix}^{-1}\begin{pmatrix}2&1\\-1&0\end{pmatrix}\begin{pmatrix}1&-1\\-1&2\end{pmatrix}=\begin{pmatrix}1&1\\0&1\end{pmatrix}$$

得到

$$\begin{pmatrix}2&1\\-1&0\end{pmatrix}=\begin{pmatrix}1&-1\\-1&2\end{pmatrix}\begin{pmatrix}1&1\\0&1\end{pmatrix}\begin{pmatrix}1&-1\\-1&2\end{pmatrix}^{-1}$$

所以

$$\begin{pmatrix} 2 & 1 \\ -1 & 0 \end{pmatrix}^k = \begin{pmatrix} 1 & -1 \\ -1 & 2 \end{pmatrix}\begin{pmatrix} 1 & 1 \\ 0 & 1 \end{pmatrix}^k \begin{pmatrix} 1 & -1 \\ -1 & 2 \end{pmatrix}^{-1}$$

$$= \begin{pmatrix} 1 & -1 \\ -1 & 2 \end{pmatrix}\begin{pmatrix} 1 & k \\ 0 & 1 \end{pmatrix}\begin{pmatrix} 2 & 1 \\ 1 & 1 \end{pmatrix} = \begin{pmatrix} k+1 & k \\ -k & -k+1 \end{pmatrix}$$

8.3 线性变换的值域与核

在本节中, 我们将研究线性变换的单射和满射的充要条件, 从而得到有限维线性空间上的线性变换是单射等价于它是满射的结论.

定义 8.3.1

设 σ 是线性空间 V 的一个线性变换, σ 的全体像组成的集合称为 σ 的**值域**, 用 σV 表示. 所有被 σ 变成零向量的向量组成的集合称为 σ 的**核**, 用 $\sigma^{-1}(\mathbf{0})$ 表示.

采用集合的记号, 则 $\sigma V=\{\sigma(\boldsymbol{\xi})\mid\boldsymbol{\xi}\in V\}$, $\sigma^{-1}(\mathbf{0})=\{\boldsymbol{\xi}\in V\mid\sigma(\boldsymbol{\xi})=\mathbf{0}\}$.

命题 8.3.1

线性变换的值域与核都是 V 的子空间.

证明 由

$$\sigma\boldsymbol{\alpha}+\sigma\boldsymbol{\beta}=\sigma(\boldsymbol{\alpha}+\boldsymbol{\beta}),\quad k\sigma\boldsymbol{\alpha}=\sigma(k\boldsymbol{\alpha})$$

知 σV 对加法与数量乘法是封闭的, 同时 σV 是非空的, 因此 σV 是 V 的子空间.

由 $\sigma(\boldsymbol{\alpha})=\mathbf{0}$ 与 $\sigma(\boldsymbol{\beta})=\mathbf{0}$ 得到

$$\sigma(\boldsymbol{\alpha}+\boldsymbol{\beta})=\mathbf{0},\quad \sigma(k\boldsymbol{\alpha})=\mathbf{0}$$

即 $\sigma^{-1}(\mathbf{0})$ 对加法与数量乘法是封闭的. 又因为 $\sigma(\mathbf{0})=\mathbf{0}$, 所以 $\mathbf{0}\in\sigma^{-1}(\mathbf{0})$, 即 $\sigma^{-1}(\mathbf{0})$ 非空. 所以 $\sigma^{-1}(\mathbf{0})$ 是 V 的子空间.

定义 8.3.2

σV 的维数称为 σ 的**秩**, $\sigma^{-1}(\mathbf{0})$ 的维数称为 σ 的**零度**.

例 8.3.1 在线性空间 $P[x]_n$ 中, 令

$$D(f(x))=f'(x)$$

则 D 的值域就是 $P[x]_{n-1}$, D 的核就是子空间 P.

命题 8.3.2

设 σ 是 n 维线性空间 V 的线性变换, 则 σ 是满射的充要条件是 $\sigma V=V$; σ 是单射的充要条件是 $\sigma^{-1}(0)=\{0\}$.

定理 8.3.1

设 σ 是 n 维线性空间 V 的线性变换，$\boldsymbol{\varepsilon}_1,\boldsymbol{\varepsilon}_2,\cdots,\boldsymbol{\varepsilon}_n$ 是 V 的一组基，在这组基下 σ 的矩阵是 $\boldsymbol{A}$，则

(1) σ 的值域 σV 是由基像组生成的子空间，即

$$\sigma V = L(\sigma(\boldsymbol{\varepsilon}_1),\sigma(\boldsymbol{\varepsilon}_2),\cdots,\sigma(\boldsymbol{\varepsilon}_n))$$

(2) σ 的秩 $=\boldsymbol{A}$ 的秩.

证明 (1) 设 $\boldsymbol{\xi}$ 是 V 中任一向量，则

$$\boldsymbol{\xi}=x_1\boldsymbol{\varepsilon}_1+x_2\boldsymbol{\varepsilon}_2+\cdots+x_n\boldsymbol{\varepsilon}_n$$

于是

$$\sigma(\boldsymbol{\xi})=x_1\sigma(\boldsymbol{\varepsilon}_1)+x_2\sigma(\boldsymbol{\varepsilon}_2)+\cdots+x_n\sigma(\boldsymbol{\varepsilon}_n) \tag{8.3.1}$$

式 (8.3.1) 说明，$\sigma(\boldsymbol{\xi})\in L(\sigma(\boldsymbol{\varepsilon}_1),\sigma(\boldsymbol{\varepsilon}_2),\cdots,\sigma(\boldsymbol{\varepsilon}_n))$. 因此，$\sigma V$ 包含在 $L(\sigma(\boldsymbol{\varepsilon}_1),\sigma(\boldsymbol{\varepsilon}_2),\cdots,\sigma(\boldsymbol{\varepsilon}_n))$ 内. 式 (8.3.1) 还表明基像组的线性组合还是一个像，因此 $L(\sigma(\boldsymbol{\varepsilon}_1),\sigma(\boldsymbol{\varepsilon}_2),\cdots,\sigma(\boldsymbol{\varepsilon}_n))$ 包含在 σV 内. 所以 $\sigma V = L(\sigma(\boldsymbol{\varepsilon}_1),\sigma(\boldsymbol{\varepsilon}_2),\cdots,\sigma(\boldsymbol{\varepsilon}_n))$.

(2) 根据 (1)，σ 的秩等于基像组的秩. 另一方面，矩阵 $\boldsymbol{A}$ 是由基像组的坐标按列排成的. 由第 7 章内容，在 n 维线性空间 V 中取定了一组基之后，把 V 的每一个向量与它的坐标对应起来，可以得到 V 到 P^n 的同构对应. 同构保持向量组的一切线性关系，因此基像组与坐标组有相同的秩，而坐标组是矩阵 $\boldsymbol{A}$ 的列向量组.

定理 8.3.2

设 σ 是 n 维线性空间 V 的线性变换，则 σV 的一组基的原像及 $\sigma^{-1}(\mathbf{0})$ 的一组基合起来就是 V 的一组基. 从而，

$$\sigma \text{ 的秩} + \sigma \text{ 的零度} = n$$

证明 设 σV 的一组基为 $\boldsymbol{\eta}_1,\boldsymbol{\eta}_2,\cdots,\boldsymbol{\eta}_r$，它们的原像为 $\boldsymbol{\varepsilon}_1,\boldsymbol{\varepsilon}_2,\cdots,\boldsymbol{\varepsilon}_r$，即 $\sigma(\boldsymbol{\varepsilon}_i)=\boldsymbol{\eta}_i$，$i=1,2,\cdots,r$. 取 $\sigma^{-1}(\mathbf{0})$ 的一组基 $\boldsymbol{\varepsilon}_{r+1},\boldsymbol{\varepsilon}_{r+2},\cdots,\boldsymbol{\varepsilon}_s$. 下证 $\boldsymbol{\varepsilon}_1,\boldsymbol{\varepsilon}_2,\cdots,\boldsymbol{\varepsilon}_r,\boldsymbol{\varepsilon}_{r+1},\cdots,\boldsymbol{\varepsilon}_s$ 为 V 的一组基. 设

$$l_1\boldsymbol{\varepsilon}_1+l_2\boldsymbol{\varepsilon}_2+\cdots+l_r\boldsymbol{\varepsilon}_r+l_{r+1}\boldsymbol{\varepsilon}_{r+1}+\cdots+l_s\boldsymbol{\varepsilon}_s=\mathbf{0} \tag{8.3.2}$$

式 (8.3.2) 两端同时施行变换 σ，则

$$l_1\sigma(\boldsymbol{\varepsilon}_1)+l_2\sigma(\boldsymbol{\varepsilon}_2)+\cdots+l_r\sigma(\boldsymbol{\varepsilon}_r)+l_{r+1}\sigma(\boldsymbol{\varepsilon}_{r+1})+\cdots+l_s\sigma(\boldsymbol{\varepsilon}_s)=\sigma(\mathbf{0})=\mathbf{0} \tag{8.3.3}$$

因为 $\boldsymbol{\varepsilon}_{r+1},\boldsymbol{\varepsilon}_{r+2},\cdots,\boldsymbol{\varepsilon}_s$ 属于 $\sigma^{-1}(\mathbf{0})$，所以 $\sigma(\boldsymbol{\varepsilon}_{r+1})=\cdots=\sigma(\boldsymbol{\varepsilon}_s)=0$，又 $\sigma(\boldsymbol{\varepsilon}_i)=\boldsymbol{\eta}_i$ $(i=1,2,\cdots,r)$. 由式 (8.3.3) 得

$$l_1\boldsymbol{\eta}_1+l_2\boldsymbol{\eta}_2+\cdots+l_r\boldsymbol{\eta}_r=\mathbf{0}$$

但 $\boldsymbol{\eta}_1,\boldsymbol{\eta}_2,\cdots,\boldsymbol{\eta}_r$ 线性无关，从而有 $l_1=l_2=\cdots=l_r=0$. 于是 $l_{r+1}\boldsymbol{\varepsilon}_{r+1}+\cdots+l_s\boldsymbol{\varepsilon}_s=0$. 又 $\boldsymbol{\varepsilon}_{r+1},\boldsymbol{\varepsilon}_{r+2},\cdots,\boldsymbol{\varepsilon}_s$ 是 $\sigma^{-1}(\mathbf{0})$ 的一组基，也线性无关，所以 $l_{r+1}=\cdots=l_s=0$. 这就证明了 $\boldsymbol{\varepsilon}_1,\boldsymbol{\varepsilon}_2,\cdots,\boldsymbol{\varepsilon}_r,\boldsymbol{\varepsilon}_{r+1},\cdots,\boldsymbol{\varepsilon}_s$ 是线性无关的.

再证 V 的任何一向量 $\boldsymbol{\alpha}$ 可由 $\boldsymbol{\varepsilon}_1,\boldsymbol{\varepsilon}_2,\cdots,\boldsymbol{\varepsilon}_r,\boldsymbol{\varepsilon}_{r+1},\cdots,\boldsymbol{\varepsilon}_s$ 线性表出. 由 $\boldsymbol{\eta}_i=\sigma(\boldsymbol{\varepsilon}_i)$ $(i=1,2,\cdots,r)$ 是 σV 的一组基，就有一组数 $k_1,k_2,\cdots,k_r$ 使 $\sigma(\boldsymbol{\alpha})=k_1\sigma(\boldsymbol{\varepsilon}_1)+k_2\sigma(\boldsymbol{\varepsilon}_2)+\cdots+k_r\sigma(\boldsymbol{\varepsilon}_r)=\sigma(k_1\boldsymbol{\varepsilon}_1+k_2\boldsymbol{\varepsilon}_2+\cdots+k_r\boldsymbol{\varepsilon}_r)$. 于是 $\sigma(\boldsymbol{\alpha}-k_1\boldsymbol{\varepsilon}_1-k_2\boldsymbol{\varepsilon}_2-\cdots-k_r\boldsymbol{\varepsilon}_r)=\mathbf{0}$，即 $\boldsymbol{\alpha}-k_1\boldsymbol{\varepsilon}_1-k_2\boldsymbol{\varepsilon}_2-\cdots-k_r\boldsymbol{\varepsilon}_r\in\boldsymbol{\sigma}^{-1}(\mathbf{0})$. 因为 $\boldsymbol{\varepsilon}_{r+1},\boldsymbol{\varepsilon}_{r+2},\cdots,\boldsymbol{\varepsilon}_s$ 是 $\sigma^{-1}(\mathbf{0})$ 的基，必有一组数 $k_{r+1},k_{r+2},\cdots,k_s$，使 $\boldsymbol{\alpha}-k_1\boldsymbol{\varepsilon}_1-k_2\boldsymbol{\varepsilon}_2-\cdots-k_r\boldsymbol{\varepsilon}_r=$

$k_{r+1}\boldsymbol{\varepsilon}_{r+1}+\cdots+k_s\boldsymbol{\varepsilon}_s$，所以，$\boldsymbol{\alpha}=k_1\boldsymbol{\varepsilon}_1+k_2\boldsymbol{\varepsilon}_2+\cdots+k_r\boldsymbol{\varepsilon}_r+k_{r+1}\boldsymbol{\varepsilon}_{r+1}+\cdots+k_s\boldsymbol{\varepsilon}_s$，可由 $\boldsymbol{\varepsilon}_1,\boldsymbol{\varepsilon}_2,\cdots,\boldsymbol{\varepsilon}_r$，$\boldsymbol{\varepsilon}_{r+1},\cdots,\boldsymbol{\varepsilon}_s$ 线性表出. 综上，$\boldsymbol{\varepsilon}_1,\boldsymbol{\varepsilon}_2,\cdots,\boldsymbol{\varepsilon}_r$，$\boldsymbol{\varepsilon}_{r+1},\cdots,\boldsymbol{\varepsilon}_s$ 是 V 的一组基.

由 V 的维数为 n 知 $s=n$，r 是 σV 的维数也即 σ 的秩，$s-r=n-r$ 是 $\sigma^{-1}(0)$ 的维数，即 σ 的零度. 所以，

$$\sigma\text{ 的秩}+\sigma\text{ 的零度}=n$$

推论 8.3.1

对于有限维线性空间的线性变换，它是单射的充要条件是它是满射，从而等价于它是自同构映射.

值得注意的是：虽然子空间 σV 与 $\sigma^{-1}(\mathbf{0})$ 的维数之和为 n，但是 $\sigma V+\sigma^{-1}(\mathbf{0})$ 并不一定是整个空间，如例 8.3.1.

例 8.3.2 已知 P^3 的线性变换 $\sigma(a,b,c)=(a+2b-c,b+c,a+b-2c)$，求 σV 与 $\sigma^{-1}(0)$ 的基与维数.

解 取 P^3 的基 $\boldsymbol{\varepsilon}_1=(1,0,0)$，$\boldsymbol{\varepsilon}_2=(0,1,0)$，$\boldsymbol{\varepsilon}_3=(0,0,1)$. 因为 $\sigma(\boldsymbol{\varepsilon}_1)=(1,0,1)$，$\sigma(\boldsymbol{\varepsilon}_2)=(2,1,1)$，$\sigma(\boldsymbol{\varepsilon}_3)=(-1,1,-2)$，可求得该向量组的秩为 2，且 $(1,0,1)$，$(2,1,1)$ 是一个极大无关组. 故 σV 的维数为 2，$(1,0,1)$，$(2,1,1)$ 是 σV 的一组基.

设 $(a,b,c)\in\sigma^{-1}(\mathbf{0})$，则由 $\sigma(a,b,c)=(a+2b-c,b+c,a+b-2c)=(0,0,0)$ 得到

$$\begin{cases}a+2b-c=0,\\ b+c=0,\\ a+b-2c=0\end{cases}$$

求得该方程组的通解为

$$(a,b,c)=k(3,-1,1)\quad(k\text{ 任意})$$

故 $\sigma^{-1}(0)$ 的维数为 1，$(3,-1,1)$ 是 $\sigma^{-1}(\mathbf{0})$ 的基.

例 8.3.3 设 $\boldsymbol{A}$ 是一个 $n\times n$ 矩阵，$\boldsymbol{A}^2=\boldsymbol{A}$，证明 $\boldsymbol{A}$ 相似于一个对角矩阵

$$\begin{pmatrix}1&&&&&&\\&1&&&&&\\&&\ddots&&&&\\&&&1&&&\\&&&&0&&\\&&&&&\ddots&\\&&&&&&0\end{pmatrix}\tag{8.3.4}$$

证明 设 $\boldsymbol{\varepsilon}_1,\boldsymbol{\varepsilon}_2,\cdots,\boldsymbol{\varepsilon}_n$ 为 n 维线性空间 V 的一组基，定义线性变换如下：

$$\sigma(\boldsymbol{\varepsilon}_1,\boldsymbol{\varepsilon}_2,\cdots,\boldsymbol{\varepsilon}_n)=(\boldsymbol{\varepsilon}_1,\boldsymbol{\varepsilon}_2,\cdots,\boldsymbol{\varepsilon}_n)\boldsymbol{A}$$

由 $\boldsymbol{A}^2=\boldsymbol{A}$ 可知 $\sigma^2=\sigma$. 取 σV 的一组基 $\boldsymbol{\eta}_1,\boldsymbol{\eta}_2,\cdots,\boldsymbol{\eta}_r$，由 $\sigma(\boldsymbol{\eta}_1)=\boldsymbol{\eta}_1,\cdots,\sigma(\boldsymbol{\eta}_r)=\boldsymbol{\eta}_r$，它们的原像也是 $\boldsymbol{\eta}_1,\boldsymbol{\eta}_2,\cdots,\boldsymbol{\eta}_r$. 再取 $\sigma^{-1}(0)$ 的一组基 $\boldsymbol{\eta}_{r+1},\boldsymbol{\eta}_{r+2},\cdots,\boldsymbol{\eta}_n$，由定理 8.3.2，$\boldsymbol{\eta}_1,\boldsymbol{\eta}_2,\cdots,\boldsymbol{\eta}_r$，$\boldsymbol{\eta}_{r+1},\cdots,\boldsymbol{\eta}_n$ 是 V 的一组基，故 σ 在这组基下的矩阵为矩阵(8.3.4). 再根据定理 8.2.5 可知，矩阵 $\boldsymbol{A}$ 与矩阵(8.3.4)相似.

8.4 特征值与特征向量

线性变换在不同基下的矩阵一般是不同的. 对于给定的线性变换, 我们希望找到一组基, 使得该线性变换在此基下的矩阵具有最简单的形式. 为此, 本节将引入特征值和特征向量的定义, 它们在理论与应用上都具有非常重要的作用.

8.4.1 特征值和特征向量的定义

定义 8.4.1

设 σ 是数域 P 上线性空间 V 的一个线性变换, 如果对于数域 P 中一数 λ_0, 存在一个非零向量 $\boldsymbol{\xi}$, 使得

$$\sigma\boldsymbol{\xi} = \lambda_0\boldsymbol{\xi} \tag{8.4.1}$$

那么 λ_0 称为 σ 的一个**特征值**, 而 $\boldsymbol{\xi}$ 叫作 σ 的属于特征值 λ_0 的一个**特征向量**.

从几何上来看, 特征向量的方向经过线性变换后, 保持在同一条直线上, 这时或者方向不变 ($\lambda_0 > 0$) 或者方向相反 ($\lambda_0 < 0$), 当 $\lambda_0 = 0$ 时, 特征向量就被线性变换变成 **0**.

如果 $\boldsymbol{\xi}$ 是线性变换 σ 的属于特征值 λ_0 的特征向量, 那么 $\boldsymbol{\xi}$ 的任何一个非零倍数 $k\boldsymbol{\xi}$ 也是 σ 的属于特征值 λ_0 的特征向量. 这说明特征向量不是由特征值所唯一决定的. 相反, 特征值却是由特征向量所唯一决定的, 即一个特征向量只能属于一个特征值.

命题 8.4.1

设 λ_0 是线性变换 σ 的一个特征值, 则集合

$$V_{\lambda_0} = \{\boldsymbol{\alpha} \in V \mid \sigma\boldsymbol{\alpha} = \lambda_0\boldsymbol{\alpha}\}$$

是 V 的一个维数大于等于 1 的子空间, 称它为属于 λ_0 的特征子空间.

证明 由定义 8.4.1, 至少存在一个非零向量 $\boldsymbol{\alpha} \in V_{\lambda_0}$. 任意 $\boldsymbol{\alpha}_1, \boldsymbol{\alpha}_2 \in V_{\lambda_0}$, 任意 $k \in P$, 则

$$\sigma(\boldsymbol{\alpha}_1 + \boldsymbol{\alpha}_2) = \sigma(\boldsymbol{\alpha}_1) + \sigma(\boldsymbol{\alpha}_2) = \lambda_0\boldsymbol{\alpha}_1 + \lambda_0\boldsymbol{\alpha}_2 = \lambda_0(\boldsymbol{\alpha}_1 + \boldsymbol{\alpha}_2)$$

$$\sigma(k\boldsymbol{\alpha}_1) = k\sigma(\boldsymbol{\alpha}_1) = k\lambda_0\boldsymbol{\alpha}_1 = \lambda_0(k\boldsymbol{\alpha}_1)$$

即 $\boldsymbol{\alpha}_1 + \boldsymbol{\alpha}_2 \in V_{\lambda_0}$, $k\boldsymbol{\alpha}_1 \in V_{\lambda_0}$. 所以 V_{λ_0} 是 V 的一个子空间, 又因为 V_{λ_0} 至少含有一个非零向量, 所以维数大于等于 1.

8.4.2 特征值与特征向量的计算方法

设 V 是数域 P 上 n 维线性空间, $\boldsymbol{\varepsilon}_1, \boldsymbol{\varepsilon}_2, \cdots, \boldsymbol{\varepsilon}_n$ 是它的一组基, 线性变换 σ 在这组基下的矩阵是 $\boldsymbol{A}$. 设 λ_0 是特征值, 它的一个特征向量 $\boldsymbol{\xi}$ 在 $\boldsymbol{\varepsilon}_1, \boldsymbol{\varepsilon}_2, \cdots, \boldsymbol{\varepsilon}_n$ 下的坐标是 $(x_{01}, x_{02}, \cdots, x_{0n})$, 则 $\sigma(\boldsymbol{\xi})$ 的坐标是

$$A\begin{pmatrix}x_{01}\\x_{02}\\\vdots\\x_{0n}\end{pmatrix}$$

且 $\lambda_0\boldsymbol{\xi}$ 的坐标是

$$\lambda_0\begin{pmatrix}x_{01}\\x_{02}\\\vdots\\x_{0n}\end{pmatrix}$$

因此式(8.4.1)等价于

$$A\begin{pmatrix}x_{01}\\x_{02}\\\vdots\\x_{0n}\end{pmatrix}=\lambda_0\begin{pmatrix}x_{01}\\x_{02}\\\vdots\\x_{0n}\end{pmatrix}\tag{8.4.2}$$

或

$$(\lambda_0\boldsymbol{E}-\boldsymbol{A})\begin{pmatrix}x_{01}\\x_{02}\\\vdots\\x_{0n}\end{pmatrix}=\boldsymbol{0}$$

这说明特征向量 $\boldsymbol{\xi}$ 的坐标 $(x_{01},x_{02},\cdots,x_{0n})$ 满足齐次方程组

$$\begin{cases}a_{11}x_1+a_{12}x_2+\cdots+a_{1n}x_n=\lambda_0x_1,\\a_{21}x_1+a_{22}x_2+\cdots+a_{2n}x_n=\lambda_0x_2,\\\quad\cdots\cdots\\a_{n1}x_1+a_{n2}x_2+\cdots+a_{nn}x_n=\lambda_0x_n\end{cases}$$

即

$$\begin{cases}(\lambda_0-a_{11})x_1-a_{12}x_2-\cdots-a_{1n}x_n=0,\\-a_{21}x_1+(\lambda_0-a_{22})x_2-\cdots-a_{2n}x_n=0,\\\quad\cdots\cdots\\-a_{n1}x_1-a_{n2}x_2-\cdots+(\lambda_0-a_{nn})x_n=0\end{cases}\tag{8.4.3}$$

由于 $\boldsymbol{\xi}\neq\boldsymbol{0}$，所以它的坐标 $(x_{01},x_{02},\cdots,x_{0n})$ 不为零，即齐次方程组有非零解.而齐次方程(8.4.3)有非零解的充要条件是它的系数行列式为零，即

$$|\lambda_0\boldsymbol{E}-\boldsymbol{A}|=\begin{vmatrix}\lambda_0-a_{11}&-a_{12}&\cdots&-a_{1n}\\-a_{21}&\lambda_0-a_{22}&\cdots&-a_{2n}\\\vdots&\vdots&&\vdots\\-a_{n1}&-a_{n2}&\cdots&\lambda_0-a_{nn}\end{vmatrix}=0$$

由此得到下面定义.

定义 8.4.2

设 A 是数域 P 上一个 n 阶矩阵，λ 是一个数字. 矩阵 $\lambda E-A$ 的行列式

$$|\lambda E-A|=\begin{vmatrix}\lambda-a_{11} & -a_{12} & \cdots & -a_{1n}\\ -a_{21} & \lambda-a_{22} & \cdots & -a_{2n}\\ \vdots & \vdots & & \vdots\\ -a_{n1} & -a_{n2} & \cdots & \lambda-a_{nn}\end{vmatrix} \tag{8.4.4}$$

叫作矩阵 A 的特征多项式，这是数域 P 上的一个首项系数为 1 的 n 次多项式.

上面的分析说明，如果 λ_0 是线性变换 σ 的特征值，那么 λ_0 一定是矩阵 A 的特征多项式的一个根；反过来，如果 λ_0 是矩阵 A 的特征多项式在数域 P 中的一个根，即 $|\lambda_0 E-A|=0$，那么齐次方程组(8.4.3)就有非零解. 这时，如果 $(x_{01},x_{02},\cdots,x_{0n})$ 是方程组(8.4.3)的一个非零解，那么非零向量

$$\xi=x_{01}\varepsilon_1+x_{02}\varepsilon_2+\cdots+x_{0n}\varepsilon_n$$

满足(8.4.1)，即 λ_0 是线性变换 σ 的一个特征值，ξ 就是属于特征值 λ_0 的一个特征向量. 因此，求一个线性变换 σ 的特征值与特征向量的步骤总结如下:

(1) 在线性空间 V 中取一组基 $\varepsilon_1,\varepsilon_2,\cdots,\varepsilon_n$，写出 σ 在这组基下的矩阵 A；

(2) 求出 A 的特征多项式 $|\lambda E-A|$ 在数域 P 中全部的根，它们就是线性变换 σ 的全部特征值；

(3) 把所求得的特征值逐个地代入方程组(8.4.3)，对于每一个特征值 λ_0，解方程组(8.4.3)，求出一组基础解系，它们就是属于该特征值的几个线性无关的特征向量在基 $\varepsilon_1,\varepsilon_2,\cdots,\varepsilon_n$ 下的坐标，这样，也就求出了属于每个特征值的全部线性无关的特征向量.

矩阵 A 的特征多项式的根有时也称为 A 的特征值，而相应的线性方程组(8.4.3)的解也就称为 A 的属于这个特征值的特征向量.

例 8.4.1 在 n 维线性空间中，数乘变换 K 在任意一组基下的矩阵都是 kE，它的特征多项式是

$$|\lambda E-kE|=(\lambda-k)^n$$

因此，数乘变换 K 的特征值只有 k，由定义可知，每个非零向量都是属于数乘变换 K 的特征向量.

例 8.4.2 设 V 是数域 P 上 n 维线性空间，σ 是线性变换且满足 $\sigma^2=\sigma$ (称之为幂等变换). 证明 σ 的特征值为 1 或 0.

证明 设 λ 是 σ 的特征值，α 是特征向量，即 $\sigma(\alpha)=\lambda\alpha$. 因为 $\sigma^2=\sigma$，所以

$$\lambda^2\alpha=\sigma^2(\alpha)=\sigma(\alpha)=\lambda\alpha$$

由 $\alpha\neq 0$，得到 $\lambda^2=\lambda$，即 $\lambda=1$ 或 $\lambda=0$.

例 8.4.3 求复数域上线性空间 V 的线性变换 σ 的特征值与特征向量，已知 σ 在基 $\varepsilon_1,\varepsilon_2,\varepsilon_3$ 下的矩阵为

$$A=\begin{pmatrix}0&0&1\\0&1&0\\1&0&0\end{pmatrix}$$

解 σ 的特征多项式为

$$|\lambda\boldsymbol{E}-\boldsymbol{A}|=\begin{vmatrix}\lambda & 0 & -1\\ 0 & \lambda-1 & 0\\ -1 & 0 & \lambda\end{vmatrix}=(\lambda-1)^2(\lambda+1)$$

故 σ 的特征值为 $\lambda_1=\lambda_2=1$，$\lambda_3=-1$.

把特征值 $\lambda_1=\lambda_2=1$ 代入齐次方程组

$$\begin{cases}x_1+0x_2-x_3=0,\\ 0x_1+0x_2+0x_3=0,\\ -x_1+0x_2+x_3=0\end{cases}$$

解得它的一组基础解系为 $\begin{pmatrix}1\\0\\1\end{pmatrix}$，$\begin{pmatrix}0\\1\\0\end{pmatrix}$. 故属于特征值 1 的线性无关的特征向量为

$$\xi_1=\boldsymbol{\varepsilon}_1+\boldsymbol{\varepsilon}_3,\quad \xi_2=\boldsymbol{\varepsilon}_2$$

把特征值 $\lambda_3=-1$ 代入齐次方程组

$$\begin{cases}-x_1+0x_2-x_3=0,\\ 0x_1-2x_2+0x_3=0,\\ -x_1+0x_2-x_3=0\end{cases}$$

解得它的一组基础解系为 $\begin{pmatrix}1\\0\\-1\end{pmatrix}$. 故属于特征值−1 的线性无关的特征向量为

$$\xi_3=\boldsymbol{\varepsilon}_1-\boldsymbol{\varepsilon}_3$$

例 8.4.4 在空间 $P[x]_n$ 中，线性变换：$Df(x)=f'(x)$ 在基 $1,x,\dfrac{x^2}{2!},\cdots,\dfrac{x^{n-1}}{(n-1)!}$ 下的矩阵是

$$\boldsymbol{D}=\begin{pmatrix}0 & 1 & 0 & \cdots & 0\\ 0 & 0 & 1 & \cdots & 0\\ \vdots & \vdots & \vdots & & \vdots\\ 0 & 0 & 0 & \cdots & 1\\ 0 & 0 & 0 & \cdots & 0\end{pmatrix}$$

$\boldsymbol{D}$ 的特征多项式是

$$|\lambda\boldsymbol{E}-\boldsymbol{D}|=\begin{vmatrix}\lambda & -1 & 0 & \cdots & 0\\ 0 & \lambda & -1 & \cdots & 0\\ \vdots & \vdots & \vdots & & \vdots\\ 0 & 0 & 0 & \cdots & -1\\ 0 & 0 & 0 & \cdots & \lambda\end{vmatrix}=\lambda^n$$

因此，$\boldsymbol{D}$ 的特征值只有 0. 通过解相应的齐次线性方程组知道，属于特征值 0 的线性无关的特征向量组只能是任一非零常数. 这表明微商为零的多项式只能是零或非零的常数.

例 8.4.5 在 $P[x]$ 中，$\sigma[f(x)]=xf(x)$，证明 σ 没有特征值，也没有特征向量.

证明 设 σ 有特征值 λ 与特征向量 $u(x)$，则 $u(x)\neq 0$，且 $\sigma[u(x)]=xu(x)=\lambda u(x)$，但由多

项式相等的定义，这是不可能的，因为 $u(x)$ 的次数为 $n\,(n\geqslant 0)$，则多项式 $xu(x)$ 的次数必为 $n+1$，所以 σ 没有特征值，也没有特征向量.

8.4.3 特征多项式的性质

性质 8.4.1

特征多项式(8.4.4)具有下列形式

$$|\lambda\boldsymbol{E}-\boldsymbol{A}|=\lambda^n-(a_{11}+a_{22}+\cdots+a_{nn})\lambda^{n-1}+\cdots+(-1)^n|\boldsymbol{A}|$$

从而，在复数域上，$\boldsymbol{A}$ 具有 n 个特征值 $\lambda_1,\lambda_2,\cdots,\lambda_n$，则有

$$\lambda_1+\lambda_2+\cdots+\lambda_n=a_{11}+a_{22}+\cdots+a_{nn}$$

$$\lambda_1\lambda_2\cdots\lambda_n=|\boldsymbol{A}|$$

证明 在特征多项式

$$|\lambda\boldsymbol{E}-\boldsymbol{A}|=\begin{vmatrix}\lambda-a_{11} & -a_{12} & \cdots & -a_{1n}\\ -a_{21} & \lambda-a_{22} & \cdots & -a_{2n}\\ \vdots & \vdots & & \vdots\\ -a_{n1} & -a_{n2} & \cdots & \lambda-a_{nn}\end{vmatrix}$$

的展开式中，有一项是主对角线上元素的连乘积

$$(\lambda-a_{11})(\lambda-a_{22})\cdots(\lambda-a_{nn})$$

展开式中的其余项，至多包含 $n-2$ 个主对角线上的元素，它对 λ 的次数最多是 $n-2$. 因此特征多项式中含 λ 的 n 次与 $n-1$ 次的项只能在主对角线上元素的连乘积中出现，它们是

$$\lambda^n-(a_{11}+a_{22}+\cdots+a_{nn})\lambda^{n-1}$$

在特征多项式中令 $\lambda=0$，即得常数项 $|-\boldsymbol{A}|=(-1)^n|\boldsymbol{A}|$.

因此，如果只写特征多项式的前两项与常数项，就有

$$|\lambda\boldsymbol{E}-\boldsymbol{A}|=\lambda^n-(a_{11}+a_{22}+\cdots+a_{nn})\lambda^{n-1}+\cdots+(-1)^n|\boldsymbol{A}|$$

由根与系数的关系可知，$\boldsymbol{A}$ 的全体特征值的和为 $a_{11}+a_{22}+\cdots+a_{nn}$（称为 $\boldsymbol{A}$ 的迹,记作 $\mathrm{tr}\boldsymbol{A}$），$\boldsymbol{A}$ 的全体特征值的积为 $|\boldsymbol{A}|$.

性质 8.4.2

相似矩阵具有相同的特征多项式.

证明 设 $\boldsymbol{A}\sim\boldsymbol{B}$，即有可逆矩阵 $\boldsymbol{X}$，使 $\boldsymbol{B}=\boldsymbol{X}^{-1}\boldsymbol{A}\boldsymbol{X}$，于是

$$|\lambda\boldsymbol{E}-\boldsymbol{B}|=|\lambda\boldsymbol{E}-\boldsymbol{X}^{-1}\boldsymbol{A}\boldsymbol{X}|=|\boldsymbol{X}^{-1}(\lambda\boldsymbol{E}-\boldsymbol{A})\boldsymbol{X}|=|\boldsymbol{X}^{-1}||\lambda\boldsymbol{E}-\boldsymbol{A}||\boldsymbol{X}|=|\lambda\boldsymbol{E}-\boldsymbol{A}|.$$

性质 8.4.2 说明，线性变换的矩阵的特征多项式与基的选取无关，它直接由线性变换所决定. 因此，以后就可以说线性变换的特征多项式.

既然相似的矩阵有相同的特征多项式，且相似矩阵有相同的行列式. 因此，以后也可以说线性变换的行列式.

应该指出，性质 8.4.2 的逆是不对的，特征多项式相同的矩阵不一定是相似的. 例如

$$A=\begin{pmatrix}1&0\\0&1\end{pmatrix},\quad B=\begin{pmatrix}1&1\\0&1\end{pmatrix}$$

它们的特征多项式都是$(\lambda-1)^2$，但$\boldsymbol{A}$和$\boldsymbol{B}$不相似，因为和$\boldsymbol{A}$相似的矩阵只能是$\boldsymbol{A}$本身.

性质 8.4.3

设$\boldsymbol{A}$是数域P上一个$n\times n$矩阵，$f(\lambda)=|\lambda\boldsymbol{E}-\boldsymbol{A}|$是$\boldsymbol{A}$的特征多项式，则

$$f(\boldsymbol{A})=\boldsymbol{A}^n-(a_{11}+a_{22}+\cdots+a_{nn})\boldsymbol{A}^{n-1}+\cdots+(-1)^n|\boldsymbol{A}|\boldsymbol{E}=\boldsymbol{O}$$

证明　设$\boldsymbol{B}(\lambda)$是$\lambda\boldsymbol{E}-\boldsymbol{A}$的伴随矩阵，由行列式的性质，有

$$\boldsymbol{B}(\lambda)(\lambda\boldsymbol{E}-\boldsymbol{A})=|\lambda\boldsymbol{E}-\boldsymbol{A}|\boldsymbol{E}=f(\lambda)\boldsymbol{E}$$

因为矩阵$\boldsymbol{B}(\lambda)$的元素是$|\lambda\boldsymbol{E}-\boldsymbol{A}|$的各个代数余子式，都是$\lambda$的多项式，其次数不超过$n-1$，所以由矩阵的运算性质，$\boldsymbol{B}(\lambda)$可以写成

$$\boldsymbol{B}(\lambda)=\lambda^{n-1}\boldsymbol{B}_0+\lambda^{n-2}\boldsymbol{B}_1+\cdots+\boldsymbol{B}_{n-1}$$

其中，$\boldsymbol{B}_0,\boldsymbol{B}_1,\cdots,\boldsymbol{B}_{n-1}$都是$n\times n$数字矩阵.

设$f(\lambda)=\lambda^n+a_1\lambda^{n-1}+\cdots+a_{n-1}\lambda+a_n$，则

$$f(\lambda)\boldsymbol{E}=\lambda^n\boldsymbol{E}+a_1\lambda^{n-1}\boldsymbol{E}+\cdots+a_{n-1}\lambda\boldsymbol{E}+a_n\boldsymbol{E}\tag{8.4.5}$$

而

$$\begin{aligned}\boldsymbol{B}(\lambda)(\lambda\boldsymbol{E}-\boldsymbol{A})&=(\lambda^{n-1}\boldsymbol{B}_0+\lambda^{n-2}\boldsymbol{B}_1+\cdots+\boldsymbol{B}_{n-1})(\lambda\boldsymbol{E}-\boldsymbol{A})\\&=\lambda^n\boldsymbol{B}_0+\lambda^{n-1}(\boldsymbol{B}_1-\boldsymbol{B}_0\boldsymbol{A})+\lambda^{n-2}(\boldsymbol{B}_2-\boldsymbol{B}_1\boldsymbol{A})+\cdots+\lambda(\boldsymbol{B}_{n-1}-\boldsymbol{B}_{n-2}\boldsymbol{A})-\boldsymbol{B}_{n-1}\boldsymbol{A}\end{aligned}\tag{8.4.6}$$

比较式(8.4.5)和式(8.4.6)，得

$$\begin{cases}\boldsymbol{B}_0=\boldsymbol{E},\\\boldsymbol{B}_1-\boldsymbol{B}_0\boldsymbol{A}=a_1\boldsymbol{E},\\\boldsymbol{B}_2-\boldsymbol{B}_1\boldsymbol{A}=a_2\boldsymbol{E},\\\quad\cdots\cdots\\\boldsymbol{B}_{n-1}-\boldsymbol{B}_{n-2}\boldsymbol{A}=a_{n-1}\boldsymbol{E},\\-\boldsymbol{B}_{n-1}\boldsymbol{A}=a_n\boldsymbol{E}\end{cases}\tag{8.4.7}$$

以$\boldsymbol{A}^n,\boldsymbol{A}^{n-1},\cdots,\boldsymbol{A},\boldsymbol{E}$依次从右边乘式(8.4.7)的第一式，第二式，…，第n式，第$n+1$式，得

$$\begin{cases}\boldsymbol{B}_0\boldsymbol{A}^n=\boldsymbol{E}\boldsymbol{A}^n=\boldsymbol{A}^n,\\\boldsymbol{B}_1\boldsymbol{A}^{n-1}-\boldsymbol{B}_0\boldsymbol{A}^n=a_1\boldsymbol{E}\boldsymbol{A}^{n-1}=a_1\boldsymbol{A}^{n-1},\\\boldsymbol{B}_2\boldsymbol{A}^{n-2}-\boldsymbol{B}_1\boldsymbol{A}^{n-1}=a_2\boldsymbol{E}\boldsymbol{A}^{n-2}=a_2\boldsymbol{A}^{n-2},\\\quad\cdots\cdots\\\boldsymbol{B}_{n-1}\boldsymbol{A}-\boldsymbol{B}_{n-2}\boldsymbol{A}^2=a_{n-1}\boldsymbol{E}\boldsymbol{A}=a_{n-1}\boldsymbol{A},\\-\boldsymbol{B}_{n-1}\boldsymbol{A}=a_n\boldsymbol{E}\end{cases}\tag{8.4.8}$$

把方程组(8.4.8)的$n+1$个式子一起加起来，左边变成零，右边即为$f(\boldsymbol{A})$，即$f(\boldsymbol{A})=\boldsymbol{O}$.

性质 8.4.3 也称为**哈密顿-凯莱**(Hamilton-Cayley)定理. 因为线性变换和矩阵的对应是保持运算的，所以由性质 8.4.3 可得如下结论.

性质 8.4.4

设σ是有限维空间V的线性变换，$f(\lambda)$是σ的特征多项式，那么$f(\sigma)=0$.

8.5 不变子空间

已知σ是n维线性空间V的一个线性变换，如何选择V的一组基，使σ在这组基下的矩阵尽量最简单，这一问题的解决与不变子空间的理论紧密相连.

8.5.1 不变子空间的定义与实例

定义 8.5.1

设σ是数域P上线性空间V的线性变换，W是V的一个子空间. 如果W中的向量在σ下的像仍在W中，即对于W中任一向量ξ，有$\sigma(\xi)\in W$，就称W是σ的**不变子空间**，简称σ-子空间.

例 8.5.1 整个空间V和零子空间$\{\mathbf{0}\}$，对于每个线性变换σ，都是σ-子空间.

例 8.5.2 σ的值域与核都是σ-子空间.

事实上，对于任意$\boldsymbol{\xi}\in\sigma^{-1}(\mathbf{0})$，都有$\sigma(\boldsymbol{\xi})=\mathbf{0}\in\sigma^{-1}(\mathbf{0})$，所以$\sigma^{-1}(\mathbf{0})$是$\sigma$-子空间. 至于$\sigma V$显然是$\sigma$-子空间.

例 8.5.3 设σ是数域P上线性空间V的线性变换，W是V的一个子空间，$W=L(\boldsymbol{\alpha}_1,\boldsymbol{\alpha}_2,\cdots,\boldsymbol{\alpha}_s)$，则$W$是$\sigma$-子空间的充分必要条件为$\sigma(\boldsymbol{\alpha}_1),\sigma(\boldsymbol{\alpha}_2),\cdots,\sigma(\boldsymbol{\alpha}_s)$全属于$W$.

证明 必要性是显然的，下面证明充分性.

如果$\sigma(\boldsymbol{\alpha}_1),\sigma(\boldsymbol{\alpha}_2),\cdots,\sigma(\boldsymbol{\alpha}_s)$全属于$W$，由于$W$中每个向量$\boldsymbol{\xi}$都可以被$\boldsymbol{\alpha}_1,\boldsymbol{\alpha}_2,\cdots,\boldsymbol{\alpha}_s$线性表示，即有$\boldsymbol{\xi}=k_1\boldsymbol{\alpha}_1+k_2\boldsymbol{\alpha}_2+\cdots+k_s\boldsymbol{\alpha}_s$，所以$\sigma(\boldsymbol{\xi})=k_1\sigma(\boldsymbol{\alpha}_1)+k_2\sigma(\boldsymbol{\alpha}_2)+\cdots+k_s\sigma(\boldsymbol{\alpha}_s)\in W$.

例 8.5.4 若线性变换σ与τ是可交换的，则τ的核与值域都是σ-子空间.

V_{λ_0}可看作是$\boldsymbol{\sigma}$的多项式$f(\sigma)=\lambda_0\boldsymbol{E}-\sigma$的核空间，因此，它是$\sigma$-子空间.

证明 任取$\boldsymbol{\xi}\in\boldsymbol{\tau}^{-1}(\mathbf{0})$，则$\tau(\sigma(\boldsymbol{\xi}))=(\tau\sigma)(\boldsymbol{\xi})=(\sigma\tau)(\boldsymbol{\xi})=\sigma(\tau(\boldsymbol{\xi}))=\sigma(\mathbf{0})=\mathbf{0}$. 所以$\sigma(\boldsymbol{\xi})$在$\tau$下的像是零，即$\sigma(\boldsymbol{\xi})\in\tau^{-1}(\mathbf{0})$. 这就证明了$\tau^{-1}(\mathbf{0})$是$\sigma$-子空间. 在$\tau$的值域$\tau V$中任取一向量$\tau(\boldsymbol{\eta})$，则$\sigma(\tau(\boldsymbol{\eta}))=\tau(\sigma(\boldsymbol{\eta}))\in\tau V$，所以$\tau V$也是$\sigma$-子空间.

因为σ的多项式$f(\sigma)$与σ是可交换的，所以$f(\sigma)$的值域与核都是σ-子空间. 故σ的特征子空间特征向量与一维不变子空间之间有着紧密的联系. 设W是一维σ-子空间，$\boldsymbol{\xi}$是W中任何一个非零向量，它构成W的一个基. 由σ-子空间的定义，$\sigma(\boldsymbol{\xi})\in W$，它必是$\boldsymbol{\xi}$的一个倍数:

$$\sigma(\xi)=\lambda_0\xi$$

这说明$\boldsymbol{\xi}$是σ的特征向量，而W即是由$\boldsymbol{\xi}$生成的一维σ-子空间.

反过来，设$\boldsymbol{\xi}$是σ属于特征值λ_0的一个特征向量，则$\boldsymbol{\xi}$以及它任一倍数在σ下的像是原像的λ_0倍，仍旧是$\boldsymbol{\xi}$的一个倍数. 这说明$\boldsymbol{\xi}$的倍数构成一个一维σ-子空间.

容易证明下面性质.

性质 8.5.1

任何一个子空间都是数乘变换的不变子空间.

性质 8.5.2

σ-子空间的和与交还是σ-子空间.

设σ是线性空间V的线性变换，W是σ的不变子空间. 由于W中向量在σ下的像仍在W中，这就使得有可能不必在整个空间V中来考虑σ，而只在不变子空间W中考虑σ，即把σ看成是W的一个线性变换，称为σ在不变子空间W上引起的变换. 为了区别起见，用符号$\sigma|W$来表示它；但是在很多情况下，仍然用σ来表示而不引起混淆.

必须在概念上弄清楚σ与$\sigma|W$的异同：σ是V的线性变换，V中每个向量在σ下都有确定的像；$\sigma|W$是不变子空间W上的线性变换，对于W中任一向量$\boldsymbol{\xi}$，有$(\sigma|W)(\boldsymbol{\xi})=\sigma(\boldsymbol{\xi})$. 但是对于$V$中不属于$W$的向量$\boldsymbol{\eta}$来说，$(\sigma|W)(\boldsymbol{\eta})$是没有意义的.

例如，任一线性变换在它的核上引起的变换就是零变换. 任一线性变换在它的特征子空间上引起的变换是数乘变换.

8.5.2 不变子空间与线性变换的矩阵

命题 8.5.1

设σ是n维线性空间V的线性变换，W是V的σ-子空间. 在W中取一组基$\boldsymbol{\varepsilon}_1,\boldsymbol{\varepsilon}_2,\cdots,\boldsymbol{\varepsilon}_k$，并且把它扩充成$V$的一组基

$$\boldsymbol{\varepsilon}_1,\boldsymbol{\varepsilon}_2,\cdots,\boldsymbol{\varepsilon}_k,\boldsymbol{\varepsilon}_{k+1},\cdots,\boldsymbol{\varepsilon}_n \tag{8.5.1}$$

那么，σ在这组基下的矩阵就具有下列形状

$$\begin{pmatrix} a_{11} & \cdots & a_{1k} & a_{1,k+1} & \cdots & a_{1n} \\ \vdots & & \vdots & \vdots & & \vdots \\ a_{k1} & \cdots & a_{kk} & a_{k,k+1} & \cdots & a_{kn} \\ 0 & \cdots & 0 & a_{k+1,k+1} & \cdots & a_{k+1,n} \\ \vdots & & \vdots & \vdots & & \vdots \\ 0 & \cdots & 0 & a_{n,k+1} & \cdots & a_{nn} \end{pmatrix} = \begin{pmatrix} \boldsymbol{A}_1 & \boldsymbol{A}_3 \\ \boldsymbol{O} & \boldsymbol{A}_2 \end{pmatrix} \tag{8.5.2}$$

并且左上角的k阶矩阵$\boldsymbol{A}_1$就是$\sigma|W$在基$\boldsymbol{\varepsilon}_1,\boldsymbol{\varepsilon}_2,\cdots,\boldsymbol{\varepsilon}_k$下的矩阵.

反之，如果σ在基(8.5.1)下的矩阵具有形状(8.5.2)，那么由$\boldsymbol{\varepsilon}_1,\boldsymbol{\varepsilon}_2,\cdots,\boldsymbol{\varepsilon}_k$生成的子空间$W$是$V$的$\sigma$-子空间.

证明 W是V的σ-子空间，所以像$\sigma(\boldsymbol{\varepsilon}_1),\sigma(\boldsymbol{\varepsilon}_2),\cdots,\sigma(\boldsymbol{\varepsilon}_k)$仍在$W$中，可由$W$的基$\boldsymbol{\varepsilon}_1,\boldsymbol{\varepsilon}_2,\cdots,\boldsymbol{\varepsilon}_k$线性表示

$$\begin{gathered} \sigma(\boldsymbol{\varepsilon}_1)=a_{11}\boldsymbol{\varepsilon}_1+a_{21}\boldsymbol{\varepsilon}_2+\cdots+a_{k1}\boldsymbol{\varepsilon}_k \\ \sigma(\boldsymbol{\varepsilon}_2)=a_{12}\boldsymbol{\varepsilon}_1+a_{22}\boldsymbol{\varepsilon}_2+\cdots+a_{k2}\boldsymbol{\varepsilon}_k \\ \cdots\cdots \\ \sigma(\boldsymbol{\varepsilon}_k)=a_{1k}\boldsymbol{\varepsilon}_1+a_{2k}\boldsymbol{\varepsilon}_2+\cdots+a_{kk}\boldsymbol{\varepsilon}_k \end{gathered}$$

所以σ在基(8.5.1)下的矩阵具有形状(8.5.2)，$\sigma|W$在基$\boldsymbol{\varepsilon}_1,\boldsymbol{\varepsilon}_2,\cdots,\boldsymbol{\varepsilon}_k$下的矩阵是$\boldsymbol{A}_1$.

反之容易证明.

命题 8.5.2

设 V 分解成若干个 σ-子空间的直和:

$$V = W_1 \oplus W_2 \oplus \cdots \oplus W_s$$

在每一个 σ-子空间 W_i 中取基

$$\boldsymbol{\varepsilon}_{i1}, \boldsymbol{\varepsilon}_{i2}, \cdots, \boldsymbol{\varepsilon}_{in_i} \quad (i = 1, 2, \cdots, s) \tag{8.5.3}$$

并把它们合并起来构成 V 的一组基. 则在这组基下, σ 的矩阵具有准对角形状

$$\begin{pmatrix} \boldsymbol{A}_1 & & & \\ & \boldsymbol{A}_2 & & \\ & & \ddots & \\ & & & \boldsymbol{A}_s \end{pmatrix} \tag{8.5.4}$$

其中, $\boldsymbol{A}_i (i = 1, 2, \cdots, s)$ 就是 $\sigma|W_i$ 在基 (8.5.3) 下的矩阵.

反之, 若线性变换 σ 在这组基下的矩阵是准对角形 (8.5.4), 则由 (8.5.3) 生成的子空间 W_i 是 σ-子空间.

由此可知, 矩阵分解为准对角形与空间分解为不变子空间的直和是相当的. 下面根据哈密顿-凯莱定理将空间 V 按特征值分解成不变子空间的直和.

定理 8.5.1

设线性变换 σ 的特征多项式为 $f(\lambda)$, 它可分解成一次因式的乘积

$$f(\lambda) = (\lambda - \lambda_1)^{r_1} (\lambda - \lambda_2)^{r_2} \cdots (\lambda - \lambda_s)^{r_s}$$

则 V 可分解成不变子空间的直和

$$V = V_1 \oplus V_2 \oplus \cdots \oplus V_s$$

其中

$$V_i = \{\boldsymbol{\xi} \mid (\sigma - \lambda_i E)^{r_i} (\boldsymbol{\xi}) = \boldsymbol{0}, \boldsymbol{\xi} \in V\}, \quad i = 1, 2, \cdots, s$$

证明 令

$$f_i(\lambda) = \frac{f(\lambda)}{(\lambda - \lambda_i)^{r_i}} = (\lambda - \lambda_1)^{r_1} (\lambda - \lambda_2)^{r_2} \cdots (\lambda - \lambda_{i-1})^{r_{i-1}} (\lambda - \lambda_{i+1})^{r_{i+1}} \cdots (\lambda - \lambda_s)^{r_s}$$

$$V_i = f_i(\sigma)V, \quad W_i = \{\boldsymbol{\xi} \mid (\sigma - \lambda_i E)^{r_i} (\boldsymbol{\xi}) = \boldsymbol{0}, \boldsymbol{\xi} \in V\}, \quad i = 1, 2, \cdots, s$$

则 V_i 是 $f_i(\sigma)$ 的值域, 由于 σ 与 $f_i(\sigma)$ 可交换, 所以 V_i 是 σ 的不变子空间. 由性质 8.4.4 可知 $f(\sigma)$ 是零变换, 故 V_i 满足 $(\sigma - \lambda_i E)^{r_i} V_i = f(\sigma)V = \boldsymbol{0}$, 即 $V_i \subseteq W_i$. 下面证明 $V = V_1 \oplus V_2 \oplus \cdots \oplus V_s$, 且 $V_i = W_i$.

首先证明 V 中每个向量 $\boldsymbol{\alpha}$ 都可表示成 $\boldsymbol{\alpha} = \boldsymbol{\alpha}_1 + \boldsymbol{\alpha}_2 + \cdots + \boldsymbol{\alpha}_s$, $\boldsymbol{\alpha}_i \in V_i$, $i = 1, 2, \cdots, s$, 并且表示法唯一.

因为 $(f_1(\lambda), f_2(\lambda), \cdots, f_s(\lambda)) = 1$, 所以存在多项式 $u_1(\lambda), u_2(\lambda), \cdots, u_s(\lambda)$, 使得

$$u_1(\lambda) f_1(\lambda) + u_2(\lambda) f_2(\lambda) + \cdots + u_s(\lambda) f_s(\lambda) = 1$$

于是

$$u_1(\sigma) f_1(\sigma) + u_2(\sigma) f_2(\sigma) + \cdots + u_s(\sigma) f_s(\sigma) = E$$

对 V 中每个向量 $\boldsymbol{\alpha}$ 都有

$$\boldsymbol{\alpha}=u_1(\sigma)f_1(\sigma)\boldsymbol{\alpha}+u_2(\sigma)f_2(\sigma)\boldsymbol{\alpha}+\cdots+u_s(\sigma)f_s(\sigma)\boldsymbol{\alpha}$$

其中，$u_i(\sigma)f_i(\sigma)\boldsymbol{\alpha}\in f_i(\sigma)V=V_i$，$i=1,2,\cdots,s$.

令 $\alpha_i=u_i(\sigma)f_i(\boldsymbol{\sigma})\boldsymbol{\alpha}$，则 V 中每个向量 $\boldsymbol{\alpha}$ 都可表示成 $\boldsymbol{\alpha}=\boldsymbol{\alpha}_1+\boldsymbol{\alpha}_2+\cdots+\boldsymbol{\alpha}_s$，$\boldsymbol{\alpha}_i\in V_i$，$i=1,2,\cdots,s$ 的形式. 下证表示法唯一，事实上只需证明零元素表示唯一即可.

设

$$\boldsymbol{\beta}_1+\boldsymbol{\beta}_2+\cdots+\boldsymbol{\beta}_s=\mathbf{0} \tag{8.5.5}$$

其中，$\boldsymbol{\beta}_i\in W_i$，$i=1,2,\cdots,s$. 由 $(\lambda-\lambda_j)^{r_j}|f_i(\lambda)$（$j\neq i$），故 $f_i(\sigma)(\boldsymbol{\beta}_j)=\mathbf{0}$（$j\neq i$）. 用 $f_i(\sigma)$ 作用 (8.5.5) 的两边，即得 $f_i(\sigma)(\boldsymbol{\beta}_i)=\mathbf{0}$. 又因

$$(f_i(\lambda),(\lambda-\lambda_i)^{r_i})=1$$

故存在多项式 $u(\lambda),v(\lambda)$，使得

$$u(\lambda)f_i(\lambda)+v(\lambda)(\lambda-\lambda_i)^{r_i}=1$$

从而有

$$\boldsymbol{\beta}_i=u(\sigma)f_i(\sigma)(\boldsymbol{\beta}_i)+v(\sigma)(\sigma-\lambda_iE)^{r_i}(\boldsymbol{\beta}_i)=\mathbf{0}$$

现设

$$\boldsymbol{\alpha}_1+\boldsymbol{\alpha}_2+\cdots+\boldsymbol{\alpha}_s=\mathbf{0}$$

其中，$\boldsymbol{\alpha}_i\in V_i$，$i=1,2,\cdots,s$. 由 $V_i\subseteq W_i$ 得到 $\boldsymbol{\alpha}_i\in W_i$，所以 $\boldsymbol{\alpha}_i=\mathbf{0}$，$i=1,2,\cdots,s$，即表示法唯一.

其次证明 $V_i=W_i$，只需证 $W_i\subseteq V_i$.

设任一向量 $\boldsymbol{\alpha}\in W_i$，将 $\boldsymbol{\alpha}$ 表示成

$$\boldsymbol{\alpha}=\boldsymbol{\alpha}_1+\boldsymbol{\alpha}_2+\cdots+\boldsymbol{\alpha}_s,\quad \boldsymbol{\alpha}_i\in V_i\quad (i=1,2,\cdots,s)$$

即

$$\boldsymbol{\alpha}_1+\boldsymbol{\alpha}_2+\cdots+(\boldsymbol{\alpha}_i-\boldsymbol{\alpha})+\cdots+\boldsymbol{\alpha}_s=\mathbf{0}$$

令 $\boldsymbol{\beta}_j=\boldsymbol{\alpha}_j$，$j\neq i$，$\boldsymbol{\beta}_i=\boldsymbol{\alpha}_i-\boldsymbol{\alpha}$，由零元素表示法唯一可知 $\boldsymbol{\beta}_i=\mathbf{0}$，$i=1,2,\cdots,s$，于是 $\boldsymbol{\alpha}=\boldsymbol{\alpha}_i\in V_i$，所以 $W_i\subseteq V_i$，从而 $V_i=W_i$.

8.6 对角矩阵

对角矩阵是矩阵中最简单的一种，本节将讨论哪一些线性变换在一组适当的基下的矩阵是对角矩阵.

定义 8.6.1

设 σ 是 n 维线性空间 V 的一个线性变换，如果在 V 内存在一组基，使得 σ 在这组基下的矩阵是对角矩阵，那么称 σ 的矩阵**可对角化**，或简称 σ **可对角化**. 类似地，若 n 阶矩阵 $\boldsymbol{A}$ 相似于一个对角矩阵，则称 $\boldsymbol{A}$ **可对角化**.

定理 8.6.1

数域 P 上的 n 维线性空间 V 内的一个线性变换 σ 可对角化的充要条件是 σ 有 n 个线性无关的特征向量.

证明 必要性. 设 σ 在基 $\boldsymbol{\varepsilon}_1,\boldsymbol{\varepsilon}_2,\cdots,\boldsymbol{\varepsilon}_n$ 下的矩阵为对角矩阵，即

$$\sigma(\boldsymbol{\varepsilon}_1,\boldsymbol{\varepsilon}_2,\cdots,\boldsymbol{\varepsilon}_n)=(\boldsymbol{\varepsilon}_1,\boldsymbol{\varepsilon}_2,\cdots,\boldsymbol{\varepsilon}_n)\begin{pmatrix}\lambda_1 & & & \\ & \lambda_2 & & \\ & & \ddots & \\ & & & \lambda_n\end{pmatrix}$$

亦为

$$\sigma\boldsymbol{\varepsilon}_i=\lambda_i\boldsymbol{\varepsilon}_i,\quad i=1,2,\cdots,n$$

因此，$\boldsymbol{\varepsilon}_1,\boldsymbol{\varepsilon}_2,\cdots,\boldsymbol{\varepsilon}_n$ 就是 σ 的 n 个线性无关的特征向量.

充分性. 设 σ 有 n 个线性无关的特征向量 $\boldsymbol{\varepsilon}_1,\boldsymbol{\varepsilon}_2,\cdots,\boldsymbol{\varepsilon}_n$，就取 $\boldsymbol{\varepsilon}_1,\boldsymbol{\varepsilon}_2,\cdots,\boldsymbol{\varepsilon}_n$ 为基. 故 σ 在这组基下的矩阵为对角矩阵，从而 σ 可对角化.

定理 8.6.2

属于不同特征值的特征向量是线性无关的.

证明 对特征值的个数作数学归纳法. 由于特征向量不为零，所以单个的特征向量必线性无关. 设属于 k 个不同特征值的特征向量线性无关，下面证明属于 $k+1$ 个不同特征值的特征向量也线性无关.

设关系式

$$t_1\boldsymbol{\alpha}_1+t_2\boldsymbol{\alpha}_2+\cdots+t_k\boldsymbol{\alpha}_k+t_{k+1}\boldsymbol{\alpha}_{k+1}=\mathbf{0} \tag{8.6.1}$$

成立. 等式两端乘以 λ_{k+1} 得

$$t_1\lambda_{k+1}\boldsymbol{\alpha}_1+t_2\lambda_{k+1}\boldsymbol{\alpha}_2+\cdots+t_k\lambda_{k+1}\boldsymbol{\alpha}_k+t_{k+1}\lambda_{k+1}\boldsymbol{\alpha}_{k+1}=\mathbf{0} \tag{8.6.2}$$

式(8.6.1)两端同时施行变换 σ 得

$$t_1\lambda_1\boldsymbol{\alpha}_1+t_2\lambda_2\boldsymbol{\alpha}_2+\cdots+t_k\lambda_k\boldsymbol{\alpha}_k+t_{k+1}\lambda_{k+1}\boldsymbol{\alpha}_{k+1}=\mathbf{0} \tag{8.6.3}$$

式(8.6.3)减去式(8.6.2)得

$$t_1(\lambda_1-\lambda_{k+1})\boldsymbol{\alpha}_1+t_2(\lambda_2-\lambda_{k+1})\boldsymbol{\alpha}_2+\cdots+t_k(\lambda_k-\lambda_{k+1})\boldsymbol{\alpha}_k=\mathbf{0}$$

由归纳假设，$\boldsymbol{\alpha}_1,\boldsymbol{\alpha}_2,\cdots,\boldsymbol{\alpha}_k$ 线性无关，于是

$$t_i(\lambda_i-\lambda_{k+1})=0,\quad i=1,2,\cdots,k$$

但 $\lambda_i-\lambda_{k+1}\neq 0$（$1\leqslant i\leqslant k$），所以 $t_i=0$，$i=1,2,\cdots,k$. 这时式(8.6.1)变为 $t_{k+1}\boldsymbol{\alpha}_{k+1}=\mathbf{0}$，又因为 $\boldsymbol{\alpha}_{k+1}\neq\mathbf{0}$，所以只有 $t_{k+1}=0$，这就证明了 $\boldsymbol{\alpha}_1,\boldsymbol{\alpha}_2,\cdots,\boldsymbol{\alpha}_{k+1}$ 线性无关.

由上面两个定理得到如下结论.

推论 8.6.1

如果在 n 维线性空间 V 中，线性变换 σ 的特征多项式在数域 P 中有 n 个不同的根，即 σ 有 n 个不同的特征值，那么 σ 可对角化.

因为在复数域中任一个 n 次多项式都有 n 个根，推论 8.6.1 可改写为

推论 8.6.2

在复数域上的线性空间中，如果线性变换 σ 的特征多项式没有重根，那么 σ 可对角化.

一个线性变换在没有 n 个不同特征值的情形下，要判别这个线性变换是否可对角化，问题就要复杂些.

定理 8.6.3

如果 $\lambda_1,\lambda_2,\cdots,\lambda_k$ 是线性变换 σ 的不同的特征值，而 $\boldsymbol{\alpha}_{i1},\cdots,\boldsymbol{\alpha}_{ir_i}$ $(i=1,2,\cdots,k)$ 是属于特征值 λ_i 的线性无关的特征向量，那么向量组 $\boldsymbol{\alpha}_{11},\cdots,\boldsymbol{\alpha}_{1r_1},\cdots,\boldsymbol{\alpha}_{k1},\cdots,\boldsymbol{\alpha}_{kr_k}$ 也线性无关.

证明与定理 8.6.2 证明相仿，留给读者完成.

根据这个定理，对于一个线性变换，求出属于每个特征值的线性无关的特征向量，把它们合在一起还是线性无关的. 如果它们的个数等于空间的维数，那么这个线性变换是可对角化的；如果它们的个数少于空间的维数，那么这个线性变换在任何一组基下的矩阵都不可能是对角矩阵，即不可对角化. 由此得到下面定理.

定理 8.6.4

设线性变换 σ 全部不同的特征值是 $\lambda_1,\lambda_2,\cdots,\lambda_r$，则 σ 可对角化的充要条件是 σ 的特征子空间 $V_{\lambda_1},V_{\lambda_2},\cdots,V_{\lambda_r}$ 的维数之和等于空间的维数.

当线性变换 σ 在一组基下的矩阵为

$$\boldsymbol{A}=\begin{pmatrix}\lambda_1 & & & \\ & \lambda_2 & & \\ & & \ddots & \\ & & & \lambda_n\end{pmatrix}$$

则 σ 的特征多项式为

$$|\lambda\boldsymbol{E}-\boldsymbol{A}|=(\lambda-\lambda_1)(\lambda-\lambda_2)\cdots(\lambda-\lambda_n)$$

因此，如果线性变换 σ 在一组基下的矩阵是对角矩阵，那么主对角线上的元素除排列次序外是确定的，它们正好是 $\boldsymbol{A}$ 的特征多项式的全部根(重根按重数计算).

根据定理 8.2.5，一个线性变换是否可对角化的问题等价于对应的矩阵是否相似于一个对角矩阵的问题.

例 8.6.1　已知 $P[x]_3$ 的线性变换

$$\sigma(a+bx+cx^2)=(4a+6b)+(-3a-5b)x+(-3a-6b+c)x^2$$

求 $P[x]_3$ 的一组基，使 σ 在该基下的矩阵为对角矩阵.

解　取 $P[x]_3$ 的基 $1,x,x^2$，求得 σ 在该基下的矩阵为

$$\boldsymbol{A}=\begin{pmatrix}4 & 6 & 0\\ -3 & -5 & 0\\ -3 & -6 & 1\end{pmatrix}$$

因为 $|\lambda\boldsymbol{E}-\boldsymbol{A}|=(\lambda-1)^2(\lambda+2)$，所以 $\boldsymbol{A}$ 的特征值为 $\lambda_1=\lambda_2=1$，$\lambda_3=-2$. 可求得 σ 对应于特征值 $\lambda_1=\lambda_2=1$ 的特征向量为 $(-2,1,0)^{\mathrm{T}},(0,0,1)^{\mathrm{T}}$，而对应于特征值 $\lambda_3=-2$ 的特征向量为 $(-1,1,1)^{\mathrm{T}}$，令

$$\boldsymbol{X}=\begin{pmatrix}-2 & 0 & -1\\ 1 & 0 & 1\\ 0 & 1 & 1\end{pmatrix}$$

则

$$X^{-1}AX = \Lambda = \begin{pmatrix} 1 & 0 & 0 \\ 0 & 1 & 0 \\ 0 & 0 & -2 \end{pmatrix}$$

由 $(g_1(x), g_2(x), g_3(x)) = (1, x, x^2)X$ 可求得 $P[x]_3$ 的基

$$g_1(x) = -2 + x, \quad g_2(x) = x^2, \quad g_3(x) = -1 + x + x^2$$

故 σ 在该基下的矩阵为 Λ. 所求得的基 $g_1(x), g_2(x), g_3(x)$ 即是线性变换 σ 的线性无关的特征向量.

8.7 最小多项式

本节讨论应用多项式工具来判断一个矩阵能否对角化的问题.

定义 8.7.1

设 A 是数域 P 上一个 n 阶矩阵, 如果存在数域 P 上一个多项式 $f(x)$ 使 $f(A) = O$, 就称 $f(x)$ 以 A 为根, 其中次数最低的首项系数为 1 的以 A 为根的多项式称为 A 的**最小多项式**.

下面介绍最小多项式的几个性质.

引理 8.7.1

矩阵 A 的最小多项式是存在唯一的.

证明　由哈密顿-凯莱定理, 存在性是显然的. 下证唯一性.

设 $g_1(x)$ 和 $g_2(x)$ 都是 A 的最小多项式, 根据带余除法, $g_1(x)$ 可表示成

$$g_1(x) = q(x)g_2(x) + r(x)$$

其中, $r(x) = 0$ 或 $\partial(r(x)) < \partial(g_2(x))$, 于是

$$g_1(A) = q(A)g_2(A) + r(A)$$

因此 $r(A) = O$. 由最小多项式的定义, $r(x) = 0$, 即 $g_2(x) | g_1(x)$. 同理可证 $g_1(x) | g_2(x)$. 故 $g_1(x)$ 和 $g_2(x)$ 只能相差一个非零常数因子, 又因为 $g_1(x)$ 和 $g_2(x)$ 的首项系数都为 1, 所以 $g_1(x) = g_2(x)$.

同样可证下述引理.

引理 8.7.2

设 $g(x)$ 是矩阵 A 的最小多项式, 那么 $f(x)$ 以 A 为根的充要条件是 $g(x)$ 整除 $f(x)$.

由此可知, 矩阵 A 的最小多项式是 A 的特征多项式的一个因式.

例 8.7.1　数量矩阵 kE 的最小多项式为 $x - k$. 特别地, 单位矩阵的最小多项式为 $x - 1$, 零矩阵的最小多项式为 x. 另一方面, 如果 A 的最小多项式是 1 次多项式, 那么 A 一定是数量矩阵.

例 8.7.2　设

$$A = \begin{pmatrix} 1 & 1 & 1 \\ 0 & 1 & 1 \\ 0 & 0 & 1 \end{pmatrix}$$

求 A 的最小多项式.

解 特征多项式 $|\lambda E - A| = (\lambda-1)^3$，故矩阵 A 的最小多项式为 $(x-1)^3$ 的因式. 直接计算得 $A - E \neq O, (A-E)^2 \neq O$，所以最小多项式为 $(x-1)^3$.

引理 8.7.3

相似矩阵具有相同的最小多项式.

证明 设 A 相似于 B，即存在可逆矩阵 T 使，$B = T^{-1}AT$，设 $g_1(x)$ 和 $g_2(x)$ 分别是 A 和 B 的最小多项式，所以

$$O = g_2(B) = g_2(T^{-1}AT) = T^{-1}g_2(A)T$$

所以 $g_2(A) = O$，由此可得 $g_1(x)|g_2(x)$，同理可证 $g_2(x)|g_1(x)$，因为 $g_1(x)$ 和 $g_2(x)$ 的首项系数都为 1，所以 $g_1(x) = g_2(x)$.

但是上面的逆命题不一定成立，即具有相同的最小多项式的矩阵不一定相似. 例如:

$$A = \begin{pmatrix} 1 & 1 & & \\ & 1 & & \\ & & 1 & \\ & & & 2 \end{pmatrix}, \quad B = \begin{pmatrix} 1 & 1 & & \\ & 1 & & \\ & & 2 & \\ & & & 2 \end{pmatrix}$$

A 与 B 的最小多项式都等于 $(x-1)^2(x-2)$，但是它们的特征多项式不同，因此 A 和 B 不相似.

引理 8.7.4

设 A 是一个准对角矩阵

$$A = \begin{pmatrix} A_1 & \\ & A_2 \end{pmatrix}$$

且 A_1 的最小多项式为 $g_1(x)$，A_2 的最小多项式为 $g_2(x)$，那么 A 的最小多项式为 $g_1(x)$，$g_2(x)$ 的最小公倍式 $[g_1(x), g_2(x)]$.

证明 设 $g(x) = [g_1(x), g_2(x)]$，则

$$g(A) = \begin{pmatrix} g(A_1) & \\ & g(A_2) \end{pmatrix} = O$$

因此 $g(x)$ 能被 A 的最小多项式整除. 另设 $h(A) = O$，则

$$h(A) = \begin{pmatrix} h(A_1) & \\ & h(A_2) \end{pmatrix} = O$$

从而，$h(A_1) = O$，$h(A_2) = O$，故 $g_1(x)|h(x), g_2(x)|h(x)$，由此得 $g(x)|h(x)$. 所以 $g(x)$ 是 A 的最小多项式.

这个结论可以推广到 A 为若干个矩阵组成的准对角矩阵的情形. 如果

$$A = \begin{pmatrix} A_1 & & & \\ & A_2 & & \\ & & \ddots & \\ & & & A_s \end{pmatrix}$$

A_i 的最小多项式为 $g_i(x), i = 1, 2, \cdots, s$，那么 A 的最小多项式为 $[g_1(x), g_2(x), \cdots, g_s(x)]$.

定理 8.7.1

数域 P 上 n 阶矩阵 $\boldsymbol{A}$ 与对角矩阵相似的充要条件为 $\boldsymbol{A}$ 的最小多项式是 P 上互素的一次因式的乘积.

此定理的必要性由引理 8.7.3 可得, 充分性按照定理 8.5.1 的步骤, 利用矩阵与线性变换的对应关系可得. 证明过程留给读者.

推论 8.7.1

复数矩阵 $\boldsymbol{A}$ 与对角矩阵相似的充要条件是 $\boldsymbol{A}$ 的最小多项式没有重根.

8.8 应用实例

幂等变换是一类特殊而十分重要的线性变换, 关于它的性质和结论常常出现在习题和研究生考试试题中. 本节将幂等变换的知识点进行了归纳和总结, 一方面加深对线性变换的一般理论的理解; 另一方面, 作为一种特殊的线性变换, 对研究线性空间的结构也具有十分重要的意义.

定义 8.8.1

设 σ 是数域 P 上的线性空间 V 上的一个线性变换, 如果满足 $\sigma^2=\sigma$, 那么称 σ 是幂等变换.

例 8.8.1 设线性空间 $V=U\oplus W$, 其中, U,W 是 V 的子空间. 任取 $\boldsymbol{\alpha}\in V$, 设 $\boldsymbol{\alpha}=\boldsymbol{\alpha}_1+\boldsymbol{\alpha}_2$, $\boldsymbol{\alpha}_1\in U,\boldsymbol{\alpha}_2\in W$, 令 $P_U:V\to V$, 满足 $P_U(\boldsymbol{\alpha})=\boldsymbol{\alpha}_1$, 则 P_U 是 V 上的一个线性变换, 称为平行于 W 在 U 上的投影. 显然,

$$P_U^2(\boldsymbol{\alpha})=P_U(P_U(\boldsymbol{\alpha}))=P_U(\boldsymbol{\alpha}_1)=\boldsymbol{\alpha}_1=P_U(\boldsymbol{\alpha})$$

故 $P_U^2=P_U$, 即 P_U 是一个幂等变换.

由于线性变换 σ 与它在 V 上的一组基下的矩阵 $\boldsymbol{A}$ 一一对应, 所以 V 上的线性变换 σ 是幂等变换的充要条件是它在 V 的一组基下的矩阵 $\boldsymbol{A}$ 满足 $\boldsymbol{A}^2=\boldsymbol{A}$, 即为幂等矩阵.

性质 8.8.1

设 σ 是数域 P 上的线性空间 V 上的幂等变换, 则它的特征值只能是 0 或 1.

证明 设 λ 是 σ 的一个特征值, $\boldsymbol{\xi}\neq\mathbf{0}$ 是 σ 属于 λ 的一个特征向量, 则 $\sigma\boldsymbol{\xi}=\lambda\boldsymbol{\xi}$. 由 $\sigma^2=\sigma$, 有

$$\lambda\boldsymbol{\xi}=\sigma\boldsymbol{\xi}=\sigma^2\boldsymbol{\xi}=\sigma(\sigma\boldsymbol{\xi})=\sigma(\lambda\boldsymbol{\xi})=\lambda\sigma\boldsymbol{\xi}=\lambda^2\boldsymbol{\xi}$$

从而 $(\lambda^2-\lambda)\boldsymbol{\xi}=\mathbf{0}$. 因为 $\boldsymbol{\xi}\neq\mathbf{0}$, 所以 $\lambda^2=\lambda$, 故 $\lambda=0$ 或者 $\lambda=1$.

性质 8.8.2

设 σ 是数域 P 上的线性空间 V 上的幂等变换, V_0 和 V_1 分别表示对应特征值 0 和 1 的特征子空间, 则 $V_0=\sigma^{-1}(\mathbf{0}),V_1=\sigma V$.

证明 由特征子空间的定义, 有

$$V_0=\{\boldsymbol{\xi}\in V\mid\sigma(\boldsymbol{\xi})=\mathbf{0}\},\quad V_1=\{\boldsymbol{\xi}\in V\mid\sigma(\boldsymbol{\xi})=\boldsymbol{\xi}\}$$

显然，$V_0=\sigma^{-1}(\mathbf{0})$．下证 $V_1=\sigma V$．

对 $\forall\boldsymbol{\alpha}\in V_1$，有 $\sigma(\boldsymbol{\alpha})=\boldsymbol{\alpha}$，而 $\sigma(\boldsymbol{\alpha})\in\sigma V$，则 $\boldsymbol{\alpha}\in\sigma V$，于是，$V_1\subset\sigma V$．另一方面，$\forall\boldsymbol{\alpha}\in\sigma V$，存在 $\boldsymbol{\beta}\in V$，使得 $\boldsymbol{\alpha}=\sigma\boldsymbol{\beta}$，从而 $\sigma(\boldsymbol{\alpha})=\sigma^2\boldsymbol{\beta}=\sigma\boldsymbol{\beta}=\boldsymbol{\alpha}$，即 $\boldsymbol{\alpha}\in V_1$，于是，$\sigma V\subset V_1$．故 $V_1=\sigma V$．

由维数公式，可知 $\dim V_0+\dim V_1=\dim V$，故由定理 8.6.4 可知，幂等变换 σ 可对角化，即存在 V 的一组基，使得 σ 在该组基下的矩阵为

$$\begin{pmatrix}\boldsymbol{E}_r & 0\\ 0 & 0\end{pmatrix}$$

其中 $r=\dim V_1$．同时，性质 8.8.2 表明，如果 σ 是幂等变换，则 $V=\sigma^{-1}(\mathbf{0})\oplus\sigma V$，即 $\boldsymbol{\sigma}$ 是平行于 $\sigma^{-1}(\mathbf{0})$ 在 σV 上的投影变换．这说明幂等变换是投影，而例 8.8.1 说明投影是幂等变换，从而体现了数学是一个统一的整体．

推论 8.8.1

设 $V=V_1\oplus V_2$，用 P_{V_1} 表示平行于 V_2 在 V_1 上的投影，则

$$V_1=P_{V_1}V,\quad V_2=P_{V_1}^{-1}(\mathbf{0})$$

该推论表明线性空间的任一子空间既可以看成某个投影下的像，也可看成某个投影下的核，因此，投影变换在研究线性空间的结构起着重要的作用．

推论 8.8.2

设 σ 是数域 P 上的线性空间 V 上的幂等变换，若 σ 只有零特征值，则 σ 是零变换．

推论 8.8.3

设 σ 是数域 P 上的线性空间 V 上的幂等变换，若 σ 只有 1 特征值（σ 是可逆变换），则 σ 是恒等变换．

由推论 8.8.2 和推论 8.8.3 可知，可逆的幂等变换一定是恒等变换，且非恒等变换的幂等变换一定是不可逆的．

性质 8.8.3

设 σ 是数域 P 上的线性空间 V 上的幂等变换，则 $\sigma+E$ 是可逆变换（其中 E 是恒等变换）．

证明 设 σ 在 V 的一组基下的矩阵为 $\boldsymbol{A}$，则 $\boldsymbol{A}$ 是幂等矩阵，即 $\boldsymbol{A}^2=\boldsymbol{A}$．因为

$$(\boldsymbol{A}+\boldsymbol{E})\left(-\frac{1}{2}\boldsymbol{A}+\boldsymbol{E}\right)=\boldsymbol{E}$$

所以，$\boldsymbol{A}+\boldsymbol{E}$ 是可逆矩阵，从而 $\sigma+E$ 是可逆变换．

性质 8.8.4

设 σ 是数域 P 上的线性空间 V 上的任一线性变换，则 σ 可表示成一个可逆线性变换与一个幂等变换的乘积．

证明 取V的一组基$\boldsymbol{\varepsilon}_1,\boldsymbol{\varepsilon}_2,\cdots,\boldsymbol{\varepsilon}_n$，则$\sigma$在该组基下的矩阵为$\boldsymbol{A}$，即

$$\sigma(\boldsymbol{\varepsilon}_1,\boldsymbol{\varepsilon}_2,\cdots,\boldsymbol{\varepsilon}_n)=(\boldsymbol{\varepsilon}_1,\boldsymbol{\varepsilon}_2,\cdots,\boldsymbol{\varepsilon}_n)\boldsymbol{A}$$

设$r(\boldsymbol{A})=r$，则存在n阶可逆矩阵$\boldsymbol{P},\boldsymbol{Q}$，使得

$$\boldsymbol{A}=\boldsymbol{P}\begin{pmatrix}\boldsymbol{E}_r & \boldsymbol{O}\\ \boldsymbol{O} & \boldsymbol{O}\end{pmatrix}\boldsymbol{Q}$$

于是,

$$\boldsymbol{A}=\boldsymbol{PQ}\left(\boldsymbol{Q}^{-1}\begin{pmatrix}\boldsymbol{E}_r & \boldsymbol{O}\\ \boldsymbol{O} & \boldsymbol{O}\end{pmatrix}\boldsymbol{Q}\right)$$

令$\boldsymbol{B}=\boldsymbol{PQ},\boldsymbol{C}=\boldsymbol{Q}^{-1}\begin{pmatrix}\boldsymbol{E}_r & \boldsymbol{O}\\ \boldsymbol{O} & \boldsymbol{O}\end{pmatrix}\boldsymbol{Q}$，则$\boldsymbol{B}$是可逆矩阵，且$\boldsymbol{C}^2=\boldsymbol{C}$，即$\boldsymbol{C}$是幂等矩阵. 根据线性变换的乘积对应于矩阵的乘积，以及可逆变换对应的矩阵是可逆矩阵，故σ可表示成一个可逆线性变换与一个幂等变换的乘积。

关于幂等变换的其他结论可见习题 8(B) 中的第 11 题和 12 题.

习 题 8

(A)

1. 判断下面所定义的变换，哪些是线性的，哪些不是:

(1) 在线性空间V中，$\sigma(\boldsymbol{\xi})=\boldsymbol{\xi}+\boldsymbol{\alpha}$，其中$\boldsymbol{\alpha}\in V$是一个固定的向量;

(2) 在线性空间V中，$\sigma(\boldsymbol{\xi})=\boldsymbol{\alpha}$，其中$\boldsymbol{\alpha}\in V$是一个固定的向量;

(3) 在P^3中，$\sigma(x_1,x_2,x_3)=(x_1^2,x_2+x_3,x_3^2)$;

(4) 在P^3中，$\sigma(x_1,x_2,x_3)=(2x_1-x_2,x_2+x_3,x_1)$;

(5) 在$P[x]$中，$\sigma f(x)=f(x+a),\quad 0\neq a\in P$;

(6) 把复数域看作复数域上的线性空间，$\sigma\boldsymbol{\xi}=\overline{\boldsymbol{\xi}}$;

(7) 把复数域看作实数域上的线性空间，线性变换同(6);

(8) 在$P^{n\times n}$中，$\sigma(X)=\boldsymbol{AX}-\boldsymbol{XB}$，其中$\boldsymbol{A},\boldsymbol{B}\in P^{n\times n}$是两个固定的矩阵.

2. 在几何空间中，取正交坐标系$Oxyz$，以σ表将空间绕Ox轴由Oy向Oz方向旋转$90°$的变换，以τ表绕Oy轴由Oz向Ox方向旋转$90°$的变换，以υ表绕Oz轴由Ox向Oy方向旋转$90°$的变换. 证明:

$$\sigma^4=\tau^4=\upsilon^4=E,\quad \sigma\tau\neq\tau\sigma,\quad 但\sigma^2\tau^2=\tau^2\sigma^2$$

并检验$(\sigma\tau)^2=\tau^2\sigma^2$是否成立.

3. 在$P[x]$中，$\sigma f(x)=f'(x),\tau f(x)=xf(x)$. 证明:

$$\sigma\tau-\tau\sigma=E$$

4. 设σ,τ是线性变换，如果$\sigma\tau-\tau\sigma=E$，证明:

$$\sigma^k\tau-\tau\sigma^k=k\sigma^{k-1},\quad k>1$$

5. 证明: 可逆变换是双射.

6. 设$\boldsymbol{\varepsilon}_1,\boldsymbol{\varepsilon}_2,\cdots,\boldsymbol{\varepsilon}_n$是线性空间$V$的一组基, σ是V上的线性变换, 证明σ可逆当且仅当$\sigma\boldsymbol{\varepsilon}_1,\sigma\boldsymbol{\varepsilon}_2,\cdots,\sigma\boldsymbol{\varepsilon}_n$线性无关.

7. 设线性空间V是子空间$W_1,W_2,\cdots,W_s$的直和, 即

$$V=W_1\oplus W_2\oplus\cdots\oplus W_s$$

对$\forall\boldsymbol{\alpha}\in V$, 有$\boldsymbol{\alpha}=\boldsymbol{\alpha}_1+\boldsymbol{\alpha}_2+\cdots+\boldsymbol{\alpha}_s$, 其中$\boldsymbol{\alpha}_i\in W_i$ $(i=1,2,\cdots,s)$. 定义V到W_k的投影变换σ_k为$\sigma_k(\boldsymbol{\alpha})=\boldsymbol{\alpha}_k$, $k=1,2,\cdots,s$,

证明: (1) σ_k是线性变换; (2) $\sigma_k^2=\sigma_k$.

8. 求下列线性变换在所指定基下的矩阵:

(1) 在P^3中, $\sigma(x_1,x_2,x_3)=(2x_2+x_3,x_1-4x_2,3x_1)$, 求$\sigma$在基$\boldsymbol{\varepsilon}_1=(1,0,0)$, $\boldsymbol{\varepsilon}_2=(0,1,0)$, $\boldsymbol{\varepsilon}_3=(0,0,1)$和基$\boldsymbol{\alpha}_1=(1,1,1)$, $\boldsymbol{\alpha}_2=(1,1,0)$, $\boldsymbol{\alpha}_3=(1,0,0)$下的矩阵;

(2) $[O;\boldsymbol{\varepsilon}_1,\boldsymbol{\varepsilon}_2]$是平面上一直角坐标系, σ是平面上的向量对第一和第三象限角的平分线的垂直投影, τ是平面上向量对$\boldsymbol{\varepsilon}_2$的垂直投影, 求$\sigma,\tau,\sigma\tau$在基$\boldsymbol{\varepsilon}_1,\boldsymbol{\varepsilon}_2$下的矩阵;

(3) 在空间$P[t]_4$中, 设变换σ为

$$\sigma(a_0+a_1t+a_2t^2+a_3t^3)=(a_0-a_2)+(a_1-a_3)t+(a_2-a_0)t^2+(a_3-a_1)t^3$$

求σ在基$1,t,t^2,t^3$下的矩阵;

(4) 六个函数

$$\varepsilon_1=\mathrm{e}^{ax}\cos bx,\qquad \varepsilon_2=\mathrm{e}^{ax}\sin bx,$$

$$\varepsilon_3=x\mathrm{e}^{ax}\cos bx,\qquad \varepsilon_4=x\mathrm{e}^{ax}\sin bx,$$

$$\varepsilon_5=\frac{1}{2}x^2\mathrm{e}^{ax}\cos bx,\qquad \varepsilon_6=\frac{1}{2}x^2\mathrm{e}^{ax}\sin bx$$

的所有实系数线性组合构成实数域上一个六维线性空间. 求微分变换D在基$\varepsilon_i(i=1,2,\cdots,6)$下的矩阵;

(5) 已知P^3中线性变换σ对基$\boldsymbol{\eta}_1=(-1,0,2)^{\mathrm{T}},\boldsymbol{\eta}_2=(0,1,1)^{\mathrm{T}},\boldsymbol{\eta}_3=(3,-1,-6)^{\mathrm{T}}$的像为$\sigma(\boldsymbol{\eta}_1)=(-1,0,1)^{\mathrm{T}},\sigma(\boldsymbol{\eta}_2)=(0,-1,2)^{\mathrm{T}},\sigma(\boldsymbol{\eta}_3)=(-1,-1,3)^{\mathrm{T}}$, 求$\sigma$在基$\boldsymbol{\varepsilon}_1=(1,0,0)^{\mathrm{T}},\boldsymbol{\varepsilon}_2=(0,1,0)^{\mathrm{T}}$, $\boldsymbol{\varepsilon}_3=(0,0,1)^{\mathrm{T}}$下的矩阵;

(6) 同上, 求σ在$\boldsymbol{\eta}_1,\boldsymbol{\eta}_2,\boldsymbol{\eta}_3$下的矩阵.

9. 在$P^{2\times2}$中定义线性变换$\sigma(\boldsymbol{X})=\boldsymbol{MX}-\boldsymbol{XM}$, 其中$\boldsymbol{M}=\begin{pmatrix}1&2\\3&0\end{pmatrix}$, 求$\sigma$在基$\boldsymbol{E}_{11},\boldsymbol{E}_{12},\boldsymbol{E}_{21},\boldsymbol{E}_{22}$下的矩阵.

10. 设P^3的线性变换σ在$\boldsymbol{\varepsilon}_1=(-1,0,2)^{\mathrm{T}},\boldsymbol{\varepsilon}_2=(0,1,1)^{\mathrm{T}}$, $\boldsymbol{\varepsilon}_3=(3,-1,-6)^{\mathrm{T}}$的像为

$$\sigma(\boldsymbol{\varepsilon}_1)=(-1,0,1)^{\mathrm{T}},\quad \sigma(\boldsymbol{\varepsilon}_2)=(0,-1,2)^{\mathrm{T}},\quad \sigma(\boldsymbol{\varepsilon}_3)=(-1,-1,3)^{\mathrm{T}}$$

(1) 求σ在基$\boldsymbol{\varepsilon}_1,\boldsymbol{\varepsilon}_2,\boldsymbol{\varepsilon}_3$下的矩阵;

(2) 已知$\boldsymbol{x}=(1,1,1)^{\mathrm{T}}$, 求$\sigma(\boldsymbol{x})$;

(3) 已知$\sigma(\boldsymbol{x})$在基$\boldsymbol{\varepsilon}_1,\boldsymbol{\varepsilon}_2,\boldsymbol{\varepsilon}_3$下的坐标向量为$(2,-4,-2)^{\mathrm{T}}$, 求$\boldsymbol{x}$;

(4) 求σ在基$\boldsymbol{\varepsilon}_1,\boldsymbol{\varepsilon}_1+\boldsymbol{\varepsilon}_2,\boldsymbol{\varepsilon}_1+\boldsymbol{\varepsilon}_2+\boldsymbol{\varepsilon}_3$下的矩阵.

11. 设 σ 是线性空间 V 上的线性变换，如果 $\sigma^{k-1}\boldsymbol{\xi}\neq\mathbf{0}$，但 $\sigma^{k}\boldsymbol{\xi}=\mathbf{0}$，求证 $\boldsymbol{\xi},\sigma\boldsymbol{\xi},\cdots,\sigma^{k-1}\boldsymbol{\xi}(k>0)$ 线性无关.

12. 在 n 维线性空间 V 中，$\boldsymbol{\alpha}_1,\boldsymbol{\alpha}_2,\cdots,\boldsymbol{\alpha}_n$ 是 V 的一组基，定义线性变换 σ：

$$\sigma(\boldsymbol{\alpha}_i)=\boldsymbol{\alpha}_{i+1}\ (i=1,2,\cdots,n-1),\quad \sigma(\boldsymbol{\alpha}_n)=\mathbf{0}$$

(1) 求 σ 在基 $\boldsymbol{\alpha}_1,\boldsymbol{\alpha}_2,\cdots,\boldsymbol{\alpha}_n$ 下的矩阵 $\boldsymbol{A}$；

(2) 证明 $\sigma^n=0,\sigma^{n-1}\neq 0$；

(3) 设 τ 是 V 的线性变换且满足 $\tau^n=0,\tau^{n-1}\neq 0$，则存在 V 的一组基 $\boldsymbol{\eta}_1,\boldsymbol{\eta}_2,\cdots,\boldsymbol{\eta}_n$，使得 τ 在这组基下的矩阵也为 $\boldsymbol{A}$.

13. 设 V 是数域 P 上 n 维线性空间. 证明：V 的与全体线性变换可以交换的线性变换是数乘变换.

14. σ 是数域 P 上 n 维线性空间 V 的一个线性变换. 证明：如果 σ 在任意一组基下的矩阵都相同，那么 σ 是数乘变换.

15. 给定数域 P 上的 n 阶方阵

$$\boldsymbol{A}=\begin{pmatrix} & & & & a_1\\ & & & a_2 & \\ & & \iddots & & \\ & a_{n-1} & & & \\ a_n & & & & \end{pmatrix}$$

判断 $\boldsymbol{A}$ 何时在 P 内相似于对角矩阵.

16. 证明:

$$\begin{pmatrix}\lambda_1 & & & \\ & \lambda_2 & & \\ & & \ddots & \\ & & & \lambda_n\end{pmatrix} \text{ 与 } \begin{pmatrix}\lambda_{i_1} & & & \\ & \lambda_{i_2} & & \\ & & \ddots & \\ & & & \lambda_{i_n}\end{pmatrix}$$

相似，其中 $i_1i_2\cdots i_n$ 是 $1,2,\cdots,n$ 的一个排列.

17. 如果 $\boldsymbol{A}$ 可逆，证明：$\boldsymbol{AB}$ 与 $\boldsymbol{BA}$ 相似.

18. 如果 $\boldsymbol{A}$ 与 $\boldsymbol{B}$ 相似，$\boldsymbol{C}$ 与 $\boldsymbol{D}$ 相似，证明:

$$\begin{pmatrix}\boldsymbol{A} & \boldsymbol{O}\\ \boldsymbol{O} & \boldsymbol{C}\end{pmatrix} \text{ 与 } \begin{pmatrix}\boldsymbol{B} & \boldsymbol{O}\\ \boldsymbol{O} & \boldsymbol{D}\end{pmatrix}$$

相似.

19. 设 $\boldsymbol{\alpha}_1,\boldsymbol{\alpha}_2,\boldsymbol{\alpha}_3$ 为线性空间 V 的一组基，σ 是 V 的线性变换，且 $\sigma(\boldsymbol{\alpha}_1)=\boldsymbol{\alpha}_1$，$\sigma(\boldsymbol{\alpha}_2)=\boldsymbol{\alpha}_1+\boldsymbol{\alpha}_2$，$\sigma(\boldsymbol{\alpha}_3)=\boldsymbol{\alpha}_1+\boldsymbol{\alpha}_2+\boldsymbol{\alpha}_3$.

(1) 证明：σ 是可逆的线性变换.

(2) 求 $2\sigma-\sigma^{-1}$ 在基 $\boldsymbol{\alpha}_1,\boldsymbol{\alpha}_2,\boldsymbol{\alpha}_3$ 下的矩阵.

20. 在 $P^{2\times 2}$ 中定义线性变换 $\sigma(\boldsymbol{X})=\boldsymbol{MX}-\boldsymbol{XM}$，其中 $\boldsymbol{M}=\begin{pmatrix}1 & 2\\ 0 & 3\end{pmatrix}$，求 σ 的值域和核的基与维数.

21. 设$V=R[x]_n$，定义线性变换$\sigma f(x)=xf'(x)-f(x)$，

(1) 求σV和$\sigma^{-1}(0)$；

(2) 证明：$V=\sigma V\oplus\sigma^{-1}(0)$.

22. 求复数域上线性空间V的线性变换σ的特征值与特征向量，已知σ在一组基下的矩阵为

(1) $\boldsymbol{A}=\begin{pmatrix}3&4\\5&2\end{pmatrix}$；　　(2) $\boldsymbol{A}=\begin{pmatrix}0&a\\-a&0\end{pmatrix}$；

(3) $\boldsymbol{A}=\begin{pmatrix}1&1&1&1\\1&1&-1&-1\\1&-1&1&-1\\1&-1&-1&1\end{pmatrix}$；　　(4) $\boldsymbol{A}=\begin{pmatrix}5&6&-3\\-1&0&1\\1&2&-1\end{pmatrix}$；

(5) $\boldsymbol{A}=\begin{pmatrix}0&0&1\\0&1&0\\1&0&0\end{pmatrix}$；　　(6) $\boldsymbol{A}=\begin{pmatrix}3&1&0\\-4&-1&0\\4&-8&-2\end{pmatrix}$.

23. 在22题中哪些变换的矩阵可以在适当的基下变成对角形？在可以化成对角形的情况下，写出相应的基变换的过渡矩阵$\boldsymbol{T}$，并验算$\boldsymbol{T}^{-1}\boldsymbol{AT}$.

24. 在$P[x]_n$中$(n>1)$，求微分变换D的特征多项式，并证明，D在任何一组基下的矩阵都不可能是对角矩阵.

25. 设

$$\boldsymbol{A}=\begin{pmatrix}1&4&2\\0&-3&4\\0&4&3\end{pmatrix}$$

求$\boldsymbol{A}^k$.

26. 设V是数域P上的线性空间，σ是V的线性变换，且满足$\sigma^2=E$. 证明：

(1) σ的特征值为1或−1；

(2) 设V_1,V_{-1}分别表示σ属于特征值1和−1的特征子空间，则$V=V_1\oplus V_{-1}$.

27. (1) 设λ_1,λ_2是线性变换σ的两个不同特征值，$\boldsymbol{\varepsilon}_1,\boldsymbol{\varepsilon}_2$是分别属于$\lambda_1,\lambda_2$的特征向量，证明：$\boldsymbol{\varepsilon}_1+\boldsymbol{\varepsilon}_2$不是$\sigma$的特征向量.

(2) 证明：如果线性空间V的线性变换σ以V中每个非零向量作为它的特征向量，那么σ是数乘变换.

28. 设V为数域P上n维线性空间，σ,τ是V的线性变换且满足$\sigma\tau=\tau\sigma$，又设λ_0是σ的一个特征值，则

(1) $V_1=\{\boldsymbol{\alpha}\in V\mid$存在正整数$m$，使$(\sigma-\lambda_0E)^m(\boldsymbol{\alpha})=0\}$是$\sigma$的不变子空间，其中$E$是单位变换；

(2) V_1也是τ的不变子空间.

29. 设V是复数域上的n维线性空间，σ,τ是V的线性变换，且$\sigma\tau=\tau\sigma$. 证明：

(1) 如果λ_0是σ的一特征值，那么V_{λ_0}是τ的不变子空间；

(2) σ,τ至少有一个公共的特征向量.

30. 求下列复矩阵的最小多项式, 并判断是否可对角化.

(1) $\begin{pmatrix} 1 & 1 & 0 \\ -1 & 0 & 1 \\ -3 & 0 & 0 \end{pmatrix}$;　(2) $\begin{pmatrix} 3 & 1 & -1 \\ 0 & 2 & 0 \\ 1 & 1 & 1 \end{pmatrix}$;　(3) $\begin{pmatrix} 0 & 1 & 0 & 1 \\ 1 & 0 & 1 & 0 \\ 0 & 1 & 0 & 1 \\ 1 & 0 & 1 & 0 \end{pmatrix}$.

(B)

1. 设σ是n维线性空间V的一个线性变换, 证明下列命题等价:

(1) σ是可逆变换;

(2) 如果$V = V_1 \oplus V_2$, V_1, V_2是V的子空间, 那么$V = \sigma(V_1) \oplus \sigma(V_2)$.

2. 如果$\sigma_1, \sigma_2, \cdots, \sigma_s$是线性空间$V$的$s$个两两不同的线性变换, 那么在$V$中必存在向量$\boldsymbol{\alpha}$, 使$\sigma_1\boldsymbol{\alpha}, \sigma_2\boldsymbol{\alpha}, \cdots, \sigma_s\boldsymbol{\alpha}$也两两不同.

3. 设σ是数域P上n维线性空间V的一个线性变换. 证明:

(1) 在$P[x]$中有一次数$\leqslant n^2$的多项式$f(x)$, 使$f(\sigma) = 0$;

(2) 如果$f(\sigma) = 0$, $g(\sigma) = 0$, 那么$d(\sigma) = 0$, 这里$d(x)$是$f(x)$与$g(x)$的最大公因式;

(3) σ可逆的充分必要条件是, 有一常数项不为零的多项式$f(x)$使$f(\sigma) = 0$.

4. 设矩阵$\boldsymbol{A} = \begin{pmatrix} 3 & 2 & 2 \\ 2 & 3 & 2 \\ 2 & 2 & 3 \end{pmatrix}, \boldsymbol{P} = \begin{pmatrix} 0 & 1 & 0 \\ 1 & 0 & 1 \\ 0 & 0 & 1 \end{pmatrix}$, $\boldsymbol{B} = \boldsymbol{P}^{-1}\boldsymbol{A}^*\boldsymbol{P}$, 求$\boldsymbol{B} + 2\boldsymbol{E}$的特征值和特征向量.

5. 设n阶方阵$\boldsymbol{A}$的特征根为$\lambda_1, \lambda_2, \cdots, \lambda_n$, $g(x)$为任一多项式. 证明: 矩阵$g(\boldsymbol{A})$的特征根为$g(\lambda_1), g(\lambda_2), \cdots, g(\lambda_n)$.

6. 设$\boldsymbol{A}, \boldsymbol{B}$为任意两个$n$阶方阵. 证明: $\boldsymbol{AB}$与$\boldsymbol{BA}$有相同的特征多项式.

7. 设σ是线性空间V上的线性变换, 证明: σ的行列式为零的充分必要条件是σ以零作为一个特征值.

8. 设$\boldsymbol{A}$是一n阶下三角形矩阵, 证明:

(1) 如果$a_{ii} \neq a_{jj}$当$i \neq j, i, j = 1, 2, \cdots, n$, 那么$\boldsymbol{A}$相似于一对角矩阵;

(2) 如果$a_{11} = a_{22} = \cdots = a_{nn}$, 而至少有一$a_{i_0 j_0} \neq 0 \quad (i_0 > j_0)$, 那么$\boldsymbol{A}$不与对角矩阵相似.

9. 设σ是有限维线性空间V的线性变换, W是V的子空间, σW表示由W中向量的像组成的子空间. 证明:

$$\dim(\sigma W) + \dim(\sigma^{-1}(\mathbf{0}) \cap W) = \dim(W)$$

10. 设σ, τ是n维线性空间V的两个线性变换. 证明:

$$\dim((\sigma\tau)^{-1}(\mathbf{0})) \leqslant \dim(\sigma^{-1}(\mathbf{0})) + \dim(\tau^{-1}(\mathbf{0}))$$

11. 设$\sigma^2 = \sigma, \tau^2 = \tau$. 证明:

(1) σ与τ有相同值域的充分必要条件是$\sigma\tau = \tau, \tau\sigma = \sigma$;

(2) σ与τ有相同的核的充分必要条件是$\sigma\tau = \sigma, \tau\sigma = \tau$.

12. 设σ,τ是线性空间V的线性变换，且σ是幂等变换，即$\sigma^2=\sigma$，$\tau\sigma\tau=\tau$，$\tau V\subset\sigma V$，则τ也是幂等变换.

13. 设V是实数域上的n维线性空间，证明：V上的任一线性变换σ必存在一个 1 维不变子空间或者 2 维不变子空间.

本章小结

习题答案 8

第9章

λ-矩阵

本章介绍λ-矩阵的概念和性质，其主要目的是研究矩阵在相似变换下的化简问题. 将矩阵的相似关系转化为特征矩阵的等价关系来处理，然后利用初等变换得到矩阵相似的充要条件，进而讨论矩阵的相似标准形.

第9章知识导图

9.1 λ-矩阵的定义及性质

设 P 是数域，λ 是一个文字，以 $P[\lambda]$ 中的多项式为元素的矩阵，称为数域 P 上的 λ-矩阵，一般用 $\boldsymbol{A}(\lambda),\boldsymbol{B}(\lambda),\cdots$ 表示. 例如

$$\boldsymbol{A}(\lambda)=\begin{pmatrix}1-\lambda & 2\lambda-1 & \lambda\\ \lambda & \lambda^2 & -\lambda\\ 1+\lambda^2 & \lambda^3+\lambda-1 & -\lambda^2\end{pmatrix},\quad \boldsymbol{B}(\lambda)=\begin{pmatrix}\lambda & 1\\ 2 & \lambda^2\end{pmatrix}$$

因为数域 P 中的数也是 $P[\lambda]$ 的元素，所以 λ-矩阵也包括以数为元素的矩阵. 为了与 λ-矩阵相区别，通常把数域 P 中的数为元素的矩阵称为**数字矩阵**.

$P[\lambda]$ 中的元素可以作加、减、乘三种运算，并且它们与数的运算有相同的运算规律. 而矩阵加法与乘法的定义只用到元素的加法与乘法，因此，可以同样定义 λ-矩阵的加法与乘法，且与数字矩阵的运算具有相同的运算规律.

同样，行列式的定义也只用到元素的加法与乘法，因此，可以类似定义 $n\times n$ 的 λ-矩阵的行列式.一般地，λ-矩阵的行列式是 λ 的一个多项式，它与数字矩阵的行列式有相同的性质.

同样可以定义 λ-矩阵的子式、代数余子式. 利用子式的定义，我们可以定义 λ-矩阵的秩.

定义 9.1.1

如果 λ- 矩阵 $\boldsymbol{A}(\lambda)$ 中有一个 $r(r\geqslant 1)$ 阶子式不为零，而所有 $r+1$ 阶子式（如果有的话）全为零，那么称 $\boldsymbol{A}(\lambda)$ 的**秩**为 r. 零矩阵的**秩**规定为零.

显然，这一定义与数字矩阵秩的定义完全一致，同理亦可以定义可逆.

定义 9.1.2

$n\times n$ 的 λ- 矩阵 $\boldsymbol{A}(\lambda)$ 称为**可逆的**，如果有 $n\times n$ 的 λ- 矩阵 $\boldsymbol{B}(\lambda)$ 使

$$\boldsymbol{A}(\lambda)\boldsymbol{B}(\lambda)=\boldsymbol{B}(\lambda)\boldsymbol{A}(\lambda)=\boldsymbol{E} \tag{9.1.1}$$

其中，$\boldsymbol{E}$ 是 n 阶单位矩阵. 适合式 (9.1.1) 的矩阵 $\boldsymbol{B}(\lambda)$（它是唯一的）称为 $\boldsymbol{A}(\lambda)$ 的逆矩阵，记为 $\boldsymbol{A}^{-1}(\lambda)$.

利用伴随矩阵可推出 $\boldsymbol{A}(\lambda)$ 可逆的充要条件.

定理 9.1.1

$n\times n$ 的 λ- 矩阵 $\boldsymbol{A}(\lambda)$ 是可逆的充要条件为行列式 $|\boldsymbol{A}(\lambda)|$ 是一个非零的数.

证明 充分性. 设

$$d=|\boldsymbol{A}(\lambda)|$$

是一个非零的数. $\boldsymbol{A}^*(\lambda)$ 是 $\boldsymbol{A}(\lambda)$ 的伴随矩阵，也是一个 λ-矩阵，而

$$\boldsymbol{A}(\lambda)\frac{1}{d}\boldsymbol{A}^*(\lambda)=\frac{1}{d}\boldsymbol{A}^*(\lambda)\boldsymbol{A}(\lambda)=\boldsymbol{E}$$

所以 $\boldsymbol{A}(\lambda)$ 可逆.

必要性. 如果 $\boldsymbol{A}(\lambda)$ 可逆, 在式(9.1.1)两边取行列式,

$$|\boldsymbol{A}(\lambda)||\boldsymbol{B}(\lambda)|=|\boldsymbol{E}|=1$$

由于 $|\boldsymbol{A}(\lambda)|$ 与 $|\boldsymbol{B}(\lambda)|$ 均为 λ 的多项式, 而它们的乘积为 1, 从而它们都是零次多项式, 也就是非零的数.

注　数字矩阵与 λ-矩阵可逆的充要条件有一定的区别. 数字矩阵 $\boldsymbol{A}$ 可逆的充要条件是 $|\boldsymbol{A}|\neq 0$ (或 $\boldsymbol{A}$ 满秩). 但行列式非零(或满秩)不能用来判断可逆, 因为满秩的 λ-矩阵的行列式可以是非零的 λ 的多项式. 例如,

$$\boldsymbol{A}(\lambda)=\begin{pmatrix}1&0&1\\0&\lambda-1&\lambda\\1&1&\lambda^2\end{pmatrix}$$

容易计算 $|\boldsymbol{A}(\lambda)|=\lambda^3-\lambda^2-2\lambda+1\neq 0$, 从而 $\boldsymbol{A}(\lambda)$ 是满秩矩阵, 但不可逆.

9.2　λ-矩阵的标准形及唯一性

9.2.1　λ-矩阵的标准形

定义 9.2.1

下面的三种变换叫作 λ-矩阵的**初等变换**:

(1) 矩阵的两行(列)互换位置;

(2) 矩阵的某一行(列)乘以非零的常数 c;

(3) 矩阵有某一行(列)加另一行(列)的 $\varphi(\lambda)$ 倍, $\varphi(\lambda)\in P(\lambda)$ 是一个多项式.

和数字矩阵的初等变换一样, 可以引入初等矩阵. 例如, 将单位矩阵的第 j 行的 $\varphi(\lambda)$ 倍加到第 i 行上得

$$\boldsymbol{P}(i,j(\varphi))=\begin{array}{c}\begin{array}{ccccccc} & & i\text{列} & & j\text{列} & & \end{array}\\ \left(\begin{array}{ccccccc}1&&&&&&\\&\ddots&&&&&\\&&1&\cdots&\varphi(\lambda)&&\\&&&\ddots&&&\\&&&&1&&\\&&&&&\ddots&\\&&&&&&1\end{array}\right)\end{array}\begin{array}{l}\\ \\ \\ i\text{行}\\ \\ j\text{行}\\ \\ \\ \end{array}$$

仍用 $\boldsymbol{P}(i,j)$ 表示由单位矩阵经过第 i 行第 j 行互换位置所得的初等矩阵, 用 $\boldsymbol{P}(i(c))$ 表示用非零常数 c 乘单位矩阵第 i 行所得的初等矩阵. 初等矩阵都是可逆的, 并且有

$$\boldsymbol{P}(i,j)^{-1}=\boldsymbol{P}(i,j),\quad \boldsymbol{P}(i(c))^{-1}=\boldsymbol{P}(i(c^{-1})),\quad \boldsymbol{P}(i,j(\varphi))^{-1}=\boldsymbol{P}(i,j(-\varphi))$$

由此得出初等变换是可逆变换. 与数字矩阵类似, 我们有:

对一个 $s\times n$ 的 λ-矩阵 $\boldsymbol{A}(\lambda)$ 作一次初等行变换就相当于在 $\boldsymbol{A}(\lambda)$ 的左边乘上相应 $s\times s$ 的初等矩阵；对 $\boldsymbol{A}(\lambda)$ 作一次初等列变换就相当于 $\boldsymbol{A}(\lambda)$ 在的右边乘上相应的 $n\times n$ 的初等矩阵.

定义 9.2.2

如果 λ-矩阵 $\boldsymbol{A}(\lambda)$ 经过一系列初等变换化为 $\boldsymbol{B}(\lambda)$，则称 $\boldsymbol{A}(\lambda)$ 与 $\boldsymbol{B}(\lambda)$ 等价.

容易验证 λ-矩阵的等价满足下列三个性质.

(1) 反身性：每一个 λ-矩阵与它自身等价.

(2) 对称性：若 $\boldsymbol{A}(\lambda)$ 与 $\boldsymbol{B}(\lambda)$ 等价，则 $\boldsymbol{B}(\lambda)$ 与 $\boldsymbol{A}(\lambda)$ 等价.

(3) 传递性：若 $\boldsymbol{A}(\lambda)$ 与 $\boldsymbol{B}(\lambda)$ 等价，$\boldsymbol{B}(\lambda)$ 与 $\boldsymbol{C}(\lambda)$ 等价，则 $\boldsymbol{A}(\lambda)$ 与 $\boldsymbol{C}(\lambda)$ 等价.

应用初等变换与初等矩阵的关系，矩阵 $\boldsymbol{A}(\lambda)$ 与 $\boldsymbol{B}(\lambda)$ 等价的充要条件为存在一系列的初等矩阵 $\boldsymbol{P}_1,\boldsymbol{P}_2,\cdots,\boldsymbol{P}_l,\boldsymbol{Q}_1,\boldsymbol{Q}_2,\cdots,\boldsymbol{Q}_m$，使

$$\boldsymbol{A}(\lambda)=\boldsymbol{P}_1\boldsymbol{P}_2\cdots\boldsymbol{P}_l\boldsymbol{B}(\lambda)\boldsymbol{Q}_1\boldsymbol{Q}_2\cdots\boldsymbol{Q}_m$$

下面证明任意一个 λ-矩阵可以经过初等变换化为某种对角矩阵.

引理 9.2.1

设 λ-矩阵 $\boldsymbol{A}(\lambda)$ 的左上角元素 $a_{11}(\lambda)\neq 0$，并且 $\boldsymbol{A}(\lambda)$ 中至少有一个元素不能被它除尽，那么一定可以找到一个与 $\boldsymbol{A}(\lambda)$ 等价的矩阵 $\boldsymbol{B}(\lambda)$，它的左上角元素也不为零，但是次数比 $a_{11}(\lambda)$ 的次数低.

证明　根据 $\boldsymbol{A}(\lambda)$ 中不能被 $a_{11}(\lambda)$ 除尽的元素所在的位置，分三种情况来讨论.

(1) 若在 $\boldsymbol{A}(\lambda)$ 的第一列中有一个元素 $a_{i1}(\lambda)$ 不能被 $a_{11}(\lambda)$ 除尽，则有

$$a_{i1}(\lambda)=a_{11}(\lambda)u(\lambda)+r(\lambda)$$

其中，余式 $r(\lambda)\neq 0$，且次数比 $a_{11}(\lambda)$ 的次数低.

把 $\boldsymbol{A}(\lambda)$ 的第 i 行减去第 1 行的 $u(\lambda)$ 倍，得到

$$\boldsymbol{A}(\lambda)=\begin{pmatrix} a_{11}(\lambda) & \cdots \\ \vdots & \\ a_{i1}(\lambda) & \cdots \\ \vdots & \end{pmatrix}\to\begin{pmatrix} a_{11}(\lambda) & \cdots \\ \vdots & \\ r(\lambda) & \cdots \\ \vdots & \end{pmatrix}$$

再将此矩阵的第一行与第 i 行互换，得到

$$\boldsymbol{A}(\lambda)\to\begin{pmatrix} r(\lambda) & \cdots \\ \vdots & \\ a_{11}(\lambda) & \cdots \\ \vdots & \end{pmatrix}=\boldsymbol{B}(\lambda)$$

$\boldsymbol{B}(\lambda)$ 的左上角元素 $r(\lambda)$ 符合引理的要求，故 $\boldsymbol{B}(\lambda)$ 即为所求的矩阵.

(2) 若在 $\boldsymbol{A}(\lambda)$ 的第一行中有一个元素 $a_{1i}(\lambda)$ 不能被 $a_{11}(\lambda)$ 除尽，这种情况的证明与 (1) 类似.

(3) 若 $\boldsymbol{A}(\lambda)$ 的第一行与第一列中的元素都可以被 $a_{11}(\lambda)$ 除尽，但 $\boldsymbol{A}(\lambda)$ 中有另一个元素 $a_{ij}(\lambda)(i>1,j>1)$ 不能被 $a_{11}(\lambda)$ 除尽. 设 $a_{i1}(\lambda)=a_{11}(\lambda)\varphi(\lambda)$，对 $\boldsymbol{A}(\lambda)$ 作下列初等变换：

$$A(\lambda)=\begin{pmatrix} a_{11}(\lambda) & \cdots & a_{1j}(\lambda) & \cdots \\ \vdots & & \vdots & \\ a_{i1}(\lambda) & \cdots & a_{ij}(\lambda) & \cdots \\ \vdots & & \vdots & \end{pmatrix} \to \begin{pmatrix} a_{11}(\lambda) & \cdots & a_{1j}(\lambda) & \cdots \\ \vdots & & \vdots & \\ 0 & \cdots & a_{ij}(\lambda)-a_{1j}(\lambda)\varphi(\lambda) & \cdots \\ \vdots & & \vdots & \end{pmatrix}$$

$$\to \begin{pmatrix} a_{11}(\lambda) & \cdots & a_{ij}(\lambda)-(1-\varphi(\lambda))a_{1j}(\lambda) & \cdots \\ \vdots & & \vdots & \\ 0 & \cdots & a_{ij}(\lambda)-a_{1j}(\lambda)\varphi(\lambda) & \cdots \\ \vdots & & \vdots & \end{pmatrix} = A_1(\lambda)$$

矩阵 $A_1(\lambda)$ 的第一行中有一个元素 $a_{ij}(\lambda)-(1-\varphi(\lambda))a_{1j}(\lambda)$ 不能被左上角元素 $a_{11}(\lambda)$ 除尽，这就化为已证明了的情况(2).

定理 9.2.1

任意一个非零的 $s\times n$ 的 λ- 矩阵 $A(\lambda)$ 都等价于下列形式的矩阵

$$\begin{pmatrix} d_1(\lambda) & & & & & & \\ & d_2(\lambda) & & & & & \\ & & \ddots & & & & \\ & & & d_r(\lambda) & & & \\ & & & & 0 & & \\ & & & & & \ddots & \\ & & & & & & 0 \end{pmatrix}$$

其中，$r\geqslant 1$，$d_i(\lambda)(i=1,2,\cdots,r)$ 是首项系数为 1 的多项式，且

$$d_i(\lambda)\mid d_{i+1}(\lambda)\quad (i=1,2,\cdots,r-1)$$

证明 经过适当的行列调动之后，可以使得 $A(\lambda)$ 的左上角元素 $a_{11}(\lambda)$ 不为零，如果 $a_{11}(\lambda)$ 不能除尽 $A(\lambda)$ 的全部元素，由引理 9.2.1，可以找到与 $A(\lambda)$ 等价的 $B_1(\lambda)$，它的左上角元素 $b_1(\lambda)\neq 0$，并且次数比 $a_{11}(\lambda)$ 低. 如果 $b_1(\lambda)$ 还不能除尽 $B_1(\lambda)$ 的全部元素，由引理 9.2.1 可以找到与 $B_1(\lambda)$ 等价的 $B_2(\lambda)$，它的左上角元素 $b_2(\lambda)\neq 0$，并且次数比 $b_1(\lambda)$ 低. 如此下去，可以得到一系列相互等价的 λ-矩阵 $A(\lambda)$，$B_1(\lambda)$，$B_2(\lambda),\cdots$. 它们的左上角元素皆不为零，并且次数越来越低. 但次数是非负整数，不可能无止境地降低. 因此，在有限步以后我们将终止于一个 λ-矩阵 $B_s(\lambda)$，它的左上角元素 $b_s(\lambda)\neq 0$，且可以除尽 $B_s(\lambda)$ 的全部元素 $b_{ij}(\lambda)$，即

$$b_{ij}(\lambda)=b_s(\lambda)q_{ij}(\lambda)$$

对 $B_s(\lambda)$ 作初等变换:

$$B_s(\lambda)=\begin{pmatrix} b_s(\lambda) & \cdots & b_{1j}(\lambda) & \cdots \\ \vdots & & \vdots & \\ b_{i1}(\lambda) & \cdots & b_{ij}(\lambda) & \cdots \\ \vdots & & \vdots & \end{pmatrix} \to \begin{pmatrix} b_s(\lambda) & 0 & \cdots & 0 \\ 0 & & & \\ \vdots & & A_1(\lambda) & \\ 0 & & & \end{pmatrix}$$

在右下角的 λ-矩阵 $A_1(\lambda)$ 中，全部元素都是可以被 $b_s(\lambda)$ 除尽的，因为都是 $B_s(\lambda)$ 中元素的组合. 如果 $A_1(\lambda)\neq 0$，则对于 $A_1(\lambda)$ 可以重复上述过程，进而将矩阵化为

$$\begin{pmatrix} d_1(\lambda) & 0 & \cdots & 0 \\ 0 & d_2(\lambda) & \cdots & 0 \\ \vdots & \vdots & \boldsymbol{A}_2(\lambda) & \\ 0 & 0 & & \end{pmatrix}$$

其中，$d_1(\lambda)$ 与 $d_2(\lambda)$ 都是首项系数为 1 的多项式（$d_1(\lambda)$ 与 $b_s(\lambda)$ 只差一个常数倍数），而且 $d_1(\lambda)|d_2(\lambda)$，$d_2(\lambda)$ 能除尽 $\boldsymbol{A}_2(\lambda)$ 的全部元素. 如此继续下去，$\boldsymbol{A}(\lambda)$ 就化成了所要求的形式，最后化成的这个矩阵称为 $\boldsymbol{A}(\lambda)$ 的标准形.

例 9.2.1 用初等变换化 λ-矩阵

$$\boldsymbol{A}(\lambda)=\begin{pmatrix} 1-\lambda & \lambda^2 & \lambda \\ \lambda & \lambda & -\lambda \\ 1+\lambda^2 & \lambda^2 & -\lambda^2 \end{pmatrix}$$

化成标准形.

解 先将 $\boldsymbol{A}(\lambda)$ 的第三列加到第一、二列得到

$$\boldsymbol{A}(\lambda)\xrightarrow[c_2+c_3]{c_1+c_3}\begin{pmatrix} 1 & \lambda^2+\lambda & \lambda \\ 0 & 0 & -\lambda \\ 1 & 0 & -\lambda^2 \end{pmatrix}\xrightarrow{c_3+\lambda^2c_1}\begin{pmatrix} 1 & \lambda^2+\lambda & \lambda^2+\lambda \\ 0 & 0 & -\lambda \\ 1 & 0 & 0 \end{pmatrix}$$

$$\xrightarrow{c_3+(-1)c_2}\begin{pmatrix} 1 & \lambda^2+\lambda & 0 \\ 0 & 0 & -\lambda \\ 1 & 0 & 0 \end{pmatrix}\xrightarrow{r_1+(-1)r_3}\begin{pmatrix} 0 & \lambda^2+\lambda & 0 \\ 0 & 0 & -\lambda \\ 1 & 0 & 0 \end{pmatrix}$$

$$\xrightarrow[\substack{c_2\leftrightarrow c_3\\ r_2\times(-1)}]{r_1\leftrightarrow r_3}\begin{pmatrix} 1 & 0 & 0 \\ 0 & \lambda & 0 \\ 0 & 0 & \lambda^2+\lambda \end{pmatrix}=\boldsymbol{B}(\lambda)$$

例 9.2.2 用初等变换化数字矩阵

$$\boldsymbol{A}=\begin{pmatrix} 0 & 1 & -1 \\ 3 & -2 & 0 \\ -1 & 1 & -1 \end{pmatrix}$$

的特征矩阵 $\lambda\boldsymbol{E}-\boldsymbol{A}$ 的标准形.

解

$$\lambda\boldsymbol{E}-\boldsymbol{A}=\begin{pmatrix} \lambda & -1 & 1 \\ -3 & \lambda+2 & 0 \\ 1 & -1 & \lambda+1 \end{pmatrix}\xrightarrow{r_1\leftrightarrow r_3}\begin{pmatrix} 1 & -1 & \lambda+1 \\ -3 & \lambda+2 & 0 \\ \lambda & -1 & 1 \end{pmatrix}$$

$$\xrightarrow[r_3-\lambda r_1]{r_2+3r_1}\begin{pmatrix} 1 & -1 & \lambda+1 \\ 0 & \lambda-1 & 3(\lambda+1) \\ 0 & \lambda-1 & -\lambda^2-\lambda+1 \end{pmatrix}\xrightarrow[c_3-(\lambda+1)c_1]{c_2+c_1}\begin{pmatrix} 1 & 0 & 0 \\ 0 & \lambda-1 & 3(\lambda+1) \\ 0 & \lambda-1 & -\lambda^2-\lambda+1 \end{pmatrix}$$

$$\xrightarrow[\substack{c_2\leftrightarrow c_3\\ 6\times c_3}]{c_3-3c_2}\begin{pmatrix} 1 & 0 & 0 \\ 0 & 6 & 6(\lambda-1) \\ 0 & -\lambda^2-4\lambda+4 & 6(\lambda-1) \end{pmatrix}$$

$$\xrightarrow[\frac{1}{6}\times r_2]{\substack{c_3-(\lambda-1)c_2 \\ r_3+\frac{1}{6}(\lambda^2+4\lambda-4)r_2}} \begin{pmatrix} 1 & 0 & 0 \\ 0 & 1 & 0 \\ 0 & 0 & (\lambda-1)(\lambda^2+4\lambda+2) \end{pmatrix}$$

注　对于任意的 n 级数字矩阵 $\boldsymbol{A}$ 的特征矩阵都等价于形如下列矩阵

$$\begin{pmatrix} 1 & & & & & \\ & \ddots & & & & \\ & & 1 & & & \\ & & & d_1(\lambda) & & \\ & & & & \ddots & \\ & & & & & d_m(\lambda) \end{pmatrix}$$

其中，$m \geqslant 1$，$d_i(\lambda)(i=1,2,\cdots,m)$ 是首项系数为 1 的多项式，且

$$d_i(\lambda) \mid d_{i+1}(\lambda) \quad (i=1,2,\cdots,m-1)$$

9.2.2　标准形的唯一性

定义 9.2.3

设 λ-矩阵 $\boldsymbol{A}(\lambda)$ 的秩为 r，对于正整数 k，$1 \leqslant k \leqslant r$，$\boldsymbol{A}(\lambda)$ 中必有非零的 k 阶子式. $\boldsymbol{A}(\lambda)$ 中全部 k 阶子式的首项系数为 1 的最大公因式 $D_k(\lambda)$ 称为 $\boldsymbol{A}(\lambda)$ 的 k 阶**行列式因子**.

由定义可知，对于秩为 r 的 λ-矩阵，行列式因子一共有 r 个. 下面将说明行列式因子在初等变换下是不变的.

定理 9.2.2

等价的 λ-矩阵具有相同的秩和相同的各阶行列式因子.

证明　事实上我们只需证明，λ-矩阵经过一次初等变换，秩与行列式因子保持不变即可. 设矩阵 $\boldsymbol{A}(\lambda)$ 经过一次初等行变换变成 $\boldsymbol{B}(\lambda)$，$f(\lambda)$ 与 $g(\lambda)$ 分别是 $\boldsymbol{A}(\lambda)$ 与 $\boldsymbol{B}(\lambda)$ 的 k 阶行列式因子. 下证 $f(\lambda)=g(\lambda)$，分三种情形讨论.

(1) $\boldsymbol{A}(\lambda)$ 经过初等行变换 (1) 变成 $\boldsymbol{B}(\lambda)$. 这时，$\boldsymbol{B}(\lambda)$ 的每个 k 阶子式或者等于 $\boldsymbol{A}(\lambda)$ 的某个 k 阶子式，或者与 $\boldsymbol{A}(\lambda)$ 的某个 k 阶子式反号. 因此 $f(\lambda)$ 是 $\boldsymbol{B}(\lambda)$ 的所有 k 阶子式的公因式，从而 $f(\lambda) \mid g(\lambda)$.

(2) $\boldsymbol{A}(\lambda)$ 经过初等行变换 (2) 变成 $\boldsymbol{B}(\lambda)$. 这时，$\boldsymbol{B}(\lambda)$ 的每个 k 阶子式或者等于 $\boldsymbol{A}(\lambda)$ 的某个 k 阶子式，或者等于 $\boldsymbol{A}(\lambda)$ 的某个 k 阶子式的 c 倍. 因此 $f(\lambda)$ 是 $\boldsymbol{B}(\lambda)$ 的 k 阶子式的公因式，从而 $f(\lambda) \mid g(\lambda)$.

(3) $\boldsymbol{A}(\lambda)$ 经过初等行变换 (3) 变成 $\boldsymbol{B}(\lambda)$. 这时，$\boldsymbol{B}(\lambda)$ 中那些包含 i 行与 j 行的 k 阶子式和那些不包含 i 行的 k 阶子式都等于 $\boldsymbol{A}(\lambda)$ 中对应的 k 阶子式；$\boldsymbol{B}(\lambda)$ 中那些包含 i 行但不包含 j 行的 k 阶子式，按 i 行分成两部分，等于 $\boldsymbol{A}(\lambda)$ 的一个 k 阶子式与另一个 k 阶子式的 $\pm\varphi(\lambda)$ 倍的和，即为 $\boldsymbol{A}(\lambda)$ 的两个 k 阶子式的组合，因此 $f(\lambda)$ 是 $\boldsymbol{B}(\lambda)$ 的 k 阶子式的公因式，从而 $f(\lambda) \mid g(\lambda)$.

对于初等列变换，可以得到同样的结论. 因此，$\boldsymbol{A}(\lambda)$ 经过一次初等变换变成 $\boldsymbol{B}(\lambda)$，总有

$f(\lambda)|g(\lambda)$. 再由初等变换的可逆性，$\boldsymbol{B}(\lambda)$ 也可以经过一次初等变换变成 $\boldsymbol{A}(\lambda)$，从而有 $g(\lambda)|f(\lambda)$，于是得 $f(\lambda)=g(\lambda)$.

当 $\boldsymbol{A}(\lambda)$ 的全部 k 阶子式为零时，$\boldsymbol{B}(\lambda)$ 的全部 k 阶子式也等于零；反之亦然. 因此，$\boldsymbol{A}(\lambda)$ 与 $\boldsymbol{B}(\lambda)$ 具有相同的各阶行列式因子和相同的秩.

下面计算标准形矩阵的行列式因子. 设标准形为

$$\begin{pmatrix} d_1(\lambda) & & & & & & \\ & d_2(\lambda) & & & & & \\ & & \ddots & & & & \\ & & & d_r(\lambda) & & & \\ & & & & 0 & & \\ & & & & & \ddots & \\ & & & & & & 0 \end{pmatrix} \tag{9.2.1}$$

其中，$d_1(\lambda),d_2(\lambda),\cdots,d_r(\lambda)$ 是首项系数为1的多项式，且 $d_i(\lambda)\,|\,d_{i+1}(\lambda)\ (i=1,2,\cdots,r-1)$. 不难证明，对于矩阵(9.2.1)，如果一个 k 阶子式包含的行与列的标号不完全相同，那么这个 k 阶子式一定为零. 因此，为了计算 k 阶行列式因子，只要看由 $i_1,i_2,\cdots,i_k$ 行与 $i_1,i_2,\cdots,i_k$ 列（$1\leqslant i_1<i_2<\cdots<i_k\leqslant r$）组成的 k 阶子式即可，而这个 k 阶子式等于

$$d_{i_1}(\lambda)d_{i_2}(\lambda)\cdots d_{i_k}(\lambda)$$

从而，所有 k 阶子式的最大公因式，即 k 阶行列式因子为

$$d_1(\lambda)d_2(\lambda)\cdots d_k(\lambda)$$

定理 9.2.3

λ-矩阵的标准形是唯一的.

证明 设矩阵(9.2.1)是 $\boldsymbol{A}(\lambda)$ 的标准形. 由于 $\boldsymbol{A}(\lambda)$ 与矩阵(9.2.1)等价，它们具有相同的秩与相同的行列式因子. 因此，$\boldsymbol{A}(\lambda)$ 的秩就是标准形的主对角线上非零元素的个数 r；$\boldsymbol{A}(\lambda)$ 的 k 阶行列式因子就是

$$D_k(\lambda)=d_1(\lambda)d_2(\lambda)\cdots d_k(\lambda)\quad (k=1,2,\cdots,r) \tag{9.2.2}$$

于是，

$$d_1(\lambda)=D_1(\lambda),d_2(\lambda)=\frac{D_2(\lambda)}{D_1(\lambda)},\cdots,d_r(\lambda)=\frac{D_r(\lambda)}{D_{r-1}(\lambda)} \tag{9.2.3}$$

这说明 $\boldsymbol{A}(\lambda)$ 的标准形(9.2.1)的主对角线上的非零元素是由 $\boldsymbol{A}(\lambda)$ 的行列式因子唯一决定的.因此，$\boldsymbol{A}(\lambda)$ 的标准形是唯一的.

9.2.3 不变因子

定义 9.2.4

标准形的主对角线上非零元素 $d_1(\lambda),d_2(\lambda),\cdots,d_r(\lambda)$ 称为 λ-矩阵 $\boldsymbol{A}(\lambda)$ 的**不变因子.**

式(9.2.2)与式(9.2.3)说明了行列式因子与不变因子是相互唯一确定的. 如果两个矩阵具有相同的各阶行列式因子，那么它们也具有相同的不变因子组.

定理 9.2.4

两个 λ-矩阵等价的充要条件是它们有相同的各阶行列式因子，或者它们有相同的不变因子组.

证明 必要性已由定理 9.2.3 给出.

充分性. 若 λ-矩阵 $\boldsymbol{A}(\lambda)$ 与 $\boldsymbol{B}(\lambda)$ 有相同的不变因子，则 $\boldsymbol{A}(\lambda)$ 与 $\boldsymbol{B}(\lambda)$ 和同一个标准形等价，从而 $\boldsymbol{A}(\lambda)$ 与 $\boldsymbol{B}(\lambda)$ 等价.

由式(9.2.2)可以看出，在 λ-矩阵的行列式因子之间，有关系式

$$D_k(\lambda) \mid D_{k+1}(\lambda) \quad (k=1,2,\cdots,r-1) \tag{9.2.4}$$

在计算 λ-矩阵的行列式因子时，常常是先计算最高阶的行列式因子，然后，由关系式(9.2.4)可以估计低阶行列式因子的范围.

例如，设 $\boldsymbol{A}(\lambda)$ 为一个 $n\times n$ 可逆矩阵，由定理 9.1.1 知

$$|\boldsymbol{A}(\lambda)| = d$$

其中，d 是一非零常数，即

$$D_n(\lambda)=1$$

于是由式(9.2.4)可知，$D_k(\lambda)=1 \quad (k=1,2,\cdots,n)$. 从而

$$d_k(\lambda)=1 \quad (k=1,2,\cdots,n)$$

因此，可逆矩阵的标准形是单位矩阵 $\boldsymbol{E}$. 反过来，与单位矩阵等价的矩阵一定是可逆矩阵，因为它的行列式是一个非零的数. 从而，矩阵可逆的充要条件是它与单位矩阵等价. 又矩阵 $\boldsymbol{A}(\lambda)$ 与 $\boldsymbol{B}(\lambda)$ 等价的充要条件是有一系列初等矩阵 $\boldsymbol{P}_1,\boldsymbol{P}_2,\cdots,\boldsymbol{P}_l,\boldsymbol{Q}_1,\boldsymbol{Q}_2,\cdots,\boldsymbol{Q}_t$，使

$$\boldsymbol{A}(\lambda)=\boldsymbol{P}_1\boldsymbol{P}_2\cdots\boldsymbol{P}_l\boldsymbol{B}(\lambda)\boldsymbol{Q}_1\boldsymbol{Q}_2\cdots\boldsymbol{Q}_t$$

特别地，当 $\boldsymbol{B}(\lambda)=\boldsymbol{E}$ 时，有以下结论.

定理 9.2.5

矩阵 $\boldsymbol{A}(\lambda)$ 是可逆的充要条件是它可以表示成一些初等矩阵的乘积.

推论 9.2.1

两个 $s\times n$ 的 λ-矩阵 $\boldsymbol{A}(\lambda)$ 与 $\boldsymbol{B}(\lambda)$ 等价的充要条件是存在一个 $s\times s$ 可逆矩阵 $\boldsymbol{P}(\lambda)$ 和一个 $n\times n$ 可逆矩阵 $\boldsymbol{Q}(\lambda)$，使得

$$\boldsymbol{B}(\lambda)=\boldsymbol{P}(\lambda)\boldsymbol{A}(\lambda)\boldsymbol{Q}(\lambda)$$

例 9.2.3 将 λ-矩阵

$$\boldsymbol{A}(\lambda)=\begin{pmatrix} \lambda^2+\lambda & 0 & 0 \\ 0 & \lambda & 0 \\ 0 & 0 & (\lambda+1)^2 \end{pmatrix}$$

化成标准形.

解 根据行列式因子的定义，由于 $(\lambda,(\lambda+1)^2)=1$，故 $D_1(\lambda)=1$. 再由 $\boldsymbol{A}(\lambda)$ 的非零的二阶子式有三个:

$$\begin{vmatrix}\lambda^2+\lambda & 0\\ 0 & \lambda\end{vmatrix}=\lambda^2(\lambda+1),\quad \begin{vmatrix}\lambda & 0\\ 0 & (\lambda+1)^2\end{vmatrix}=\lambda(\lambda+1)^2,\quad \begin{vmatrix}\lambda^2+\lambda & 0\\ 0 & (\lambda+1)^2\end{vmatrix}=\lambda(\lambda+1)^3,$$

故 $D_2(\lambda)=\lambda(\lambda+1)$. 而 $D_3(\lambda)=\begin{vmatrix}\lambda^2+\lambda & 0 & 0\\ 0 & \lambda & 0\\ 0 & 0 & (\lambda+1)^2\end{vmatrix}=\lambda^2(\lambda+1)^3$. 于是 $\boldsymbol{A}(\lambda)$ 的不变因子为

$$d_1(\lambda)=D_1(\lambda)=1,\quad d_2(\lambda)=\frac{D_2(\lambda)}{D_1(\lambda)}=\lambda(\lambda+1),\quad d_3(\lambda)=\frac{D_3(\lambda)}{D_2(\lambda)}=\lambda(\lambda+1)^2$$

所以 $\boldsymbol{A}(\lambda)$ 的标准形为

$$\begin{pmatrix}1 & 0 & 0\\ 0 & \lambda(\lambda+1) & 0\\ 0 & 0 & \lambda(\lambda+1)^2\end{pmatrix}$$

9.3 矩阵相似的条件

本节将讨论两个 $n\times n$ 数字矩阵 $\boldsymbol{A}$ 和 $\boldsymbol{B}$ 相似的充要条件, 即它们的特征矩阵 $\lambda\boldsymbol{E}-\boldsymbol{A}$ 和 $\lambda\boldsymbol{E}-\boldsymbol{B}$ 等价.

引理 9.3.1

如果有 $n\times n$ 数字矩阵 $\boldsymbol{P}_0,\boldsymbol{Q}_0$ 使

$$\lambda\boldsymbol{E}-\boldsymbol{A}=\boldsymbol{P}_0(\lambda\boldsymbol{E}-\boldsymbol{B})\boldsymbol{Q}_0 \tag{9.3.1}$$

则 $\boldsymbol{A}$ 和 $\boldsymbol{B}$ 相似.

证明 因为 $\boldsymbol{P}_0(\lambda\boldsymbol{E}-\boldsymbol{B})\boldsymbol{Q}_0=\lambda\boldsymbol{P}_0\boldsymbol{Q}_0-\boldsymbol{P}_0\boldsymbol{B}\boldsymbol{Q}_0=\lambda\boldsymbol{E}-\boldsymbol{A}$, 等式两边比较, 得

$$\boldsymbol{P}_0\boldsymbol{Q}_0=\boldsymbol{E},\quad \boldsymbol{P}_0\boldsymbol{B}\boldsymbol{Q}_0=\boldsymbol{A}$$

由此, $\boldsymbol{Q}_0=\boldsymbol{P}_0^{-1}$, 从而 $\boldsymbol{P}_0\boldsymbol{B}\boldsymbol{P}_0^{-1}=\boldsymbol{A}$, 即 $\boldsymbol{A}$ 和 $\boldsymbol{B}$ 相似.

引理 9.3.2

对于任何不为零的 $n\times n$ 数字矩阵 $\boldsymbol{A}$ 和 λ- 矩阵 $\boldsymbol{U}(\lambda)$ 与 $\boldsymbol{V}(\lambda)$, 一定存在 λ-矩阵 $\boldsymbol{Q}(\lambda)$ 与 $\boldsymbol{R}(\lambda)$ 以及数字矩阵 $\boldsymbol{U}_0$ 和 $\boldsymbol{V}_0$ 使

$$\boldsymbol{U}(\lambda)=(\lambda\boldsymbol{E}-\boldsymbol{A})\boldsymbol{Q}(\lambda)+\boldsymbol{U}_0 \tag{9.3.2}$$

$$\boldsymbol{V}(\lambda)=\boldsymbol{R}(\lambda)(\lambda\boldsymbol{E}-\boldsymbol{A})+\boldsymbol{V}_0 \tag{9.3.3}$$

证明 将 $\boldsymbol{U}(\lambda)$ 改写为

$$\boldsymbol{U}(\lambda)=\boldsymbol{D}_0\lambda^m+\boldsymbol{D}_1\lambda^{m-1}+\cdots+\boldsymbol{D}_{m-1}\lambda+\boldsymbol{D}_m$$

这里, $\boldsymbol{D}_0,\boldsymbol{D}_1,\cdots,\boldsymbol{D}_m$ 都是 $n\times n$ 的数字矩阵, 且 $\boldsymbol{D}_0\neq\boldsymbol{O}$. 如果 $m=0$, 令 $\boldsymbol{Q}(\lambda)=\boldsymbol{0}$, $\boldsymbol{U}_0=\boldsymbol{D}_0$. 此时, 引理成立. 设 $m>0$, 令

$$\boldsymbol{Q}(\lambda)=\boldsymbol{Q}_0\lambda^{m-1}+\boldsymbol{Q}_1\lambda^{m-2}+\cdots+\boldsymbol{Q}_{m-2}\lambda+\boldsymbol{Q}_{m-1}$$

这里, $\boldsymbol{Q}_0,\boldsymbol{Q}_1,\cdots,\boldsymbol{Q}_{m-1}$ 都是 $n\times n$ 的数字矩阵.于是

$$\begin{aligned}(\lambda\boldsymbol{E}-\boldsymbol{A})\boldsymbol{Q}(\lambda)=&\boldsymbol{Q}_0\lambda^m+(\boldsymbol{Q}_1-\boldsymbol{A}\boldsymbol{Q}_0)\lambda^{m-1}+\cdots+(\boldsymbol{Q}_k-\boldsymbol{A}\boldsymbol{Q}_{k-1})\lambda^{m-k}+\cdots\\&+(\boldsymbol{Q}_{m-1}-\boldsymbol{A}\boldsymbol{Q}_{m-2})\lambda-\boldsymbol{A}\boldsymbol{Q}_{m-1}\end{aligned}$$

要想式(9.3.2)成立，只需取

$$\begin{gathered}Q_0 = D_0 \\ Q_1 = D_1 + AQ_0 \\ Q_2 = D_2 + AQ_1 \\ \cdots\cdots \\ Q_k = D_k + AQ_{k-1} \\ \cdots\cdots \\ Q_{m-1} = D_{m-1} + AQ_{m-2} \\ U_0 = D_m + AQ_{m-1}\end{gathered}$$

就行了．用同样的办法可求出 $R(\lambda)$ 和 V_0．引理成立．

定理 9.3.1

设 A, B 是数域 P 上两个 n 阶矩阵．A 与 B 相似的充要条件是它们的特征矩阵 $\lambda E - A$ 和 $\lambda E - B$ 等价．

证明　必要性．设 A 与 B 相似，则存在可逆矩阵 T，使得

$$A = T^{-1}BT$$

于是

$$\lambda E - A = \lambda E - T^{-1}BT = T^{-1}(\lambda E - B)T$$

所以 $\lambda E - A$ 和 $\lambda E - B$ 等价．

充分性．设 $\lambda E - A$ 和 $\lambda E - B$ 等价，由推论 9.2.1，存在可逆的 λ-矩阵 $M(\lambda)$ 和 $N(\lambda)$，使得

$$\lambda E - A = M(\lambda)(\lambda E - B)N(\lambda) \tag{9.3.4}$$

成立．由引理 9.3.2，存在 λ-矩阵 $Q(\lambda)$ 与 $R(\lambda)$ 以及数字矩阵 M_0 和 N_0 使

$$M(\lambda) = (\lambda E - A)Q(\lambda) + M_0 \tag{9.3.5}$$

$$N(\lambda) = R(\lambda)(\lambda E - A) + N_0 \tag{9.3.6}$$

成立．将式(9.3.4)改写为

$$M(\lambda)^{-1}(\lambda E - A) = (\lambda E - B)N(\lambda) \tag{9.3.7}$$

将式(9.3.6)代入式(9.3.7)，再移项得

$$[M(\lambda)^{-1} - (\lambda E - B)R(\lambda)](\lambda E - A) = (\lambda E - B)N_0$$

右端次数等于 1 或者 $N_0 = 0$，因此 $M(\lambda)^{-1} - (\lambda E - B)R(\lambda)$ 是一个数字矩阵(或零矩阵)，记作 T，即

$$T = M(\lambda)^{-1} - (\lambda E - B)R(\lambda) \tag{9.3.8}$$

$$T(\lambda E - A) = (\lambda E - B)N_0 \tag{9.3.9}$$

下证 T 是可逆的．由式(9.3.8)和式(9.3.5)，得

$$\begin{aligned}E &= M(\lambda)T + M(\lambda)(\lambda E - B)R(\lambda) \\ &= M(\lambda)T + (\lambda E - A)N(\lambda)^{-1}R(\lambda) \\ &= [(\lambda E - A)Q(\lambda) + M_0]T + (\lambda E - A)N(\lambda)^{-1}R(\lambda) \\ &= M_0T + (\lambda E - A)[Q(\lambda)T + N(\lambda)^{-1}R(\lambda)].\end{aligned}$$

等式右端的第二项必须为零, 否则它的次数至少为 1, 由于 $\boldsymbol{E}$ 和 $\boldsymbol{M}_0\boldsymbol{T}$ 都是数字矩阵, 等式不可能成立, 因此 $\boldsymbol{E}=\boldsymbol{M}_0\boldsymbol{T}$, 即 $\boldsymbol{T}$ 是可逆的. 由式(9.3.9)得

$$\lambda\boldsymbol{E}-\boldsymbol{A}=\boldsymbol{T}^{-1}(\lambda\boldsymbol{E}-\boldsymbol{B})\boldsymbol{N}_0$$

再由引理 9.3.1 得 $\boldsymbol{A}$ 与 $\boldsymbol{B}$ 相似.

通常情况下, 把数字矩阵 $\boldsymbol{A}$ 的特征矩阵 $\lambda\boldsymbol{E}-\boldsymbol{A}$ 的不变因子简称为 $\boldsymbol{A}$ 的**不变因子**. 由定理 9.2.4 和定理 9.3.1 可得如下推论.

推论 9.3.1

矩阵 $\boldsymbol{A}$ 与 $\boldsymbol{B}$ 相似的充要条件是它们有相同的不变因子.

注 特征矩阵 $\lambda\boldsymbol{E}-\boldsymbol{A}$ 的行列式 $|\lambda\boldsymbol{E}-\boldsymbol{A}|$ 就是 $\boldsymbol{A}$ 的特征多项式, 它是一个非零多项式. 因此, λ-矩阵 $\lambda\boldsymbol{E}-\boldsymbol{A}$ 是满秩矩阵, 它的不变因子均不为零, 且所有不变因子的乘积等于这个矩阵的特征多项式.

以上结果说明, 不变因子是矩阵的相似不变量, 因此, 我们可以把一个线性变换的任一矩阵的不变因子(它们与该矩阵的选取无关)定义为此线性变换的不变因子.

9.4 有理标准形

本节将利用不变因子来讨论数域 P 中任意 n 阶矩阵在相似意义下的化简问题, 证明 P 上的任意 n 阶矩阵都相似于一个有理标准形矩阵.

定义 9.4.1

在 $P[\lambda]$ 中, 设 $d(\lambda)=\lambda^n+a_1\lambda^{n-1}+\cdots+a_n$, 称矩阵

$$\boldsymbol{A}=\begin{pmatrix}0&0&\cdots&0&-a_n\\1&0&\cdots&0&-a_{n-1}\\0&1&\cdots&0&-a_{n-2}\\\vdots&\vdots&&\vdots&\vdots\\0&0&\cdots&1&-a_1\end{pmatrix}\tag{9.4.1}$$

为多项式 $d(\lambda)$ 的**友矩阵**.

容易计算, $\boldsymbol{A}$ 的不变因子是 $1,1,\cdots,1,d(\lambda)$, 且 1 的个数为 $n-1$.

定义 9.4.2

设准对角矩阵

$$\boldsymbol{A}=\begin{pmatrix}\boldsymbol{A}_1&&&\\&\boldsymbol{A}_2&&\\&&\ddots&\\&&&\boldsymbol{A}_s\end{pmatrix}\tag{9.4.2}$$

其中, $\boldsymbol{A}_i$ 是数域 P 上多项式 $d_i(\lambda)$ 的友矩阵, $i=1,2,\cdots,s$, 且满足 $d_i(\lambda)|d_{i+1}(\lambda)$, $i=1,2,\cdots,s-1$, 则称 $\boldsymbol{A}$ 为 P 上的**有理标准形矩阵**.

根据定义 9.4.2, 我们可以得到有理标准形矩阵的不变因子.

引理 9.4.1

矩阵 (9.4.2) 的不变因子为 $1,1,\cdots,1,d_1(\lambda),d_2(\lambda),\cdots,d_s(\lambda)$，其中 1 的个数等于 $d_1(\lambda)$, $d_2(\lambda),\cdots,d_s(\lambda)$ 的次数之和减去 s.

证明　矩阵 (9.4.2) 的特征矩阵为

$$\lambda\boldsymbol{E}-\boldsymbol{A}=\begin{pmatrix}\lambda\boldsymbol{E}_1-\boldsymbol{A}_1 & & & \\ & \lambda\boldsymbol{E}_2-\boldsymbol{A}_2 & & \\ & & \ddots & \\ & & & \lambda\boldsymbol{E}_s-\boldsymbol{A}_s\end{pmatrix}$$

因为每一个 $\lambda\boldsymbol{E}_i-\boldsymbol{A}_i$ 都等价于标准形

$$\begin{pmatrix}1 & & & \\ & 1 & & \\ & & \ddots & \\ & & & d_i(\lambda)\end{pmatrix}$$

所以 $\lambda\boldsymbol{E}-\boldsymbol{A}$ 等价于

$$\begin{pmatrix}1 & & & & & & & & & & & & \\ & 1 & & & & & & & & & & & \\ & & \ddots & & & & & & & & & & \\ & & & d_1(\lambda) & & & & & & & & & \\ & & & & 1 & & & & & & & & \\ & & & & & 1 & & & & & & & \\ & & & & & & \ddots & & & & & & \\ & & & & & & & d_2(\lambda) & & & & & \\ & & & & & & & & \ddots & & & & \\ & & & & & & & & & 1 & & & \\ & & & & & & & & & & 1 & & \\ & & & & & & & & & & & \ddots & \\ & & & & & & & & & & & & d_s(\lambda)\end{pmatrix}$$

再对上面的矩阵进行一些行或列互换, 则可变成

$$\begin{pmatrix}1 & & & & & & \\ & \ddots & & & & & \\ & & 1 & & & & \\ & & & d_1(\lambda) & & & \\ & & & & d_2(\lambda) & & \\ & & & & & \ddots & \\ & & & & & & d_s(\lambda)\end{pmatrix}$$

又因 $d_i(\lambda)|d_{i+1}(\lambda), i=1,2,\cdots,s-1$，故它是 $\lambda\boldsymbol{E}-\boldsymbol{A}$ 的标准形，且不变因子为 $1,1,\cdots,1,d_1(\lambda)$, $d_2(\lambda),\cdots,d_s(\lambda)$.

定理 9.4.1

数域 P 上的 n 阶矩阵 $\boldsymbol{A}$ 必相似于一个唯一的有理标准形，该标准形称为 $\boldsymbol{A}$ 的有理标准形.

证明 设 $\boldsymbol{A}$ 的不变因子为 $1,1,\cdots,1$, $d_1(\lambda),d_2(\lambda),\cdots,d_s(\lambda)$，其中，$\partial(d_i(\lambda))\geqslant 1$，$i=1,2,\cdots,s$，则 1 的个数等于 $d_1(\lambda),d_2(\lambda),\cdots,d_s(\lambda)$ 的次数之和减去 s. 设 $d_i(\lambda)$ 的友矩阵是 $\boldsymbol{B}_i$，则作准对角矩阵

$$\boldsymbol{B}=\begin{pmatrix}\boldsymbol{B}_1 & & & \\ & \boldsymbol{B}_2 & & \\ & & \ddots & \\ & & & \boldsymbol{B}_s\end{pmatrix}$$

则由引理 9.4.1，$\boldsymbol{B}$ 与 $\boldsymbol{A}$ 具有相同的不变因子，故 $\boldsymbol{B}$ 与 $\boldsymbol{A}$ 相似，即 $\boldsymbol{B}$ 是 $\boldsymbol{A}$ 的有理标准形.

因 $\boldsymbol{B}$ 是由 $\boldsymbol{A}$ 的不变因子唯一决定的，故唯一性成立.

用线性变换的语言来表述上述定理，即

定理 9.4.2

设 σ 是数域 P 上 n 维线性空间 V 的线性变换，则在 V 中存在一组基，使得 σ 在该基下的矩阵是有理标准形，且该有理标准形由 σ 唯一确定，也称为 σ 的有理标准形.

例 9.4.1 设矩阵 $\boldsymbol{A}=\begin{pmatrix}1 & 2 & 0 & 0\\ -2 & 1 & 0 & 0\\ -1 & 0 & 1 & 2\\ 0 & -1 & -2 & 1\end{pmatrix}$，求它的有理标准形.

解 由于 $\lambda\boldsymbol{E}-\boldsymbol{A}$ 中有两个三阶子式

$$\begin{vmatrix}\lambda-1 & -2 & 0\\ 2 & \lambda-1 & 0\\ 1 & 0 & \lambda-1\end{vmatrix}=(\lambda-1)[(\lambda-1)^2+4]$$

和

$$\begin{vmatrix}\lambda-1 & -2 & 0\\ 1 & 0 & \lambda-1\\ 0 & 1 & 2\end{vmatrix}=4-(\lambda-1)^2$$

互素，从而 $D_3(\lambda)=1$，且 $D_1(\lambda)=D_2(\lambda)=1$. 又有 $D_4(\lambda)=|\lambda\boldsymbol{E}-\boldsymbol{A}|=[(\lambda-1)^2+4]^2$.

于是，$\boldsymbol{A}$ 的不变因子为 $1,1,1,\lambda^4-4\lambda^3+14\lambda^2-20\lambda+25$. 故 $\boldsymbol{A}$ 的有理标准形为

$$\begin{pmatrix}0 & 0 & 0 & -25\\ 1 & 0 & 0 & 20\\ 0 & 1 & 0 & -14\\ 0 & 0 & 1 & 4\end{pmatrix}$$

9.5 初等因子

在本节和 9.6 节的讨论中，总假设数域 P 是复数域. 本节将引入初等因子，即将不变因子分解为一次因式方幂的乘积，然后根据初等因子得到 n 阶矩阵在相似意义下更简单的若尔当(Jordan)标准形.

9.5.1 初等因子的定义

定义 9.5.1

把矩阵 $\boldsymbol{A}$ (或线性变换 σ)的每个次数大于零的不变因子分解成互不相同的首项系数为 1 的一次因式方幂的乘积，所有这些一次因式方幂(相同的必须按出现的次数计算)称为矩阵 $\boldsymbol{A}$ (或线性变换 σ)的**初等因子**.

例 9.5.1 例 9.2.3 中矩阵的不变因子是 $1,\lambda(\lambda+1),\lambda(\lambda+1)^2$，按定义可知，它的初等因子有 4 个，分别为 $\lambda,\lambda,(\lambda+1),(\lambda+1)^2$，其中 λ 出现两次.

例 9.5.2 设 12 阶矩阵的不变因子是

$$\underbrace{1,1,\cdots,1}_{9\text{个}},(\lambda-1)^2,(\lambda-1)^2(\lambda+1),(\lambda-1)^2(\lambda+1)(\lambda^2+1)^2$$

按定义，它的初等因子有 7 个，即

$$(\lambda-1)^2,(\lambda-1)^2,(\lambda-1)^2,(\lambda+1),(\lambda+1),(\lambda-\mathrm{i})^2,(\lambda+\mathrm{i})^2$$

其中 $(\lambda-1)^2$ 出现三次，$\lambda+1$ 出现二次.

9.5.2 不变因子与初等因子的关系

现在进一步说明不变因子和初等因子之间的关系. 首先，假设 n 阶矩阵 $\boldsymbol{A}$ 的不变因子为 $d_1(\lambda),d_2(\lambda),\cdots,d_n(\lambda)$. 将 $d_i(\lambda)(i=1,2,\cdots,n)$ 分解成互不相同的一次因式方幂的乘积:

$$d_1(\lambda)=(\lambda-\lambda_1)^{k_{11}}(\lambda-\lambda_2)^{k_{12}}\cdots(\lambda-\lambda_r)^{k_{1r}}$$

$$d_2(\lambda)=(\lambda-\lambda_1)^{k_{21}}(\lambda-\lambda_2)^{k_{22}}\cdots(\lambda-\lambda_r)^{k_{2r}}$$

$$\cdots\cdots$$

$$d_n(\lambda)=(\lambda-\lambda_1)^{k_{n1}}(\lambda-\lambda_2)^{k_{n2}}\cdots(\lambda-\lambda_r)^{k_{nr}}$$

则其中对应于 $k_{ij}\geqslant 1$ 的那些方幂

$$(\lambda-\lambda_j)^{k_{ij}}\quad(k_{ij}\geqslant 1)$$

就是 $\boldsymbol{A}$ 的全部初等因子. 注意不变因子如下性质:

$$d_i(\lambda)\mid d_{i+1}(\lambda)\quad(i=1,2,\cdots,n-1)$$

从而有

$$(\lambda-\lambda_j)^{k_{ij}}\mid(\lambda-\lambda_j)^{k_{i+1,j}}\quad(i=1,2,\cdots,n-1;j=1,2,\cdots,r)$$

因此，在 $d_1(\lambda),d_2(\lambda),\cdots,d_n(\lambda)$ 的分解式中，属于同一个一次因式的方幂的指数有递升的性质，即

$$k_{1j} \leqslant k_{2j} \leqslant \cdots \leqslant k_{nj} \quad (j=1,2,\cdots,r)$$

这说明，同一个一次因式的方幂作成的初等因子中，方次最高的必定出现在 $d_n(\lambda)$ 的分解中，方次次高的必定出现在 $d_{n-1}(\lambda)$ 的分解中. 如此顺推下去，可知属于同一个一次因式的方幂的初等因子在不变因子的分解式中出现的位置是唯一确定的.

上面的分析给出了一个如何从初等因子和矩阵的级数求出不变因子的方法. 设已知一个 n 阶矩阵的全部初等因子，在全部初等因子中，将同一个一次因式 $(\lambda-\lambda_j)\ (j=1,2,\cdots,r)$ 的方幂的那些初等因子按降幂排列，而且当这些初等因子的个数不足 n 时，就在后面补上适当个数的 1，使得凑成 n 个. 设所得排列为

$$(\lambda-\lambda_j)^{k_{nj}},(\lambda-\lambda_j)^{k_{n-1,j}},\cdots,(\lambda-\lambda_j)^{k_{1j}} \quad (j=1,2,\cdots,r)$$

于是令

$$d_i(\lambda)=(\lambda-\lambda_1)^{k_{i1}}(\lambda-\lambda_2)^{k_{i2}}\cdots(\lambda-\lambda_r)^{k_{ir}} \quad (i=1,2,\cdots,n)$$

则 $d_1(\lambda),d_2(\lambda),\cdots,d_n(\lambda)$ 就是 $\boldsymbol{A}$ 的不变因子.

这也说明：如果两个同阶的数字矩阵有相同的初等因子，那么它们就有相同的不变因子，因而它们相似. 反之，如果两个矩阵相似，那么它们有相同的不变因子，因而它们有相同的初等因子.

综上所述，即得如下结论.

定理 9.5.1

两个同阶复数矩阵相似的充要条件是它们有相同的初等因子.

初等因子和不变因子都是矩阵的相似不变量. 但是初等因子的求法与不变因子的求法比较，反而方便一些.

首先证明关于多项式的最大公因式的一个性质.

引理 9.5.1

如果多项式 $f_1(\lambda),f_2(\lambda)$ 都与 $g_1(\lambda),g_2(\lambda)$ 互素，则

$$(f_1(\lambda)g_1(\lambda),f_2(\lambda)g_2(\lambda))=(f_1(\lambda),f_2(\lambda))\cdot(g_1(\lambda),g_2(\lambda))$$

证明 令

$$(f_1(\lambda)g_1(\lambda),f_2(\lambda)g_2(\lambda))=d(\lambda),\quad (f_1(\lambda),f_2(\lambda))=d_1(\lambda)$$
$$(g_1(\lambda),g_2(\lambda))=d_2(\lambda)$$

显然，$d_1(\lambda)|d(\lambda)$，$d_2(\lambda)|d(\lambda)$. 由于 $(f_1(\lambda),g_1(\lambda))=1$，有 $(d_1(\lambda),d_2(\lambda))=1$. 从而，$d_1(\lambda)d_2(\lambda)|d(\lambda)$.

另一方面，由于 $d(\lambda)|f_1(\lambda)g_1(\lambda)$，可令 $d(\lambda)=f(\lambda)g(\lambda)$，其中 $f(\lambda)|f_1(\lambda)$，$g(\lambda)|g_1(\lambda)$. 由于 $(f_1(\lambda),g_2(\lambda))=1$，故 $(f(\lambda),g_2(\lambda))=1$. 由 $f(\lambda)|f_2(\lambda)g_2(\lambda)$ 得 $f(\lambda)|f_2(\lambda)$，因而 $f(\lambda)|d_1(\lambda)$. 同理可证 $g(\lambda)|d_2(\lambda)$. 所以 $d(\lambda)|d_1(\lambda)d_2(\lambda)$，于是 $d(\lambda)=d_1(\lambda)d_2(\lambda)$.

引理 9.5.2

设

$$\boldsymbol{A}(\lambda)=\begin{pmatrix} f_1(\lambda)g_1(\lambda) & 0 \\ 0 & f_2(\lambda)g_2(\lambda) \end{pmatrix}$$

$$B(\lambda)=\begin{pmatrix} f_2(\lambda)g_1(\lambda) & 0 \\ 0 & f_1(\lambda)g_2(\lambda) \end{pmatrix}$$

如果多项式 $f_1(\lambda),f_2(\lambda)$ 都与 $g_1(\lambda),g_2(\lambda)$ 互素，则 $\boldsymbol{A}(\lambda)$ 和 $\boldsymbol{B}(\lambda)$ 等价.

证明　显然 $\boldsymbol{A}(\lambda)$ 与 $\boldsymbol{B}(\lambda)$ 有相同的二阶行列式因子，而 $\boldsymbol{A}(\lambda)$ 与 $\boldsymbol{B}(\lambda)$ 的一阶行列式因子为

$$d(\lambda)=(f_1(\lambda)g_1(\lambda),f_2(\lambda)g_2(\lambda)),\quad \bar{d}(\lambda)=(f_2(\lambda)g_1(\lambda),f_1(\lambda)g_2(\lambda))$$

由引理 9.5.1 可知，$d(\lambda)=\bar{d}(\lambda)$，即 $\boldsymbol{A}(\lambda)$ 与 $\boldsymbol{B}(\lambda)$ 有相同的一阶行列式因子. 从而 $\boldsymbol{A}(\lambda)$ 和 $\boldsymbol{B}(\lambda)$ 等价.

下面的定理提供了一个求初等因子的方法，它不必事先知道不变因子.

定理 9.5.2

首先用初等变换化特征矩阵 $\lambda\boldsymbol{E}-\boldsymbol{A}$ 为对角形式，然后将主对角线上的元素分解成互不相同的首项系数为 1 的一次因式方幂的乘积，则所有这些一次因式的方幂(相同的按出现的次数计算)就是 $\boldsymbol{A}$ 的全部初等因子.

证明　设 $\lambda\boldsymbol{E}-\boldsymbol{A}$ 已用初等变换化为对角形

$$\boldsymbol{D}(\lambda)=\begin{pmatrix} f_1(\lambda) & & & \\ & f_2(\lambda) & & \\ & & \ddots & \\ & & & f_n(\lambda) \end{pmatrix}$$

其中，每个 $f_i(\lambda)$ 的首项系数都为 1. 将 $f_i(\lambda)$ 分解成互不相同的一次因式方幂的乘积:

$$f_i(\lambda)=(\lambda-\lambda_1)^{k_{i1}}(\lambda-\lambda_2)^{k_{i2}}\cdots(\lambda-\lambda_r)^{k_{ir}}\quad (i=1,2,\cdots,n)$$

下面证明对每个相同的一次因式方幂 $(\lambda-\lambda_j)^{k_{1j}}$，$(\lambda-\lambda_j)^{k_{2j}},\cdots$，$(\lambda-\lambda_j)^{k_{nj}}$（$j=1,2,\cdots,r$）在 $\boldsymbol{D}(\lambda)$ 的主对角线上按递升幂次排列后，得到的新对角阵 $\bar{\boldsymbol{D}}(\lambda)$ 与 $\boldsymbol{D}(\lambda)$ 等价. 此时 $\bar{\boldsymbol{D}}(\lambda)$ 就是 $\lambda\boldsymbol{E}-\boldsymbol{A}$ 的标准形，而且所有不为 1 的 $(\lambda-\lambda_j)^{k_{ij}}$ 就是 $\boldsymbol{A}$ 的全部初等因子.

为方便起见，先对 $\lambda-\lambda_1$ 的方幂进行讨论. 令

$$g_i(\lambda)=(\lambda-\lambda_2)^{k_{i2}}(\lambda-\lambda_3)^{k_{i3}}\cdots(\lambda-\lambda_r)^{k_{ir}}\quad (i=1,2,\cdots,n)$$

于是 $f_i(\lambda)=(\lambda-\lambda_1)^{k_{i1}}g_i(\lambda)\ (i=1,2,\cdots,n)$，而且每个 $(\lambda-\lambda_1)^{k_{i1}}$ 都与 $g_j(\lambda)\ (i=1,2,\cdots,n)$ 互素.如果有相邻的一对指数 $k_{i1}>k_{i+1,1}$，则在 $\boldsymbol{D}(\lambda)$ 中将 $(\lambda-\lambda_1)^{k_{i1}}$ 与 $(\lambda-\lambda_1)^{k_{i+1,1}}$ 对调位置，而其余因式保持不动. 由引理 9.5.2 知,

$$\begin{pmatrix} (\lambda-\lambda_1)^{k_{i1}}g_i(\lambda) & 0 \\ 0 & (\lambda-\lambda_1)^{k_{i+1,1}}g_{i+1}(\lambda) \end{pmatrix}$$

与

$$\begin{pmatrix} (\lambda-\lambda_1)^{k_{i+1,1}}g_i(\lambda) & 0 \\ 0 & (\lambda-\lambda_1)^{k_{i1}}g_{i+1}(\lambda) \end{pmatrix}$$

等价. 从而 $\boldsymbol{D}(\lambda)$ 与对角阵

$$\boldsymbol{D}_1(\lambda)=\begin{pmatrix}(\lambda-\lambda_1)^{k_{11}}g_1(\lambda) & & & & & \\ & \ddots & & & & \\ & & (\lambda-\lambda_1)^{k_{i+1,1}}g_i(\lambda) & & & \\ & & & (\lambda-\lambda_1)^{k_{i1}}g_{i+1}(\lambda) & & \\ & & & & \ddots & \\ & & & & & (\lambda-\lambda_1)^{k_{n1}}g_n(\lambda)\end{pmatrix}$$

等价, 然后对 $\boldsymbol{D}_1(\lambda)$ 作如上的操作, 如此继续下去, 直到对角矩阵主对角线上元素所含 $(\lambda-\lambda_1)$ 的方幂是按递升幂次排列为止. 然后再依次对 $(\lambda-\lambda_2),\cdots,(\lambda-\lambda_r)$ 作同样的处理, 最后便得到与 $\boldsymbol{D}(\lambda)$ 等价的对角阵 $\overline{\boldsymbol{D}}(\lambda)$, 它的主对角线上所含每个相同的一次因式的方幂, 都是按递升幂次排列的.

例 9.5.3 将 λ-矩阵

$$\boldsymbol{A}(\lambda)=\begin{pmatrix}0 & \lambda(\lambda-1) & 0\\ \lambda & 0 & \lambda+1\\ 0 & 0 & -\lambda+2\end{pmatrix}$$

化为标准形.

解 $$\boldsymbol{A}(\lambda)\xrightarrow{r_1\leftrightarrow r_2}\begin{pmatrix}\lambda & 0 & \lambda+1\\ 0 & \lambda(\lambda-1) & 0\\ 0 & 0 & -\lambda+2\end{pmatrix}\xrightarrow[c_1\leftrightarrow c_3]{c_3-c_1}\begin{pmatrix}1 & 0 & \lambda\\ 0 & \lambda(\lambda-1) & 0\\ -\lambda+2 & 0 & 0\end{pmatrix}$$

$$\xrightarrow[c_3-\lambda c_1]{r_3-(-\lambda+2)r_1}\begin{pmatrix}1 & 0 & 0\\ 0 & \lambda(\lambda-1) & 0\\ 0 & 0 & \lambda(\lambda-2)\end{pmatrix}$$

已是对角形, 但还不是标准形. 此时 λ-矩阵的秩为 3, 且全部初等因子为

$$\lambda,\lambda-1,\lambda,\lambda-2$$

于是 λ-矩阵 的不变因子为

$$1,\lambda,\lambda(\lambda-1)(\lambda-2)$$

故标准形为

$$\begin{pmatrix}1 & 0 & 0\\ 0 & \lambda & 0\\ 0 & 0 & \lambda(\lambda-1)(\lambda-2)\end{pmatrix}$$

9.6 若尔当标准形

由第 8 章讨论可知, 同一个线性变换在不同基下的矩阵是相似的, 但并不是每一个线性变换都存在一组基, 使得它在这组基下的矩阵为对角阵. 本节将介绍对于任一线性变换, 都存在一组基, 使得它在这组基下的矩阵为若尔当标准形.换句话说, 任一方阵都相似于若尔当形矩阵.

9.6.1 若尔当标准形的定义

定义 9.6.1

形如

$$J(\lambda,n)=\begin{pmatrix}\lambda & 0 & \cdots & 0 & 0 & 0\\ 1 & \lambda & \cdots & 0 & 0 & 0\\ \vdots & \vdots & & \vdots & \vdots & \vdots\\ 0 & 0 & \cdots & 1 & \lambda & 0\\ 0 & 0 & \cdots & 0 & 1 & \lambda\end{pmatrix}_{n\times n}$$

的矩阵称为**若尔当块**，其中 λ 是复数. 由若干个若尔当块组成的准对角矩阵称为**若尔当形矩阵**，即如

$$\begin{pmatrix}A_1 & & & \\ & A_2 & & \\ & & \ddots & \\ & & & A_s\end{pmatrix} \tag{9.6.1}$$

其中，$A_i=J(\lambda_i,k_i)$，且 $\lambda_1,\lambda_2,\cdots,\lambda_s$ 中有一些可以相等.

例如

$$\begin{pmatrix}3 & 0 & 0\\ 1 & 3 & 0\\ 0 & 1 & 3\end{pmatrix},\quad \begin{pmatrix}0 & 0 & 0 & 0\\ 1 & 0 & 0 & 0\\ 0 & 1 & 0 & 0\\ 0 & 0 & 1 & 0\end{pmatrix},\quad \begin{pmatrix}-\mathrm{i} & 0\\ 1 & -\mathrm{i}\end{pmatrix}$$

都是若尔当块，而

$$\begin{pmatrix}1 & 0 & 0 & 0 & 0 & 0\\ 1 & 1 & 0 & 0 & 0 & 0\\ 0 & 0 & 4 & 0 & 0 & 0\\ 0 & 0 & 0 & 4 & 0 & 0\\ 0 & 0 & 0 & 1 & 4 & 0\\ 0 & 0 & 0 & 0 & 1 & 4\end{pmatrix}=\begin{pmatrix}J(1,2) & & \\ & J(4,1) & \\ & & J(4,3)\end{pmatrix}$$

是一个若尔当形矩阵.

一阶若尔当块就是一阶矩阵，因此若尔当形矩阵中也包括对角矩阵.

容易看出，若尔当形矩阵的主对角线上的元素正是该矩阵的所有特征根(重根按重数计算).

9.6.2 若尔当标准形的理论证明

本节主要利用初等因子的理论来解决若尔当标准形的计算问题. 首先考虑若尔当形矩阵的初等因子.

引理 9.6.1

k 阶若尔当块

$$J_0=\begin{pmatrix}\lambda_0 & 0 & \cdots & 0 & 0\\ 1 & \lambda_0 & \cdots & 0 & 0\\ 0 & 1 & \cdots & 0 & 0\\ \vdots & \vdots & & \vdots & \vdots\\ 0 & 0 & \cdots & 1 & \lambda_0\end{pmatrix}_{k\times k}$$

的不变因子为 $1,\cdots,1,(\lambda-\lambda_0)^k$，初等因子为 $(\lambda-\lambda_0)^k$，且最小多项式为 $(x-\lambda_0)^k$.

证明　J_0 的特征矩阵

$$\lambda E-J_0=\begin{pmatrix}\lambda-\lambda_0 & 0 & \cdots & 0 & 0\\ -1 & \lambda-\lambda_0 & \cdots & 0 & 0\\ 0 & -1 & \cdots & 0 & 0\\ \vdots & \vdots & & \vdots & \vdots\\ 0 & 0 & \cdots & -1 & \lambda-\lambda_0\end{pmatrix}$$

显然特征多项式为 $|\lambda E-J_0|=(\lambda-\lambda_0)^k$，这就是 $\lambda E-J_0$ 的 k 阶行列式因子. 由于 $\lambda E-J_0$ 有一个 $k-1$ 阶子式是

$$\begin{vmatrix}-1 & \lambda-\lambda_0 & \cdots & 0 & 0\\ 0 & -1 & \cdots & 0 & 0\\ \vdots & \vdots & & \vdots & \vdots\\ 0 & 0 & \cdots & -1 & \lambda-\lambda_0\\ 0 & 0 & \cdots & 0 & -1\end{vmatrix}=(-1)^{k-1}$$

所以它的 $k-1$ 阶行列式因子是 1, 从而它低阶行列式因子全是 1. 因此, 它的不变因子为

$$d_1(\lambda)=\cdots=d_{n-1}(\lambda)=1,\quad d_n(\lambda)=(\lambda-\lambda_0)^k$$

由此即得 $\lambda E-J_0$ 的初等因子是 $(\lambda-\lambda_0)^k$，且 $(J_0-\lambda_0E)^{k-1}\neq 0$，所以 J_0 的最小多项式为 $(x-\lambda_0)^k$.

考虑若尔当形矩阵

$$J=\begin{pmatrix}J_1 & & & \\ & J_2 & & \\ & & \ddots & \\ & & & J_s\end{pmatrix}$$

其中, $J_i=J(\lambda_i,k_i), i=1,2,\cdots,s$. 因为 J_i 的初等因子是 $(\lambda-\lambda_i)^{k_i}(i=1,2,\cdots,s)$，所以 $\lambda E-J_i$ 与

$$\begin{pmatrix}1 & & & \\ & 1 & & \\ & & \ddots & \\ & & & (\lambda-\lambda_i)^{k_i}\end{pmatrix}$$

等价. 于是

$$\lambda\boldsymbol{E}-\boldsymbol{J}=\begin{pmatrix}\lambda\boldsymbol{E}_{k_1}-\boldsymbol{J}_1 & & & \\ & \lambda\boldsymbol{E}_{k_2}-\boldsymbol{J}_2 & & \\ & & \ddots & \\ & & & \lambda\boldsymbol{E}_{k_s}-\boldsymbol{J}_s\end{pmatrix}$$

与

$$\begin{pmatrix}1 & & & & & & & & & & & & \\ & \ddots & & & & & & & & & & & \\ & & 1 & & & & & & & & & & \\ & & & (\lambda-\lambda_1)^{k_1} & & & & & & & & & \\ & & & & 1 & & & & & & & & \\ & & & & & \ddots & & & & & & & \\ & & & & & & 1 & & & & & & \\ & & & & & & & (\lambda-\lambda_2)^{k_2} & & & & & \\ & & & & & & & & 1 & & & & \\ & & & & & & & & & \ddots & & & \\ & & & & & & & & & & 1 & & \\ & & & & & & & & & & & (\lambda-\lambda_s)^{k_s}\end{pmatrix}$$

等价. 再由定理 9.5.2 可知, $\boldsymbol{J}$ 的全部初等因子是

$$(\lambda-\lambda_1)^{k_1},(\lambda-\lambda_2)^{k_2},\cdots,(\lambda-\lambda_s)^{k_s}$$

这就是说, 每个若尔当形矩阵的全部初等因子就是由它的全部若尔当块的初等因子构成的. 由于每个若尔当块完全由它的阶数 n 与主对角线上元素 λ_0 所刻画, 而这两个数都反映在它的初等因子 $(\lambda-\lambda_0)^n$ 中. 因此, 若尔当块被它的初等因子唯一决定. 由此可见, 若尔当形矩阵除其中若尔当块排列的次序外被它的初等因子唯一决定.

定理 9.6.1

每个 n 阶的复数矩阵 $\boldsymbol{A}$ 都与一个若尔当形矩阵相似, 这个若尔当形矩阵除去其中若尔当块的排列次序外是被矩阵 $\boldsymbol{A}$ 唯一决定的, 该矩阵称为 $\boldsymbol{A}$ 的若尔当标准形.

证明 设 n 阶矩阵 $\boldsymbol{A}$ 的初等因子为

$$(\lambda-\lambda_1)^{k_1},(\lambda-\lambda_2)^{k_2},\cdots,(\lambda-\lambda_s)^{k_s} \tag{9.6.2}$$

(其中 $\lambda_1,\lambda_2,\cdots,\lambda_s$ 可能有相同的, 方幂 $k_1,k_2,\cdots,k_s$ 也可能有相同的). 每一个初等因子 $(\lambda-\lambda_i)^{k_i}(i=1,2,\cdots,s)$ 对应于一个若尔当块

$$\boldsymbol{J}_i=\begin{pmatrix}\lambda_i & 0 & \cdots & 0 & 0\\ 1 & \lambda_i & \cdots & 0 & 0\\ 0 & 1 & \cdots & 0 & 0\\ \vdots & \vdots & & \vdots & \vdots\\ 0 & 0 & \cdots & 1 & \lambda_i\end{pmatrix}_{k_i\times k_i} \quad (i=1,2,\cdots,s)$$

这些若尔当块构成一个若尔当形矩阵

$$J=\begin{pmatrix}J_1 & & & \\ & J_2 & & \\ & & \ddots & \\ & & & J_s\end{pmatrix}$$

则 J 的初等因子也是式(9.6.2). 即 J 与 A 有相同的初等因子, 从而它们相似. 如果存在另一若尔当形矩阵 $\bar{J}$ 与 A 相似, 那么 $\bar{J}$ 与 A 有相同的初等因子. 从而 $\bar{J}$ 与 J 除其中若尔当块排列的次序外是相同的. 由此唯一性成立.

例 9.6.1 例 9.5.2 中, 12 阶矩阵的初等因子为

$$(\lambda-1)^2, (\lambda-1)^2, (\lambda-1)^2, (\lambda+1), (\lambda+1), (\lambda-\mathrm{i})^2, (\lambda+\mathrm{i})^2$$

所以它的若尔当标准形是

$$\begin{pmatrix}1&0&&&&&&&&&&\\1&1&&&&&&&&&&\\&&1&0&&&&&&&&\\&&1&1&&&&&&&&\\&&&&1&0&&&&&&\\&&&&1&1&&&&&&\\&&&&&&-1&&&&&\\&&&&&&&-1&&&&\\&&&&&&&&\mathrm{i}&0&&\\&&&&&&&&1&\mathrm{i}&&\\&&&&&&&&&&-\mathrm{i}&0\\&&&&&&&&&&1&-\mathrm{i}\end{pmatrix}_{12\times 12}.$$

例 9.6.2 求矩阵

$$A=\begin{pmatrix}13&16&16\\-5&-7&-6\\-6&-8&-7\end{pmatrix}$$

的若尔当标准形.

解 首先利用初等变换法求出特征矩阵的标准形

$$\lambda E-A=\begin{pmatrix}\lambda-13&-16&-16\\5&\lambda+7&6\\6&8&\lambda+7\end{pmatrix}\to\begin{pmatrix}1&&\\&1&\\&&(\lambda-1)^2(\lambda+3)\end{pmatrix}$$

从而它的初等因子为 $(\lambda-1)^2, \lambda+3$, 则 A 的若尔当标准形为

$$\begin{pmatrix}-3&0&0\\0&1&0\\0&1&1\end{pmatrix} \quad 或 \quad \begin{pmatrix}1&0&0\\1&1&0\\0&0&-3\end{pmatrix}$$

用线性变换的语言来表述定理 9.6.1, 即:

定理 9.6.2

设 σ 是复数域上 n 维线性空间 V 的线性变换，在 V 中必定存在一组基，使 σ 在这组基下的矩阵是若尔当形矩阵，并且这个若尔当形矩阵除去其中若尔当块的排列次序外是被 σ 唯一决定的.

证明 在 V 中任取一组基 $\boldsymbol{\alpha}_1,\boldsymbol{\alpha}_2,\cdots,\boldsymbol{\alpha}_n$，设 σ 在这组基下的矩阵是 $\boldsymbol{A}$. 由定理 9.6.1，存在可逆矩阵 $\boldsymbol{T}$，使 $\boldsymbol{T}^{-1}\boldsymbol{AT}$ 成若尔当形矩阵.于是在由

$$(\boldsymbol{\beta}_1,\boldsymbol{\beta}_2,\cdots,\boldsymbol{\beta}_n)=(\boldsymbol{\alpha}_1,\boldsymbol{\alpha}_2,\cdots,\boldsymbol{\alpha}_n)\boldsymbol{T}$$

确定的基 $\boldsymbol{\beta}_1,\boldsymbol{\beta}_2,\cdots,\boldsymbol{\beta}_n$ 下，线性变换 σ 的矩阵就是 $\boldsymbol{T}^{-1}\boldsymbol{AT}$. 唯一性是显然的.

因为对角矩阵是若尔当形矩阵的一种特殊情形，即由一阶若尔当块构成的若尔当形矩阵，所以有如下结论.

定理 9.6.3

复数矩阵 $\boldsymbol{A}$ 与对角矩阵相似的充要条件是 $\boldsymbol{A}$ 的初等因子全是一次多项式.

证明留给读者.

根据若尔当形矩阵的特点，它的最小多项式是它的最后一个不变因子. 因此，有

定理 9.6.4

复数矩阵 $\boldsymbol{A}$ 与对角矩阵相似的充要条件是 $\boldsymbol{A}$ 的不变因子都没有重根.

虽然我们证明了每个复数矩阵 $\boldsymbol{A}$ 都与一个若尔当形矩阵相似，并且提供了具体求矩阵 $\boldsymbol{A}$ 的若尔当标准形的方法，但是并没有谈到如何确定过渡矩阵 $\boldsymbol{T}$，使 $\boldsymbol{T}^{-1}\boldsymbol{AT}$ 成若尔当标准形的问题. $\boldsymbol{T}$ 的确定牵涉比较复杂的计算问题. 下面通过具体例子给出简单的介绍.

例 9.6.3 求矩阵

$$\boldsymbol{A}=\begin{pmatrix}2&-1&-1\\2&-1&-2\\-1&1&2\end{pmatrix}$$

的若尔当标准形，并求过渡矩阵 $\boldsymbol{T}$.

解 因为

$$\lambda\boldsymbol{E}-\boldsymbol{A}=\begin{pmatrix}\lambda-2&1&1\\-2&\lambda+1&2\\1&-1&\lambda-2\end{pmatrix}\to\begin{pmatrix}1&&\\&\lambda-1&\\&&(\lambda-1)^2\end{pmatrix}$$

所以 $\lambda\boldsymbol{E}-\boldsymbol{A}$ 的初等因子是 $\lambda-1$，$(\lambda-1)^2$，从而，矩阵 $\boldsymbol{A}$ 的若尔当标准形为

$$\boldsymbol{J}=\begin{pmatrix}1&0&0\\0&1&0\\0&1&1\end{pmatrix}$$

设 $\boldsymbol{T}=(\boldsymbol{X}_1,\boldsymbol{X}_2,\boldsymbol{X}_3)$，由 $\boldsymbol{T}^{-1}\boldsymbol{AT}=\boldsymbol{J}$ 得到 $\boldsymbol{AT}=\boldsymbol{TJ}$，即

$$(\boldsymbol{AX}_1,\boldsymbol{AX}_2,\boldsymbol{AX}_3)=(\boldsymbol{X}_1,\boldsymbol{X}_2+\boldsymbol{X}_3,\boldsymbol{X}_3)$$

由此得到

$$(\boldsymbol{E}-\boldsymbol{A})\boldsymbol{X}_1=\boldsymbol{0};\quad (\boldsymbol{E}-\boldsymbol{A})\boldsymbol{X}_2=-\boldsymbol{X}_3;\quad (\boldsymbol{E}-\boldsymbol{A})\boldsymbol{X}_3=\boldsymbol{0}$$

解方程组 $(\boldsymbol{E}-\boldsymbol{A})\boldsymbol{X}=\boldsymbol{0}$，得 $\boldsymbol{\alpha}=(1,1,0)^{\mathrm{T}},\boldsymbol{\beta}=(1,0,1)^{\mathrm{T}}$. 取 $\boldsymbol{X}_1=\boldsymbol{\alpha}=(1,1,0)^{\mathrm{T}}$，为了使 $(\boldsymbol{E}-\boldsymbol{A})\boldsymbol{X}_2=-\boldsymbol{X}_3$ 有解，需适当选择 $\boldsymbol{X}_3$，设

$$\boldsymbol{X}_3=k_1\boldsymbol{\alpha}+k_2\boldsymbol{\beta}=(k_1+k_2,k_1,k_2)^{\mathrm{T}}$$

使

$$\boldsymbol{E}-\boldsymbol{A}=\begin{pmatrix}-1&1&1\\-2&2&2\\1&-1&-1\end{pmatrix}\text{与}\begin{pmatrix}-1&1&1&k_1+k_2\\-2&2&2&k_1\\1&-1&-1&k_2\end{pmatrix}$$

的秩相等. 则 k_1,k_2 满足 $k_1=-2k_2$. 取 $k_1=2,k_2=-1$，则 $\boldsymbol{X}_3=(1,2,-1)^{\mathrm{T}}$. 解线性方程组 $(\boldsymbol{E}-\boldsymbol{A})\boldsymbol{X}_2=-\boldsymbol{X}_3$，得一个解 $\boldsymbol{X}_2=(2,1,0)^{\mathrm{T}}$. 于是所求可逆矩阵为

$$\boldsymbol{T}=\begin{pmatrix}1&2&1\\1&1&2\\0&0&-1\end{pmatrix}$$

且满足

$$\boldsymbol{T}^{-1}\boldsymbol{A}\boldsymbol{T}=\boldsymbol{J}$$

最后指出，如果规定上三角形矩阵

$$\begin{pmatrix}\lambda_0&1&0&\cdots&0&0\\0&\lambda_0&1&\cdots&0&0\\\vdots&\vdots&\vdots&&\vdots&\vdots\\0&0&0&\cdots&\lambda_0&1\\0&0&0&\cdots&0&\lambda_0\end{pmatrix}$$

为若尔当块，也可以类似地定义若尔当形矩阵，且定理 9.6.1、定理 9.6.2 的结论仍然成立.

9.7 应用实例

作为矩阵的一类等价标准类，矩阵的有理标准形不受数域的影响. 因此，有理标准形在许多学科得到了广泛的应用，比如在解微分方程组、群的构造、计算机科学中的伪随机数生成器等. 本节将介绍有理标准形中的友矩阵在自动控制领域中的应用.

定义 9.7.1

以状态变量 $x_1(t),x_2(t),\cdots,x_n(t)$ 构成的 n 维空间称为**状态空间**.

系统在任意时刻的状态向量 $\boldsymbol{x}(t)=(x_1(t),x_2(t),\cdots,x_n(t))$ 在状态空间中是一个点，系统随着时间的变化过程，使得 $x(t)$ 在状态空间中描绘出一条轨迹.

定义 9.7.2

将反映系统动态过程的微分方程或传递函数，转换成一阶微分方程组的形式

$$\begin{cases}\dot{x}(t)=\boldsymbol{A}x(t)+\boldsymbol{B}u(t),\\y(t)=\boldsymbol{C}x(t)\end{cases}$$

其中 $x(t)$ 和 $\dot{x}(t)$ 表示状态向量及其一阶导数，$u(t)$ 和 $y(t)$ 分别表示系统的输入变量和输出变量，$\boldsymbol{A}\in\mathbf{R}^{n\times n},\boldsymbol{B}\in\mathbf{R}^{n\times m},\boldsymbol{C}\in\mathbf{R}^{l\times n}$．该方程组称为**状态方程**.

系统的能控性是指控制作用对被控系统状态进行控制的可能性，对于给定的系统称其**完全能控**是指对任意初始时刻的任意一个初始状态总可以找到一个容许控制使系统在有限时间内达到目标状态.

引理 9.7.1（代数判据）

线性定常系统单输入系统

$$\dot{x}(t)=\boldsymbol{A}x(t)+\boldsymbol{b}u(t),\quad \boldsymbol{A}\in\mathbf{R}^{n\times n},b\in\mathbf{R}^{n}$$

其状态完全能控的充要条件是由 $\boldsymbol{A},\boldsymbol{b}$ 构成的能控性判别矩阵

$$\boldsymbol{Q}=(\boldsymbol{b},\boldsymbol{A}\boldsymbol{b},\boldsymbol{A}^{2}\boldsymbol{b},\cdots,\boldsymbol{A}^{n-1}\boldsymbol{b})$$

是行满秩矩阵，即 $r(\boldsymbol{Q})=n$.

引理 9.7.2

线性定常系统经线性变换后状态能控性保持不变.

引理 9.7.3（模态判据）

线性定常系统单输入系统

$$\dot{\boldsymbol{x}}(t)=\boldsymbol{A}\boldsymbol{x}(t)+\boldsymbol{b}u(t),\quad \boldsymbol{A}\in\mathbf{R}^{n\times n},\boldsymbol{b}\in\mathbf{R}^{n}$$

其状态完全能控的充要条件是系统矩阵 $\boldsymbol{A}$ 的所有特征值 $\lambda_i(i=1,2,\cdots,n)$ 满足

$$r(\lambda_i\boldsymbol{E}-\boldsymbol{A},\boldsymbol{b})=n,\quad i=1,2,\cdots,n$$

代数判据的优点是方便计算，缺点是无法确定状态空间中哪些变量（如特征值、极点）能控；模态判据的优点是易于确定哪些变量能控，缺点是需要求系统的特征值. 这两类方法优势互补，可根据实际情况选择合适的方法.

下面以控制系统状态方程为例，给出线性定常连续和离散系统状态空间方程的构造过程.

1. 线性定常连续系统状态方程

(1) 作用函数不含导数项

$$y^{(n)}+a_1y^{(n-1)}+a_2y^{(n-2)}+\cdots+a_{n-1}\dot{y}+a_ny=u \tag{9.7.1}$$

选取 y 和 $y^{(i)}$ 为系统状态向量，记

$$x_1=y,x_2=\dot{y},x_3=\ddot{y},\cdots,x_n=y^{(n-1)}$$

则方程(9.7.1)可化为 n 个一阶常微分方程组

$$\begin{cases}\dot{x}_1=x_2,\\ \dot{x}_2=x_3,\\ \cdots\cdots\\ \dot{x}_{n-1}=x_n,\\ \dot{x}_n=-a_nx_1-a_{n-1}x_2-\cdots-a_1x_n+u\end{cases}$$

写成矩阵形式为

$$\begin{cases}\dot{\boldsymbol{x}}(t)=\boldsymbol{A}\boldsymbol{x}(t)+\boldsymbol{b}u(t),\\ y(t)=\boldsymbol{C}\boldsymbol{x}(t)\end{cases}$$

其中 $\boldsymbol{x}(t)=(x_1,x_2,\cdots,x_n)^{\mathrm{T}},\dot{\boldsymbol{x}}(t)=(\dot{x}_1,\dot{x}_2,\cdots,\dot{x}_n)^{\mathrm{T}},\boldsymbol{b}=(0,0,\cdots,0,1)^{\mathrm{T}},\boldsymbol{C}=(1,0,\cdots,0)^{\mathrm{T}}$，且

$$\boldsymbol{A}=\begin{pmatrix}0&1&0&\cdots&0\\0&0&1&\cdots&0\\ \vdots&\vdots&\vdots&&\vdots\\0&0&0&\cdots&1\\-a_n&-a_{n-1}&-a_{n-2}&\cdots&-a_1\end{pmatrix}$$

(2) 作用函数含导数项

$$y^{(n)}+a_1y^{(n-1)}+a_2y^{(n-2)}+\cdots+a_{n-1}\dot{y}+a_ny=b_0u^{(n)}+b_1u^{(n-1)}+\cdots+b_{n-1}\dot{u}+b_nu \tag{9.7.2}$$

则选取相同的状态变量，方程 (9.7.2) 可化为 n 个一阶常微分方程组

$$\begin{cases}\dot{x}_1=x_2+h_1u,\\ \dot{x}_2=x_3+h_2u,\\ \cdots\cdots\\ \dot{x}_{n-1}=x_n+h_{n-1}u,\\ \dot{x}_n=-a_nx_1-a_{n-1}x_2-\cdots-a_1x_n+h_nu\end{cases}$$

其中 $h_1=b_1-a_1b_0,h_2=(b_2-a_2b_0)-a_1h_1,\cdots,h_n=(b_n-a_nb_0)-a_{n-1}h_1-\cdots-a_1h_{n-1}$.

故式 (9.7.2) 可写成矩阵形式

$$\begin{cases}\dot{x}(t)=\boldsymbol{A}x(t)+\tilde{\boldsymbol{b}}u,\\ y(t)=\boldsymbol{C}x(t)+du\end{cases}$$

其中，$\tilde{\boldsymbol{b}}=(h_1,h_2,\cdots,h_n),d=b_0,\boldsymbol{A},\boldsymbol{C}$ 同上.

2. 线性定常离散系统状态方程

(1) 作用函数不含未来项

$$y(k+n)+a_1y(k+n-1)+\cdots+a_{n-1}y(k+1)+a_ny(k)=u(k) \tag{9.7.3}$$

选取状态变量为

$$x_1(k)=y(k),x_2(k)=y(k+1),\cdots,x_n(k)=y(k+n-1)$$

则式 (9.7.3) 可转化为状态方程

$$\begin{cases}x_1(k+1)=x_2(k),\\ x_2(k+1)=x_3(k),\\ \cdots\cdots\\ x_{n-1}(k-1)=x_n(k),\\ x_n(k+1)=-a_nx_1(k)-a_{n-1}x_2(k)-\cdots-a_2x_{n-1}(k)-a_1x_n(k)+u(k)\end{cases}$$

故式 (9.7.3) 的矩阵形式为

$$\begin{cases}x(k+1)=\boldsymbol{A}x(k+1)+\boldsymbol{b}u(k),\\ y(k)=\boldsymbol{C}x(k)\end{cases}$$

(2) 作用函数含未来项

$$
\begin{aligned}
&y(k+n)+a_1y(k+n-1)+\cdots+a_{n-1}y(k+1)+a_ny(k)\\
&=b_0u(k+n)+b_1u(k+n-1)+\cdots+b_{n-1}u(k+1)+b_nu(k)
\end{aligned}
\tag{9.7.4}
$$

选取状态变量为

$$
\begin{cases}
x_1(k)=y(k)-b_0u(k),\\
x_2(k)=x_1(k+1)-h_1u(k),\\
\cdots\cdots\\
x_n(k)=x_{n-1}(k+1)-h_{n-1}u(k)
\end{cases}
$$

其中 $h_1,h_2,\cdots,h_n$ 同上. 则式 (9.7.4) 可转化为状态方程

$$
\begin{cases}
x_1(k+1)=x_2(k)+h_1u(k),\\
x_2(k+1)=x_3(k)+h_2u(k),\\
\cdots\cdots\\
x_n(k+1)=-a_nx_1(k)-a_{n-1}x_2(k)-\cdots-a_1x_n(k)+h_nu(k)
\end{cases}
$$

故式 (9.7.4) 可写成矩阵形式

$$
\begin{cases}
x(k+1)=\boldsymbol{A}x(k+1)+\boldsymbol{b}u(k),\\
y(k)=\boldsymbol{C}x(k)+d
\end{cases}
$$

其中, $\boldsymbol{A},\boldsymbol{b},\boldsymbol{C},d$ 同上.

综上, 上述系统均可转化为带有友矩阵的状态方程. 下面我们将研究带有友矩阵的系统的能控性.

定理 9.7.1

线性定常系统单输入系统

$$
\dot{x}(t)=\boldsymbol{A}x(t)+\boldsymbol{b}u(t) \tag{9.7.5}
$$

其中, $\boldsymbol{A}\in\mathbf{R}^{n\times n}$ 是友矩阵, $\boldsymbol{b}=(0,\cdots,0,1)^{\mathrm{T}}\in\mathbf{R}^n$, 则该状态是完全能控的, 称之为能控标准形.

证明 考虑

$$
\begin{aligned}
\boldsymbol{Q}&=(\boldsymbol{b},\boldsymbol{Ab},\boldsymbol{A}^2\boldsymbol{b},\cdots,\boldsymbol{A}^{n-1}\boldsymbol{b})\\
&=\begin{pmatrix}
0 & 0 & 0 & \cdots & 1\\
0 & 0 & 0 & \cdots & -a_1\\
\vdots & \vdots & \vdots & & \vdots\\
0 & 1 & -a_1 & \cdots & (-1)^{n-1}a_1^{n-1}+(-1)^{n-2}(n-2)a_1^{n-3}a_2+\cdots-a_{n-1}\\
1 & -a_1 & a_1^2-a_2 & \cdots & (-1)^n a_1^n+(-1)^{n-1}(n-1)a_1^{n-2}a_2+\cdots-a_n
\end{pmatrix}
\end{aligned}
$$

容易看出 $r(\boldsymbol{Q})=n$. 故由引理 9.7.1, 可知该系统是完全能控的.

对于非标准形, 为方便研究, 需对友矩阵进行相似对角化, 下面给出友矩阵可对角化的条件.

定理 9.7.2

设 $\boldsymbol{A}$ 为 $d(x)=\lambda^n+a_1\lambda^{n-1}+\cdots+a_n$ 的友矩阵, 若 $d(\lambda)=0$ 有 n 个不同的根 $\lambda_1,\lambda_2,\cdots,\lambda_n$, 则存在可逆的矩阵 $\boldsymbol{P}$, 使得 $\boldsymbol{P}^{-1}\boldsymbol{AP}=\boldsymbol{\Lambda}=\mathrm{diag}\{\lambda_1,\lambda_2,\cdots,\lambda_n\}$, 其中

$$P=\begin{pmatrix}1&1&1&\cdots&1\\ \lambda_1&\lambda_2&\lambda_3&\cdots&\lambda_n\\ \vdots&\vdots&\vdots&&\vdots\\ \lambda_1^{n-2}&\lambda_2^{n-2}&\lambda_3^{n-2}&\cdots&\lambda_n^{n-2}\\ \lambda_1^{n-1}&\lambda_2^{n-1}&\lambda_3^{n-1}&\cdots&\lambda_n^{n-1}\end{pmatrix}$$

证明 根据酉矩阵的性质，可知 $\boldsymbol{A}$ 的最小多项式为 $d(x)$，故它的特征多项式也为 $d(x)$. 由 $\lambda_1,\lambda_2,\cdots,\lambda_n$ 为 $\boldsymbol{A}$ 的 n 个特征值，故 $\lambda_i^n=-a_1\lambda_i^{n-1}-\cdots-a_{n-1}\lambda_i-a_n, i=1,2,\cdots,n$. 从而有

$$\boldsymbol{AP}=\begin{pmatrix}0&1&0&\cdots&0\\ 0&0&1&\cdots&0\\ \vdots&\vdots&\vdots&&\vdots\\ 0&0&0&\cdots&1\\ -a_n&-a_{n-1}&-a_{n-2}&\cdots&-a_1\end{pmatrix}\begin{pmatrix}1&1&1&\cdots&1\\ \lambda_1&\lambda_2&\lambda_3&\cdots&\lambda_n\\ \vdots&\vdots&\vdots&&\vdots\\ \lambda_1^{n-2}&\lambda_2^{n-2}&\lambda_3^{n-2}&\cdots&\lambda_n^{n-2}\\ \lambda_1^{n-1}&\lambda_2^{n-1}&\lambda_3^{n-1}&\cdots&\lambda_n^{n-1}\end{pmatrix}$$

$$=\begin{pmatrix}\lambda_1&\lambda_2&\lambda_3&\cdots&\lambda_n\\ \lambda_1^2&\lambda_2^2&\lambda_3^2&\cdots&\lambda_n^2\\ \vdots&\vdots&\vdots&&\vdots\\ \lambda_1^{n-1}&\lambda_2^{n-1}&\lambda_3^{n-1}&\cdots&\lambda_n^{n-1}\\ \lambda_1^n&\lambda_2^n&\lambda_3^n&\cdots&\lambda_n^n\end{pmatrix}$$

且

$$\boldsymbol{P\Lambda}=\begin{pmatrix}1&1&1&\cdots&1\\ \lambda_1&\lambda_2&\lambda_3&\cdots&\lambda_n\\ \vdots&\vdots&\vdots&&\vdots\\ \lambda_1^{n-2}&\lambda_2^{n-2}&\lambda_3^{n-2}&\cdots&\lambda_n^{n-2}\\ \lambda_1^{n-1}&\lambda_2^{n-1}&\lambda_3^{n-1}&\cdots&\lambda_n^{n-1}\end{pmatrix}\begin{pmatrix}\lambda_1&&&&\\ &\lambda_2&&&\\ &&\ddots&&\\ &&&\lambda_{n-1}&\\ &&&&\lambda_n\end{pmatrix}$$

$$=\begin{pmatrix}\lambda_1&\lambda_2&\lambda_3&\cdots&\lambda_n\\ \lambda_1^2&\lambda_2^2&\lambda_3^2&\cdots&\lambda_n^2\\ \vdots&\vdots&\vdots&&\vdots\\ \lambda_1^{n-1}&\lambda_2^{n-1}&\lambda_3^{n-1}&\cdots&\lambda_n^{n-1}\\ \lambda_1^n&\lambda_2^n&\lambda_3^n&\cdots&\lambda_n^n\end{pmatrix}$$

故 $\boldsymbol{AP}=\boldsymbol{P\Lambda}$.

考虑线性定常系统

$$\dot{x}(t)=\boldsymbol{A}x(t)+\boldsymbol{b}u(t) \tag{9.7.6}$$

其中 $\boldsymbol{A}\in\mathbf{R}^{n\times n}$ 是友矩阵，$\boldsymbol{b}\in\mathbf{R}^n$. 若矩阵 $\boldsymbol{A}$ 具有 n 个不同的特征值 $\lambda_1,\lambda_2,\cdots,\lambda_n$，则由定理 9.7.2, 存在可逆矩阵 $\boldsymbol{P}$，使得 $\boldsymbol{P}^{-1}\boldsymbol{AP}=\boldsymbol{\Lambda}=\mathrm{diag}\{\lambda_1,\lambda_2,\cdots,\lambda_n\}$，作线性变换：$\overline{\boldsymbol{x}}=\boldsymbol{P}^{-1}\boldsymbol{x}$，则系统(9.7.6)可转化为

$$\dot{\overline{x}}(t)=(\boldsymbol{P}^{-1}\boldsymbol{AP})\overline{\boldsymbol{x}}+(\boldsymbol{P}^{-1}\boldsymbol{b})u=\boldsymbol{\Lambda}\overline{\boldsymbol{x}}+(\boldsymbol{P}^{-1}\boldsymbol{b})u \tag{9.7.7}$$

由引理 9.7.2, 可知系统(9.7.6)和系统(9.7.7)具有相同的能控性. 而对于系统(9.7.7)，由于 $\boldsymbol{\Lambda}$ 是对角阵，故利用引理 9.7.3 很容易判别.

上述的结论对于离散系统也同样成立. 综上, 利用友矩阵的性质, 我们可以判定带有友矩阵的状态方程的能控性.

习　题　9

(A)

1. 求下列矩阵的秩, 并判断是否可逆, 如果可逆, 求其逆矩阵.

(1) $\begin{pmatrix} \lambda & 2\lambda+1 & 1 \\ 1 & \lambda+1 & \lambda^2+1 \\ \lambda-1 & \lambda & -\lambda^2 \end{pmatrix}$;　(2) $\begin{pmatrix} 1 & \lambda & 0 \\ 2 & \lambda & 1 \\ \lambda^2+1 & 2 & \lambda^2+1 \end{pmatrix}$;

(3) $\begin{pmatrix} \lambda^3-1 & \lambda & \lambda & 0 \\ \lambda^2 & 1 & 0 & \lambda \\ 0 & 0 & \lambda^3-1 & \lambda \\ 0 & 0 & \lambda^2 & 1 \end{pmatrix}$.

2. 化下列 λ-矩阵成标准形:

(1) $\begin{pmatrix} \lambda^2-\lambda & 2\lambda^2 \\ \lambda^2+5\lambda & 3\lambda \end{pmatrix}$;　(2) $\begin{pmatrix} 1-\lambda & \lambda^2 & \lambda \\ \lambda & \lambda & -\lambda \\ 1+\lambda^2 & \lambda^2 & -\lambda^2 \end{pmatrix}$;

(3) $\begin{pmatrix} \lambda^2+\lambda & 0 & 0 \\ 0 & \lambda & 0 \\ 0 & 0 & (\lambda+1)^2 \end{pmatrix}$;　(4) $\begin{pmatrix} 0 & 0 & 0 & \lambda^2 \\ 0 & 0 & \lambda^2-\lambda & 0 \\ 0 & (\lambda-1)^2 & 0 & 0 \\ \lambda^2-\lambda & 0 & 0 & 0 \end{pmatrix}$;

(5) $\begin{pmatrix} 2\lambda & 3 & 0 & 1 & \lambda \\ 4\lambda & 3\lambda+6 & 0 & \lambda+2 & 2\lambda \\ 0 & 6\lambda & \lambda & 2\lambda & 0 \\ \lambda-1 & 0 & \lambda-1 & 0 & 0 \\ 3\lambda-3 & 1-\lambda & 2\lambda-2 & 0 & 0 \end{pmatrix}$.

3. 求下列 λ-矩阵的不变因子, 并写出它们的有理标准形.

(1) $\begin{pmatrix} \lambda-2 & -1 & 0 \\ 0 & \lambda-2 & -1 \\ 0 & 0 & \lambda-2 \end{pmatrix}$;　(2) $\begin{pmatrix} \lambda & 1 & 0 & 0 \\ 0 & \lambda & 1 & 0 \\ 0 & 1 & \lambda & 0 \\ 0 & 0 & 1 & \lambda \end{pmatrix}$;

(3) $\begin{pmatrix} \lambda+\alpha & \beta & 1 & 0 \\ -\beta & \lambda+\alpha & 0 & 1 \\ 0 & 0 & \lambda+\alpha & \beta \\ 0 & 0 & -\beta & \lambda+\alpha \end{pmatrix}$;

(4) $\begin{pmatrix} 0 & 0 & 1 & \lambda+2 \\ 0 & 1 & \lambda+2 & 0 \\ 1 & \lambda+2 & 0 & 0 \\ \lambda+2 & 0 & 0 & 0 \end{pmatrix}$;

(5) $\begin{pmatrix} \lambda+1 & 0 & 0 & 0 \\ 0 & \lambda+2 & 0 & 0 \\ 0 & 0 & \lambda-1 & 0 \\ 0 & 0 & 0 & \lambda-2 \end{pmatrix}$.

4. 设 $\boldsymbol{A}$ 的特征矩阵等价于 $\mathrm{diag}(1,1,1,\lambda^2+2\lambda+3,\lambda^3+\lambda^2+\lambda+1)$，证明：$\boldsymbol{A}$ 相似于分块对角矩阵 $\mathrm{diag}(\boldsymbol{B}_1,\boldsymbol{B}_2)$，其中

$$\boldsymbol{B}_1=\begin{pmatrix} 0 & -3 \\ 1 & -2 \end{pmatrix},\quad \boldsymbol{B}_2=\begin{pmatrix} 0 & 0 & -1 \\ 1 & 0 & -1 \\ 0 & 1 & -1 \end{pmatrix}.$$

5. 求下列复系数矩阵的若尔当标准形:

(1) $\begin{pmatrix} 1 & 2 & 0 \\ 0 & 2 & 0 \\ -2 & -2 & -1 \end{pmatrix}$;　(2) $\begin{pmatrix} 3 & 0 & 8 \\ 3 & -1 & 6 \\ -2 & 0 & -5 \end{pmatrix}$;

(3) $\begin{pmatrix} 4 & 5 & -2 \\ -2 & -2 & 1 \\ -1 & -1 & 1 \end{pmatrix}$;　(4) $\begin{pmatrix} 3 & 7 & -3 \\ -2 & -5 & 2 \\ -4 & -10 & 3 \end{pmatrix}$;

(5) $\begin{pmatrix} 3 & 1 & 0 & 0 \\ -4 & -1 & 0 & 0 \\ 7 & 1 & 2 & 1 \\ -7 & -6 & -1 & 0 \end{pmatrix}$;　(6) $\begin{pmatrix} 1 & 2 & 3 & 4 \\ 0 & 1 & 2 & 3 \\ 0 & 0 & 1 & 2 \\ 0 & 0 & 0 & 1 \end{pmatrix}$;

(7) $\begin{pmatrix} 3 & -4 & 0 & 0 \\ 4 & -5 & 0 & 0 \\ 0 & 0 & 3 & -2 \\ 0 & 0 & 2 & -1 \end{pmatrix}$;　(8) $\begin{pmatrix} 0 & 0 & \cdots & 0 & 1 \\ 1 & 0 & \cdots & 0 & 0 \\ 0 & 1 & \cdots & 0 & 0 \\ \vdots & \vdots & & \vdots & \vdots \\ 0 & 0 & \cdots & 1 & 0 \end{pmatrix}$.

6. 设复矩阵 $\boldsymbol{A}=\begin{pmatrix} 2 & 0 & 0 \\ a & 2 & 0 \\ b & c & -1 \end{pmatrix}$，问矩阵 $\boldsymbol{A}$ 可能有什么样的若尔当标准形？并求 $\boldsymbol{A}$ 相似于对角矩阵的充分必要条件.

7. 求

$$A=\begin{pmatrix}1&2&3&4\\ &1&2&3\\ & &1&2\\ & & &1\end{pmatrix}$$

的若尔当标准形，并求过渡矩阵 P .

(B)

1. 证明：对任一 $n\times n$ 复系数矩阵 A ，存在可逆矩阵 T ，使 $T^{-1}AT$ 是上三角形矩阵.

2. 3 阶方阵 $A,B,C,D\in \mathbf{C}^{3\times3}$ 具有相同的特征多项式，证明其中必有两个矩阵相似.

3. 设 V 是复数域上的 n 维线性空间，而线性变换 σ 在基 $\varepsilon_1,\varepsilon_2,\cdots,\varepsilon_n$ 下的矩阵是一若尔当块. 证明:

(1) V 中包含 ε_1 的 σ -子空间只有 V 自身;

(2) V 中任一非零 σ -子空间都包含 ε_n ;

(3) V 不能分解成两个非平凡的 σ -子空间的直和.

4. 设 A 是 n 阶方阵，若有自然数 m ，使 $A^m=E$ ，证明 A 与对角阵相似.

本章小结　　习题答案 9

第 10 章

欧几里得空间

大约在公元前 300 年，希腊数学家欧几里得(Euclid)写出了名著《几何原本》，奠定了平面几何的理论基础. 平面上全体向量关于其加法、数乘组成实数域上的二维线性空间. 在欧几里得的平面几何理论中，线段长度、夹角等都是研究的主要内容. 在三维几何空间中，一个向量有长度，两个向量之间有夹角，这样的度量概念在线性空间的理论中尚未得到反映，也就是说这些度量概念尚未适当地推广到线性空间中来. 而向量的度量性质在许多问题中有着很重要的作用. 因此，有必要在线性空间中引入有关度量的基本概念，使其更接近于几何空间，并具有更丰富的内容与方法. 本章讨论的就是这种具有度量性质的线性空间，即欧氏空间.

第 10 章知识导图

10.1 定义与基本性质

在空间解析几何中我们看到，向量的长度和夹角等度量概念都可以通过向量的内积来表示：让 $\boldsymbol{x}$ 表示自原点到点 (x_1,x_2,x_3) 的向量，对向量 $\boldsymbol{x}=(x_1,x_2,x_3)$ 和 $\boldsymbol{y}=(y_1,y_2,y_3)$，其内积(数量积)表示为

$$\boldsymbol{x}\cdot\boldsymbol{y}=x_1y_1+x_2y_2+x_3y_3$$

则向量 $\boldsymbol{x}$ 的长度 $|\boldsymbol{x}|$ 可以表示为

$$|\boldsymbol{x}|=\sqrt{x_1^2+x_2^2+x_3^2}=\sqrt{\boldsymbol{x}\cdot\boldsymbol{x}}$$

向量 $\boldsymbol{x},\boldsymbol{y}$ 之间的夹角 θ 可以表示为

$$\cos\theta=\frac{\boldsymbol{x}\cdot\boldsymbol{y}}{|\boldsymbol{x}||\boldsymbol{y}|}$$

这说明了，向量的内积(数量积)是一个有关度量的基本概念，而且内积有明显的代数性质. 所以在讨论线性空间的度量性质时，应该从内积着手.

10.1.1 内积与欧几里得空间

定义 10.1.1

设 V 是实数域 $\mathbf{R}$ 上的一个线性空间，若对于 V 中的任意两个元素 $\boldsymbol{\alpha},\boldsymbol{\beta}$，按照某一法则对应于 $\mathbf{R}$ 内唯一确定的实数(记作 $(\boldsymbol{\alpha},\boldsymbol{\beta})$)，且满足以下条件($\boldsymbol{\alpha},\boldsymbol{\beta},\boldsymbol{\gamma}\in V$，$k\in\mathbf{R}$)：

(1) $(\boldsymbol{\alpha},\boldsymbol{\beta})=(\boldsymbol{\beta},\boldsymbol{\alpha})$；

(2) $(k\boldsymbol{\alpha},\boldsymbol{\beta})=k(\boldsymbol{\alpha},\boldsymbol{\beta})$；

(3) $(\boldsymbol{\alpha}+\boldsymbol{\beta},\boldsymbol{\gamma})=(\boldsymbol{\alpha},\boldsymbol{\gamma})+(\boldsymbol{\beta},\boldsymbol{\gamma})$；

(4) $(\boldsymbol{\alpha},\boldsymbol{\alpha})\geqslant 0$，当且仅当 $\boldsymbol{\alpha}=\mathbf{0}$ 时 $(\boldsymbol{\alpha},\boldsymbol{\alpha})=0$，

则称 $(\boldsymbol{\alpha},\boldsymbol{\beta})$ 是 V 的内积. 定义了这种内积的实数域上线性空间 V 为**欧几里得空间**，简称为**实内积空间**或**欧氏空间**.

注 定义中的条件(1)称为内积的对称性；条件(2)和(3)称为内积的线性性；条件(4)称为内积的非负性.

三维几何空间中向量的内积(数量积)显然符合定义中列举的条件，所以三维几何空间中向量全体构成一个欧氏空间.

例 10.1.1 在线性空间 $\mathbf{R}^n$ 中，对于向量

$$\boldsymbol{\alpha}=(a_1,a_2,\cdots,a_n),\quad \boldsymbol{\beta}=(b_1,b_2,\cdots,b_n)$$

定义内积

$$(\boldsymbol{\alpha},\boldsymbol{\beta})=a_1b_1+a_2b_2+\cdots+a_nb_n \tag{10.1.1}$$

则其适合内积定义中的条件，这样 $\mathbf{R}^n$ 就成为一个欧氏空间. 我们仍用 $\mathbf{R}^n$ 来表示这个欧氏空间.

当 $n=3$ 时，式(10.1.1)就是三维几何空间中的向量的内积在直角坐标系中的坐标表达式.

例 10.1.2　在线性空间 $\mathbf{R}^{m\times n}$ 中，对于实矩阵 $\boldsymbol{A}=(a_{ij})_{m\times n},\boldsymbol{B}=(b_{ij})_{m\times n}$，内积定义为

$$(\boldsymbol{A},\boldsymbol{B})=\sum_{i=1}^{m}\sum_{j=1}^{n}a_{ij}b_{ij}=\mathrm{tr}(\boldsymbol{B}^{\mathrm{T}}\boldsymbol{A}) \tag{10.1.2}$$

(这里 $\mathrm{tr}(\boldsymbol{B}^{\mathrm{T}}\boldsymbol{A})$ 表示矩阵 $\boldsymbol{B}^{\mathrm{T}}\boldsymbol{A}$ 的迹). 则由矩阵运算性质可知，此内积(10.1.2)满足定义中的条件，这样 $\mathbf{R}^{m\times n}$ 就成为一个欧氏空间. 仍用 $\mathbf{R}^{m\times n}$ 来表示这个欧氏空间.

例 10.1.3　在闭区间 $[a,b]$ 上的所有实连续函数所成的空间 $C[a,b]$ 中，对于任意两个函数 $f(x),g(x)$ 定义内积

$$(f,g)=\int_a^b f(x)g(x)\mathrm{d}x \tag{10.1.3}$$

由定积分的性质可以验证 (f,g) 是一个内积，所以 $C[a,b]$ 构成一个欧氏空间.

同样地，线性空间 $\mathbf{R}[x],\mathbf{R}[x]_n$ 对于内积(10.1.3)也构成欧氏空间.

下面讨论欧氏空间的基本性质.

设 V 是欧氏空间，任取 $\boldsymbol{\alpha},\boldsymbol{\beta},\boldsymbol{\gamma},\boldsymbol{\alpha}_i,\boldsymbol{\beta}_j\in V$，$k,k_i$，$l_j\in\mathbf{R}$，则

(1) 零向量与任何向量的内积都是零.

事实上，在定义 10.1.1 的(2)中取 $k=0$，则不论 $\boldsymbol{\beta}$ 是什么向量，总有 $(\mathbf{0},\boldsymbol{\beta})=0$，再由对称性，得 $(\boldsymbol{\beta},\mathbf{0})=0$.

(2) $(\boldsymbol{\alpha},k\boldsymbol{\beta})=k(\boldsymbol{\alpha},\boldsymbol{\beta})$.

事实上，$(\boldsymbol{\alpha},k\boldsymbol{\beta})=(k\boldsymbol{\beta},\boldsymbol{\alpha})=k(\boldsymbol{\beta},\boldsymbol{\alpha})=k(\boldsymbol{\alpha},\boldsymbol{\beta})$.

(3) $(\boldsymbol{\alpha},\boldsymbol{\beta}+\boldsymbol{\gamma})=(\boldsymbol{\alpha},\boldsymbol{\beta})+(\boldsymbol{\alpha},\boldsymbol{\gamma})$.

事实上，$(\boldsymbol{\alpha},\boldsymbol{\beta}+\boldsymbol{\gamma})=(\boldsymbol{\beta}+\boldsymbol{\gamma},\boldsymbol{\alpha})=(\boldsymbol{\beta},\boldsymbol{\alpha})+(\boldsymbol{\gamma},\boldsymbol{\alpha})=(\boldsymbol{\alpha},\boldsymbol{\beta})+(\boldsymbol{\alpha},\boldsymbol{\gamma})$.

(4) $\left(\sum_{i=1}^{m}k_i\boldsymbol{\alpha}_i,\sum_{j=1}^{n}l_j\boldsymbol{\beta}_j\right)=\sum_{i=1}^{m}\sum_{j=1}^{n}k_il_j(\boldsymbol{\alpha}_i,\boldsymbol{\beta}_j)$.

事实上，

$$\begin{aligned}\left(\sum_{i=1}^{m}k_i\boldsymbol{\alpha}_i,\sum_{j=1}^{n}l_j\boldsymbol{\beta}_j\right)&=\sum_{i=1}^{m}\left(k_i\boldsymbol{\alpha}_i,\sum_{j=1}^{n}l_j\boldsymbol{\beta}_j\right)=\sum_{i=1}^{m}k_i\left(\boldsymbol{\alpha}_i,\sum_{j=1}^{n}l_j\boldsymbol{\beta}_j\right)\\&=\sum_{i=1}^{m}\sum_{j=1}^{n}k_i(\boldsymbol{\alpha}_i,l_j\boldsymbol{\beta}_j)=\sum_{i=1}^{m}\sum_{j=1}^{n}k_il_j(\boldsymbol{\alpha}_i,\boldsymbol{\beta}_j)\end{aligned}$$

10.1.2　向量的长度

在欧氏空间中，有了内积的概念，就可以定义长度、角度、正交、距离等度量概念.

由定义 10.1.1 的条件(4)，对任何向量 $\boldsymbol{\alpha}$，有 $(\boldsymbol{\alpha},\boldsymbol{\alpha})\geqslant 0$. 所以 $\sqrt{(\boldsymbol{\alpha},\boldsymbol{\alpha})}$ 是有意义的. 在几何空间中，向量 $\boldsymbol{\alpha}$ 的长度为 $|\boldsymbol{\alpha}|=\sqrt{(\boldsymbol{\alpha},\boldsymbol{\alpha})}$. 类似地，我们在一般的欧氏空间引入向量长度的概念.

定义 10.1.2

非负实数 $\sqrt{(\boldsymbol{\alpha},\boldsymbol{\alpha})}$ 称为向量 $\boldsymbol{\alpha}$ 的长度(或范数)，记作 $|\boldsymbol{\alpha}|$.

关于向量的长度，有下列几个重要性质：

设V是欧氏空间，任取$\boldsymbol{\alpha},\boldsymbol{\beta}\in V$，$k\in\mathbf{R}$，则

(1) 非负性：$|\boldsymbol{\alpha}|\geqslant 0$，当且仅当$\boldsymbol{\alpha}=\mathbf{0}$时，$|\boldsymbol{\alpha}|=0$.

(2) 正齐次性：$|k\boldsymbol{\alpha}|=|k||\boldsymbol{\alpha}|$. (10.1.4)

(3) 柯西-施瓦茨(Cauchy-Schwarz)不等式：$|(\boldsymbol{\alpha},\boldsymbol{\beta})|\leqslant|\boldsymbol{\alpha}||\boldsymbol{\beta}|$. (10.1.5)

等式当且仅当$\boldsymbol{\alpha},\boldsymbol{\beta}$线性相关时才成立.

(4) 三角不等式：$|\boldsymbol{\alpha}+\boldsymbol{\beta}|\leqslant|\boldsymbol{\alpha}|+|\boldsymbol{\beta}|$. (10.1.6)

证明 (1)与(2)两条可由定义 10.1.2 及内积的性质直接得到.

(3)若$\boldsymbol{\beta}=\mathbf{0}$，则式(10.1.5)显然成立，因为这时不等式两边都是零.

若$\boldsymbol{\beta}\neq\mathbf{0}$，则$(\boldsymbol{\beta},\boldsymbol{\beta})>0$，因对任意$\lambda\in\mathbf{R}$，由内积的非负性，故有

$$(\boldsymbol{\alpha}-\lambda\boldsymbol{\beta},\boldsymbol{\alpha}-\lambda\boldsymbol{\beta})\geqslant 0$$

即

$$(\boldsymbol{\alpha},\boldsymbol{\alpha})-2(\boldsymbol{\alpha},\boldsymbol{\beta})\lambda+(\boldsymbol{\beta},\boldsymbol{\beta})\lambda^2\geqslant 0$$

取$\lambda=\dfrac{(\boldsymbol{\alpha},\boldsymbol{\beta})}{(\boldsymbol{\beta},\boldsymbol{\beta})}$代入，得

$$(\boldsymbol{\alpha},\boldsymbol{\alpha})-\frac{(\boldsymbol{\alpha},\boldsymbol{\beta})^2}{(\boldsymbol{\beta},\boldsymbol{\beta})}\geqslant 0$$

两边同乘$(\boldsymbol{\beta},\boldsymbol{\beta})$，即得

$$(\boldsymbol{\alpha},\boldsymbol{\alpha})(\boldsymbol{\beta},\boldsymbol{\beta})-(\boldsymbol{\alpha},\boldsymbol{\beta})^2\geqslant 0$$

移项，再开方，即得(10.1.5).

当$\boldsymbol{\alpha},\boldsymbol{\beta}$线性相关时，$\boldsymbol{\beta}=k\boldsymbol{\alpha}$，则

$$|(\boldsymbol{\alpha},\boldsymbol{\beta})|=|(\boldsymbol{\alpha},k\boldsymbol{\alpha})|=|k||\boldsymbol{\alpha}|^2=|\boldsymbol{\alpha}||\boldsymbol{\beta}|$$

即式(10.1.5)等号成立. 反过来，如果等号成立，由以上证明过程可以看出，或者$\boldsymbol{\beta}=\mathbf{0}$，或者

$$\boldsymbol{\alpha}-\frac{(\boldsymbol{\alpha},\boldsymbol{\beta})}{(\boldsymbol{\beta},\boldsymbol{\beta})}\boldsymbol{\beta}=\mathbf{0}$$

也就是说$\boldsymbol{\alpha},\boldsymbol{\beta}$线性相关.

(4)由长度的定义及柯西-施瓦茨不等式，有

$$\begin{aligned}|\boldsymbol{\alpha}+\boldsymbol{\beta}|^2&=(\boldsymbol{\alpha}+\boldsymbol{\beta},\boldsymbol{\alpha}+\boldsymbol{\beta})\\&=(\boldsymbol{\alpha},\boldsymbol{\alpha})+2(\boldsymbol{\alpha},\boldsymbol{\beta})+(\boldsymbol{\beta},\boldsymbol{\beta})\\&\leqslant|\boldsymbol{\alpha}|^2+2|\boldsymbol{\alpha}||\boldsymbol{\beta}|+|\boldsymbol{\beta}|^2=(|\boldsymbol{\alpha}|+|\boldsymbol{\beta}|)^2\end{aligned}$$

两边开方即得证.

把柯西-施瓦茨不等式应用到例 10.1.1 的空间$\mathbf{R}^n$，式(10.1.5)就是数论中的施瓦茨(Schwarz)不等式：

$$|a_1b_1+a_2b_2+\cdots+a_nb_n|\leqslant\sqrt{a_1^2+a_2^2+\cdots+a_n^2}\sqrt{b_1^2+b_2^2+\cdots+b_n^2}$$

应用到例 10.1.2 的空间$C(a,b)$，式(10.1.5)就是函数理论中的施瓦茨不等式：

$$\left|\int_a^b f(x)g(x)\mathrm{d}x\right|\leqslant\left(\int_a^b f^2(x)\mathrm{d}x\right)^{\frac{1}{2}}\left(\int_a^b g^2(x)\mathrm{d}x\right)^{\frac{1}{2}}$$

用数学归纳法，很容易得到三角不等式的推广：

$$\left|\boldsymbol{\alpha}_1+\boldsymbol{\alpha}_2+\cdots+\boldsymbol{\alpha}_k\right| \leqslant \left|\boldsymbol{\alpha}_1\right|+\left|\boldsymbol{\alpha}_2\right|+\cdots+\left|\boldsymbol{\alpha}_k\right|$$

长度为 1 的向量称为**单位向量**. 如果 $\boldsymbol{\alpha} \neq \mathbf{0}$，由式(10.1.4)，向量 $\dfrac{1}{|\boldsymbol{\alpha}|}\boldsymbol{\alpha}$ 就是一个单位向量. 用向量 $\boldsymbol{\alpha}$ 的长度去除向量 $\boldsymbol{\alpha}$，得到一个与 $\boldsymbol{\alpha}$ 成比例的单位向量，通常称为把向量 $\boldsymbol{\alpha}$ 单位化.

10.1.3　向量的夹角与正交

前面已经提到，在几何空间中，向量 $\boldsymbol{x},\boldsymbol{y}$ 之间的夹角 θ 可以表示为

$$\cos\theta=\frac{(\boldsymbol{x},\boldsymbol{y})}{|\boldsymbol{x}||\boldsymbol{y}|}$$

因此，$\boldsymbol{x}\perp\boldsymbol{y}$ 的充要条件为 $\cos\theta=0$，即 $\langle\boldsymbol{x},\boldsymbol{y}\rangle=0$. 此概念可以推广到一般的欧氏空间.

定义 10.1.3

在欧氏空间中，非零向量 $\boldsymbol{\alpha},\boldsymbol{\beta}$ 的夹角 $\langle\boldsymbol{\alpha},\boldsymbol{\beta}\rangle$ 规定为

$$\langle\boldsymbol{\alpha},\boldsymbol{\beta}\rangle=\arccos\frac{(\boldsymbol{\alpha},\boldsymbol{\beta})}{|\boldsymbol{\alpha}||\boldsymbol{\beta}|},\quad 0\leqslant\langle\boldsymbol{\alpha},\boldsymbol{\beta}\rangle\leqslant\pi \tag{10.1.7}$$

特别地，如果向量 $\langle\boldsymbol{\alpha},\boldsymbol{\beta}\rangle=\dfrac{\pi}{2}$，即 $(\boldsymbol{\alpha},\boldsymbol{\beta})=0$，称向量 $\boldsymbol{\alpha}$ 与 $\boldsymbol{\beta}$ 正交，记为 $\boldsymbol{\alpha}\perp\boldsymbol{\beta}$，即

$$(\boldsymbol{\alpha},\boldsymbol{\beta})=0 \quad\Leftrightarrow\quad \boldsymbol{\alpha}\perp\boldsymbol{\beta}$$

零向量与任何向量正交；只有零向量才与自己正交.

正交向量的性质　设 V 是欧氏空间，$\boldsymbol{\alpha},\boldsymbol{\beta},\boldsymbol{\alpha}_i\in V$，有

(1) **勾股定理**　若 $\boldsymbol{\alpha}\perp\boldsymbol{\beta}$，则 $|\boldsymbol{\alpha}+\boldsymbol{\beta}|^2=|\boldsymbol{\alpha}|^2+|\boldsymbol{\beta}|^2$.

事实上，因为 $\boldsymbol{\alpha}\perp\boldsymbol{\beta}\Leftrightarrow(\boldsymbol{\alpha},\boldsymbol{\beta})=0$，所以

$$|\boldsymbol{\alpha}+\boldsymbol{\beta}|^2=(\boldsymbol{\alpha}+\boldsymbol{\beta},\boldsymbol{\alpha}+\boldsymbol{\beta})=(\boldsymbol{\alpha},\boldsymbol{\alpha})+2(\boldsymbol{\alpha},\boldsymbol{\beta})+(\boldsymbol{\beta},\boldsymbol{\beta})=|\boldsymbol{\alpha}|^2+|\boldsymbol{\beta}|^2=\left(|\boldsymbol{\alpha}|+|\boldsymbol{\beta}|\right)^2$$

由归纳法不难把勾股定理推广到多个向量的情况.

(2) 若 $\boldsymbol{\alpha}_1,\boldsymbol{\alpha}_2,\cdots,\boldsymbol{\alpha}_m$ 两两正交，则

$$\left|\boldsymbol{\alpha}_1+\boldsymbol{\alpha}_2+\cdots+\boldsymbol{\alpha}_m\right|^2=\left|\boldsymbol{\alpha}_1\right|^2+\left|\boldsymbol{\alpha}_2\right|^2+\cdots+\left|\boldsymbol{\alpha}_m\right|^2$$

(3) 两两正交的非零向量组 $\boldsymbol{\alpha}_1,\boldsymbol{\alpha}_2,\cdots,\boldsymbol{\alpha}_m$ (称为正交向量组) 是线性无关的.

事实上，假设它们线性相关，则有不全为零的实数 $a_1,a_2,\cdots,a_m$，使

$$a_1\boldsymbol{\alpha}_1+a_2\boldsymbol{\alpha}_2+\cdots+a_m\boldsymbol{\alpha}_m=\mathbf{0}$$

上式两边与 $\boldsymbol{\alpha}_i\ (i=1,2,\cdots,m)$ 作内积，得

$$a_1(\boldsymbol{\alpha}_1,\boldsymbol{\alpha}_i)+a_2(\boldsymbol{\alpha}_2,\boldsymbol{\alpha}_i)+\cdots+a_m(\boldsymbol{\alpha}_m,\boldsymbol{\alpha}_i)=(\mathbf{0},\boldsymbol{\alpha}_i)=0$$

由于当 $i\neq j$ 时，$(\boldsymbol{\alpha}_j,\boldsymbol{\alpha}_i)=0$，所以可得 $a_i(\boldsymbol{\alpha}_i,\boldsymbol{\alpha}_i)=0$，但是 $\boldsymbol{\alpha}_i\neq\mathbf{0}$，因而 $(\boldsymbol{\alpha}_i,\boldsymbol{\alpha}_i)\neq 0$，故 $a_i=0\ (i=1,2,\cdots,m)$，与假设矛盾，因此两两正交的非零向量组线性无关.

10.1.4 度量矩阵

在以上的讨论中，我们对空间的维数没有作任何限制. 从现在开始，我们假定空间是有限维的.

定义 10.1.4

设 $\boldsymbol{\varepsilon}_1,\boldsymbol{\varepsilon}_2,\cdots,\boldsymbol{\varepsilon}_n$ 是 n 维欧氏空间 V 的一组基，称矩阵

$$\begin{pmatrix} (\boldsymbol{\varepsilon}_1,\boldsymbol{\varepsilon}_1) & (\boldsymbol{\varepsilon}_1,\boldsymbol{\varepsilon}_2) & \cdots & (\boldsymbol{\varepsilon}_1,\boldsymbol{\varepsilon}_n) \\ (\boldsymbol{\varepsilon}_2,\boldsymbol{\varepsilon}_1) & (\boldsymbol{\varepsilon}_2,\boldsymbol{\varepsilon}_2) & \cdots & (\boldsymbol{\varepsilon}_2,\boldsymbol{\varepsilon}_n) \\ \vdots & \vdots & & \vdots \\ (\boldsymbol{\varepsilon}_n,\boldsymbol{\varepsilon}_1) & (\boldsymbol{\varepsilon}_n,\boldsymbol{\varepsilon}_2) & \cdots & (\boldsymbol{\varepsilon}_n,\boldsymbol{\varepsilon}_n) \end{pmatrix}$$

为基 $\boldsymbol{\varepsilon}_1,\boldsymbol{\varepsilon}_2,\cdots,\boldsymbol{\varepsilon}_n$ 的度量矩阵.

度量矩阵具有如下的性质:

(1) 设 V 是 n 维欧氏空间，$\boldsymbol{\alpha},\boldsymbol{\beta}\in V$ 在基 $\boldsymbol{\varepsilon}_1,\boldsymbol{\varepsilon}_2,\cdots,\boldsymbol{\varepsilon}_n$ 下的坐标分别为 $\boldsymbol{x}=(x_1,x_2,\cdots,x_n)^{\mathrm{T}}$，$\boldsymbol{y}=(y_1,y_2,\cdots,y_n)^{\mathrm{T}}$，$\boldsymbol{A}=((\boldsymbol{\varepsilon}_i,\boldsymbol{\varepsilon}_j))_{n\times n}$ 是基 $\boldsymbol{\varepsilon}_1,\boldsymbol{\varepsilon}_2,\cdots,\boldsymbol{\varepsilon}_n$ 的度量矩阵，则

$$(\boldsymbol{\alpha},\boldsymbol{\beta})=\boldsymbol{x}^{\mathrm{T}}\boldsymbol{A}\boldsymbol{y} \tag{10.1.8}$$

(2) 不同基的度量矩阵是合同的，且合同变换矩阵是两组基之间的过渡矩阵.

(3) 度量矩阵是实对称正定矩阵.

证明 (1) 由题设向量 $\boldsymbol{\alpha},\boldsymbol{\beta}$ 可表示为

$$\boldsymbol{\alpha}=x_1\boldsymbol{\varepsilon}_1+x_2\boldsymbol{\varepsilon}_2+\cdots+x_n\boldsymbol{\varepsilon}_n,\quad \boldsymbol{\beta}=y_1\boldsymbol{\varepsilon}_1+y_2\boldsymbol{\varepsilon}_2+\cdots+y_n\boldsymbol{\varepsilon}_n,$$

由内积的性质得

$$\begin{aligned}(\boldsymbol{\alpha},\boldsymbol{\beta})&=\langle x_1\boldsymbol{\varepsilon}_1+x_2\boldsymbol{\varepsilon}_2+\cdots+x_n\boldsymbol{\varepsilon}_n,y_1\boldsymbol{\varepsilon}_1+y_2\boldsymbol{\varepsilon}_2+\cdots+y_n\boldsymbol{\varepsilon}_n\rangle\\&=\sum_{i=1}^{n}\sum_{j=1}^{n}(\boldsymbol{\varepsilon}_i,\boldsymbol{\varepsilon}_j)x_iy_j\end{aligned}$$

令

$$a_{ij}=(\boldsymbol{\varepsilon}_i,\boldsymbol{\varepsilon}_j)\quad (i,j=1,2,\cdots,n)$$

显然

$$a_{ij}=a_{ji}$$

于是

$$(\boldsymbol{\alpha},\boldsymbol{\beta})=\sum_{i=1}^{n}\sum_{j=1}^{n}a_{ij}x_iy_j \tag{10.1.9}$$

因 $\boldsymbol{x}=(x_1,x_2,\cdots,x_n)^{\mathrm{T}}$，$\boldsymbol{y}=(y_1,y_2,\cdots,y_n)^{\mathrm{T}}$，利用矩阵，$(\boldsymbol{\alpha},\boldsymbol{\beta})$ 还可以写成

$$(\boldsymbol{\alpha},\boldsymbol{\beta})=\boldsymbol{x}^{\mathrm{T}}\boldsymbol{A}\boldsymbol{y} \tag{10.1.10}$$

而矩阵

$$A=(a_{ij})_{n\times n}=\begin{pmatrix}(\varepsilon_1,\varepsilon_1) & (\varepsilon_1,\varepsilon_2) & \cdots & (\varepsilon_1,\varepsilon_n)\\(\varepsilon_2,\varepsilon_1) & (\varepsilon_2,\varepsilon_2) & \cdots & (\varepsilon_2,\varepsilon_n)\\\vdots & \vdots & & \vdots\\(\varepsilon_n,\varepsilon_1) & (\varepsilon_n,\varepsilon_2) & \cdots & (\varepsilon_n,\varepsilon_n)\end{pmatrix}$$

就是基 $\varepsilon_1,\varepsilon_2,\cdots,\varepsilon_n$ 的度量矩阵.

(2) 设 $\eta_1,\eta_2,\cdots,\eta_n$ 是 n 维欧氏空间 V 的另一组基，且由基 $\varepsilon_1,\varepsilon_2,\cdots,\varepsilon_n$ 到基 $\eta_1,\eta_2,\cdots,\eta_n$ 的过渡矩阵为 C，即

$$(\eta_1,\eta_2,\cdots,\eta_n)=(\varepsilon_1,\varepsilon_2,\cdots,\varepsilon_n)C$$

于是不难算出，基 $\varepsilon_1,\varepsilon_2,\cdots,\varepsilon_n$ 的度量矩阵 A 与基 $\eta_1,\eta_2,\cdots,\eta_n$ 的度量矩阵 B 满足关系式

$$B=((\eta_i,\eta_j))=C^{\mathrm T}AC \tag{10.1.11}$$

这就是说，不同基的度量矩阵是合同的，且合同变换矩阵是两组基之间的过渡矩阵(式(10.1.11)的证明作为习题留给读者).

(3) A 的对称性在(1)中已经证明. 对于非零向量

$$\alpha=x_1\varepsilon_1+x_2\varepsilon_2+\cdots+x_n\varepsilon_n\neq 0$$

即

$$x=(x_1,x_2,\cdots,x_n)^{\mathrm T}\neq(0,0,\cdots,0)^{\mathrm T}$$

根据内积定义中的条件(4)及式(10.1.10)，有

$$(\alpha,\alpha)=x^{\mathrm T}Ax>0$$

因此，度量矩阵是正定的.

注 度量矩阵的性质(1)表明，在知道了一组基的度量矩阵之后，任意两个向量的内积就可以通过坐标和度量矩阵来计算，因而度量矩阵完全确定了内积.

反之，给定一个 n 阶正定矩阵 A 及 n 维实线性空间 V 的一组基 $\varepsilon_1,\varepsilon_2,\cdots,\varepsilon_n$. 可以规定 V 上的内积，使它成为欧氏空间，并且基 $\varepsilon_1,\varepsilon_2,\cdots,\varepsilon_n$ 的度量矩阵是 A. 因此，欧氏空间上的内积不唯一.

例 10.1.4 设 $B\in\mathbf R^{n\times n}$. 如果 B 是正定的，对任意 $\alpha,\beta\in\mathbf R^n$，定义

$$(\alpha,\beta)_B=\alpha^{\mathrm T}B\beta$$

则关于内积 $(\cdot,\cdot)_B$，$\mathrm R^n$ 是一个欧氏空间.

证明 设 $\alpha,\beta,\gamma\in\mathbf R^n,k\in\mathbf R$,

$$(\alpha,\beta)_B=\alpha^{\mathrm T}B\beta=(\alpha^{\mathrm T}B\beta)^{\mathrm T}=\beta^{\mathrm T}B^{\mathrm T}\alpha=\beta^{\mathrm T}B\alpha=(\beta,\alpha)_B$$

内积条件(1)成立.

$$(k\alpha,\beta)_B=(k\alpha)^{\mathrm T}B\beta=k(\alpha^{\mathrm T}B\beta)=k(\alpha,\beta)_B$$

内积条件(2)成立.

$$(\alpha+\gamma,\beta)_B=(\alpha+\gamma)^{\mathrm T}B\beta=\alpha^{\mathrm T}B\beta+\gamma^{\mathrm T}B\beta=(\alpha,\beta)_B+(\gamma,\beta)_B$$

内积条件(3)成立.

设 $\alpha\neq 0$，因为 B 是正定的,

$$(\alpha,\alpha)_B=\alpha^{\mathrm T}B\alpha>0$$

内积条件(4)成立. 因此 $\mathbf R^n$ 关于此内积是一个欧氏空间.

可见对一个线性空间，我们可以定义不同的内积，使得它成为不同的欧氏空间，所以提到欧氏空间，必须说出具体的内积(除默认的内积，如例 10.1.1、例 10.1.3)．

欧氏空间的子空间在所定义的内积之下显然也是一个欧氏空间．

例 10.1.5 证明：在欧氏空间 V 内两个向量 $\boldsymbol{\alpha},\boldsymbol{\beta}$ 正交的充分必要条件是对任意实数 t，有 $|\boldsymbol{\alpha}+t\boldsymbol{\beta}|\geqslant|\boldsymbol{\alpha}|$．

证明　先证必要性．若 $(\boldsymbol{\alpha},\boldsymbol{\beta})=0$，则

$$(\boldsymbol{\alpha}+t\boldsymbol{\beta},\boldsymbol{\alpha}+t\boldsymbol{\beta})=(\boldsymbol{\alpha},\boldsymbol{\alpha})+t^2(\boldsymbol{\beta},\boldsymbol{\beta})\geqslant(\boldsymbol{\alpha},\boldsymbol{\alpha})$$

上式两边求算术平方根，即 $|\boldsymbol{\alpha}+t\boldsymbol{\beta}|\geqslant|\boldsymbol{\alpha}|$．

再证充分性．若对任意实数 t，有 $|\boldsymbol{\alpha}+t\boldsymbol{\beta}|\geqslant|\boldsymbol{\alpha}|$，即

$$(\boldsymbol{\alpha}+t\boldsymbol{\beta},\boldsymbol{\alpha}+t\boldsymbol{\beta})=(\boldsymbol{\alpha},\boldsymbol{\alpha})+t^2(\boldsymbol{\beta},\boldsymbol{\beta})+2t(\boldsymbol{\alpha},\boldsymbol{\beta})\geqslant(\boldsymbol{\alpha},\boldsymbol{\alpha})$$

当 $t>0$ 时，$t(\boldsymbol{\beta},\boldsymbol{\beta})+2(\boldsymbol{\alpha},\boldsymbol{\beta})\geqslant 0$，则

$$2(\boldsymbol{\alpha},\boldsymbol{\beta})=\lim_{t\to 0^+}(t(\boldsymbol{\beta},\boldsymbol{\beta})+2(\boldsymbol{\alpha},\boldsymbol{\beta}))\geqslant 0$$

当 $t<0$ 时，$t(\boldsymbol{\beta},\boldsymbol{\beta})+2(\boldsymbol{\alpha},\boldsymbol{\beta})\leqslant 0$，则

$$2(\boldsymbol{\alpha},\boldsymbol{\beta})=\lim_{t\to 0^-}(t(\boldsymbol{\beta},\boldsymbol{\beta})+2(\boldsymbol{\alpha},\boldsymbol{\beta}))\leqslant 0$$

因此，$\boldsymbol{\alpha},\boldsymbol{\beta}$ 正交．

10.2　标准正交基

10.1 节中，我们看到正交向量组是线性无关的．本节进一步讨论欧氏空间中正交向量组的一些基本性质及其应用．

首先回顾 $\mathbf{R}^3$ 中的正交向量组．在 $\mathbf{R}^3$ 中通常取三个两两正交的单位向量为

$$\boldsymbol{i}=(1,0,0),\quad \boldsymbol{j}=(0,1,0),\quad \boldsymbol{k}=(0,0,1)$$

则对任意向量 $\boldsymbol{x}=(a_1,a_2,a_3)\in\mathbf{R}^3$ 都有唯一的表达式：

$$\boldsymbol{x}=a_1\boldsymbol{i}+a_2\boldsymbol{j}+a_3\boldsymbol{k}$$

记 $\boldsymbol{e}_1=\boldsymbol{i},\boldsymbol{e}_2=\boldsymbol{j},\boldsymbol{e}_3=\boldsymbol{k}$，坐标系数 a_1,a_2,a_3 亦可用 $\mathbf{R}^3$ 中的内积表示，即

$$a_i=(\boldsymbol{x},\boldsymbol{e}_i)\quad (i=1,2,3)$$

于是

$$\boldsymbol{x}=\sum_{i=1}^{3}(\boldsymbol{x},\boldsymbol{e}_i)\boldsymbol{e}_i$$

本节要把直观几何空间中直角坐标系的概念推广到欧氏空间，使得空间中任一元素都可以通过这个坐标系来表示，从而进行更深入的讨论．

10.2.1　标准正交基的定义

定义 10.2.1

欧氏空间 V 的一组非零的向量，如果它们两两正交，就称为一个**正交向量组**．

按定义，由单个非零向量所成的向量组也是正交向量组.

在 10.1 节，我们已经证明正交向量组是线性无关的. 这个结果说明，在 n 维欧氏空间中，两两正交的非零向量不能超过 n 个.

定义 10.2.2

在 n 维欧氏空间中，由 n 个向量组成的正交向量组称为**正交基**；由单位向量组成的正交基称为**标准正交基**.

对一组正交基进行单位化就得到一组标准正交基.

关于标准正交基有如下的一些结论.

(1) 一组基为标准正交基的充要条件是：它的度量矩阵为单位矩阵.

事实上，设 $\boldsymbol{\varepsilon}_1,\boldsymbol{\varepsilon}_2,\cdots,\boldsymbol{\varepsilon}_n$ 是一组标准正交基，由定义，有

$$(\boldsymbol{\varepsilon}_i,\boldsymbol{\varepsilon}_j)=\begin{cases}1, & i=j,\\ 0, & i\neq j\end{cases} \tag{10.2.1}$$

显然，式(10.2.1)完全刻画了标准正交基的性质.

(2) 在 n 维欧氏空间中，标准正交基是存在的.

事实上，因为度量矩阵是正定的，根据第 5 章关于正定二次型的结果，正定矩阵合同于单位矩阵. 这说明在 n 维欧氏空间中存在一组基，它的度量矩阵是单位矩阵. 由此断言，在 n 维欧氏空间中，标准正交基是存在的.

(3) n 维欧氏空间 V 中任一向量 $\boldsymbol{\alpha}$ 在标准正交基 $\boldsymbol{\varepsilon}_1,\boldsymbol{\varepsilon}_2,\cdots,\boldsymbol{\varepsilon}_n$ 下的坐标为

$$(\boldsymbol{\alpha},\boldsymbol{\varepsilon}_1),\ (\boldsymbol{\alpha},\boldsymbol{\varepsilon}_2),\ \cdots,\ (\boldsymbol{\alpha},\boldsymbol{\varepsilon}_n)$$

事实上，设

$$\boldsymbol{\alpha}=x_1\boldsymbol{\varepsilon}_1+x_2\boldsymbol{\varepsilon}_2+\cdots+x_n\boldsymbol{\varepsilon}_n$$

等式两边与 $\boldsymbol{\varepsilon}_i$ 作内积，利用式(10.2.1)得

$$(\boldsymbol{\alpha},\boldsymbol{\varepsilon}_i)=x_1(\boldsymbol{\varepsilon}_1,\boldsymbol{\varepsilon}_i)+x_2(\boldsymbol{\varepsilon}_2,\boldsymbol{\varepsilon}_i)+\cdots+x_n(\boldsymbol{\varepsilon}_n,\boldsymbol{\varepsilon}_i)=x_i\quad(i=1,2,\cdots,n)$$

即

$$\boldsymbol{\alpha}=(\boldsymbol{\alpha},\boldsymbol{\varepsilon}_1)\boldsymbol{\varepsilon}_1+(\boldsymbol{\alpha},\boldsymbol{\varepsilon}_2)\boldsymbol{\varepsilon}_2+\cdots+(\boldsymbol{\alpha},\boldsymbol{\varepsilon}_n)\boldsymbol{\varepsilon}_n \tag{10.2.2}$$

(4) 设 n 维欧氏空间 V 中向量 $\boldsymbol{\alpha},\boldsymbol{\beta}$ 在标准正交基 $\boldsymbol{\varepsilon}_1,\boldsymbol{\varepsilon}_2,\cdots,\boldsymbol{\varepsilon}_n$ 下的坐标分别为 $\boldsymbol{x}=(x_1,x_2,\cdots,x_n)^{\mathrm{T}}$ 和 $\boldsymbol{y}=(y_1,y_2,\cdots,y_n)^{\mathrm{T}}$，则

$$(\boldsymbol{\alpha},\boldsymbol{\beta})=x_1y_1+x_2y_2+\cdots+x_ny_n=\boldsymbol{x}^{\mathrm{T}}\boldsymbol{y} \tag{10.2.3}$$

即在标准正交基下，内积有特别简单的表达式(10.2.3). 这个表达式正是几何空间中向量的内积在直角坐标系中坐标表达式的推广.

应该指出，内积的表达式(10.2.3)，对于任一组标准正交基都是一样的. 这说明了，所有的标准正交基，在欧氏空间中有相同的地位.

10.2.2 施密特正交化方法

在本小节中，我们将结合内积的特点来讨论标准正交基的求法.

定理 10.2.1

n维欧氏空间中任一个正交向量组都能扩充成一组正交基.

证明 设$\boldsymbol{\alpha}_1,\boldsymbol{\alpha}_2,\cdots,\boldsymbol{\alpha}_m$（$m<n$）是$n$维欧氏空间$V$中一个正交向量组，下面对$n-m$作数学归纳法.

当$n-m=0$时，$\boldsymbol{\alpha}_1,\boldsymbol{\alpha}_2,\cdots,\boldsymbol{\alpha}_m$本身就是一个正交基.

假设当$n-m=k$时定理成立，也就是说，存在向量$\boldsymbol{\beta}_1,\boldsymbol{\beta}_2,\cdots,\boldsymbol{\beta}_k$，使得

$$\boldsymbol{\alpha}_1,\boldsymbol{\alpha}_2,\cdots,\boldsymbol{\alpha}_m,\boldsymbol{\beta}_1,\boldsymbol{\beta}_2,\cdots,\boldsymbol{\beta}_k$$

成为一组正交基.

下面考虑$n-m=k+1$的情形，因为$m<n$，所以必存在向量$\boldsymbol{\beta}$不能由$\boldsymbol{\alpha}_1,\boldsymbol{\alpha}_2,\cdots,\boldsymbol{\alpha}_m$线性表出，作向量

$$\boldsymbol{\alpha}_{m+1}=\boldsymbol{\beta}-k_1\boldsymbol{\alpha}_1-k_2\boldsymbol{\alpha}_2-\cdots-k_m\boldsymbol{\alpha}_m$$

这里$k_1,k_2,\cdots,k_m$是待定的系数，则$\boldsymbol{\alpha}_{m+1}\neq\mathbf{0}$. $\boldsymbol{\alpha}_{m+1}$与$\boldsymbol{\alpha}_i$作内积，得

$$(\boldsymbol{\alpha}_{m+1},\boldsymbol{\alpha}_i)=(\boldsymbol{\beta},\boldsymbol{\alpha}_i)-k_i(\boldsymbol{\alpha}_i,\boldsymbol{\alpha}_i)\quad(i=1,2,\cdots,m)$$

取

$$k_i=\frac{(\boldsymbol{\beta},\boldsymbol{\alpha}_i)}{(\boldsymbol{\alpha}_i,\boldsymbol{\alpha}_i)}\quad(i=1,2,\cdots,m)$$

有

$$(\boldsymbol{\alpha}_{m+1},\boldsymbol{\alpha}_i)=0\quad(i=1,2,\cdots,m)$$

所以$\boldsymbol{\alpha}_1,\boldsymbol{\alpha}_2,\cdots,\boldsymbol{\alpha}_m,\boldsymbol{\alpha}_{m+1}$是一个正交向量组，由归纳法假设，它可以扩充成一个正交基，于是定理得证.

应该注意，定理的证明实际上也就给出了一个具体的扩充正交向量组的方法. 如果从任一个非零向量出发，按证明中的步骤逐个地扩充，最后就得到一组正交基. 再单位化，就得到一组标准正交基.

定理 10.2.2

对于n维欧氏空间中任意一组基$\boldsymbol{\alpha}_1,\boldsymbol{\alpha}_2,\cdots,\boldsymbol{\alpha}_n$，都可以找到一组标准正交基$\boldsymbol{\varepsilon}_1,\boldsymbol{\varepsilon}_2,\cdots,\boldsymbol{\varepsilon}_n$，使

$$L(\boldsymbol{\alpha}_1,\boldsymbol{\alpha}_2,\cdots,\boldsymbol{\alpha}_i)=L(\boldsymbol{\varepsilon}_1,\boldsymbol{\varepsilon}_2,\cdots,\boldsymbol{\varepsilon}_i),\quad i=2,3,\cdots,n$$

证明 对n维欧氏空间V的任一组基$\boldsymbol{\alpha}_1,\boldsymbol{\alpha}_2,\cdots,\boldsymbol{\alpha}_n$. 用施密特(Schmidt)正交化方法逐个构造标准正交向量组$\boldsymbol{\varepsilon}_1,\boldsymbol{\varepsilon}_2,\cdots,\boldsymbol{\varepsilon}_n$如下:

第一步，首先取$\boldsymbol{\beta}_1=\boldsymbol{\alpha}_1$，则$L(\boldsymbol{\beta}_1)=L(\boldsymbol{\alpha}_1)$.

按定理 10.2.1 证明中的方法，再取向量

$$\boldsymbol{\beta}_2=\boldsymbol{\alpha}_2-\frac{(\boldsymbol{\alpha}_2,\boldsymbol{\beta}_1)}{(\boldsymbol{\beta}_1,\boldsymbol{\beta}_1)}\boldsymbol{\beta}_1$$

则$\boldsymbol{\beta}_1,\boldsymbol{\beta}_2$正交，且$L(\boldsymbol{\alpha}_1,\boldsymbol{\alpha}_2)=L(\boldsymbol{\beta}_1,\boldsymbol{\beta}_2)$.

一般地，假定已经求出正交向量组$\boldsymbol{\beta}_1,\boldsymbol{\beta}_2,\cdots,\boldsymbol{\beta}_{s-1}$，满足

$$L(\boldsymbol{\alpha}_1,\boldsymbol{\alpha}_2,\cdots,\boldsymbol{\alpha}_{s-1})=L(\boldsymbol{\beta}_1,\boldsymbol{\beta}_2,\cdots,\boldsymbol{\beta}_{s-1})$$

则 $\boldsymbol{\alpha}_s$ 不能被 $\boldsymbol{\beta}_1,\boldsymbol{\beta}_2,\cdots,\boldsymbol{\beta}_{s-1}$ 线性表出. 按定理 10.2.1 证明中的方法, 取向量

$$\boldsymbol{\beta}_s=\boldsymbol{\alpha}_s-\frac{(\boldsymbol{\alpha}_s,\boldsymbol{\beta}_1)}{(\boldsymbol{\beta}_1,\boldsymbol{\beta}_1)}\boldsymbol{\beta}_1-\frac{(\boldsymbol{\alpha}_s,\boldsymbol{\beta}_2)}{(\boldsymbol{\beta}_2,\boldsymbol{\beta}_2)}\boldsymbol{\beta}_2-\cdots-\frac{(\boldsymbol{\alpha}_s,\boldsymbol{\beta}_{s-1})}{(\boldsymbol{\beta}_{s-1},\boldsymbol{\beta}_{s-1})}\boldsymbol{\beta}_{s-1}$$

显然, $\boldsymbol{\beta}_s\neq\mathbf{0}$, 且 $(\boldsymbol{\beta}_s,\boldsymbol{\beta}_i)=0, i=1,2,\cdots,s-1$, 所以 $\boldsymbol{\beta}_1,\boldsymbol{\beta}_2,\cdots,\boldsymbol{\beta}_{s-1},\boldsymbol{\beta}_s$ 是一个正交向量组, 同时

$$L(\boldsymbol{\alpha}_1,\boldsymbol{\alpha}_2,\cdots,\boldsymbol{\alpha}_s)=L(\boldsymbol{\beta}_1,\boldsymbol{\beta}_2,\cdots,\boldsymbol{\beta}_s)$$

第二步, 再将每个 $\boldsymbol{\beta}_i$ 单位化, 令 $\boldsymbol{\varepsilon}_i=\dfrac{\boldsymbol{\beta}_i}{|\boldsymbol{\beta}_i|}$, $i=1,2,\cdots,s$, 则可得到 V 的一组单位正交向量组 $\boldsymbol{\varepsilon}_1,\boldsymbol{\varepsilon}_2,\cdots,\boldsymbol{\varepsilon}_s$, 满足

$$L(\boldsymbol{\alpha}_1,\boldsymbol{\alpha}_2,\cdots,\boldsymbol{\alpha}_s)=L(\boldsymbol{\varepsilon}_1,\boldsymbol{\varepsilon}_2,\cdots,\boldsymbol{\varepsilon}_s)$$

由归纳法原理, 定理得证.

上述证明的第一步从一组线性无关的向量 $\boldsymbol{\alpha}_1,\boldsymbol{\alpha}_2,\cdots,\boldsymbol{\alpha}_n$ 导出正交向量组 $\boldsymbol{\beta}_1,\boldsymbol{\beta}_2,\cdots,\boldsymbol{\beta}_n$ 的过程称为施密特正交化过程, 它不仅使 $\boldsymbol{\alpha}_1,\boldsymbol{\alpha}_2,\cdots,\boldsymbol{\alpha}_n$ 与 $\boldsymbol{\beta}_1,\boldsymbol{\beta}_2,\cdots,\boldsymbol{\beta}_n$ 等价, 还保证对任何 $i\,(1\leqslant i\leqslant n)$, 向量组 $\boldsymbol{\alpha}_1,\boldsymbol{\alpha}_2,\cdots,\boldsymbol{\alpha}_i$ 与 $\boldsymbol{\beta}_1,\boldsymbol{\beta}_2,\cdots,\boldsymbol{\beta}_i$ 都等价. 因此, 它给出了求与已知线性无关向量组等价的正交向量组的方法.

此外, 还应该指出, 定理 10.2.2 中的要求

$$L(\boldsymbol{\alpha}_1,\boldsymbol{\alpha}_2,\cdots,\boldsymbol{\alpha}_i)=L(\boldsymbol{\varepsilon}_1,\boldsymbol{\varepsilon}_2,\cdots,\boldsymbol{\varepsilon}_i),\quad i=1,2,\cdots,n$$

就相当于由基 $\boldsymbol{\alpha}_1,\boldsymbol{\alpha}_2,\cdots,\boldsymbol{\alpha}_n$ 到基 $\boldsymbol{\varepsilon}_1,\boldsymbol{\varepsilon}_2,\cdots,\boldsymbol{\varepsilon}_n$ 的过渡矩阵是上三角形的.

例 10.2.1　把 $\boldsymbol{\alpha}_1=(1,1,0,0),\boldsymbol{\alpha}_2=(1,0,1,0),\boldsymbol{\alpha}_3=(-1,0,0,1),\boldsymbol{\alpha}_4=(1,-1,-1,1)$ 变成单位正交向量组.

解　首先容易证明 $\boldsymbol{\alpha}_1,\boldsymbol{\alpha}_2,\boldsymbol{\alpha}_3,\boldsymbol{\alpha}_4$ 是线性无关的. 其次将它们正交化, 得

$$\boldsymbol{\beta}_1=\boldsymbol{\alpha}_1=(1,1,0,0)$$

$$\boldsymbol{\beta}_2=\boldsymbol{\alpha}_2-\frac{(\boldsymbol{\alpha}_2,\boldsymbol{\beta}_1)}{(\boldsymbol{\beta}_1,\boldsymbol{\beta}_1)}\boldsymbol{\beta}_1=\left(\frac{1}{2},-\frac{1}{2},1,0\right)$$

$$\boldsymbol{\beta}_3=\boldsymbol{\alpha}_3-\frac{(\boldsymbol{\alpha}_3,\boldsymbol{\beta}_1)}{(\boldsymbol{\beta}_1,\boldsymbol{\beta}_1)}\boldsymbol{\beta}_1-\frac{(\boldsymbol{\alpha}_3,\boldsymbol{\beta}_2)}{(\boldsymbol{\beta}_2,\boldsymbol{\beta}_2)}\boldsymbol{\beta}_2=\left(-\frac{1}{3},\frac{1}{3},\frac{1}{3},1\right)$$

$$\boldsymbol{\beta}_4=\boldsymbol{\alpha}_4-\frac{(\boldsymbol{\alpha}_4,\boldsymbol{\beta}_1)}{(\boldsymbol{\beta}_1,\boldsymbol{\beta}_1)}\boldsymbol{\beta}_1-\frac{(\boldsymbol{\alpha}_4,\boldsymbol{\beta}_2)}{(\boldsymbol{\beta}_2,\boldsymbol{\beta}_2)}\boldsymbol{\beta}_2-\frac{(\boldsymbol{\alpha}_4,\boldsymbol{\beta}_3)}{(\boldsymbol{\beta}_3,\boldsymbol{\beta}_3)}\boldsymbol{\beta}_3=(1,-1,-1,1)$$

最后将 $\boldsymbol{\beta}_1,\boldsymbol{\beta}_2,\boldsymbol{\beta}_3,\boldsymbol{\beta}_4$ 单位化, 得

$$\boldsymbol{\varepsilon}_1=\frac{1}{\sqrt{2}}(1,1,0,0)$$

$$\boldsymbol{\varepsilon}_2=\frac{1}{\sqrt{6}}(1,-1,2,0)$$

$$\boldsymbol{\varepsilon}_3=\frac{1}{2\sqrt{3}}(-1,1,1,3)$$

$$\boldsymbol{\varepsilon}_4=\frac{1}{2}(1,-1,-1,1)$$

10.2.3　正交矩阵

上面讨论了标准正交基的求法. 由于线性空间中基不唯一, 因此欧氏空间中标准正交基也

不唯一. 因为标准正交基在欧氏空间中占有特殊的地位, 所以有必要来讨论从一组标准正交基到另一组标准正交基的基变换公式.

设 $\boldsymbol{\varepsilon}_1,\boldsymbol{\varepsilon}_2,\cdots,\boldsymbol{\varepsilon}_n$ 与 $\boldsymbol{\eta}_1,\boldsymbol{\eta}_2,\cdots,\boldsymbol{\eta}_n$ 是欧氏空间 V 中的两组标准正交基, 它们之间的过渡矩阵是 $\boldsymbol{A}=(a_{ij})$, 即

$$(\boldsymbol{\eta}_1,\boldsymbol{\eta}_2,\cdots,\boldsymbol{\eta}_n)=(\boldsymbol{\varepsilon}_1,\boldsymbol{\varepsilon}_2,\cdots,\boldsymbol{\varepsilon}_n)\begin{pmatrix} a_{11} & a_{12} & \cdots & a_{1n} \\ a_{21} & a_{22} & \cdots & a_{2n} \\ \vdots & \vdots & & \vdots \\ a_{n1} & a_{n2} & \cdots & a_{nn} \end{pmatrix}$$

因为 $\boldsymbol{\eta}_1,\boldsymbol{\eta}_2,\cdots,\boldsymbol{\eta}_n$ 是标准正交基, 所以

$$(\boldsymbol{\eta}_i,\boldsymbol{\eta}_j)=\begin{cases} 1, & i=j, \\ 0, & i\neq j \end{cases} \tag{10.2.4}$$

矩阵 $\boldsymbol{A}$ 的各列就是 $\boldsymbol{\eta}_1,\boldsymbol{\eta}_2,\cdots,\boldsymbol{\eta}_n$ 在标准正交基 $\boldsymbol{\varepsilon}_1,\boldsymbol{\varepsilon}_2,\cdots,\boldsymbol{\varepsilon}_n$ 下的坐标. 按式(10.2.3)、式(10.2.4)可以表示为

$$a_{1i}a_{1j}+a_{2i}a_{2j}+\cdots+a_{ni}a_{nj}=\begin{cases} 1, & i=j, \\ 0, & i\neq j \end{cases} \tag{10.2.5}$$

式(10.2.5)相当于一个矩阵的等式

$$\boldsymbol{A}^{\mathrm{T}}\boldsymbol{A}=\boldsymbol{E} \tag{10.2.6}$$

或者

$$\boldsymbol{A}^{-1}=\boldsymbol{A}^{\mathrm{T}}$$

定义 10.2.3

若 n 阶实矩阵 $\boldsymbol{A}$ 满足 $\boldsymbol{A}^{\mathrm{T}}\boldsymbol{A}=\boldsymbol{E}$, 则称 $\boldsymbol{A}$ 为正交矩阵.

在一般的线性空间中两组基之间的过渡矩阵是可逆矩阵, 而欧氏空间中两组标准正交基之间的过渡矩阵是正交矩阵.

实数域上的 n 阶实矩阵 $\boldsymbol{A}$ 是正交矩阵的充分必要条件是下列条件中有一条成立:

(1) $\boldsymbol{A}^{-1}=\boldsymbol{A}^{\mathrm{T}}$;

(2) $\boldsymbol{A}\boldsymbol{A}^{\mathrm{T}}=\boldsymbol{E}$;

(3) $\boldsymbol{A}$ 为 n 维欧氏空间 V 内两组标准正交基的过渡矩阵;

(4) $\boldsymbol{A}$ 的 n 个列(或行)向量是两两正交的单位向量.

如果第一组基是标准正交基, 同时过渡矩阵是正交矩阵, 那么第二组基一定也是标准正交基. 显然, 若 $\boldsymbol{A}$ 是正交矩阵, 则 $|\boldsymbol{A}|=\pm1$. 事实上, 式(10.2.5)就是矩阵列与列之间的关系, 即 $\boldsymbol{A}$ 的 n 个列向量是两两正交的单位向量. 另一方面, 由于

$$\boldsymbol{A}\text{为正交矩阵}\Leftrightarrow \boldsymbol{A}\boldsymbol{A}^{\mathrm{T}}=\boldsymbol{E}$$

写出来就是

$$a_{i1}a_{j1}+a_{i2}a_{j2}+\cdots+a_{in}a_{jn}=\begin{cases} 1, & i=j, \\ 0, & i\neq j \end{cases} \tag{10.2.7}$$

式(10.2.7)就是矩阵行与行之间的关系，即 $\boldsymbol{A}$ 的 n 个行向量是两两正交的单位向量. 并且，式(10.2.5)和式(10.2.7)这两组关系是等价的.

此外，我们可以进一步得到如下性质.

(1) 若 $\boldsymbol{A}$ 是正交矩阵，则 $\boldsymbol{A}^{\mathrm{T}},\boldsymbol{A}^{-1},\boldsymbol{A}^{k}$ 均是正交矩阵，而 $l\boldsymbol{A}$ 是正交矩阵的充分必要条件是 $l=\pm1$.

(2) 若 $\boldsymbol{A}$, $\boldsymbol{B}$ 是 n 阶正交矩阵，则 $\boldsymbol{AB}$ 也是正交矩阵.

例 10.2.2　设 n 阶实矩阵 $\boldsymbol{A}=(a_{ij})$ 是正交矩阵，证明：当 $|\boldsymbol{A}|=1$ 时，$A_{ij}=a_{ij}$；而当 $|\boldsymbol{A}|=-1$ 时，$A_{ij}=-a_{ij}$.

证明　由于

$$\boldsymbol{A}^{*}=\begin{pmatrix} A_{11} & A_{21} & \cdots & A_{n1} \\ A_{12} & A_{22} & \cdots & A_{n2} \\ \vdots & \vdots & & \vdots \\ A_{1n} & A_{2n} & \cdots & A_{nn} \end{pmatrix}$$

及

$$\boldsymbol{AA}^{*}=|\boldsymbol{A}|\boldsymbol{E}$$

若 $|\boldsymbol{A}|=1$，则 $\boldsymbol{AA}^{*}=\boldsymbol{E}$，由 $\boldsymbol{AA}^{\mathrm{T}}=\boldsymbol{E}$ 得 $\boldsymbol{A}(\boldsymbol{A}^{\mathrm{T}}-\boldsymbol{A}^{*})=\boldsymbol{0}$. 由于 $\boldsymbol{A}$ 可逆，故 $\boldsymbol{A}^{\mathrm{T}}-\boldsymbol{A}^{*}=\boldsymbol{0}$，即 $\boldsymbol{A}^{\mathrm{T}}=\boldsymbol{A}^{*}$，从而 $A_{ij}=a_{ij}$.

若 $|\boldsymbol{A}|=-1$，则 $\boldsymbol{AA}^{*}=-\boldsymbol{E}$，由 $\boldsymbol{AA}^{\mathrm{T}}=\boldsymbol{E}$ 得 $\boldsymbol{A}(\boldsymbol{A}^{\mathrm{T}}+\boldsymbol{A}^{*})=\boldsymbol{0}$. 由于 $\boldsymbol{A}$ 可逆，故 $\boldsymbol{A}^{\mathrm{T}}-\boldsymbol{A}^{*}=\boldsymbol{0}$，即 $\boldsymbol{A}^{*}=-\boldsymbol{A}^{\mathrm{T}}$，从而 $A_{ij}=-a_{ij}$.

例 10.2.3　设 $\boldsymbol{A}$ 是一个 n 阶实可逆方阵，证明 $\boldsymbol{A}$ 可以分解为一个 n 级正交矩阵 $\boldsymbol{Q}$ 和一个 n 阶实上三角形矩阵 $\boldsymbol{T}$ 的乘积，且分解是唯一的.

证明　设 $\boldsymbol{A}$ 的列向量组是 $\boldsymbol{\alpha}_1,\boldsymbol{\alpha}_2,\cdots,\boldsymbol{\alpha}_n$，则它是 $\mathbf{R}^n$ 的一组基. 按施密特正交化过程将它正交化再单位化，即得 $\mathbf{R}^n$ 的一组标准正交基 $\boldsymbol{\varepsilon}_1,\boldsymbol{\varepsilon}_2,\cdots,\boldsymbol{\varepsilon}_n$. 按照正交化公式有

$$\begin{cases} \boldsymbol{\alpha}_1=t_{11}\boldsymbol{\varepsilon}_1, \\ \boldsymbol{\alpha}_2=t_{12}\boldsymbol{\varepsilon}_1+t_{22}\boldsymbol{\varepsilon}_2, \\ \qquad\cdots\cdots \\ \boldsymbol{\alpha}_n=t_{1n}\boldsymbol{\varepsilon}_1+t_{2n}\boldsymbol{\varepsilon}_2+\cdots+t_{nn}\boldsymbol{\varepsilon}_n \end{cases} \qquad (t_{ii}>0,\ i=1,2,\cdots,n)$$

写成矩阵形式

$$(\boldsymbol{\alpha}_1,\boldsymbol{\alpha}_2,\cdots,\boldsymbol{\alpha}_n)=(\boldsymbol{\varepsilon}_1,\boldsymbol{\varepsilon}_2,\cdots,\boldsymbol{\varepsilon}_n)\boldsymbol{T}$$

其中

$$\boldsymbol{T}=\begin{pmatrix} t_{11} & t_{12} & \cdots & t_{1n} \\ 0 & t_{22} & \cdots & t_{2n} \\ \vdots & \vdots & & \vdots \\ 0 & 0 & \cdots & t_{nn} \end{pmatrix},\quad 即\quad \boldsymbol{A}=\boldsymbol{QT}$$

现证唯一性. 设 $\boldsymbol{A}=\boldsymbol{Q}_1\boldsymbol{T}_1$，$\boldsymbol{Q}_1$ 为正交矩阵，$\boldsymbol{T}_1$ 为实上三角形矩阵，则 $\boldsymbol{Q}_1^{-1}\boldsymbol{Q}=\boldsymbol{T}_1\boldsymbol{T}^{-1}$. 因 $\boldsymbol{Q}_1^{-1}\boldsymbol{Q}$

仍为正交矩阵，而 $\boldsymbol{T}_1\boldsymbol{T}^{-1}$ 仍为上三角形矩阵，则

$$\boldsymbol{Q}_1^{-1}\boldsymbol{Q}=\boldsymbol{T}_1\boldsymbol{T}^{-1}=\begin{pmatrix} s_{11} & s_{12} & \cdots & s_{1n} \\ 0 & s_{22} & \cdots & s_{2n} \\ \vdots & \vdots & & \vdots \\ 0 & 0 & \cdots & s_{nn} \end{pmatrix}$$

上述矩阵列均为标准正交基，则 $s_{11}^2=1, s_{12}^2+s_{22}^2=1,\cdots,s_{1n}^2+s_{2n}^2+\cdots+s_{nn}^2=1$.

上述矩阵行均为标准正交基，则 $s_{11}^2+s_{12}^2+\cdots+s_{1n}^2=1$. 因此 $s_{12}=\cdots=s_{1n}=0$.

类似可得 $s_{ii}^2=1, s_{ij}=0\ (i\neq j)$. 又因 $\boldsymbol{T}_1,\boldsymbol{T}^{-1}$ 主对角线上元素为正实数，故 $s_{ii}=1$，所以 $\boldsymbol{Q}_1^{-1}\boldsymbol{Q}=\boldsymbol{T}_1\boldsymbol{T}^{-1}=\boldsymbol{E}$. 唯一性得证.

例 10.2.4 设 $\boldsymbol{A}$ 是一个 n 阶正定方阵，证明存在 n 阶实上三角形矩阵 $\boldsymbol{T}$，使 $\boldsymbol{A}=\boldsymbol{T}^{\mathrm{T}}\boldsymbol{T}$，且 $\boldsymbol{T}$ 主对角线上均为正实数.

证明　因 $\boldsymbol{A}$ 合同于单位矩阵，即有 n 阶实可逆矩阵 $\boldsymbol{B}$，使 $\boldsymbol{A}=\boldsymbol{B}^{\mathrm{T}}\boldsymbol{B}$. 根据例 10.2.3，存在 n 阶正交矩阵 $\boldsymbol{Q}$ 和一个 n 阶实上三角形矩阵 $\boldsymbol{T}$，使 $\boldsymbol{B}=\boldsymbol{Q}\boldsymbol{T}$，于是

$$\boldsymbol{A}=\boldsymbol{B}^{\mathrm{T}}\boldsymbol{B}=(\boldsymbol{Q}\boldsymbol{T})^{\mathrm{T}}\boldsymbol{Q}\boldsymbol{T}=\boldsymbol{T}^{\mathrm{T}}\boldsymbol{Q}^{\mathrm{T}}\boldsymbol{Q}\boldsymbol{T}=\boldsymbol{T}^{\mathrm{T}}\boldsymbol{T}$$

10.3 同　构

在 7.7 节中曾讨论一般线性空间的同构性，现在来讨论欧氏空间的同构性.

10.3.1 欧氏空间同构的定义

欧氏空间比一般的线性空间多了一个内积的内容，因此，两个欧氏空间同构的条件是：它们作为一般线性空间来说是同构的，而且还要求对应的任何两对向量之间的内积相等.

定义 10.3.1

实数域 $\mathbf{R}$ 上欧氏空间 V 与 V' 称为**同构的**，如果由 V 到 V' 有一个双射 σ，满足(对任意 $\boldsymbol{\alpha},\boldsymbol{\beta}\in V, k\in\mathbf{R}$):

(1) $\sigma(\boldsymbol{\alpha}+\boldsymbol{\beta})=\sigma(\boldsymbol{\alpha})+\sigma(\boldsymbol{\beta})$;

(2) $\sigma(k\boldsymbol{\alpha})=k\sigma(\boldsymbol{\alpha})$;

(3) $(\sigma(\boldsymbol{\alpha}),\sigma(\boldsymbol{\beta}))=(\boldsymbol{\alpha},\boldsymbol{\beta})$,

这样的映射 $\boldsymbol{\sigma}$ 称为 V 到 V' 的同构映射.

10.3.2 同构欧氏空间的性质

现在来证明同构欧氏空间具有如下的性质.

定理 10.3.1

(1) 欧氏空间的同构关系具有反身性、对称性和传递性;
(2) 任一 n 维欧氏空间都与 $\mathbf{R}^n$ 同构;
(3) 两个有限维欧氏空间同构的充分必要条件是它们有相同的维数.

证明　(1) 首先, 每个欧氏空间到自身的恒等映射显然是一个同构映射. 这就是说, 同构关系是反身的. 其次, 设 σ 是欧氏空间 V 到 V' 的一个同构映射, 也是 V 到 V' 作为线性空间的同构映射. 因此, 逆映射 σ^{-1} 也适合定义 10.3.1 中(1)与(2), 而且对于 $\boldsymbol{\alpha},\boldsymbol{\beta}\in V'$, 有

$$(\boldsymbol{\alpha},\boldsymbol{\beta})=(\sigma(\sigma^{-1}(\boldsymbol{\alpha})),\sigma(\sigma^{-1}(\boldsymbol{\beta})))=(\sigma^{-1}(\boldsymbol{\alpha}),\sigma^{-1}(\boldsymbol{\beta}))$$

这表明 σ^{-1} 是 V' 到 V 的同构映射, 因而同构关系是对称的. 最后, 设 σ,τ 分别是欧氏空间 V 到 V', V' 到 V'' 的同构映射, 不难证明, $\tau\sigma$ 是 V 到 V'' 的同构映射(证明留给读者), 因而同构关系具有传递性.

(2) 设 V 是一个 n 维欧氏空间, 在 V 中取一组标准正交基 $\boldsymbol{\varepsilon}_1,\boldsymbol{\varepsilon}_2,\cdots,\boldsymbol{\varepsilon}_n$, 任取 $\boldsymbol{\alpha}\in V$, 在这组基下 $\boldsymbol{\alpha}$ 可表示成

$$\boldsymbol{\alpha}=x_1\boldsymbol{\varepsilon}_1+x_2\boldsymbol{\varepsilon}_2+\cdots+x_n\boldsymbol{\varepsilon}_n$$

令

$$\sigma(\boldsymbol{\alpha})=(x_1,x_2,\cdots,x_n)\in\mathbf{R}^n$$

σ 就是 V 到 $\mathbf{R}^n$ 的一个双射, 并且适合定义 10.3.1 中条件(1), (2). 式(10.2.3)说明, σ 也适合条件(3), 因而 σ 是 V 到 $\mathbf{R}^n$ 的一个同构映射, 由此可知, 每个 n 维的欧氏空间都与 $\mathbf{R}^n$ 同构.

(3) 由定义, 如果 σ 是欧氏空间 V 到 V' 的一个同构映射, 那么也是 V 到 V' 作为线性空间的同构映射. 因此, 同构的欧氏空间必有相同的维数.

既然每个 n 维欧氏空间都与 $\mathbf{R}^n$ 同构, 按对称性与传递性得, 任意两个 n 维欧氏空间都同构.

性质(3)说明, 从抽象的观点看, 欧氏空间的结构完全由它们的维数决定.

10.4 正交变换

在几何空间中, 实际问题常需要所取线性变换能保持图形的几何形状不变, 因此要求在变换下向量的长度不变. 具有这种性质的线性变换就是正交变换. 这一节介绍正交变换的概念、特征及其性质.

10.4.1 正交变换的概念

在空间解析几何中, 已学到了空间的旋转. 在那里, 我们知道, 如果一点 P 的坐标是 (x,y,z), 旋转变换后, 它变成 P', 其坐标是 (x',y',z'), 那么, P 与 P' 的坐标之间就有关系式

$$\begin{cases}x=a_{11}x'+a_{12}y'+a_{13}z',\\ y=a_{21}x'+a_{22}y'+a_{23}z',\\ z=a_{31}x'+a_{32}y'+a_{33}z',\end{cases}\quad |\boldsymbol{A}|=|(a_{ij})|=1$$

$a_{1i},a_{2i},a_{3i}\ (i=1,2,3)$ 是某些单位长度向量 $\boldsymbol{a}_i$ 的方向余弦, 因而 $a_{1i}^2+a_{2i}^2+a_{3i}^2=1$. 不仅如此, 当

$i \neq j$ 时，$\boldsymbol{a}_i \perp \boldsymbol{a}_j$，所以 $\sum_{k=1}^{3} a_{ki}a_{kj} = 0, 1 \leqslant i < j \leqslant 3$．线段 $\overline{OP}$ 之长等于线段 $\overline{OP'}$ 之长，这实际上就是一个正交变换．

这样的概念可以推广到一般的欧氏空间．

定义 10.4.1

设 σ 是欧氏空间 V 的线性变换，若 σ 保持内积不变，即对任意 $\boldsymbol{\alpha}, \boldsymbol{\beta} \in V$，都有

$$(\sigma\boldsymbol{\alpha}, \sigma\boldsymbol{\beta}) = (\boldsymbol{\alpha}, \boldsymbol{\beta})$$

则称 σ 是 V 的正交变换．正交变换在某一组标准正交基下对应矩阵的行列式称为正交变换的行列式．

由定义看出，正交变换实际上就是欧氏空间到自身的一个同构映射．

正交变换可以从几个不同方面加以刻画．

定理 10.4.1

设 σ 是欧氏空间 V 的线性变换，则以下四个命题等价：

(1) σ 是正交变换；

(2) 若 $\boldsymbol{\varepsilon}_1, \boldsymbol{\varepsilon}_2, \cdots, \boldsymbol{\varepsilon}_n$ 是 V 的标准正交基，则 $\sigma\boldsymbol{\varepsilon}_1, \sigma\boldsymbol{\varepsilon}_2, \cdots, \sigma\boldsymbol{\varepsilon}_n$ 也是标准正交基；

(3) σ 在 V 的任一标准正交基下的矩阵是正交矩阵；

(4) σ 保持向量的长度不变，即对于任意 $\boldsymbol{\alpha} \in V, |\sigma\boldsymbol{\alpha}| = |\boldsymbol{\alpha}|$．

证明 先证 (1) $\Rightarrow$ (2)．

设 σ 是正交变换，$\boldsymbol{\varepsilon}_1, \boldsymbol{\varepsilon}_2, \cdots, \boldsymbol{\varepsilon}_n$ 是一组标准正交基，由定义，有

$$(\sigma\boldsymbol{\varepsilon}_i, \sigma\boldsymbol{\varepsilon}_j) = (\boldsymbol{\varepsilon}_i, \boldsymbol{\varepsilon}_j) = \begin{cases} 1, & i = j, \\ 0, & i \neq j \end{cases} \quad (i, j = 1, 2, \cdots, n)$$

因此，$\sigma\boldsymbol{\varepsilon}_1, \sigma\boldsymbol{\varepsilon}_2, \cdots, \sigma\boldsymbol{\varepsilon}_n$ 是标准正交基．

次证 (2) $\Rightarrow$ (3)．

设线性变换 σ 在标准正交基 $\boldsymbol{\varepsilon}_1, \boldsymbol{\varepsilon}_2, \cdots, \boldsymbol{\varepsilon}_n$ 下的矩阵为 $\boldsymbol{A}$，即

$$(\sigma\boldsymbol{\varepsilon}_1, \sigma\boldsymbol{\varepsilon}_2, \cdots, \sigma\boldsymbol{\varepsilon}_n) = (\boldsymbol{\varepsilon}_1, \boldsymbol{\varepsilon}_2, \cdots, \boldsymbol{\varepsilon}_n)\boldsymbol{A}$$

若 $\sigma\boldsymbol{\varepsilon}_1, \sigma\boldsymbol{\varepsilon}_2, \cdots, \sigma\boldsymbol{\varepsilon}_n$ 是标准正交基，则 $\boldsymbol{A}$ 是标准正交基到标准正交基的过渡矩阵，所以 $\boldsymbol{A}$ 是正交矩阵．

再证 (3) $\Rightarrow$ (4)．

设 $\boldsymbol{A}$ 为线性变换 σ 在标准正交基 $\boldsymbol{\varepsilon}_1, \boldsymbol{\varepsilon}_2, \cdots, \boldsymbol{\varepsilon}_n$ 下的正交矩阵，即

$$(\sigma\boldsymbol{\varepsilon}_1, \sigma\boldsymbol{\varepsilon}_2, \cdots, \sigma\boldsymbol{\varepsilon}_n) = (\boldsymbol{\varepsilon}_1, \boldsymbol{\varepsilon}_2, \cdots, \boldsymbol{\varepsilon}_n)\boldsymbol{A}, \quad \boldsymbol{A}^{\mathrm{T}}\boldsymbol{A} = \boldsymbol{E}$$

向量 $\boldsymbol{\alpha}$ 在标准正交基 $\boldsymbol{\varepsilon}_1, \boldsymbol{\varepsilon}_2, \cdots, \boldsymbol{\varepsilon}_n$ 下的表示为

$$\boldsymbol{\alpha} = x_1\boldsymbol{\varepsilon}_1 + x_2\boldsymbol{\varepsilon}_2 + \cdots + x_n\boldsymbol{\varepsilon}_n$$

因 σ 线性，故

$$\sigma\boldsymbol{\alpha}=x_1\sigma\boldsymbol{\varepsilon}_1+x_2\sigma\boldsymbol{\varepsilon}_2+\cdots+x_n\sigma\boldsymbol{\varepsilon}_n=(\boldsymbol{\varepsilon}_1,\boldsymbol{\varepsilon}_2,\cdots,\boldsymbol{\varepsilon}_n)\boldsymbol{A}\begin{pmatrix}x_1\\x_2\\\vdots\\x_n\end{pmatrix}$$

根据标准正交基下内积的表达式(10.2.3)及矩阵 $\boldsymbol{A}$ 的正交性，得

$$(\sigma\boldsymbol{\alpha},\sigma\boldsymbol{\alpha})=\left(\boldsymbol{A}\begin{pmatrix}x_1\\x_2\\\vdots\\x_n\end{pmatrix}\right)^{\mathrm{T}}\boldsymbol{A}\begin{pmatrix}x_1\\x_2\\\vdots\\x_n\end{pmatrix}=(x_1,x_2,\cdots,x_n)\boldsymbol{A}^{\mathrm{T}}\boldsymbol{A}\begin{pmatrix}x_1\\x_2\\\vdots\\x_n\end{pmatrix}$$

$$=(x_1,x_2,\cdots,x_n)\begin{pmatrix}x_1\\x_2\\\vdots\\x_n\end{pmatrix}=x_1x_1+x_2x_2+\cdots+x_nx_n=(\boldsymbol{\alpha},\boldsymbol{\alpha})$$

两边开方即得

$$|\sigma\boldsymbol{\alpha}|=|\boldsymbol{\alpha}|$$

最后证(4) $\Rightarrow$ (1).

设 σ 保持向量的长度不变，那么

$$(\sigma(\boldsymbol{\alpha}+\boldsymbol{\beta}),\sigma(\boldsymbol{\alpha}+\boldsymbol{\beta}))=(\boldsymbol{\alpha}+\boldsymbol{\beta},\boldsymbol{\alpha}+\boldsymbol{\beta})$$

即

$$(\sigma\boldsymbol{\alpha},\sigma\boldsymbol{\alpha})+2(\sigma\boldsymbol{\alpha},\sigma\boldsymbol{\beta})+(\sigma\boldsymbol{\beta},\sigma\boldsymbol{\beta})=(\boldsymbol{\alpha},\boldsymbol{\alpha})+2(\boldsymbol{\alpha},\boldsymbol{\beta})+(\boldsymbol{\beta},\boldsymbol{\beta})$$

因为 $(\sigma\boldsymbol{\alpha},\sigma\boldsymbol{\alpha})=(\boldsymbol{\alpha},\boldsymbol{\alpha})$，$(\sigma\boldsymbol{\beta},\sigma\boldsymbol{\beta})=(\boldsymbol{\beta},\boldsymbol{\beta})$，所以

$$(\sigma\boldsymbol{\alpha},\sigma\boldsymbol{\beta})=(\boldsymbol{\alpha},\boldsymbol{\beta})$$

由定义，σ 是正交变换.

至此，我们证明了(1)，(2)，(3)，(4)的等价性.

由定理 10.4.1，正交变换不改变向量的长度，从而不改变曲线或曲面的图形形状.

若取 V 是通常的三维几何空间，σ 是一个旋转变换，三元向量 (x,y,z) 经 σ 变成 (x',y',z')，那么，σ 就是一个正交变换.

例 10.4.1 设 $\boldsymbol{\alpha}_1,\boldsymbol{\alpha}_2,\cdots,\boldsymbol{\alpha}_s$ 及 $\boldsymbol{\beta}_1,\boldsymbol{\beta}_2,\cdots,\boldsymbol{\beta}_s$ 是 n 维欧氏空间 V 中两个单位正交向量组，试证：存在 V 的一个正交变换，把 $\boldsymbol{\alpha}_i$ 变成 $\boldsymbol{\beta}_i$ $(i=1,2,\cdots,s)$.

证明 将 $\boldsymbol{\alpha}_1,\boldsymbol{\alpha}_2,\cdots,\boldsymbol{\alpha}_s$ 及 $\boldsymbol{\beta}_1,\boldsymbol{\beta}_2,\cdots,\boldsymbol{\beta}_s$ 分别扩充为 V 的标准正交基 $\boldsymbol{\alpha}_1,\boldsymbol{\alpha}_2,\cdots,\boldsymbol{\alpha}_s$，$\boldsymbol{\alpha}_{s+1},\cdots,\boldsymbol{\alpha}_n$ 和 $\boldsymbol{\beta}_1,\boldsymbol{\beta}_2,\cdots,\boldsymbol{\beta}_s,\boldsymbol{\beta}_{s+1},\cdots,\boldsymbol{\beta}_n$，则存在线性变换 σ，使得

$$\sigma\boldsymbol{\alpha}_i=\boldsymbol{\beta}_i\quad(i=1,2,\cdots,s)$$

因为 σ 将标准正交基变成标准正交基，所以 σ 是 V 的一个正交变换，并且 σ 把 $\boldsymbol{\alpha}_i$ 变成 $\boldsymbol{\beta}_i$ $(i=1,2,\cdots,s)$.

10.4.2 正交变换的性质

欧氏空间 V 的正交变换具有如下性质:

(1) 正交变换是可逆的，且逆变换也是正交变换.

(2) 正交变换的乘积还是正交变换.

(3) 正交变换的行列式等于 1 或–1.

事实上，因为在标准正交基下，正交变换与正交矩阵对应，而正交矩阵是可逆的，所以正交变换是可逆的. 又因为正交矩阵的乘积与逆矩阵是正交矩阵，所以正交变换的乘积与逆变换也是正交变换. 又由于正交矩阵的行列式等于 1 或–1，所以性质 (3) 成立.

10.4.3 正交变换的分类

可以证明，对给定的正交变换，不论标准正交基的取法如何，对应矩阵的行列式是一个不变的量. 而正交变换的行列式等于 1 或 –1，所以可以根据正交变换的行列式的值对正交变换进行如下分类:

行列式等于 1 的正交变换通常称为**旋转**，或者称为**第一类**的; 行列式等于–1 的正交变换称为**第二类**的.

例如，在欧氏空间中任取一组标准正交基 $\boldsymbol{\varepsilon}_1, \boldsymbol{\varepsilon}_2, \cdots, \boldsymbol{\varepsilon}_n$，定义线性变换 σ 为

$$\sigma\boldsymbol{\varepsilon}_1 = -\boldsymbol{\varepsilon}_1, \quad \sigma\boldsymbol{\varepsilon}_i = \boldsymbol{\varepsilon}_i, \quad i = 2,3,\cdots,n$$

那么，σ 就是一个第二类的正交变换. 从几何上看，这是一个镜面反射 (参看本章习题 (A) 中 17 题).

10.5 正交子空间与正交补

本节讨论欧氏空间中子空间的正交关系.

10.5.1 正交子空间

定义 10.5.1

设 V_1, V_2 是欧氏空间 V 的两个子空间，向量 $\boldsymbol{\alpha} \in V$，若对任意 $\boldsymbol{\beta} \in V_1$，恒有

$$(\boldsymbol{\alpha}, \boldsymbol{\beta}) = 0$$

则称 $\boldsymbol{\alpha}$ 与子空间 V_1 **正交**，记为 $\boldsymbol{\alpha} \perp V_1$；若对任意的 $\boldsymbol{\alpha} \in V_1$，$\boldsymbol{\beta} \in V_2$ 都有

$$(\boldsymbol{\alpha}, \boldsymbol{\beta}) = 0$$

则称 V_1 与 V_2 **正交**，记为 $V_1 \perp V_2$.

注 因为只有零向量与它自身正交，所以可以得到

(1) 若 $\boldsymbol{\alpha} \perp V_1$，$\boldsymbol{\alpha} \in V_1$，则 $\boldsymbol{\alpha} = \boldsymbol{0}$.

(2) 若 $V_1 \perp V_2$，则 $V_1 \cap V_2 = \{\boldsymbol{0}\}$.

关于正交的子空间，我们有如下结论.

定理 10.5.1

如果子空间 $V_1, V_2, \cdots, V_s$ 两两正交，那么它们的和 $V_1 + V_2 + \cdots + V_s$ 是直和.

证明　设 $\boldsymbol{\alpha}_i \in V_i$，$i=1,2,\cdots,s$，且

$$\boldsymbol{\alpha}_1+\boldsymbol{\alpha}_2+\cdots+\boldsymbol{\alpha}_s=\mathbf{0}$$

上式两边与 $\boldsymbol{\alpha}_i$ 作内积，利用正交性，得

$$(\boldsymbol{\alpha}_i,\boldsymbol{\alpha}_i)=0$$

从而 $\boldsymbol{\alpha}_i=\mathbf{0}\ (i=1,2,\cdots,s)$，就是说和 $V_1+V_2+\cdots+V_s$ 中的零向量的分解式是唯一的，所以此和是直和.

10.5.2　正交补

定义 10.5.2

设 V_1,V_2 是欧氏空间 V 的两个子空间，若 $V_1\perp V_2$，且 $V=V_1+V_2$，则称 V_2 为 V_1 的正交补，记为 $V_1^{\perp}$.

显然，若 $V_2=V_1^{\perp}$，则 $V_1=V_2^{\perp}$，并且 $V=V_1\oplus V_1^{\perp}$.

由分解式

$$V=V_1\oplus V_1^{\perp}$$

可知，V 中任一向量 $\boldsymbol{\alpha}$ 都可以唯一分解成

$$\boldsymbol{\alpha}=\boldsymbol{\alpha}_1+\boldsymbol{\alpha}_2$$

其中 $\boldsymbol{\alpha}_1\in V_1,\boldsymbol{\alpha}_2\in V_2=V_1^{\perp}$. 称 $\boldsymbol{\alpha}_1$ 为向量 $\boldsymbol{\alpha}$ 在子空间 V_1 上的内射影.

定理 10.5.2

n 维欧氏空间 V 的每一个子空间 V_1 都有唯一的正交补.

证明　先证存在性. 设 $\dim V_1=r$.

如果 $r=0$，$V_1=\{\mathbf{0}\}$，那么 $V_1^{\perp}=V$；

如果 $r=n$，$V_1=V$，那么 $V_1^{\perp}=\{\mathbf{0}\}$.

若 $0<r<n$，取 V_1 的一组正交基 $\boldsymbol{\varepsilon}_1,\boldsymbol{\varepsilon}_2,\cdots,\boldsymbol{\varepsilon}_r$，将其扩充成 V 的正交基 $\boldsymbol{\varepsilon}_1,\cdots,\boldsymbol{\varepsilon}_r,\boldsymbol{\varepsilon}_{r+1},\cdots,\boldsymbol{\varepsilon}_n$，显然 $\boldsymbol{\varepsilon}_{s+1},\cdots,\boldsymbol{\varepsilon}_n$ 与 V_1 中向量都正交，故 $\boldsymbol{\varepsilon}_{s+1},\cdots,\boldsymbol{\varepsilon}_n\in V_1^{\perp}$. 于是

$$V_1^{\perp}=L(\boldsymbol{\varepsilon}_{r+1},\cdots,\boldsymbol{\varepsilon}_n)$$

再来证唯一性. 设 V_2,V_3 都是 V_1 的正交补，于是

$$V=V_1\oplus V_2,\quad V=V_1\oplus V_3$$

下证 $V_2=V_3$. 任取 $\boldsymbol{\alpha}\in V_2$，由第二式即有

$$\boldsymbol{\alpha}=\boldsymbol{\alpha}_1+\boldsymbol{\alpha}_3,\quad \boldsymbol{\alpha}_1\in V_1,\quad \boldsymbol{\alpha}_3\in V_3$$

因为 $\boldsymbol{\alpha}\perp\boldsymbol{\alpha}_1$，所以

$$0=(\boldsymbol{\alpha},\boldsymbol{\alpha}_1)=(\boldsymbol{\alpha}_1+\boldsymbol{\alpha}_3,\boldsymbol{\alpha}_1)=(\boldsymbol{\alpha}_1,\boldsymbol{\alpha}_1)+(\boldsymbol{\alpha}_3,\boldsymbol{\alpha}_1)=(\boldsymbol{\alpha}_1,\boldsymbol{\alpha}_1)$$

即 $\boldsymbol{\alpha}_1=\mathbf{0}$，由此得知 $\boldsymbol{\alpha}\in V_3$，这说明 $V_2\subseteq V_3$.

同理可证 $V_3\subseteq V_2$. 因此 $V_2=V_3$，唯一性得证.

由定理 10.5.2 的证明知：若在 n 维欧氏空间 V 的子空间 V_1 中取一组正交基(或标准正交基) $\boldsymbol{\varepsilon}_1,\boldsymbol{\varepsilon}_2,\cdots,\boldsymbol{\varepsilon}_r(0<r<n)$，将其扩充成 V 的正交基(或标准正交基) $\boldsymbol{\varepsilon}_1,\boldsymbol{\varepsilon}_2,\cdots,\boldsymbol{\varepsilon}_r,\boldsymbol{\varepsilon}_{r+1},\cdots,\boldsymbol{\varepsilon}_n$，则

$$V_1 = L(\boldsymbol{\varepsilon}_1, \boldsymbol{\varepsilon}_2, \cdots, \boldsymbol{\varepsilon}_r)$$
$$V_1^{\perp} = L(\boldsymbol{\varepsilon}_{r+1}, \cdots, \boldsymbol{\varepsilon}_n)$$
$$\dim(V_1) + \dim(V_1^{\perp}) = n$$

推论 10.5.1

$V_1^{\perp}$ 恰由所有与 V_1 正交的向量组成.

例 10.5.1 在 $\mathbf{R}[x]_4$ 中定义内积为 $(f,g)=\int_0^1 f(x)g(x)\mathrm{d}x$，设 W 是由零次多项式组成的子空间，求 $W^{\perp}$ 以及它的一个基.

解 由题设知 $W=L(1)$，所以 $\dim W^{\perp}=3$．令

$$f_1(x)=1-2x,\quad f_2(x)=2x-3x^2,\quad f_3(x)=3x^2-4x^3$$

先证它们线性无关. 令

$$k_1 f_1(x)+k_2 f_2(x)+k_3 f_3(x)=0$$

可得

$$k_1+2(k_2-k_1)x+3(k_3-k_2)x^2-4k_3x^3=0$$

解得 $k_1=k_2=k_3=0$，所以 $f_1(x), f_2(x), f_3(x)$ 线性无关.

又

$$(1, f_1(x))=\int_0^1(1-2x)\mathrm{d}x=[x-x^2]_0^1=0$$
$$(1, f_2(x))=\int_0^1\left(2x-3x^2\right)\mathrm{d}x=[x^2-x^3]_0^1=0$$
$$(1, f_3(x))=\int_0^1\left(3x^2-4x^3\right)\mathrm{d}x=[x^3-x^4]_0^1=0$$

所以

$$f_1(x), f_2(x), f_3(x)\in W^{\perp}$$

从而 $W^{\perp}=L(f_1(x), f_2(x), f_3(x))$，且 $f_1(x), f_2(x), f_3(x)$ 为 $W^{\perp}$ 的一组基.

10.6 实对称矩阵的标准形

在第 5 章我们看到，任意一个对称矩阵 $\boldsymbol{A}$ 都合同于一个对角矩阵，也就是说，存在一个可逆矩阵 $\boldsymbol{C}$ 使 $\boldsymbol{C}^{\mathrm{T}}\boldsymbol{AC}$ 成对角形．本节利用欧氏空间的理论，这个结果可以加强，其中心定理结论如下.

对于任意一个 n 阶实对称矩阵 $\boldsymbol{A}$，都存在一个 n 阶正交矩阵 $\boldsymbol{T}$，使

$$\boldsymbol{T}^{\mathrm{T}}\boldsymbol{AT}=\boldsymbol{T}^{-1}\boldsymbol{AT}=\begin{pmatrix}\lambda_1 & & & \\ & \lambda_2 & & \\ & & \ddots & \\ & & & \lambda_n\end{pmatrix}$$

为便于讨论，本节先介绍对称变换及其性质，再讨论实对称矩阵的性质，得到上面所述中心定理，进而介绍用正交变换将实二次形化为标准形的方法.

10.6.1 对称变换

对应于实对称矩阵 $\boldsymbol{A}$，在 n 维欧氏空间 $\mathbf{R}^n$ 上定义一个线性变换 σ 如下:

$$\sigma\begin{pmatrix}x_1\\x_2\\\vdots\\x_n\end{pmatrix}=\boldsymbol{A}\begin{pmatrix}x_1\\x_2\\\vdots\\x_n\end{pmatrix} \tag{10.6.1}$$

显然 σ 在标准正交基

$$\boldsymbol{\varepsilon}_1=\begin{pmatrix}1\\0\\\vdots\\0\end{pmatrix},\boldsymbol{\varepsilon}_2=\begin{pmatrix}0\\1\\\vdots\\0\end{pmatrix},\cdots,\boldsymbol{\varepsilon}_n=\begin{pmatrix}0\\0\\\vdots\\1\end{pmatrix} \tag{10.6.2}$$

下的矩阵就是 $\boldsymbol{A}$，由于 $\boldsymbol{A}^{\mathrm{T}}=\boldsymbol{A}$，则对任意 $\boldsymbol{\alpha},\boldsymbol{\beta}\in\mathbf{R}^n$，有

$$(\sigma\boldsymbol{\alpha},\boldsymbol{\beta})=(\boldsymbol{\alpha},\sigma\boldsymbol{\beta}) \tag{10.6.3}$$

或

$$\boldsymbol{\beta}^{\mathrm{T}}(\boldsymbol{A}\boldsymbol{\alpha})=\boldsymbol{\alpha}^{\mathrm{T}}\boldsymbol{A}\boldsymbol{\beta}$$

等式(10.6.3)把实对称矩阵的特性反映在线性变换上. 由此我们引入对称变换的概念.

定义 10.6.1

设 V 是欧氏空间，σ 为 V 的线性变换，若对任意 $\boldsymbol{\alpha},\boldsymbol{\beta}\in V$，有

$$(\sigma\boldsymbol{\alpha},\boldsymbol{\beta})=(\boldsymbol{\alpha},\sigma\boldsymbol{\beta})$$

则称 σ 为 V 的对称变换.

由前面的讨论可知，式(10.6.1)中由实对称矩阵 $\boldsymbol{A}$ 确定的线性变换 σ 是 $\mathbf{R}^n$ 的对称变换.

对称变换具有如下性质.

引理 10.6.1

(1) 欧氏空间 V 的线性变换 σ 是对称变换的充分必要条件是: σ 在 V 的任一标准正交基下的矩阵为实对称矩阵.

(2) 若欧氏空间 V 的子空间 W 是对称变换 σ 的不变子空间，则 $W^{\perp}$ 也是 σ 的不变子空间.

证明 (1) 设线性变换 σ 在 V 的标准正交基 $\boldsymbol{\varepsilon}_1$, $\boldsymbol{\varepsilon}_2$, $\cdots$, $\boldsymbol{\varepsilon}_n$ 下的矩阵为 $\boldsymbol{A}$，即

$$\sigma(\boldsymbol{\varepsilon}_1,\boldsymbol{\varepsilon}_2,\cdots,\boldsymbol{\varepsilon}_n)=(\boldsymbol{\varepsilon}_1,\boldsymbol{\varepsilon}_2,\cdots,\boldsymbol{\varepsilon}_n)\boldsymbol{A}$$

对任意 $\boldsymbol{\alpha},\boldsymbol{\beta}\in V$，可设 $\boldsymbol{\alpha}=(\boldsymbol{\varepsilon}_1,\boldsymbol{\varepsilon}_2,\cdots,\boldsymbol{\varepsilon}_n)\boldsymbol{x}$，$\boldsymbol{\beta}=(\boldsymbol{\varepsilon}_1,\boldsymbol{\varepsilon}_2,\cdots,\boldsymbol{\varepsilon}_n)\boldsymbol{y}$，则

$$\sigma\boldsymbol{\alpha}=(\boldsymbol{\varepsilon}_1,\boldsymbol{\varepsilon}_2,\cdots,\boldsymbol{\varepsilon}_n)\boldsymbol{A}\boldsymbol{x},\quad \sigma\boldsymbol{\beta}=(\boldsymbol{\varepsilon}_1,\boldsymbol{\varepsilon}_2,\cdots,\boldsymbol{\varepsilon}_n)\boldsymbol{A}\boldsymbol{y}$$

所以

$$(\sigma\boldsymbol{\alpha},\boldsymbol{\beta})=(\boldsymbol{A}\boldsymbol{x})^{\mathrm{T}}\boldsymbol{y}=\boldsymbol{x}^{\mathrm{T}}\boldsymbol{A}^{\mathrm{T}}\boldsymbol{y}$$

$$(\boldsymbol{\alpha},\sigma\boldsymbol{\beta})=\boldsymbol{x}^{\mathrm{T}}\boldsymbol{A}\boldsymbol{y}$$

故$(\sigma\boldsymbol{\alpha},\boldsymbol{\beta})=(\boldsymbol{\alpha},\sigma\boldsymbol{\beta}) \Leftrightarrow \boldsymbol{A}=\boldsymbol{A}^{\mathrm{T}}$.

(2) 任取$W^{\perp}$中一个向量$\boldsymbol{\alpha}$，W中一个向量$\boldsymbol{\beta}$，因为W是对称变换σ的不变子空间，$\sigma\boldsymbol{\beta}\in W$，于是

$$(\sigma\boldsymbol{\alpha},\boldsymbol{\beta})=(\boldsymbol{\alpha},\sigma\boldsymbol{\beta})=0$$

所以$\sigma\boldsymbol{\alpha}\in W^{\perp}$，从而$W^{\perp}$是$\sigma$的不变子空间.

由引理 10.6.1 可以看出，单位变换σ_e是对称变换，因为单位矩阵是对称的. 对称变换之和是对称变换，因为对称矩阵之和是对称矩阵. 又若σ是对称变换，k为实数，则$k\sigma$也是对称变换，因为对称矩阵与数的乘积是对称矩阵.

两个对称变换的积是对称的充要条件是它们的乘法是可交换的. 事实上，若σ_1,σ_2是对称变换，则对任何$\boldsymbol{\alpha},\boldsymbol{\beta}\in V$，有

$$(\sigma_1\sigma_2\boldsymbol{\alpha},\boldsymbol{\beta})=(\sigma_2\boldsymbol{\alpha},\sigma_1\boldsymbol{\beta})=(\boldsymbol{\alpha},\sigma_2\sigma_1\boldsymbol{\beta})$$

于是$\sigma_1\sigma_2$是对称变换的充要条件是

$$(\boldsymbol{\alpha},\ \sigma_1\sigma_2\boldsymbol{\beta})=(\boldsymbol{\alpha},\ \sigma_2\sigma_1\boldsymbol{\beta})$$

即

$$(\boldsymbol{\alpha},(\sigma_1\sigma_2-\sigma_2\sigma_1)\boldsymbol{\beta})=0$$

由于$\boldsymbol{\alpha},\boldsymbol{\beta}$是任意向量，所以$\sigma_1\sigma_2$是对称变换的充要条件是$\sigma_1\sigma_2=\sigma_2\sigma_1$.

10.6.2 实对称矩阵的性质

引理 10.6.2

(1) 实对称矩阵$\boldsymbol{A}$的特征值皆为实数.

(2) 实对称矩阵$\boldsymbol{A}$的不同特征值对应的特征向量必正交.

证明 (1) 设λ为矩阵$\boldsymbol{A}$的特征值，则存在向量$\boldsymbol{\alpha}\neq\boldsymbol{0}$，使

$$\boldsymbol{A}\boldsymbol{\alpha}=\lambda\boldsymbol{\alpha}$$

因此$\overline{\boldsymbol{A}\boldsymbol{\alpha}}=\overline{\lambda}\overline{\boldsymbol{\alpha}}$，且

$$\overline{\boldsymbol{\alpha}}^{\mathrm{T}}(\boldsymbol{A}\boldsymbol{\alpha})=\overline{\boldsymbol{\alpha}}^{\mathrm{T}}\boldsymbol{A}^{\mathrm{T}}\boldsymbol{\alpha}=(\boldsymbol{A}\overline{\boldsymbol{\alpha}})^{\mathrm{T}}\boldsymbol{\alpha}=(\overline{\boldsymbol{A}\boldsymbol{\alpha}})^{\mathrm{T}}\boldsymbol{\alpha}$$

从而

$$\lambda\overline{\boldsymbol{\alpha}}^{\mathrm{T}}\boldsymbol{\alpha}=\overline{\lambda}\,\overline{\boldsymbol{\alpha}}\boldsymbol{\alpha}$$

即

$$(\lambda-\overline{\lambda})\overline{\boldsymbol{\alpha}}^{\mathrm{T}}\boldsymbol{\alpha}=0$$

因$\boldsymbol{\alpha}\neq\boldsymbol{0}$，故$\overline{\boldsymbol{\alpha}}^{\mathrm{T}}\boldsymbol{\alpha}\neq\boldsymbol{0}$，则$\lambda=\overline{\lambda}$，即$\lambda$为实数.

(2) 设$\lambda\neq\mu$，$\boldsymbol{\alpha},\boldsymbol{\beta}\neq\boldsymbol{0}$，满足

$$\boldsymbol{A}\boldsymbol{\alpha}=\lambda\boldsymbol{\alpha},\quad \boldsymbol{A}\boldsymbol{\beta}=\mu\boldsymbol{\beta}$$

定义线性变换σ如式(10.6.1)，则

$$(\lambda\boldsymbol{\alpha},\boldsymbol{\beta})=(\sigma\boldsymbol{\alpha},\boldsymbol{\beta})=(\boldsymbol{\alpha},\sigma\boldsymbol{\beta})=(\boldsymbol{\alpha},\mu\boldsymbol{\beta})$$

由此得

$$(\lambda-\mu)(\boldsymbol{\alpha},\boldsymbol{\beta})=0$$

因为$\lambda\neq\mu$，所以$(\boldsymbol{\alpha},\boldsymbol{\beta})=0$，即$\boldsymbol{\alpha}$与$\boldsymbol{\beta}$正交.

关于实对称矩阵的正交相似对角化问题，我们给出如下定理.

定理 10.6.1

对于任意一个n阶实对称矩阵$\boldsymbol{A}$，都存在一个n阶正交矩阵$\boldsymbol{T}$，使$\boldsymbol{T}^{\mathrm{T}}\boldsymbol{A}\boldsymbol{T}=\boldsymbol{T}^{-1}\boldsymbol{A}\boldsymbol{T}$成对角形.

证明　由于实对称矩阵和对称变换之间的关系，只要证明任意n维欧氏空间中对称变换σ有n个特征向量作成标准正交基即可.

对空间维数n作归纳法.

当$n=1$时，定理的结论显然成立.

设$n-1$时定理的结论成立. 对n维欧氏空间V，对称变换σ有n个实特征值，任取其一，设为λ_1，取对应的特征向量$\boldsymbol{\alpha}_1$. 把$\boldsymbol{\alpha}_1$单位化，还用$\boldsymbol{\alpha}_1$表示它. 作$L(\boldsymbol{\alpha}_1)$的正交补，记作V_1，由引理 10.6.1，V_1是σ的$n-1$维不变子空间. 在V_1上σ仍是对称变换，记为$\sigma|V_1$. 根据归纳法假设，$\sigma|V_1$有$n-1$个特征向量$\boldsymbol{\alpha}_2,\boldsymbol{\alpha}_3,\cdots,\boldsymbol{\alpha}_n$作成$V_1$的标准正交基. 从而$\boldsymbol{\alpha}_1,\boldsymbol{\alpha}_2,\boldsymbol{\alpha}_3,\cdots,\boldsymbol{\alpha}_n$是$V$的标准正交基，并且是$\sigma$的$n$个特征向量.

10.6.3　正交矩阵使实对称矩阵相似于对角矩阵

下面讨论在给定了一个实对称矩阵$\boldsymbol{A}$之后，按什么办法求正交矩阵$\boldsymbol{T}$使$\boldsymbol{T}^{\mathrm{T}}\boldsymbol{A}\boldsymbol{T}$成对角形. 在前面的推理中看到，矩阵$\boldsymbol{A}$按式(10.6.1)在$\mathbf{R}^n$中定义了一个线性变换. 求正交矩阵$\boldsymbol{T}$的问题就相当于在$\mathbf{R}^n$中求一组由$\boldsymbol{A}$的特征向量构成的标准正交基. 事实上，设

$$\boldsymbol{\eta}_1=\begin{pmatrix}t_{11}\\t_{21}\\\vdots\\t_{n1}\end{pmatrix},\boldsymbol{\eta}_2=\begin{pmatrix}t_{12}\\t_{22}\\\vdots\\t_{n2}\end{pmatrix},\cdots,\boldsymbol{\eta}_n=\begin{pmatrix}t_{1n}\\t_{2n}\\\vdots\\t_{nn}\end{pmatrix}$$

是$\mathbf{R}^n$的一组标准正交基，它们都是$\boldsymbol{A}$的特征向量. 显然，由$\boldsymbol{\varepsilon}_1,\boldsymbol{\varepsilon}_2,\cdots,\boldsymbol{\varepsilon}_n$到$\boldsymbol{\eta}_1,\boldsymbol{\eta}_2,\cdots,\boldsymbol{\eta}_n$的过渡矩阵就是

$$\boldsymbol{T}=\begin{pmatrix}t_{11}&t_{12}&\cdots&t_{1n}\\t_{21}&t_{22}&\cdots&t_{2n}\\\vdots&\vdots&&\vdots\\t_{n1}&t_{n2}&\cdots&t_{nn}\end{pmatrix}$$

$\boldsymbol{T}$是一个正交矩阵，而

$$\boldsymbol{T}^{-1}\boldsymbol{A}\boldsymbol{T}=\boldsymbol{T}^{\mathrm{T}}\boldsymbol{A}\boldsymbol{T}$$

就是对角形.

根据上面的讨论，正交矩阵$\boldsymbol{T}$的求法可以按以下步骤进行:

(1) 求出$\boldsymbol{A}$的特征值. 设$\lambda_1,\lambda_2,\cdots,\lambda_r$是$\boldsymbol{A}$的全部不同的特征值，其重数分别为$r_1,r_2,\cdots,r_s$，$r_1+r_2+\cdots+r_s=n$.

(2) 对于每个 λ_i，解齐次方程组

$$(\lambda_i \boldsymbol{E}-\boldsymbol{A})\begin{pmatrix} x_1 \\ x_2 \\ \vdots \\ x_n \end{pmatrix}=\mathbf{0}$$

求出一个基础解系(对应特征值 λ_i 的 r_i 个线性无关的特征向量)为 $\boldsymbol{\xi}_{i1},\boldsymbol{\xi}_{i2},\cdots,\ \boldsymbol{\xi}_{ir_i}\ (i=1,2,\cdots,s)$. 这就是 $\boldsymbol{A}$ 的特征子空间 V_{λ_i} 的一组基. 由这组基出发, 用施密特正交化方法正交化, 再单位化得 V_{λ_i} 的一组标准正交基 $\boldsymbol{\eta}_{i1},\boldsymbol{\eta}_{i2},\cdots,\boldsymbol{\eta}_{ik_i}$.

(3) 因为 $\lambda_1,\lambda_2,\cdots,\lambda_r$ 两两不同, 所以向量组 $\boldsymbol{\eta}_{11},\cdots,\boldsymbol{\eta}_{1k_1},\cdots,\boldsymbol{\eta}_{r1},\cdots,\boldsymbol{\eta}_{rk_r}$ 还是两两正交的. 它们的个数就等于空间的维数. 因此, 它们就构成 $\mathbf{R}^n$ 的一组标准正交基, 并且也都是 $\boldsymbol{A}$ 的特征向量. 这样, 正交矩阵

$$\boldsymbol{T}=(\boldsymbol{\eta}_{11},\boldsymbol{\eta}_{12},\cdots,\boldsymbol{\eta}_{1r_1},\boldsymbol{\eta}_{21},\boldsymbol{\eta}_{22},\cdots,\boldsymbol{\eta}_{2r_2},\cdots,\boldsymbol{\eta}_{s1},\boldsymbol{\eta}_{s2},\cdots,\boldsymbol{\eta}_{sr_s})$$

也就求出了.

应该指出, 在定理 10.6.1 中, 对于正交矩阵 $\boldsymbol{T}$ 我们还可以进一步要求

$$|\boldsymbol{T}|=1$$

事实上, 如果求得的正交矩阵 $\boldsymbol{T}$ 的行列式为 -1, 那么取

$$\boldsymbol{S}=\begin{pmatrix} -1 & & & & \\ & 1 & & & \\ & & 1 & & \\ & & & \ddots & \\ & & & & 1 \end{pmatrix}$$

则 $\boldsymbol{T}_1=\boldsymbol{TS}$ 是正交矩阵, 而且

$$|\boldsymbol{T}_1|=|\boldsymbol{T}||\boldsymbol{S}|=1$$

显然 $\boldsymbol{T}_1^{\mathrm{T}}\boldsymbol{A}\boldsymbol{T}_1=\boldsymbol{T}^{\mathrm{T}}\boldsymbol{A}\boldsymbol{T}$.

10.6.4 正交线性替换化二次型为标准形

如果线性替换

$$\begin{cases} x_1=c_{11}y_1+c_{12}y_2+\cdots+c_{1n}y_n, \\ x_2=c_{21}y_1+c_{22}y_2+\cdots+c_{2n}y_n, \\ \qquad\cdots\cdots \\ x_n=c_{n1}y_1+c_{n2}y_2+\cdots+c_{nn}y_n \end{cases}$$

的矩阵 $\boldsymbol{C}=(c_{ij})$ 是正交的, 那么它就称为**正交的线性替换**. 正交的线性替换当然是非退化的.

将定理 10.6.1 的结果应用在二次型上, 对应地有:

定理 10.6.2

任意一个 n 元实二次型 $f(x_1,x_2,\cdots,x_n)=\boldsymbol{x}^{\mathrm{T}}\boldsymbol{A}\boldsymbol{x}$ 都可以经过正交的线性替换 $\boldsymbol{x}=\boldsymbol{C}\boldsymbol{y}$ 化为

标准形

$$f=\lambda_1 y_1^2+\lambda_2 y_2^2+\cdots+\lambda_n y_n^2$$

其中 $\lambda_1,\lambda_2,\cdots,\lambda_n$ 是 $\boldsymbol{A}$ 的全部特征值，正交矩阵 $\boldsymbol{C}$ 的列向量是对应特征值 $\lambda_1,\lambda_2,\cdots,\lambda_n$ 的两两正交的单位特征向量.

归纳以上定理的结果，用正交线性替换化二次型为标准形可以按以下步骤进行:

(1) 写出 n 元实二次型 f 的矩阵 $\boldsymbol{A}=(a_{ij})$. 求出 $\boldsymbol{A}$ 的全部特征值 $\lambda_1,\lambda_2,\cdots,\lambda_n$.

(2) 求 n 阶正交矩阵 $\boldsymbol{C}$（列向量由 $\boldsymbol{A}$ 的 n 个标准正交特征向量组成），使得

$$\boldsymbol{C}^{\mathrm{T}}\boldsymbol{A}\boldsymbol{C}=\boldsymbol{C}^{-1}\boldsymbol{A}\boldsymbol{C}=\begin{pmatrix}\lambda_1 & & & \\ & \lambda_2 & & \\ & & \ddots & \\ & & & \lambda_n\end{pmatrix}$$

(3) 用正交线性替换 $\boldsymbol{x}=\boldsymbol{C}\boldsymbol{y}$ 化二次型为标准形 $f=\lambda_1 y_1^2+\lambda_2 y_2^2+\cdots+\lambda_n y_n^2$.

例 10.6.1　用正交线性替换将二次型

$$f(x_1,x_2,x_3,x_4)=2x_1x_2+2x_1x_3-2x_1x_4-2x_2x_3+2x_2x_4+2x_3x_4$$

化为标准形.

解　二次型矩阵

$$\boldsymbol{A}=\begin{pmatrix}0 & 1 & 1 & -1\\ 1 & 0 & -1 & 1\\ 1 & -1 & 0 & 1\\ -1 & 1 & 1 & 0\end{pmatrix}$$

为求 $\boldsymbol{A}$ 的特征值. 解特征方程

$$|\lambda\boldsymbol{E}-\boldsymbol{A}|=\begin{vmatrix}\lambda & -1 & -1 & 1\\ -1 & \lambda & 1 & -1\\ -1 & 1 & \lambda & -1\\ 1 & -1 & -1 & \lambda\end{vmatrix}=\begin{vmatrix}0 & \lambda-1 & \lambda-1 & 1-\lambda^2\\ 0 & \lambda-1 & 0 & \lambda-1\\ 0 & 0 & \lambda-1 & \lambda-1\\ 1 & -1 & -1 & \lambda\end{vmatrix}$$

$$=-(\lambda-1)^3\begin{vmatrix}1 & 1 & -1-\lambda\\ 1 & 0 & 1\\ 0 & 1 & 1\end{vmatrix}=(\lambda-1)^3(\lambda+3)=0$$

得特征值 $\lambda_{1,2,3}=1$（三重），$\lambda_4=-3$. 所以该二次型的标准形为

$$f=y_1^2+y_2^2+y_3^2-3y_4^2$$

下面求正交矩阵 $\boldsymbol{C}$，使得 $\boldsymbol{C}^{\mathrm{T}}\boldsymbol{A}\boldsymbol{C}$ 为对角形.

先求属于 1 的特征向量. 把 $\lambda=1$ 代入

$$\begin{cases}\lambda x_1-x_2-x_3+x_4=0,\\ -x_1+\lambda x_2+x_3-x_4=0,\\ -x_1+x_2+\lambda x_3-x_4=0,\\ x_1-x_2-x_3+\lambda x_4=0\end{cases}\qquad(10.6.4)$$

求得基础解系为

$$\alpha_1=(1,1,0,0)^{\mathrm T},\quad \alpha_2=(1,0,1,0)^{\mathrm T},\quad \alpha_3=(-1,0,0,1)^{\mathrm T}$$

将它们正交化，得

$$\beta_1=\alpha_1=(1,1,0,0)^{\mathrm T},$$

$$\beta_2=\alpha_2-\frac{(\alpha_2,\beta_1)}{(\beta_1,\beta_1)}\beta_1=\left(\frac{1}{2},-\frac{1}{2},1,0\right)^{\mathrm T},$$

$$\beta_3=\alpha_3-\frac{(\alpha_3,\beta_1)}{(\beta_1,\beta_1)}\beta_1-\frac{(\alpha_3,\beta_2)}{(\beta_2,\beta_2)}\beta_2=\left(-\frac{1}{3},\frac{1}{3},\frac{1}{3},1\right)^{\mathrm T}$$

再单位化得

$$\eta_1=\left(\frac{1}{\sqrt2},\frac{1}{\sqrt2},0,0\right)^{\mathrm T}$$

$$\eta_2=\left(\frac{1}{\sqrt6},-\frac{1}{\sqrt6},\frac{2}{\sqrt6},0\right)^{\mathrm T}$$

$$\eta_3=\left(-\frac{1}{\sqrt{12}},\frac{1}{\sqrt{12}},\frac{1}{\sqrt{12}},\frac{3}{\sqrt{12}}\right)^{\mathrm T}$$

这是属于三重特征值 1 的三个标准正交的特征向量.

再求属于 -3 的特征向量，把 $\lambda=-3$ 代入(10.6.4)，求得基础解系为

$$\alpha_4=(1,-1,-1,1)^{\mathrm T}$$

将它单位化，得

$$\eta_4=\left(\frac{1}{2},-\frac{1}{2},-\frac{1}{2},\frac{1}{2}\right)^{\mathrm T}$$

特征向量 $\eta_1,\eta_2,\eta_3,\eta_4$ 构成 $\mathbf{R}^4$ 的一组标准正交基.

故得正交矩阵为

$$C=\begin{pmatrix}\frac{1}{\sqrt2}&\frac{1}{\sqrt6}&-\frac{1}{\sqrt{12}}&\frac{1}{2}\\ \frac{1}{\sqrt2}&-\frac{1}{\sqrt6}&\frac{1}{\sqrt{12}}&-\frac{1}{2}\\ 0&\frac{2}{\sqrt6}&\frac{1}{\sqrt{12}}&-\frac{1}{2}\\ 0&0&\frac{3}{\sqrt{12}}&\frac{1}{2}\end{pmatrix}$$

使得

$$C^{\mathrm T}AC=\begin{pmatrix}1&&&\\&1&&\\&&1&\\&&&-3\end{pmatrix}$$

所求正交线性替换为 $x=Cy$，使

$$f(x_1,x_2,x_3,x_4)\overset{x=Cy}{=\!=}y_1^2+y_2^2+y_3^2-3y_4^2$$

注　用正交线性替换化二次型为标准形时，变换矩阵 $\boldsymbol{C}$ 不是唯一的，但由于标准形中平方项的系数只能是 $\boldsymbol{A}$ 的特征值，若不计它们的次序，则标准形是唯一的.

正交线性替换一般不能把二次型化为规范性.

10.6.5　二次曲面方程的化简

最后指出，这一节的结果可以应用于几何空间 $\mathbf{R}^3$ 化简直角坐标系下二次曲面的方程，进而可以讨论二次曲面的类型.

在直角坐标系下，二次曲面的一般方程是

$$a_{11}x^2+a_{22}y^2+a_{33}z^2+2a_{12}xy+2a_{13}xz+2a_{23}yz+2b_1x+2b_2y+2b_3z+d=0 \tag{10.6.5}$$

令

$$\boldsymbol{A}=\begin{pmatrix}a_{11}&a_{12}&a_{13}\\a_{12}&a_{22}&a_{23}\\a_{13}&a_{23}&a_{33}\end{pmatrix},\quad \boldsymbol{X}=\begin{pmatrix}x\\y\\z\end{pmatrix},\quad \boldsymbol{B}=\begin{pmatrix}b_1\\b_2\\b_3\end{pmatrix}$$

则(10.6.5)可以写成

$$\boldsymbol{X}^{\mathrm{T}}\boldsymbol{A}\boldsymbol{X}+2\boldsymbol{B}^{\mathrm{T}}\boldsymbol{X}+d=0 \tag{10.6.6}$$

经过转轴，坐标变换公式为

$$\begin{pmatrix}x\\y\\z\end{pmatrix}=\begin{pmatrix}c_{11}&c_{12}&c_{13}\\c_{21}&c_{22}&c_{23}\\c_{31}&c_{32}&c_{33}\end{pmatrix}\begin{pmatrix}x_1\\y_1\\z_1\end{pmatrix},\quad \text{或者}\quad \boldsymbol{X}=\boldsymbol{C}\boldsymbol{X}_1$$

其中 $\boldsymbol{C}$ 为正交矩阵且 $|\boldsymbol{C}|=1$，在新坐标系中，曲面的方程就是

$$\boldsymbol{X}_1^{\mathrm{T}}(\boldsymbol{C}^{\mathrm{T}}\boldsymbol{A}\boldsymbol{C})\boldsymbol{X}_1+2(\boldsymbol{B}^{\mathrm{T}}\boldsymbol{C})\boldsymbol{X}_1+d=0$$

根据上面的结果

$$\boldsymbol{C}^{\mathrm{T}}\boldsymbol{A}\boldsymbol{C}=\begin{pmatrix}\lambda_1&0&0\\0&\lambda_2&0\\0&0&\lambda_3\end{pmatrix}$$

这就是说，可以作一个转轴，使曲面在新坐标系中的方程为

$$\lambda_1x_1^2+\lambda_2y_1^2+\lambda_3z_1^2+2b_1^*x_1+2b_2^*y_1+2b_3^*z_1+d=0$$

其中

$$(b_1^*,b_2^*,b_3^*)=(b_1,b_2,b_3)\boldsymbol{C}$$

这时，再按照 $\lambda_1,\lambda_2,\lambda_3$ 是否为零的情况，作适当的移轴与转轴就可以把曲面的方程化成标准方程. 譬如，当 $\lambda_1,\lambda_2,\lambda_3$ 全不为零时，就作移轴

$$\begin{cases} x_1 = x_2 - \dfrac{b_1^*}{\lambda_1}, \\ y_1 = y_2 - \dfrac{b_2^*}{\lambda_2}, \\ z_1 = z_2 - \dfrac{b_3^*}{\lambda_3} \end{cases}$$

于是曲面的方程化为

$$\lambda_1 x_2^2 + \lambda_2 y_2^2 + \lambda_3 z_2^2 + d^* = 0$$

其中

$$d^* = d - \frac{b_1^{*2}}{\lambda_1} - \frac{b_2^{*2}}{\lambda_2} - \frac{b_3^{*2}}{\lambda_3}$$

上述变换是对坐标系作转轴和移轴变换，使坐标系 $\{x, y, z\}$ 变换为 $\{x_2, y_2, z_2\}$，而且在新坐标系 $\{x_2, y_2, z_2\}$ 中，坐标轴与曲面对称轴(主轴)重合，从而使曲面方程为标准方程.

特殊地，当二次有心曲面中心与原点重合时，曲面方程可用二次型

$$f(x,y,z) = a_{11}x^2 + a_{22}x^2 + a_{33}x^2 + 2a_{12}xy + 2a_{13}xz + 2a_{23}yz = \boldsymbol{X}^{\mathrm{T}}\boldsymbol{A}\boldsymbol{X}$$

表示. 用正交线性替换 $\boldsymbol{X} = \boldsymbol{C}\boldsymbol{Y}$ 化二次型为标准形，即

$$f(x,y,z) = \boldsymbol{X}^{\mathrm{T}}\boldsymbol{A}\boldsymbol{X} \overset{\boldsymbol{X}=\boldsymbol{C}\boldsymbol{Y}}{=\!=} \lambda_1 x_1^2 + \lambda_2 y_1^2 + \lambda_3 z_1^2$$

在几何上是作转轴变换，使坐标系 $\{x, y, z\}$ 变换为 $\{x_1, y_1, z_1\}$. 在新坐标系中，曲面方程化为标准方程. 若设正交矩阵 $\boldsymbol{C}$ 的列向量为 $\{\boldsymbol{\eta}_1, \boldsymbol{\eta}_2, \boldsymbol{\eta}_3\}$，则正交线性替换 $\boldsymbol{X} = \boldsymbol{C}\boldsymbol{Y}$ 把 $\mathbf{R}^3$ 的自然标准正交基 $\{\boldsymbol{e}_1, \boldsymbol{e}_2, \boldsymbol{e}_3\}$ 变成标准正交基 $\{\boldsymbol{\eta}_1, \boldsymbol{\eta}_2, \boldsymbol{\eta}_3\}$，矩阵 $\boldsymbol{A}$ 的标准正交特征向量 $\{\boldsymbol{\eta}_1, \boldsymbol{\eta}_2, \boldsymbol{\eta}_3\}$ 就给出曲面的主轴方向，因此定理 10.6.2 也称为主轴定理.

由于正交变换不改变曲线与曲面的形状，所以常把二次型化为标准形以确定二次曲面的类型和图形.

例 10.6.2 设在直角坐标系下，曲面的方程为

$$2x^2 + 5y^2 + 5z^2 + 4xy - 4xz - 8yz = 1$$

试确定曲面类型和主轴方向.

解 该曲面方程左边是一个三元实二次型

$$f(x,y,z) = 2x^2 + 5y^2 + 5z^2 + 4xy - 4xz - 8yz$$

其矩阵

$$\boldsymbol{A} = \begin{pmatrix} 2 & 2 & -2 \\ 2 & 5 & -4 \\ -2 & -4 & 5 \end{pmatrix}$$

由 $|\lambda\boldsymbol{E} - \boldsymbol{A}| = (\lambda-1)^2(\lambda-10) = 0$，得特征值 $\lambda_{1,2} = 1$（二重），$\lambda_3 = 10$. 所以该二次型的标准形为

$$f = y_1^2 + y_2^2 + 10y_3^2$$

对于 $\lambda = 1$，由 $(\boldsymbol{E} - \boldsymbol{A})\boldsymbol{X} = \boldsymbol{0}$，求得两个线性无关的特征向量

$$\boldsymbol{\alpha}_1 = (0,1,1)^{\mathrm{T}}, \quad \boldsymbol{\alpha}_2 = (2,0,1)^{\mathrm{T}}$$

将它们正交化，得

$$\boldsymbol{\beta}_1=\boldsymbol{\alpha}_1=(0,1,1)^{\mathrm{T}},\quad \boldsymbol{\beta}_2=\boldsymbol{\alpha}_2-\frac{(\boldsymbol{\alpha}_2,\boldsymbol{\beta}_1)}{(\boldsymbol{\beta}_1,\boldsymbol{\beta}_1)}\boldsymbol{\beta}_1=\left(2,-\frac{1}{2},\frac{1}{2}\right)^{\mathrm{T}}$$

再单位化得

$$\boldsymbol{\eta}_1=\frac{1}{\sqrt{2}}(0,1,1)^{\mathrm{T}},\quad \boldsymbol{\eta}_2=\frac{\sqrt{2}}{3}\left(2,-\frac{1}{2},\frac{1}{2}\right)^{\mathrm{T}}$$

对于 $\lambda=10$，由 $(10\boldsymbol{E}-\boldsymbol{A})\boldsymbol{X}=\mathbf{0}$，求得特征向量

$$\boldsymbol{\alpha}_3=(1,2,-2)^{\mathrm{T}}$$

单位化得

$$\boldsymbol{\eta}_3=\frac{1}{3}(1,2,-2)^{\mathrm{T}}$$

特征向量 $\boldsymbol{\eta}_1,\boldsymbol{\eta}_2,\boldsymbol{\eta}_3$ 构成 $\mathbf{R}^3$ 的一组标准正交基，故得正交矩阵为

$$\boldsymbol{C}=(\boldsymbol{\eta}_1,\boldsymbol{\eta}_2,\boldsymbol{\eta}_3)=\begin{pmatrix}0 & \dfrac{2\sqrt{2}}{3} & \dfrac{1}{3}\\ \dfrac{1}{\sqrt{2}} & -\dfrac{1}{3\sqrt{2}} & \dfrac{2}{3}\\ \dfrac{1}{\sqrt{2}} & \dfrac{1}{3\sqrt{2}} & -\dfrac{2}{3}\end{pmatrix}$$

则正交线性替换 $\boldsymbol{X}=\boldsymbol{CY}$ 化二次曲面方程为

$$x_1^2+y_1^2+10z_1^2=1$$

因此，曲面是一个椭球面，半轴长可由特征值表示为 $\dfrac{1}{\sqrt{\lambda_i}}$，$i=1,2,3$．主轴方向是特征向量 $\boldsymbol{\eta}_1,\boldsymbol{\eta}_2,\boldsymbol{\eta}_3$ 给出的方向.

10.7　酉空间介绍

本章前面几节中所讨论的欧氏空间，是对实数域上的线性空间而言的. 同样的理论不能直接用于复数域上的线性空间，因为在一般的复数域上的线性空间中，不能确定出满足定义 10.1.1 中四个条件的内积.

因此，要想适当地在复数域上的线性空间中定义一个内积，使其成为有某些度量性质的空间，就得修改定义 10.1.1，得到复数域上线性空间的内积概念. 本节介绍的酉空间实际上就是复数域上的欧氏空间. 与欧氏空间的理论相仿，酉空间也有一套类似的理论. 由于酉空间的讨论与欧氏空间的讨论很相似，因此在这一节里只简单地列出重要的结论，而不详细论证.

10.7.1　酉空间的有关概念

定义 10.7.1

设 V 是复数域 $\mathbf{C}$ 上的线性空间，若对于任意 $\boldsymbol{\alpha},\boldsymbol{\beta}\in V$ 都有一复数 $(\boldsymbol{\alpha},\boldsymbol{\beta})$ 与之对应，且满足下列条件(任取 $\boldsymbol{\alpha},\boldsymbol{\beta},\boldsymbol{\gamma}\in V$，$k\in\mathbf{C}$)：

(1) $(\boldsymbol{\alpha},\boldsymbol{\beta})=\overline{(\boldsymbol{\beta},\boldsymbol{\alpha})}$;

(2) $(k\boldsymbol{\alpha},\boldsymbol{\beta})=k(\boldsymbol{\alpha},\boldsymbol{\beta})$;

(3) $(\boldsymbol{\alpha}+\boldsymbol{\beta},\boldsymbol{\gamma})=(\boldsymbol{\alpha},\boldsymbol{\gamma})+(\boldsymbol{\beta},\boldsymbol{\gamma})$;

(4) $(\boldsymbol{\alpha},\boldsymbol{\alpha})\geqslant 0$，当且仅当 $\boldsymbol{\alpha}=\mathbf{0}$ 时 $(\boldsymbol{\alpha},\ \boldsymbol{\alpha})=0$，

则称 $(\boldsymbol{\alpha},\boldsymbol{\beta})$ 为元素 $\boldsymbol{\alpha}$ 与 $\boldsymbol{\beta}$ 的内积，定义了内积的复线性空间 V 称为酉空间(欧氏空间在复线性空间上的推广).

$\sqrt{(\boldsymbol{\alpha},\boldsymbol{\alpha})}$ 称为酉空间中向量 $\boldsymbol{\alpha}$ 的长度，记为 $|\boldsymbol{\alpha}|$. 当 $|\boldsymbol{\alpha}|=1$ 时，称 $\boldsymbol{\alpha}$ 为单位向量.

当 $(\boldsymbol{\alpha},\boldsymbol{\beta})=0$ 时，称二向量 $\boldsymbol{\alpha},\boldsymbol{\beta}$ 正交或互相垂直.

注 (1) 定义中的条件(1)称为内积的共轭对称性；条件(2)，(3)称为内积关于第一元的线性性；条件(4)称为内积的非负性.

(2) 由于在酉空间中 $(\boldsymbol{\alpha},\boldsymbol{\alpha})\geqslant 0$，所以如上定义的向量长度和欧氏空间是一致的，可以看作是欧氏空间中向量长度概念的推广.

(3) 酉空间中的内积 $(\boldsymbol{\alpha},\boldsymbol{\beta})$ 一般是复数，故向量之间不易定义夹角但仍引入了正交概念.

例 10.7.1 在线性空间 $\mathbf{C}^n$ 中，对向量

$$\boldsymbol{\alpha}=(a_1,a_2,\cdots,a_n),\quad \boldsymbol{\beta}=(b_1,b_2,\cdots,b_n)$$

定义内积为

$$(\boldsymbol{\alpha},\boldsymbol{\beta})=a_1\overline{b_1}+a_2\overline{b_2}+\cdots+a_n\overline{b_n} \tag{10.7.1}$$

显然内积(10.7.1)满足定义 10.7.1 中的条件. 这样 $\mathbf{C}^n$ 就成为一个酉空间.

同欧氏空间类似，我们有如下命题.

命题 10.7.1

酉空间中两两正交的非零向量组是线性无关的.

类似地，在 n 维酉空间中，利用正交概念同样可以定义正交基和标准正交基，我们把 n 维酉空间 V 中由 n 个两两正交的向量组成的向量组称为 V 的一组**正交基**，由 n 个两两正交的单位向量组成的向量组称为 V 的一组**标准正交基**.

定义 10.7.2

对 n 阶复矩阵 $\boldsymbol{A}$，用 $\overline{\boldsymbol{A}}$ 表示以 $\boldsymbol{A}$ 的元素的共轭复数作元素的矩阵. 如果 $\boldsymbol{A}$ 满足

$$\overline{\boldsymbol{A}}^{\mathrm{T}}\boldsymbol{A}=\boldsymbol{A}\overline{\boldsymbol{A}}^{\mathrm{T}}=\boldsymbol{E} \tag{10.7.2}$$

就称 $\boldsymbol{A}$ 为酉矩阵.

设 σ 是酉空间 V 的线性变换，若对任意 $\boldsymbol{\alpha},\ \boldsymbol{\beta}\in V$，都有

$$(\sigma\boldsymbol{\alpha},\sigma\boldsymbol{\beta})=(\boldsymbol{\alpha},\boldsymbol{\beta}) \tag{10.7.3}$$

则称 σ 为 V 的一个**酉变换**.

若矩阵 $\boldsymbol{A}$ 满足

$$\overline{\boldsymbol{A}}'=\boldsymbol{A} \tag{10.7.4}$$

则 $\boldsymbol{A}$ 叫作**埃尔米特**(Hermite)矩阵.

设 V 是酉空间，σ 为 V 的线性变换，若对任意 $\boldsymbol{\alpha},\ \boldsymbol{\beta}\in V$，有

$$(\sigma\boldsymbol{\alpha},\ \boldsymbol{\beta})=(\boldsymbol{\alpha},\ \sigma\boldsymbol{\beta}) \tag{10.7.5}$$

则称 σ 为 V 的对称变换.

10.7.2　酉空间的性质

从内积的共轭对称性和关于第一元的线性性, 立即可以得到下面简单的性质.

(1) 内积关于第二元的共轭线性性. $(\boldsymbol{\alpha},b\boldsymbol{\beta}+c\boldsymbol{\gamma})=\bar{b}(\boldsymbol{\alpha},\boldsymbol{\beta})+\bar{c}(\boldsymbol{\alpha},\boldsymbol{\gamma})$.

(2) $\left(\sum_{i=1}^{m}k_i\boldsymbol{\alpha}_i,\sum_{j=1}^{n}l_j\boldsymbol{\beta}_j\right)=\sum_{i=1}^{m}\sum_{j=1}^{n}k_i\overline{l_j}(\boldsymbol{\alpha}_i,\boldsymbol{\beta}_j)$.

对 10.1 节中的柯西-施瓦茨不等式和三角不等式的证明作适当的修改, 我们就知道:

(3) 在酉空间中, 柯西-施瓦茨不等式和三角不等式仍然成立, 即对于任意的向量 $\boldsymbol{\alpha}$, $\boldsymbol{\beta}$, 有

$$|(\boldsymbol{\alpha},\boldsymbol{\beta})|\leqslant|\boldsymbol{\alpha}||\boldsymbol{\beta}|$$

$$|\boldsymbol{\alpha}+\boldsymbol{\beta}|\leqslant|\boldsymbol{\alpha}|+|\boldsymbol{\beta}|$$

在 n 维酉空间中, 关于标准正交基也有下述一些重要性质.

(4) 任意一组线性无关的向量可以用施密特过程正交化, 并扩充为一组标准正交基.

酉空间中的酉矩阵、酉变换和埃尔米特矩阵分别是欧氏空间中的正交矩阵、正交变换和实对称矩阵的推广, 在酉空间中它们也具有类似于欧氏空间中的一些重要性质:

(1) 酉矩阵的行列式是模为 1 的复数.

(2) 两组标准正交基的过渡矩阵是酉矩阵, 酉变换在标准正交基下的矩阵是酉矩阵.

(3) 酉变换保持向量的长度不变.

(4) 设 $\boldsymbol{A}$ 是埃尔米特矩阵, 在酉空间 $\mathbf{C}^n$ 中令

$$\sigma\begin{pmatrix}x_1\\x_2\\\vdots\\x_n\end{pmatrix}=\boldsymbol{A}\begin{pmatrix}x_1\\x_2\\\vdots\\x_n\end{pmatrix}$$

则

$$(\sigma\boldsymbol{\alpha},\boldsymbol{\beta})=(\boldsymbol{\alpha},\sigma\boldsymbol{\beta})$$

就是说, σ 也是对称变换.

用引理 10.6.1 和定理 10.6.1 的证法, 我们可以得到: V 是酉空间, V_1 是子空间, $V_1^{\perp}$ 是 V_1 的正交补, 则 $V=V_1\oplus V_1^{\perp}$.

(5) 若设 V_1 是对称变换的不变子空间, 则 $V_1^{\perp}$ 也是不变子空间.

(6) 埃尔米特矩阵的特征值为实数. 它的属于不同的特征值的特征向量必正交.

(7) 若 $\boldsymbol{A}$ 是埃尔米特矩阵, 则有酉矩阵 $\boldsymbol{C}$, 使

$$\boldsymbol{C}^{-1}\boldsymbol{A}\boldsymbol{C}=\bar{\boldsymbol{C}}^{\mathrm{T}}\boldsymbol{A}\boldsymbol{C}$$

是对角形矩阵.

(8) 设 $\boldsymbol{A}$ 为埃尔米特矩阵, 二次齐次函数

$$f(x_1,x_2,\cdots,x_n)=\sum_{i=1}^{n}\sum_{j=1}^{n}a_{ij}x_i\bar{x}_j=\boldsymbol{X}^{\mathrm{T}}\boldsymbol{A}\bar{\boldsymbol{X}}$$

叫作**埃尔米特二次型**. 必有酉矩阵 $\boldsymbol{C}$, 当 $\boldsymbol{X}=\boldsymbol{CY}$ 时

$$f(x_1,x_2,\cdots,x_n)=d_1y_1\overline{y}_1+d_2y_2\overline{y}_2+\cdots+d_ny_n\overline{y}_n$$

这里 $d_1,d_2,\cdots,d_n$ 是矩阵 $\boldsymbol{A}$ 的全部特征值, 它们都是实数.

例 10.7.2 设 $\boldsymbol{A}=(a_{ij})$ 为复 $n\times n$ 矩阵.

(1)证明: $\boldsymbol{H}=\overline{\boldsymbol{A}^{\mathrm{T}}}\boldsymbol{A}$ 是埃尔米特矩阵.

(2)证明: $\boldsymbol{H}$ 的特征值全非负.

(3)设 $\overline{\boldsymbol{A}^{\mathrm{T}}}\boldsymbol{A}=\boldsymbol{A}\overline{\boldsymbol{A}^{\mathrm{T}}}$, 则存在酉矩阵 $\boldsymbol{C}$, 使 $\boldsymbol{C}^{-1}\boldsymbol{AC}=\overline{\boldsymbol{C}}^{\mathrm{T}}\boldsymbol{AC}$ 是对角形矩阵(对角线上元素是 $\boldsymbol{A}$ 的全部特征值). 现使用这一结论证明: 设 $\boldsymbol{A}$ 的特征值为 $\lambda_1,\lambda_2,\cdots,\lambda_n$, 则等式

$$\sum_{i=1}^{n}|\lambda_i|^2=\sum_{j,k=1}^{n}|a_{jk}|^2$$

成立.

证明 (1) $\overline{\boldsymbol{H}^{\mathrm{T}}}=\overline{(\overline{\boldsymbol{A}^{\mathrm{T}}}\boldsymbol{A})^{\mathrm{T}}}=\overline{\boldsymbol{A}^{\mathrm{T}}\overline{\boldsymbol{A}}}=\overline{\boldsymbol{A}^{\mathrm{T}}}\boldsymbol{A}=\boldsymbol{H}$, 所以 $\boldsymbol{H}$ 是埃尔米特矩阵.

(2) 设 λ 是 $\boldsymbol{H}$ 的特征值, $\boldsymbol{\beta}$ 是属于 λ 的单位特征向量, 则

$$\boldsymbol{H\beta}=\lambda\boldsymbol{\beta} \tag{10.7.6}$$

那么, 令 $\boldsymbol{A\beta}=(y_1,y_2,\cdots,y_n)$, 则

$$\overline{\boldsymbol{\beta}^{\mathrm{T}}}\boldsymbol{H\beta}=\overline{\boldsymbol{\beta}^{\mathrm{T}}\boldsymbol{A}^{\mathrm{T}}}\boldsymbol{A\beta}=\overline{(\boldsymbol{A\beta})^{\mathrm{T}}}(\boldsymbol{A\beta})=|y_1|^2+|y_2|^2+\cdots+|y_n|^2\geqslant 0 \tag{10.7.7}$$

另一方面, 由式(10.7.6)有

$$\overline{\boldsymbol{\beta}^{\mathrm{T}}}\boldsymbol{H\beta}=\overline{\boldsymbol{\beta}^{\mathrm{T}}}\lambda\boldsymbol{\beta}=\lambda\overline{\boldsymbol{\beta}^{\mathrm{T}}}\boldsymbol{\beta}=\lambda|\boldsymbol{\beta}|^2=\lambda \tag{10.7.8}$$

比较式(10.7.7)、式(10.7.8)得 $\lambda\geqslant 0$.

(3) 当 $\overline{\boldsymbol{A}^{\mathrm{T}}}\boldsymbol{A}=\boldsymbol{A}\overline{\boldsymbol{A}^{\mathrm{T}}}$ 时, 由已知条件存在酉矩阵 $\boldsymbol{C}$, 使

$$\boldsymbol{C}^{-1}\boldsymbol{AC}=\begin{pmatrix}\lambda_1 & & & \\ & \lambda_2 & & \\ & & \ddots & \\ & & & \lambda_n\end{pmatrix}$$

所以

$$\boldsymbol{C}^{-1}\overline{\boldsymbol{A}^{\mathrm{T}}}\boldsymbol{C}=\begin{pmatrix}\overline{\lambda_1} & & & \\ & \overline{\lambda_2} & & \\ & & \ddots & \\ & & & \overline{\lambda_n}\end{pmatrix}$$

因此

$$\boldsymbol{C}^{-1}\overline{\boldsymbol{A}^{\mathrm{T}}}\boldsymbol{AC}=\boldsymbol{C}^{-1}\overline{\boldsymbol{A}^{\mathrm{T}}}\boldsymbol{CC}^{-1}\boldsymbol{AC}=\begin{pmatrix}|\lambda_1|^2 & & & \\ & |\lambda_2|^2 & & \\ & & \ddots & \\ & & & |\lambda_n|^2\end{pmatrix}$$

故

$$\sum_{j,k=1}^{n}|a_{jk}|^2=\mathrm{tr}(\overline{A}^{\mathrm{T}}A)=\mathrm{tr}\begin{pmatrix}|\lambda_1|^2 & & & \\ & |\lambda_2|^2 & & \\ & & \ddots & \\ & & & |\lambda_n|^2\end{pmatrix}=\sum_{i=1}^{n}|\lambda_i|^2$$

10.8 应用实例

在高等代数课程中，我们讨论的对象主要是线性空间（严格地说，是有限维的线性空间），即允许加法与数乘两种运算的代数结构. 本章中的向量长度（向量间的距离）、内积与夹角等概念，已经涉及元素所在集合的拓扑结构. 比如，对于实数域上的多项式空间 $\mathbf{R}[x]_n$，我们在数学分析中对它也不陌生，经常要处理两个多项式差的绝对值 $|f(x)-g(x)|$ 这样的分析问题；更进一步说，我们也遇到过类似函数序列的极限，即 $|f_m(x)-f(x)|$ 是否无限接近于零的问题. 因此在建立线性空间的代数结构之外，我们还经常要再考虑引入其拓扑结构，才能更好地处理实际中的问题. 两种结构之间需要具有相容性，其基本的要求是代数运算具有连续性. 这在有限维线性空间中的结论是比较自然且也容易理解的. 但对于无限维空间情形，则将变得更为复杂，结论也更为多样化，这在数学系的课程中通常作为泛函分析课程的主要研究内容. 在此我们再次略叙一些基本概念，以求将各种空间概念间的联系梳理出一个简洁的脉络框架. 我们不涉及过多细节论证，学有余力的学生可参考泛函分析.

我们先定义“距离（度量）”的概念，在其基础上就可以对收敛性进行刻画.

定义 10.8.1（距离空间）

设 V 是一个非空集合，若 V 上可定义一个双变量的实值函数 $\rho(\boldsymbol{x},\boldsymbol{y}):V\times V\to\mathbf{R}$，且满足如下三个条件：（$\forall\boldsymbol{x},\boldsymbol{y},\boldsymbol{z}\in V$）

（1）$\rho(\boldsymbol{x},\boldsymbol{y})\geqslant 0$，且 $\rho(\boldsymbol{x},\boldsymbol{y})=0$ 当且仅当 $\boldsymbol{x}=\boldsymbol{y}$；

（2）$\rho(\boldsymbol{x},\boldsymbol{y})=\rho(\boldsymbol{y},\boldsymbol{x})$；

（3）$\rho(\boldsymbol{x},\boldsymbol{z})\leqslant\rho(\boldsymbol{x},\boldsymbol{y})+\rho(\boldsymbol{y},\boldsymbol{z})$.

则称 ρ 为 V 上的一个距离，并称以 ρ 为距离的集合 V 为距离空间（度量空间），记为 (V,ρ).

如果把 V 中元素作为“点”来看待，则上述三个条件正是对通常两点之间距离的刻画. 其中第一条可以理解为距离的非负性（一点到自身的距离为零、不同两点间距离大于零）；第二条表示两点间距离的对称性；第三条则常称为三角不等式：三角形两边之和大于第三边.

例 10.8.1　闭区间 $[a,b]$ 上的连续实函数全体 $C[a,b]$，按距离 $\rho(f,g)=\max\limits_{x\in[a,b]}|f(x)-g(x)|$ 构成距离空间.

例 10.8.1 中已经属于数学分析中常讨论的连续函数范畴，这也提示我们，可以利用距离概念来讨论收敛性. 粗略地说，距离空间中一个点列 $\{x_n\}_{n=1}^{\infty}$ 收敛于 x_0，即是指距离 $\rho(x_n,x_0)$ 随 $n\to\infty$ 而趋于 0（具体定义忽略）. 并且，距离空间中的点列收敛也具有类似数学分析中收敛性相同的结论，比如其极限如存在则必唯一、收敛列的子列也收敛于同一极限. 另外，我们也可以在距离空间中引入基本列(柯西列)的概念: 称点列$\{x_n\}_{n=1}^{\infty}$为基本列, 即是指距离$\rho(x_n,x_m)\to 0\ (n,m\to\infty)$. 进一步地, 我们可以考虑两个距离空间中的映射, 并定义其连续性.

定义 10.8.2(完备距离空间)

如果空间中所有基本列都收敛, 则称该距离空间为完备的.

例 10.8.2 根据数学分析中魏尔斯特拉斯(Weierstrass)定理, 区间$[a,b]$上的连续实函数可以用实数域上的多项式来逼近. 因此连续函数空间$(\mathcal{C}[a,b],\rho)$实际上是多项式空间$(\mathbf{R}[x]_n,\rho)$的完备化空间. 注意这里的空间指的是距离空间; 另外, 两个空间中的距离函数虽用了同一个符号ρ, 而实际上后者应为前者在子空间$\mathbf{R}[x]_n$上的限制.

应该注意, 无限维的距离空间中的紧致性讨论相比有限维度情形要复杂很多. 比如, 在有限维欧氏空间中, 序列有界必有收敛子列, 柯西列必有极限, 而在无限维距离空间中则不具有此类性质.

如前所述, 处理实际问题常需要把代数的线性空间结构与拓扑上的距离结合起来考虑. 下面给出距离线性空间的定义, 更一般的情形可参考泛函分析中拓扑线性空间的内容.

定义 10.8.3(距离线性空间)

实数域$\mathbf{R}$或复数域P上的线性空间V如果同时关于某个距离ρ构成距离空间, 并且加法与数乘按此距离确定的收敛都是连续的, 即满足

(1) $\rho(\boldsymbol{x}_n,\boldsymbol{x})\to 0,\rho(\boldsymbol{y}_n,\boldsymbol{y})\to 0$, 则$\rho(\boldsymbol{x}_n+\boldsymbol{y}_n,\boldsymbol{x}+\boldsymbol{y})\to 0(n\to\infty)$;

(2) $\rho(\boldsymbol{x}_n,\boldsymbol{x})\to 0$, 则$\rho(\alpha\boldsymbol{x}_n,\alpha\boldsymbol{x})\to 0(n\to\infty,\forall\alpha\in P)$;

在P中成立$\alpha_n\to\alpha$, 则$\rho(\alpha_n\boldsymbol{x},\ \alpha\boldsymbol{x})\to 0\ (n\to\infty,\forall\boldsymbol{x}\in V)$

则称V为**赋距离的线性空间**, 简称**距离线性空间**.

接下来自然可以定义完备的距离线性空间, 并讨论(不完备的)距离线性空间的完备化过程. 将一个距离线性空间完备化, 其实就是讨论其中基本列的极限是否仍在此空间中, 如果不在则将极限点添加进来, 逐步寻找到一个最小的完备距离线性空间, 且包含原空间. 完备化的过程, 可以认为是讨论其中逼近极限的过程中如何保持代数上加法和数乘的封闭性, 实际上表明了极限过程与线性运算封闭性的可交换性.

我们常见到的函数空间中, 所采用的距离在满足定义 10.8.3 的前提下, 还有一个重要性质: 平移不变性, 即对于$\forall\boldsymbol{x},\boldsymbol{y},\boldsymbol{z}\in V$, 距离$\rho$满足$\rho(\boldsymbol{x}+\boldsymbol{z},\ \boldsymbol{y}+\boldsymbol{z})=\rho(\boldsymbol{x},\boldsymbol{y})$. 这实际上是一个更为普适的结论: 任意距离线性空间上均存在一个平移不变距离, 且与原给定距离等价. 此处所谓两个距离等价, 即认为由它们规定的拓扑上的收敛性相同.

在向量空间中我们已经遇到过"范数(模)"的概念, 下面我们给出具体的定义.

定义 10.8.4(范数)

设V是实数或复数域P上的一个线性空间. 若V上可定义一个实值函数$\|\cdot\|$, 满足如下三个条件: $(\forall\boldsymbol{x},\boldsymbol{y}\in V,\forall\lambda\in P)$

(1) 正定性: $\|\boldsymbol{x}\|\geqslant 0$, 且$\|\boldsymbol{x}\|=0$当且仅当$\boldsymbol{x}=0$.

(2) 齐次性: $\|\lambda x\|=|\lambda|\cdot\|x\|$.

(3) 三角不等式: $\|x+y\|\leqslant\|x\|+\|y\|$,

则称$\|\cdot\|$为V上的一个范数(也常称作模), 称V按此范数$\|\cdot\|$构成**赋范线性空间**, 简称**赋范空间**, 也称B^*空间. 完备的B^*空间称为B空间或巴拿赫(Banach)空间.

容易分析得, 范数是满足平移不变性质的距离, 且具有齐性条件. 而如果只是满足平移不变性质的距离, 我们称其为准范数(准模), 相应的赋准范数线性空间也称为F^*空间, 而完备的F^*空间称为F空间或弗雷歇(Frechet)空间. 对此我们不再过多展开.

如果一个赋范空间是有限维的线性空间, 则其上任意两个范数等价(它们决定的收敛性相同). 另外, 有限维的赋范空间必然完备, 即为巴拿赫空间.

在一个赋范空间中, 向量间有线性相关与无关等代数关系, 也可以定义收敛性的拓扑联系. 但要刻画空间中向量在几何方面的信息, 除了描述向量长度(在有限维空间中通过范数来描述), 还需要描述向量之间的"夹角", 特别是如正交与投影等几何概念. 本章在欧氏空间与酉空间中引入内积以描述这些几何信息, 而对于有些(无限维)赋范空间中也可以定义内积. 建立内积概念的方式与相应能得到的结论, 与有限维情形有很大相似性. 我们将其要点列出:

(1) 无限维线性空间中的内积定义按欧氏空间(或酉空间)中相同的方式, 见定义 10.1.1 与定义 10.7.1. 具有内积的线性空间称为实(或复)**内积空间**. 内积空间作为赋范空间是完备的, 则称为**希尔伯特**(Hilbert)空间.

(2) 在一个内积空间中, 定义范数为$\|\boldsymbol{\alpha}\|=\sqrt{(\boldsymbol{\alpha},\boldsymbol{\alpha})}$, 则按此范数构成赋范空间. 同时, 此范数满足柯西-施瓦茨不等式(见定义 10.1.2), 从而也可以定义向量间的夹角概念(见定义 10.1.3). 另外, 内积按此范数是连续函数.

(3) 另一方面, 在一个赋范空间中可以引入一个内积满足$(\boldsymbol{\alpha},\boldsymbol{\alpha})=\|\boldsymbol{\alpha}\|^2$, 其充分必要条件为该范数满足平行四边形法则: $\|\boldsymbol{\alpha}+\boldsymbol{\beta}\|^2+\|\boldsymbol{\alpha}-\boldsymbol{\beta}\|^2=2\left(\|\boldsymbol{\alpha}\|^2+\|\boldsymbol{\beta}\|^2\right)$, 即平行四边形的两个对角线的平方和等于四个边的平方和.

(4) 一般的无限维内积空间中也有相应于本章正交基和施密特正交化的概念, 其中涉及的讨论更为复杂, 我们不再赘述.

习　题　10

(A)

1. 设$V=\left\{\begin{pmatrix}a&b&c\\0&a&b\\0&0&a\end{pmatrix}\middle| a,b,c\in\mathbf{R}\right\}$, 任意$\boldsymbol{A}=\begin{pmatrix}a_1&a_2&a_3\\0&a_1&a_2\\0&0&a_1\end{pmatrix},\boldsymbol{B}=\begin{pmatrix}b_1&b_2&b_3\\0&b_1&b_2\\0&0&b_1\end{pmatrix}\in V$, 在$V$上定义一个二元实函数

$$(\boldsymbol{A},\boldsymbol{B})=a_1b_1+a_2b_2+a_3b_3$$

证明：V 是欧氏空间.

2. 设 $\boldsymbol{A}=(a_{ij})$ 是一个 n 阶正定矩阵，而 $\boldsymbol{\alpha}=(x_1,x_2,\cdots,x_n)$，$\boldsymbol{\beta}=(y_1,y_2,\cdots,y_n)$，在 $\mathbf{R}^n$ 中定义内积 $(\boldsymbol{\alpha},\boldsymbol{\beta})$ 为

$$(\boldsymbol{\alpha},\boldsymbol{\beta})=\boldsymbol{\alpha}\boldsymbol{A}\boldsymbol{\beta}^{\mathrm{T}}$$

(1) 证明在这个定义之下，$\mathbf{R}^n$ 成一欧氏空间；

(2) 求单位向量 $\boldsymbol{\varepsilon}_1=(1,0,\cdots,0),\boldsymbol{\varepsilon}_2=(0,1,0,\cdots,0),\cdots,\boldsymbol{\varepsilon}_n=(0,\cdots,0,1)$ 的度量矩阵；

(3) 具体写出这个空间中的柯西-施瓦茨不等式.

3. 在 $\mathbf{R}^4$ 中求 $\boldsymbol{\alpha},\boldsymbol{\beta}$ 之间的夹角 $\langle\boldsymbol{\alpha},\boldsymbol{\beta}\rangle$（内积按通常定义），设

(1) $\boldsymbol{\alpha}=(2,1,3,2),\boldsymbol{\beta}=(1,2,-2,1)$；

(2) $\boldsymbol{\alpha}=(1,2,2,3),\boldsymbol{\beta}=(3,1,5,1)$；

(3) $\boldsymbol{\alpha}=(1,1,1,2),\boldsymbol{\beta}=(3,1,-1,0)$.

4. 设 $\boldsymbol{\alpha},\boldsymbol{\beta}$ 是欧氏空间中两个非零向量，$\langle\boldsymbol{\alpha},\boldsymbol{\beta}\rangle$ 表示 $\boldsymbol{\alpha},\boldsymbol{\beta}$ 之间的夹角，k 是一个正实数，试证：(1) $\langle\boldsymbol{\alpha},k\boldsymbol{\beta}\rangle=\langle\boldsymbol{\alpha},\boldsymbol{\beta}\rangle$；

(2) $\langle\boldsymbol{\alpha},\boldsymbol{\beta}\rangle+\langle\boldsymbol{\alpha},-\boldsymbol{\beta}\rangle=\pi$.

5. 在欧氏空间中，$d(\boldsymbol{\alpha},\ \boldsymbol{\beta})=|\boldsymbol{\alpha}-\boldsymbol{\beta}|$ 通常称为向量 $\boldsymbol{\alpha}$ 与 $\boldsymbol{\beta}$ 的距离，证明：

$$d(\boldsymbol{\alpha},\boldsymbol{\gamma})\leqslant d(\boldsymbol{\alpha},\boldsymbol{\beta})+d(\boldsymbol{\beta},\boldsymbol{\gamma})$$

6. 设 $\boldsymbol{\alpha},\boldsymbol{\beta}_1,\boldsymbol{\beta}_2,\cdots,\boldsymbol{\beta}_n$ 是欧氏空间中的非零向量，试证：如果 $\boldsymbol{\alpha}$ 与 $\boldsymbol{\beta}_1,\boldsymbol{\beta}_2,\cdots,\boldsymbol{\beta}_n$ 都正交，则 $\boldsymbol{\alpha}$ 与 $\boldsymbol{\beta}_1,\boldsymbol{\beta}_2,\cdots,\boldsymbol{\beta}_n$ 的任一线性组合都正交.

7. 设 $\boldsymbol{\alpha}_1,\boldsymbol{\alpha}_2,\cdots,\boldsymbol{\alpha}_n$ 是欧氏空间 V 的一组基，证明：

(1) 如果 $\boldsymbol{\gamma}\in V$ 使 $(\boldsymbol{\gamma},\boldsymbol{\alpha}_i)=0(i=1,2,\cdots,n)$，那么 $\boldsymbol{\gamma}=\mathbf{0}$；

(2) 如果 $\boldsymbol{\gamma}_1,\ \boldsymbol{\gamma}_2\in V$ 使对任一 $\boldsymbol{\alpha}\in V$ 有 $(\boldsymbol{\gamma}_1,\boldsymbol{\alpha})=(\boldsymbol{\gamma}_2,\boldsymbol{\alpha})$，那么 $\boldsymbol{\gamma}_1=\boldsymbol{\gamma}_2$.

8. 设 $\boldsymbol{\varepsilon}_1,\boldsymbol{\varepsilon}_2,\boldsymbol{\varepsilon}_3$ 是三维欧氏空间的一组标准正交基，证明：

$$\boldsymbol{\alpha}_1=\frac{1}{3}(2\boldsymbol{\varepsilon}_1+2\boldsymbol{\varepsilon}_2-\boldsymbol{\varepsilon}_3),\quad \boldsymbol{\alpha}_2=\frac{1}{3}(2\boldsymbol{\varepsilon}_1-\boldsymbol{\varepsilon}_2+2\boldsymbol{\varepsilon}_3),\quad \boldsymbol{\alpha}_3=\frac{1}{3}(\boldsymbol{\varepsilon}_1-2\boldsymbol{\varepsilon}_2-2\boldsymbol{\varepsilon}_3)$$

也是一组标准正交基.

9. 设 $\boldsymbol{\varepsilon}_1,\boldsymbol{\varepsilon}_2,\boldsymbol{\varepsilon}_3,\boldsymbol{\varepsilon}_4$ 是四维欧氏空间 V 的一组标准正交基，$W=L(\boldsymbol{\alpha}_1,\boldsymbol{\alpha}_2)$，其中

$$\boldsymbol{\alpha}_1=\boldsymbol{\varepsilon}_1+\boldsymbol{\varepsilon}_3,\ \boldsymbol{\alpha}_2=2\boldsymbol{\varepsilon}_1-\boldsymbol{\varepsilon}_2+\boldsymbol{\varepsilon}_4$$

求：(1) W 的一组标准正交基；

(2) $W^{\perp}$ 的一组标准正交基.

10. 在 $\mathbf{R}[x]_4$ 中定义内积为 $(f,g)=\int_{-1}^{1}f(x)g(x)\mathrm{d}x$，求 $\mathbf{R}[x]_4$ 的一组标准正交基（由基 $1,x,x^2,x^3$ 出发作正交化）.

11. 设 $\boldsymbol{\alpha}_1=(2,1,-1,1,-3),\boldsymbol{\alpha}_2=(1,1,-1,0,1)$，$V=\left\{\boldsymbol{x}\ \middle|\ (\boldsymbol{x},\boldsymbol{\alpha}_i)=0,i=1,2,\boldsymbol{x}\in\mathbf{R}^5\right\}$. 证明 V 为 $\mathbf{R}^5$ 的子空间并求 V 的一组标准正交基.

12. 设 $\boldsymbol{\alpha}$ 是 n 维欧氏空间 V 中一非零向量. 证明：$V_1=\{\boldsymbol{x}\ |\ (\boldsymbol{x},\boldsymbol{\alpha})=0,\boldsymbol{x}\in V\}$ 是 V 的一个 $n-1$ 维子空间.

13. 设 $\boldsymbol{\alpha}_1,\boldsymbol{\alpha}_2,\cdots,\boldsymbol{\alpha}_m$ 是 n 维欧氏空间 V 的一组向量，而

$$\Delta=\begin{pmatrix}(\alpha_1,\alpha_1) & (\alpha_1,\alpha_2) & \cdots & (\alpha_1,\alpha_m)\\(\alpha_2,\alpha_1) & (\alpha_2,\alpha_2) & \cdots & (\alpha_2,\alpha_m)\\\vdots & \vdots & & \vdots\\(\alpha_m,\alpha_1) & (\alpha_m,\alpha_2) & \cdots & (\alpha_m,\alpha_m)\end{pmatrix}$$

证明：当且仅当$|\Delta|\neq 0$时，$\alpha_1,\alpha_2,\cdots,\alpha_m$线性无关.

14. 设$\varepsilon_1,\varepsilon_2,\varepsilon_3,\varepsilon_4$ 是欧氏空间V的一组基，已知基

$$\alpha_1=\varepsilon_1-\varepsilon_2,\qquad \alpha_2=-\varepsilon_1+2\varepsilon_2$$
$$\alpha_3=\varepsilon_2+2\varepsilon_3+\varepsilon_4,\qquad \alpha_4=\varepsilon_1+\varepsilon_3+\varepsilon_4$$

的度量矩阵为

$$\begin{pmatrix}2 & -3 & 0 & 1\\-3 & 6 & 0 & -1\\0 & 0 & 13 & 9\\1 & -1 & 9 & 7\end{pmatrix}$$

求$\varepsilon_1,\varepsilon_2,\varepsilon_3,\varepsilon_4$的度量矩阵.

15. 证明：

(1) 欧氏空间中正交基的度量矩阵是对角矩阵；

(2) 欧氏空间中不同基的度量矩阵是合同的；

(3) 任一欧氏空间都存在标准正交基(利用上述结果证明)；

(4) 若A是正交矩阵，则A^{T}，A^{-1}，A^k也是正交矩阵；

(5) 若A,B是同阶正交矩阵，则AB也是正交矩阵；

(6) 上三角形的正交矩阵必为对角矩阵，且对角线上的元素为1或-1.

16. 设V与V'是两个n维欧氏空间，$\varepsilon_1,\varepsilon_2,\cdots,\varepsilon_n$与$\varepsilon_1',\varepsilon_2',\cdots,\varepsilon_n'$分别是$V$与$V'$的基，$\sigma$是线性空间$V$到$V^{\mathrm{T}}$的同构映射，满足$\sigma(\varepsilon_i)=\varepsilon_i',i=1,2,\cdots,n$. 试证：$\sigma$是欧氏空间$V$到$V'$的同构映射的充要条件是$\varepsilon_1,\varepsilon_2,\cdots,\varepsilon_n$与$\varepsilon_1',\varepsilon_2',\cdots,\varepsilon_n'$的度量矩阵相同.

17. 设η是欧氏空间中一单位向量，定义$\sigma\alpha=\alpha-2(\eta,\alpha)\eta$. 证明：

(1) σ是正交变换(这样的正交变换称为镜面反射)；

(2) σ是第二类的；

(3) 如果n维欧氏空间中，正交变换σ以1作为一个特征值，且属于特征值1的特征子空间V_1的维数为$n-1$，那么σ是镜面反射.

18. 证明：反对称实数矩阵的特征值是零或纯虚数.

19. 求正交矩阵T使$T^{\mathrm{T}}AT$成对角形，其中A为

(1) $\begin{pmatrix}2 & -2 & 0\\-2 & 1 & -2\\0 & -2 & 0\end{pmatrix}$；　(2) $\begin{pmatrix}1 & -2 & 0\\-2 & 2 & -2\\0 & -2 & 3\end{pmatrix}$；　(3) $\begin{pmatrix}0 & 0 & 4 & 1\\0 & 0 & 1 & 4\\4 & 1 & 0 & 0\\1 & 4 & 0 & 0\end{pmatrix}$；

(4) $\begin{pmatrix} -1 & -3 & 3 & -3 \\ -3 & -1 & -3 & 3 \\ 3 & -3 & -1 & -3 \\ -3 & 3 & -3 & -1 \end{pmatrix}$; (5) $\begin{pmatrix} 1 & -1 & 3 & -2 \\ -1 & 1 & -2 & 3 \\ 3 & -2 & 1 & -1 \\ -2 & 3 & -1 & 1 \end{pmatrix}$.

20. 用正交线性替换化下列二次型为标准形:

(1) $2x_1^2+5x_2^2+5x_3^2+x_1x_2-x_1x_3-2x_2x_3$;

(2) $x_1^2-2x_2^2-2x_3^2-4x_1x_2+4x_1x_3+8x_2x_3$;

(3) $2x_1x_2+2x_3x_4$;

(4) $x_1^2+x_2^2+x_3^2+x_4^2+2x_1x_2+2x_1x_3+2x_1x_4+2x_2x_3+2x_2x_4+2x_3x_4$.

21. 设 $\boldsymbol{A}$, $\boldsymbol{B}$ 是 n 阶实对称矩阵. 证明:

(1) $\boldsymbol{A}$ 正定的充分必要条件是 $\boldsymbol{A}$ 的特征多项式的根全大于零;

(2) 存在正交矩阵 $\boldsymbol{T}$, 使 $\boldsymbol{T}^{-1}\boldsymbol{AT}=\boldsymbol{B}$ 的充分必要条件是 $\boldsymbol{A}$, $\boldsymbol{B}$ 的特征多项式的根全部相同;

(3) 若 $\boldsymbol{A}^2=\boldsymbol{A}$, 则存在正交矩阵 $\boldsymbol{T}$ 使得

$$\boldsymbol{T}^{-1}\boldsymbol{AT}=\begin{pmatrix} 1 & & & & & & \\ & 1 & & & & & \\ & & \ddots & & & & \\ & & & 1 & & & \\ & & & & 0 & & \\ & & & & & \ddots & \\ & & & & & & 0 \end{pmatrix}$$

22. 证明: 设 V_1, V_2 是欧氏空间 V 的两个子空间, 证明:

$$(V_1+V_2)^{\perp}=V_1^{\perp}\cap V_2^{\perp}, \quad (V_1\cap V_2)^{\perp}=V_1^{\perp}+V_2^{\perp}$$

23. 证明: 如果 σ 是 n 维欧氏空间的一个正交变换, 那么 σ 的不变子空间的正交补也是 σ 的不变子空间.

24. 设 $f(x_1,x_2,\cdots,x_n)=\boldsymbol{x}^{\mathrm{T}}\boldsymbol{Ax}$ 是一实二次型, $\lambda_1, \lambda_2, \cdots, \lambda_n$ 是 $\boldsymbol{A}$ 的特征多项式的根, 且 $\lambda_1\leqslant\lambda_2\leqslant\cdots\leqslant\lambda_n$. 证明对任一 $\boldsymbol{x}\in\mathbf{R}^n$, 有

$$\lambda_1\boldsymbol{x}^{\mathrm{T}}\boldsymbol{x}\leqslant\boldsymbol{x}^{\mathrm{T}}\boldsymbol{Ax}\leqslant\lambda_n\boldsymbol{x}^{\mathrm{T}}\boldsymbol{x}$$

25. 证明: 向量 $\boldsymbol{\beta}\in V_1$ 是向量 $\boldsymbol{\alpha}$ 在子空间 V_1 上的内射影的充分必要条件是, 对任意的 $\boldsymbol{\xi}\in V_1$, $|\boldsymbol{\alpha}-\boldsymbol{\beta}|\leqslant|\boldsymbol{\alpha}-\boldsymbol{\xi}|$.

(B)

1. 证明:

(1) 正交矩阵的实特征根为 ±1;

(2) 证明: 奇数维欧氏空间中的旋转一定以 1 作为它的一个特征值;

(3) 证明: 第二类正交变换一定以 -1 作为它的一个特征值;

(4) 求证: 欧氏空间 V 中保持内积不变的变换是正交变换.

2. 设 $\boldsymbol{\alpha}_1,\boldsymbol{\alpha}_2,\cdots,\boldsymbol{\alpha}_m$ 与 $\boldsymbol{\beta}_1,\boldsymbol{\beta}_2,\cdots,\boldsymbol{\beta}_m$ 是 n 维欧氏空间中的两个向量组, 证明存在一正交变换 σ,

使 $\sigma\boldsymbol{\alpha}_i=\boldsymbol{\beta}_i(i=1,2,\cdots,m)$ 的充分必要条件为

$$(\boldsymbol{\alpha}_i,\boldsymbol{\alpha}_j)=(\boldsymbol{\beta}_i,\boldsymbol{\beta}_j),\quad i,j=1,2,\cdots,m.$$

3. 设 $\boldsymbol{A}$ 是 n 阶实对称矩阵，证明:

(1) 存在正交矩阵 $\boldsymbol{T}$ 使 $\boldsymbol{T}^{-1}\boldsymbol{AT}$ 为三角形矩阵的充分必要条件是 $\boldsymbol{A}$ 的特征多项式的根全是实的.

(2) 若 $\boldsymbol{A}^2=\boldsymbol{E}$，存在正交矩阵 $\boldsymbol{T}$ 使得

$$\boldsymbol{T}^{-1}\boldsymbol{AT}=\begin{pmatrix}\boldsymbol{E}_r & \boldsymbol{O}\\ \boldsymbol{O} & -\boldsymbol{E}_{n-r}\end{pmatrix}$$

4. 欧氏空间 V 中的线性变换 σ 称为反对称的，如果对任意 $\boldsymbol{\alpha},\ \boldsymbol{\beta}\in V$，$(\sigma\boldsymbol{\alpha},\ \boldsymbol{\beta})=-(\boldsymbol{\alpha},\ \sigma\boldsymbol{\beta})$. 证明:

(1) σ 为反对称的充分必要条件是，σ 在一组标准正交基下的矩阵为反对称的;

(2) 若 V_1 是反对称性变换 σ 的不变子空间，则 $V_1^{\perp}$ 也是.

5. 设二次型 $f(x_1,x_2,\cdots,x_n)$ 的矩阵为 $\boldsymbol{A}$，λ 是 $\boldsymbol{A}$ 的特征多项式的根，证明存在 $\mathbf{R}^n$ 中的非零向量 $(\overline{x}_1,\overline{x}_2,\cdots,\overline{x}_n)$，使得

$$f(\overline{x}_1,\overline{x}_2,\cdots,\overline{x}_n)=\lambda(\overline{x}_1^2+\overline{x}_2^2+\cdots\overline{x}_n^2)$$

.

6. 设 $\boldsymbol{A},\boldsymbol{B}$ 是两个 $n\times n$ 实对称矩阵，且 $\boldsymbol{B}$ 是正定矩阵. 证明存在一 $n\times n$ 实可逆矩阵 $\boldsymbol{T}$，使 $\boldsymbol{T}^{\mathrm{T}}\boldsymbol{AT}$ 与 $\boldsymbol{T}^{\mathrm{T}}\boldsymbol{BT}$ 同时为对角形.

7. 设 V_1 是有限维欧氏空间 V 的子空间，$V_1^{\perp}$ 是 V_1 的正交补，即 $V=V_1\oplus V_1^{\perp}$，定义 V 到 V_1 的投影变换 σ 如下：对任一 $x\in V$，有 $x=x_1+x_2,x_1\in V_1,x_2\in V_1^{\perp},\sigma(x)=x_1$，证明:

(1) σ 是 V 上的线性变换;

(2) σ 是满足 $\sigma^2=\sigma$ 的对称变换.

8. 证明酉空间中两组标准正交基的过渡矩阵是酉矩阵.

9. 证明：酉矩阵的特征根的模为1.

10. 设 $\boldsymbol{A}$ 是一个 n 阶可逆复矩阵. 证明 $\boldsymbol{A}$ 可以分解成 $\boldsymbol{A}=\boldsymbol{UT}$，其中 $\boldsymbol{U}$ 是酉矩阵，$\boldsymbol{T}$ 是一个上三角形矩阵

$$\boldsymbol{T}=\begin{pmatrix}t_{11} & t_{12} & \cdots & t_{1n}\\ 0 & t_{22} & \cdots & t_{2n}\\ \vdots & \vdots & & \vdots\\ 0 & 0 & \cdots & t_{nn}\end{pmatrix}$$

其对角线元素 t_{ii} $(i=1,\ 2,\ \cdots,\ n)$ 都是正实数，并证明这个分解是唯一的.

11. 证明埃尔米特矩阵的特征值是实数，并且它的属于不同特征值的特征向量相互正交.

本章小结　　　　**习题答案 10**

第 11 章

线性函数及双线性函数

本章引入线性空间上的特殊函数——线性函数、双线性函数. 特别地, 通过对双线性函数的讨论, 可以将二次型、欧氏空间的内积等内容进行统一.

第 11 章知识导图

11.1 线性函数与对偶空间

11.1.1 线性函数

定义11.1.1

设V是数域P上的一个线性空间，f是V到P的一个映射. 若对于任意的$\boldsymbol{\alpha},\boldsymbol{\beta}\in V$，$k\in P$，有

(1) $f(\boldsymbol{\alpha}+\boldsymbol{\beta})=f(\boldsymbol{\alpha})+f(\boldsymbol{\beta})$；

(2) $f(k\boldsymbol{\alpha})=kf(\boldsymbol{\alpha})$，

则称f为V上的一个**线性函数**.

由定义不难得到线性函数的以下简单性质.

性质11.1.1

若f是V上的线性函数，则$f(\mathbf{0})=\mathbf{0}, f(-\boldsymbol{\alpha})=-f(\boldsymbol{\alpha})$.

性质11.1.2

如果$\boldsymbol{\beta}$是$\boldsymbol{\alpha}_1,\boldsymbol{\alpha}_2,\cdots,\boldsymbol{\alpha}_s$的线性组合，即

$$\boldsymbol{\beta}=k_1\boldsymbol{\alpha}_1+k_2\boldsymbol{\alpha}_2+\cdots+k_s\boldsymbol{\alpha}_s$$

那么

$$f(\boldsymbol{\beta})=k_1f(\boldsymbol{\alpha}_1)+k_2f(\boldsymbol{\alpha}_2)+\cdots+k_sf(\boldsymbol{\alpha}_s)$$

线性函数是最为重要的函数类，在数学的各个分支及众多实际问题中经常遇到. 需要指出的是，在数学分析中，把形如$f(x_1,x_2,\cdots,x_n)=a_1x_1+a_2x_2+\cdots+a_nx_n+b$的$n$元函数$f$称为线性函数. 可以看出，如果$b\neq 0$，则$f$不满足上述定义中的两种运算(1)和(2)，从而它不是定义11.1.1意义下的线性函数. “线性函数”在分析及代数里具有不同的含义. 分析课程中的齐次线性函数(当$b=0$时)才是代数课程中讲的线性函数. 下面给出几个常见的例子.

例 11.1.1 设$a_1,a_2,\cdots,a_n$是P中任意数，$\boldsymbol{x}=(x_1,x_2,\cdots,x_n)^{\mathrm{T}}$是$P^n$中的向量. 函数

$$f(x)=f(x_1,x_2,\cdots,x_n)=a_1x_1+a_2x_2+\cdots+a_nx_n$$

就是P^n上的一个线性函数. 当$a_1=a_2=\cdots=a_n=0$时，得$f(x)=0$，称为零函数，用0表示.

例 11.1.2 线性空间$C[a,b]$的映射

$$f(g(x))=\int_a^b g(t)\mathrm{d}t\text{，}\ \forall\ g(x)\in C[a,b]$$

就是一个线性函数.

例 11.1.3 $\boldsymbol{A}$是数域P上一个n阶矩阵，设

$$A=\begin{pmatrix} a_{11} & a_{12} & \cdots & a_{1n} \\ a_{21} & a_{22} & \cdots & a_{2n} \\ \vdots & \vdots & & \vdots \\ a_{n1} & a_{n2} & \cdots & a_{nn} \end{pmatrix}$$

则 A 的迹

$$\mathrm{tr}(A)=a_{11}+a_{22}+\cdots+a_{nn}$$

是 P 上全体 n 阶矩阵构成的线性空间 $P^{n\times n}$ 上的一个线性函数.

例 11.1.4 设 $\alpha_1,\alpha_2,\alpha_3$ 是数域 P 上线性空间 V 的一组基，f 是 V 上一个线性函数，且

$$f(\alpha_1-2\alpha_2+\alpha_3)=4,\quad f(\alpha_1+\alpha_3)=4,\quad f(-\alpha_1+\alpha_2+\alpha_3)=-2$$

求 $f(x_1\alpha_1+x_2\alpha_2+x_3\alpha_3)$.

解　由 f 是线性函数得

$$\begin{cases} f(\alpha_1)-2f(\alpha_2)+f(\alpha_3)=4, \\ f(\alpha_1)+f(\alpha_3)=4, \\ -f(\alpha_1)+f(\alpha_2)+f(\alpha_3)=-2 \end{cases}$$

解得

$$f(\alpha_1)=3,\quad f(\alpha_2)=0,\quad f(\alpha_3)=1$$

从而

$$f(x_1\alpha_1+x_2\alpha_2+x_3\alpha_3)=3x_1+x_3$$

定理 11.1.1

设 V 是 P 上一个 n 维线性空间，$\varepsilon_1,\varepsilon_2,\cdots,\varepsilon_n$ 是 V 的一组基，$a_1,a_2,\cdots,a_n$ 是 P 中任意 n 个数，存在唯一的 V 上线性函数 f 使

$$f(\varepsilon_i)=a_i,\quad i=1,2,\cdots,n$$

证明　对线性空间 V 中的任一向量 x 有

$$x=x_1\varepsilon_1+x_2\varepsilon_2+\cdots+x_n\varepsilon_n$$

令

$$f(x)=a_1x_1+a_2x_2+\cdots+a_nx_n \tag{11.1.1}$$

易证 f 是 V 上一个线性函数，且

$$\begin{aligned} f(\varepsilon_i)&=f(0\varepsilon_1+\cdots+0\varepsilon_{i-1}+\varepsilon_i+0\varepsilon_{i+1}+\cdots+0\varepsilon_n) \\ &=0a_1+\cdots+0a_{i-1}+a_i+0a_{i+1}+\cdots+0a_n=a_i \end{aligned}$$

若还存在 V 上线性函数 g，使

$$g(\varepsilon_i)=a_i,\quad i=1,2,\cdots,n$$

则对 V 中的任一向量 $x=x_1\varepsilon_1+x_2\varepsilon_2+\cdots+x_n\varepsilon_n$，有

$$\begin{aligned} f(x)&=a_1x_1+a_2x_2+\cdots+a_nx_n=x_1g(\varepsilon_1)+x_2g(\varepsilon_2)+\cdots+x_ng(\varepsilon_n) \\ &=g(x_1\varepsilon_1+x_2\varepsilon_2+\cdots+x_n\varepsilon_n)=g(x) \end{aligned}$$

即 $f=g$，故 f 是唯一的.

此定理说明线性空间 V 的任一线性函数都由它对基的作用唯一确定. 同时，式(11.1.1)给出了 n 维线性空间 V 上线性函数的一般形式.

11.1.2 对偶空间

设V是数域P上一个n维线性空间. V上全体线性函数组成的集合记作$L(V,P)$. 在$L(V,P)$上定义加法和数量乘法如下:

设f,g是V的两个线性函数, 令

$$(f+g)(\boldsymbol{\alpha})=f(\boldsymbol{\alpha})+g(\boldsymbol{\alpha}),\quad \boldsymbol{\alpha}\in V \tag{11.1.2}$$

则$f+g$也是线性函数:

$$\begin{aligned}(f+g)(\boldsymbol{\alpha}+\boldsymbol{\beta})&=f(\boldsymbol{\alpha}+\boldsymbol{\beta})+g(\boldsymbol{\alpha}+\boldsymbol{\beta})\\&=f(\boldsymbol{\alpha})+f(\boldsymbol{\beta})+g(\boldsymbol{\alpha})+g(\boldsymbol{\beta})\\&=(f+g)(\boldsymbol{\alpha})+(f+g)(\boldsymbol{\beta})\end{aligned}$$

$$(f+g)(k\boldsymbol{\alpha})=f(k\boldsymbol{\alpha})+g(k\boldsymbol{\alpha})=kf(\boldsymbol{\alpha})+kg(\boldsymbol{\alpha})=k(f+g)(\boldsymbol{\alpha})$$

$f+g$称为f与g的和.

设f是V上线性函数, 对于P中任意数k, 令

$$(kf)(\boldsymbol{\alpha})=k(f(\boldsymbol{\alpha})),\quad \boldsymbol{\alpha}\in V \tag{11.1.3}$$

kf称为k与f的数量乘积, 易证kf也是线性函数.

容易验证, 在这样定义的加法和数量乘法下, $L(V,P)$构成了数域P上的线性空间.

定义 11.1.2

设V是数域P上的n维线性空间, 则V上全体线性函数按照式(11.1.2)和式(11.1.3)定义的加法和数乘运算所构成的线性空间$L(V,P)$称作线性空间V的对偶空间, 简记为V^*.

下面讨论V^*的基.

取定V的一组基$\boldsymbol{\varepsilon}_1,\boldsymbol{\varepsilon}_2,\cdots,\boldsymbol{\varepsilon}_n$, 由定理11.1.1可知, 对于数域$P$上的任意取定的$n$个数$a_1,a_2,\cdots,a_n$, 都存在唯一的$V$上线性函数$f$, 使

$$f(\boldsymbol{\varepsilon}_i)=a_i,\quad i=1,2,\cdots,n$$

取定数域P上的n个数$1,0,\cdots,0$, 则存在唯一的V上线性函数f_1, 使

$$f_1(\boldsymbol{\varepsilon}_1)=1,\quad f_1(\boldsymbol{\varepsilon}_2)=\cdots=f_1(\boldsymbol{\varepsilon}_n)=0$$

同样, 取定数域P上的n个数$0,1,0,\cdots,0$, 则存在唯一的V上线性函数f_2, 使

$$f_2(\boldsymbol{\varepsilon}_1)=0,\quad f_2(\boldsymbol{\varepsilon}_2)=1,\quad f_2(\boldsymbol{\varepsilon}_3)=\cdots=f_2(\boldsymbol{\varepsilon}_n)=0$$

依次进行, 取定数域P上的n个数$0,\cdots,0,1$则存在唯一的V上线性函数f_n, 使

$$f_n(\boldsymbol{\varepsilon}_1)=\cdots=f_n(\boldsymbol{\varepsilon}_{n-1})=0,\quad f_n(\boldsymbol{\varepsilon}_n)=1$$

于是, 就构造了V上n个线性函数$f_1,f_2,\cdots,f_n$, 使得

$$f_i(\boldsymbol{\varepsilon}_j)=\begin{cases}1, & j=i,\\ 0, & j\neq i,\end{cases}\quad i,j=1,2,\cdots,n \tag{11.1.4}$$

这样, 对V中任一向量$\boldsymbol{\alpha}=\sum_{i=1}^{n}x_i\boldsymbol{\varepsilon}_i$, 有

$$f_i(\boldsymbol{\alpha})=x_i$$

即 $f_i(\boldsymbol{\alpha})$ 是 $\boldsymbol{\alpha}$ 的第 i 个坐标的值.

因此, 对 V 中任意向量 $\boldsymbol{\alpha}$, 有

$$\boldsymbol{\alpha}=\sum_{i=1}^{n} f_i(\boldsymbol{\alpha})\boldsymbol{\varepsilon}_i \tag{11.1.5}$$

进而对 V^* 中任意线性函数 f, 有

$$f=\sum_{i=1}^{n} f(\boldsymbol{\varepsilon}_i)f_i \tag{11.1.6}$$

定理11.1.2

n 维线性空间 V 的对偶空间 V^* 也是 n 维的, 且 $f_1,f_2,\cdots,f_n$ 是 V^* 的一组基.

证明　先证明上面构造的 $f_1,f_2,\cdots,f_n$ 线性无关. 设

$$c_1f_1+c_2f_2+\cdots+c_nf_n=0\ (c_1,c_2,\cdots,c_n\in P) \tag{11.1.7}$$

由式(11.1.4), 依次用 $\boldsymbol{\varepsilon}_1,\boldsymbol{\varepsilon}_2,\cdots,\boldsymbol{\varepsilon}_n$ 代入式(11.1.7), 得到 $c_1=c_2=\cdots=c_n=0$, 所以 $f_1,f_2,\cdots,f_n$ 线性无关. 由式(11.1.6)知 V^* 中任一向量都可由 $f_1,f_2,\cdots,f_n$ 线性表出, 所以 $f_1,f_2,\cdots,f_n$ 是 V^* 的一组基, 并且 V^* 的维数等于 V 的维数, 即

$$\dim V^*=\dim V=n$$

定义11.1.3

设 $\boldsymbol{\varepsilon}_1,\boldsymbol{\varepsilon}_2,\cdots,\boldsymbol{\varepsilon}_n$ 是 n 维线性空间 V 的一组基, 由式(11.1.4)确定的 V^* 的基 $f_1,f_2,\cdots,f_n$ 称为 $\boldsymbol{\varepsilon}_1,\boldsymbol{\varepsilon}_2,\cdots,\boldsymbol{\varepsilon}_n$ 的**对偶基**.

需要注意的是, 像一般的线性空间一样, V^* 的基也不是唯一的. 若 $f_1,f_2,\cdots,f_n$ 是 $\boldsymbol{\varepsilon}_1,\boldsymbol{\varepsilon}_2,\cdots,\boldsymbol{\varepsilon}_n$ 的对偶基, 则容易验证 $f_1,2f_2,\cdots,nf_n$ 也是 V^* 的一组基, 只是这组基不是 $\boldsymbol{\varepsilon}_1,\boldsymbol{\varepsilon}_2,\cdots,\boldsymbol{\varepsilon}_n$ 的对偶基.

例 11.1.5　求 P^3 的基 $\boldsymbol{\alpha}_1=(1,-1,3)^{\mathrm{T}}$, $\boldsymbol{\alpha}_2=(0,1,-1)^{\mathrm{T}}$, $\boldsymbol{\alpha}_3=(0,3,-2)^{\mathrm{T}}$ 的对偶基 f_1,f_2,f_3.

解　任取 $\boldsymbol{\alpha}=(x_1,x_2,x_3)\in P^3$. 设 $f_1(\boldsymbol{\alpha})=b_1x_1+b_2x_2+b_3x_3$, 则由式(11.1.4) $f_1(\boldsymbol{\alpha}_1)=1$, $f_1(\boldsymbol{\alpha}_2)=f_1(\boldsymbol{\alpha}_3)=0$ 得到

$$\begin{cases} b_1-b_2+3b_3=1, \\ b_2-b_3=0, \\ 3b_2-2b_3=0 \end{cases}$$

解方程组得 $b_1=1$, $b_2=0$, $b_3=0$, 于是 $f_1(\boldsymbol{\alpha})=x_1$, 类似可求 $f_2(\boldsymbol{\alpha})=7x_1-2x_2-3x_3$, $f_3(\boldsymbol{\alpha})=-2x_1+x_2+x_3$.

下面讨论线性空间 V 的两组基的对偶基之间的关系.

定理11.1.3

设 $\boldsymbol{\varepsilon}_1,\boldsymbol{\varepsilon}_2,\cdots,\boldsymbol{\varepsilon}_n$ 及 $\boldsymbol{\eta}_1,\boldsymbol{\eta}_2,\cdots,\boldsymbol{\eta}_n$ 是 n 维线性空间 V 的两组基, 它们的对偶基分别为 $f_1,f_2,\cdots,f_n$ 及 $g_1,g_2,\cdots,g_n$. 如果由 $\boldsymbol{\varepsilon}_1,\boldsymbol{\varepsilon}_2,\cdots,\boldsymbol{\varepsilon}_n$ 到 $\boldsymbol{\eta}_1,\boldsymbol{\eta}_2,\cdots,\boldsymbol{\eta}_n$ 的过渡矩阵为 $\boldsymbol{A}$, 那么由 $f_1,f_2,\cdots,f_n$ 到 $g_1,g_2,\cdots,g_n$ 的过渡矩阵为 $(\boldsymbol{A}^{\mathrm{T}})^{-1}$.

证明　由 $\boldsymbol{\varepsilon}_1,\boldsymbol{\varepsilon}_2,\cdots,\boldsymbol{\varepsilon}_n$ 到 $\boldsymbol{\eta}_1,\boldsymbol{\eta}_2,\cdots,\boldsymbol{\eta}_n$ 的过渡矩阵为 $\boldsymbol{A}$ 知

$$(\boldsymbol{\eta}_1,\boldsymbol{\eta}_2,\cdots,\boldsymbol{\eta}_n)=(\boldsymbol{\varepsilon}_1,\boldsymbol{\varepsilon}_2,\cdots,\boldsymbol{\varepsilon}_n)\boldsymbol{A}$$

另外，设 $f_1,f_2,\cdots,f_n$ 到 $g_1,g_2,\cdots,g_n$ 的过渡矩阵为 $\boldsymbol{B}$，则

$$(g_1,g_2,\cdots,g_n)=(f_1,f_2,\cdots,f_n)\boldsymbol{B}$$

其中

$$\boldsymbol{A}=\begin{pmatrix} a_{11} & a_{12} & \cdots & a_{1n} \\ a_{21} & a_{22} & \cdots & a_{2n} \\ \vdots & \vdots & & \vdots \\ a_{n1} & a_{n2} & \cdots & a_{nn} \end{pmatrix},\quad \boldsymbol{B}=\begin{pmatrix} b_{11} & b_{12} & \cdots & b_{1n} \\ b_{21} & b_{22} & \cdots & b_{2n} \\ \vdots & \vdots & & \vdots \\ b_{n1} & b_{n2} & \cdots & b_{nn} \end{pmatrix}$$

于是

$$\boldsymbol{\eta}_i=a_{1i}\boldsymbol{\varepsilon}_1+a_{2i}\boldsymbol{\varepsilon}_2+\cdots+a_{ni}\boldsymbol{\varepsilon}_n,\quad i=1,2,\cdots,n$$
$$\boldsymbol{g}_j=b_{1j}f_1+b_{2j}f_2+\cdots+b_{nj}f_n,\quad j=1,2,\cdots,n$$

因此

$$\begin{aligned}\boldsymbol{g}_j(\boldsymbol{\eta}_i)&=\sum_{k=1}^{n}b_{kj}f_k(a_{1i}\boldsymbol{\varepsilon}_1+a_{2i}\boldsymbol{\varepsilon}_2+\cdots+a_{ni}\boldsymbol{\varepsilon}_n)\\&=b_{1j}a_{1i}+b_{2j}a_{2i}+\cdots+b_{nj}a_{ni}\\&=\begin{cases}1, & i=j,\\ 0, & i\neq j,\end{cases}\quad i,j=1,2,\cdots,n\end{aligned}$$

由矩阵乘法定义，即得

$$\boldsymbol{B}^{\mathrm{T}}\boldsymbol{A}=\boldsymbol{E}$$

即

$$\boldsymbol{B}^{\mathrm{T}}=\boldsymbol{A}^{-1}$$

设 V 是 P 上一个线性空间，V^* 是其对偶空间，取定 V 中一个向量 $\boldsymbol{x}$，定义 V^* 的一个函数 x^{**} 如下；

$$x^{**}(f)=f(\boldsymbol{x}),\quad f\in V^*$$

根据线性函数的定义，容易检验 x^{**} 是 V^* 上的一个线性函数，因此 x^{**} 是 V^* 的对偶空间 $(V^*)^*=V^{**}$ 中的一个元素.

定理11.1.4

V 是一个线性空间，V^{**} 是 V 的对偶空间的对偶空间. V 到 V^{**} 的映射 σ

$$\sigma:\boldsymbol{x}\to\boldsymbol{x}^{**},\ \forall\ \boldsymbol{x}\in V$$

是一个同构映射.

证明　对于任意 $\boldsymbol{x}_1,\boldsymbol{x}_2\in V$，$f\in V^*$，有

$$(\boldsymbol{x}_1+\boldsymbol{x}_2)^{**}(f)=f(\boldsymbol{x}_1+\boldsymbol{x}_2)=f(\boldsymbol{x}_1)+f(\boldsymbol{x}_2)=x_1^{**}(f)+x_2^{**}(f)=(x_1^{**}+x_2^{**})(f)$$
$$(k\boldsymbol{x}_1)^{**}(f)=f(k\boldsymbol{x}_1)=kf(\boldsymbol{x}_1)=kx_1^{**}(f)=(kx_1^{**})(f)$$

即

$$\sigma(\boldsymbol{x}_1+\boldsymbol{x}_2)=\sigma(\boldsymbol{x}_1)+\sigma(\boldsymbol{x}_2)$$

$$\sigma(k\boldsymbol{x}_1)=k\sigma(\boldsymbol{x}_1)$$

所以这个映射保持加法和数量乘法.

若 x^{**} 为 V^* 上零函数，即对任一 $f\in V^*$ 都有 $f(\boldsymbol{x})=0$，则由(11.1.5)式，$\boldsymbol{x}=\boldsymbol{0}$. 故这个映射是单射，又因为 V 与 V^{**} 维数相同，所以这个映射是同构映射.

这个定理说明，线性空间 V 也可看成 V^* 的线性函数空间，V 与 V^* 实际上是互为线性函数空间的. 这就是对偶空间名字的来由.

11.2 双线性函数

这里引入线性空间上的一类重要函数——双线性函数.

11.2.1 双线性函数的定义及性质

定义 11.2.1

设 V 是数域 P 上一个线性空间，$f(\boldsymbol{\alpha},\boldsymbol{\beta})$ 是 V 上一个二元函数，即对 V 中任意两个向量 $\boldsymbol{\alpha},\boldsymbol{\beta}$ 都按照某一法则 f 对应于 P 中唯一确定的一个数 $f(\boldsymbol{\alpha},\boldsymbol{\beta})$. 如果 $f(\boldsymbol{\alpha},\boldsymbol{\beta})$ 满足

(1) $f(l_1\boldsymbol{\alpha}_1+l_2\boldsymbol{\alpha}_2,\boldsymbol{\beta})=l_1f(\boldsymbol{\alpha}_1,\boldsymbol{\beta})+l_2f(\boldsymbol{\alpha}_2,\boldsymbol{\beta})$；

(2) $f(\boldsymbol{\alpha},k_1\boldsymbol{\beta}_1+k_2\boldsymbol{\beta}_2)=k_1f(\boldsymbol{\alpha},\boldsymbol{\beta}_1)+k_2f(\boldsymbol{\alpha},\boldsymbol{\beta}_2)$，

其中 $\boldsymbol{\alpha},\boldsymbol{\alpha}_1,\boldsymbol{\alpha}_2,\boldsymbol{\beta},\boldsymbol{\beta}_1,\boldsymbol{\beta}_2$ 是 V 中任意向量，l_1,l_2,k_1,k_2 是 P 中任意数，则称 $f(\boldsymbol{\alpha},\boldsymbol{\beta})$ 为 V 上的一个**双线性函数**.

由此定义可知：若令 $\boldsymbol{\beta}$ 保持不变，则 $f(\boldsymbol{\alpha},\boldsymbol{\beta})$ 是 $\boldsymbol{\alpha}$ 的线性函数；若令 $\boldsymbol{\alpha}$ 保持不变，则 $f(\boldsymbol{\alpha},\boldsymbol{\beta})$ 是 $\boldsymbol{\beta}$ 的线性函数. 这就是双线性函数的由来.

例 11.2.1 在线性空间 $P^{n\times n}$ 上定义二元函数

$$f(\boldsymbol{X},\boldsymbol{Y})=\mathrm{tr}(\boldsymbol{XY}),\ \forall\ \boldsymbol{X},\boldsymbol{Y}\in P^{n\times n}$$

试证明 $f(\boldsymbol{X},\boldsymbol{Y})$ 是 $P^{n\times n}$ 上的双线性函数.

证明 任意 $\boldsymbol{X},\boldsymbol{X}_1,\boldsymbol{X}_2,\boldsymbol{Y},\boldsymbol{Y}_1,\boldsymbol{Y}_2\in P^{n\times n}$，任意 $k_1,k_2\in P$，则

$$f(\boldsymbol{X},k_1\boldsymbol{Y}_1+k_2\boldsymbol{Y}_2)=\mathrm{tr}(\boldsymbol{X}(k_1\boldsymbol{Y}_1+k_2\boldsymbol{Y}_2))=k_1\mathrm{tr}(\boldsymbol{XY}_1)+k_2\mathrm{tr}(\boldsymbol{XY}_2)=k_1f(\boldsymbol{X},\boldsymbol{Y}_1)+k_2f(\boldsymbol{X},\boldsymbol{Y}_2)$$

同理可证

$$f(k_1\boldsymbol{X}_1+k_2\boldsymbol{X}_2,\boldsymbol{Y})=k_1f(\boldsymbol{X}_1,\boldsymbol{Y})+k_2f(\boldsymbol{X}_2,\boldsymbol{Y})$$

所以，$f(X,Y)=\mathrm{tr}(XY)$ 是 $P^{n\times n}$ 上的双线性函数.

例 11.2.2 证明欧氏空间 V 的内积是 V 上的双线性函数.

证明 因为 $(\boldsymbol{\alpha},\boldsymbol{\beta})$ 是 V 上的一个二元函数，且对任意 $\boldsymbol{\alpha},\boldsymbol{\beta}_1,\boldsymbol{\beta}_2\in V$，任意 $k_1,k_2\in\mathbf{R}$，有

$$(\boldsymbol{\alpha},k_1\boldsymbol{\beta}_1+k_2\boldsymbol{\beta}_2)=k_1(\boldsymbol{\alpha},\boldsymbol{\beta}_1)+k_2(\boldsymbol{\alpha},\boldsymbol{\beta}_2)$$

$$(k_1\boldsymbol{\beta}_1+k_2\boldsymbol{\beta}_2,\boldsymbol{\alpha})=k_1(\boldsymbol{\beta}_1,\boldsymbol{\alpha})+k_2(\boldsymbol{\beta}_2,\boldsymbol{\alpha})$$

所以，$(\boldsymbol{\alpha},\boldsymbol{\beta})$ 是 V 上的双线性函数.

例 11.2.3 在线性空间 $C[a,b]$ 中，任取两个元素 $g(x),h(x)$，令

$$f(g(x),h(x))=\int_a^b g(t)h(t)\mathrm{d}t$$

则可以验证 f 为 $C[a,b]$ 上的双线性函数.

证明留给读者去完成.

下面来讨论双线性函数的表示问题.

设 V 是数域 P 上的 n 维线性空间，$\boldsymbol{\varepsilon}_1,\boldsymbol{\varepsilon}_2,\cdots,\boldsymbol{\varepsilon}_n$ 是 V 的一组基，而 f 是 V 上的一个双线性函数. 任取 $\boldsymbol{\alpha},\boldsymbol{\beta}\in V$，令

$$\boldsymbol{\alpha}=(\boldsymbol{\varepsilon}_1,\boldsymbol{\varepsilon}_2,\cdots,\boldsymbol{\varepsilon}_n)\begin{pmatrix}x_1\\x_2\\\vdots\\x_n\end{pmatrix}=(\boldsymbol{\varepsilon}_1,\boldsymbol{\varepsilon}_2,\cdots,\boldsymbol{\varepsilon}_n)\boldsymbol{x}$$

$$\boldsymbol{\beta}=(\boldsymbol{\varepsilon}_1,\boldsymbol{\varepsilon}_2,\cdots,\boldsymbol{\varepsilon}_n)\begin{pmatrix}y_1\\y_2\\\vdots\\y_n\end{pmatrix}=(\boldsymbol{\varepsilon}_1,\boldsymbol{\varepsilon}_2,\cdots,\boldsymbol{\varepsilon}_n)\boldsymbol{y}$$

则

$$f(\boldsymbol{\alpha},\boldsymbol{\beta})=f\left(\sum_{i=1}^n x_i\boldsymbol{\varepsilon}_i,\sum_{j=1}^n y_j\boldsymbol{\varepsilon}_j\right)=\sum_{i=1}^n\sum_{j=1}^n f(\boldsymbol{\varepsilon}_i,\boldsymbol{\varepsilon}_j)x_iy_j$$

若令

$$a_{ij}=f(\boldsymbol{\varepsilon}_i,\boldsymbol{\varepsilon}_j),\quad i,j=1,2,\cdots,n$$

$$\boldsymbol{A}=\begin{pmatrix}a_{11}&a_{12}&\cdots&a_{1n}\\a_{21}&a_{22}&\cdots&a_{2n}\\\vdots&\vdots&&\vdots\\a_{n1}&a_{n2}&\cdots&a_{nn}\end{pmatrix}$$

则有

$$f(\boldsymbol{\alpha},\boldsymbol{\beta})=\boldsymbol{x}^{\mathrm{T}}\boldsymbol{A}\boldsymbol{y}$$

定义11.2.2

设 $f(\boldsymbol{\alpha},\boldsymbol{\beta})$ 是数域 P 上 n 维线性空间 V 上的一个双线性函数. $\boldsymbol{\varepsilon}_1,\boldsymbol{\varepsilon}_2,\cdots,\boldsymbol{\varepsilon}_n$ 是 V 的一组基，则把矩阵

$$\boldsymbol{A}=\begin{pmatrix}f(\boldsymbol{\varepsilon}_1,\boldsymbol{\varepsilon}_1)&f(\boldsymbol{\varepsilon}_1,\boldsymbol{\varepsilon}_2)&\cdots&f(\boldsymbol{\varepsilon}_1,\boldsymbol{\varepsilon}_n)\\f(\boldsymbol{\varepsilon}_2,\boldsymbol{\varepsilon}_1)&f(\boldsymbol{\varepsilon}_2,\boldsymbol{\varepsilon}_2)&\cdots&f(\boldsymbol{\varepsilon}_2,\boldsymbol{\varepsilon}_n)\\\vdots&\vdots&&\vdots\\f(\boldsymbol{\varepsilon}_n,\boldsymbol{\varepsilon}_1)&f(\boldsymbol{\varepsilon}_n,\boldsymbol{\varepsilon}_2)&\cdots&f(\boldsymbol{\varepsilon}_n,\boldsymbol{\varepsilon}_n)\end{pmatrix}$$

叫作 $f(\boldsymbol{\alpha},\boldsymbol{\beta})$ 在 $\boldsymbol{\varepsilon}_1,\boldsymbol{\varepsilon}_2,\cdots,\boldsymbol{\varepsilon}_n$ 下的度量矩阵.

以上说明，取定 V 的一组基 $\boldsymbol{\varepsilon}_1,\boldsymbol{\varepsilon}_2,\cdots,\boldsymbol{\varepsilon}_n$ 后，每个双线性函数都对应于一个 n 阶矩阵，就是这个双线性函数在基 $\boldsymbol{\varepsilon}_1,\boldsymbol{\varepsilon}_2,\cdots,\boldsymbol{\varepsilon}_n$ 下的度量矩阵. 也就是说，度量矩阵由双线性函数及基唯一确定. 而且不同的双线性函数在同一基下的度量矩阵是不同的.

反之，任给数域 P 上一个 n 阶矩阵

$$A=\begin{pmatrix} a_{11} & a_{12} & \cdots & a_{1n} \\ a_{21} & a_{22} & \cdots & a_{2n} \\ \vdots & \vdots & & \vdots \\ a_{n1} & a_{n2} & \cdots & a_{nn} \end{pmatrix}$$

对 V 中任意向量 $\boldsymbol{\alpha}=(\boldsymbol{\varepsilon}_1,\boldsymbol{\varepsilon}_2,\cdots,\boldsymbol{\varepsilon}_n)\boldsymbol{x}$ 及 $\boldsymbol{\beta}=(\boldsymbol{\varepsilon}_1,\boldsymbol{\varepsilon}_2,\cdots,\boldsymbol{\varepsilon}_n)\boldsymbol{y}$，其中 $\boldsymbol{x}^{\mathrm{T}}=(x_1,x_2,\cdots,x_n)$，$\boldsymbol{y}^{\mathrm{T}}=(y_1,y_2,\cdots,y_n)$，用

$$f(\boldsymbol{\alpha},\boldsymbol{\beta})=\boldsymbol{x}^{\mathrm{T}}A\boldsymbol{y}^{\mathrm{T}}=\sum_{i=1}^{n}\sum_{j=1}^{n}a_{ij}x_iy_j$$

定义的函数是 V 上一个双线性函数. 容易计算出 $f(\boldsymbol{\alpha},\boldsymbol{\beta})$ 在 $\boldsymbol{\varepsilon}_1,\boldsymbol{\varepsilon}_2,\cdots,\boldsymbol{\varepsilon}_n$ 下的度量矩阵就是 $\boldsymbol{A}$.

因此，在给定的基下，V 上全体双线性函数与 P 上全体 n 阶矩阵之间存在一一对应关系.

在 V 的不同基下，同一个双线性函数的度量矩阵一般是不同的. 下面来讨论它们之间的关系.

定理11.2.1

线性空间 V 上的双线性函数 f 在 V 的不同基下的度量矩阵是合同的.

证明　设 $\boldsymbol{\varepsilon}_1,\boldsymbol{\varepsilon}_2,\cdots,\boldsymbol{\varepsilon}_n$ 及 $\boldsymbol{\eta}_1,\boldsymbol{\eta}_2,\cdots,\boldsymbol{\eta}_n$ 是线性空间 V 的两组基:

$$(\boldsymbol{\eta}_1,\boldsymbol{\eta}_2,\cdots,\boldsymbol{\eta}_n)=(\boldsymbol{\varepsilon}_1,\boldsymbol{\varepsilon}_2,\cdots,\boldsymbol{\varepsilon}_n)\boldsymbol{C}$$

$\boldsymbol{\alpha},\boldsymbol{\beta}$ 是 V 中任意两个向量

$$\boldsymbol{\alpha}=(\boldsymbol{\varepsilon}_1,\boldsymbol{\varepsilon}_2,\cdots,\boldsymbol{\varepsilon}_n)\boldsymbol{x}_\varepsilon=(\boldsymbol{\eta}_1,\boldsymbol{\eta}_2,\cdots,\boldsymbol{\eta}_n)\boldsymbol{\eta}_\eta$$

$$\boldsymbol{\beta}=(\boldsymbol{\varepsilon}_1,\boldsymbol{\varepsilon}_2,\cdots,\boldsymbol{\varepsilon}_n)\boldsymbol{y}_\varepsilon=(\boldsymbol{\eta}_1,\boldsymbol{\eta}_2,\cdots,\boldsymbol{\eta}_n)\boldsymbol{y}_\eta$$

其中 $\boldsymbol{x}_\varepsilon$，$\boldsymbol{x}_\eta$，$\boldsymbol{y}_\varepsilon$，$\boldsymbol{y}_\eta$ 为 n 维列向量，分别表示 $\boldsymbol{\alpha},\boldsymbol{\beta}$ 在两组基 $\boldsymbol{\varepsilon}_1,\boldsymbol{\varepsilon}_2,\cdots,\boldsymbol{\varepsilon}_n$ 和 $\boldsymbol{\eta}_1,\boldsymbol{\eta}_2,\cdots,\boldsymbol{\eta}_n$ 下的坐标. 那么

$$\boldsymbol{x}_\varepsilon=\boldsymbol{C}\boldsymbol{x}_\eta,\quad \boldsymbol{y}_\varepsilon=\boldsymbol{C}\boldsymbol{y}_\eta$$

如果双线性函数 $f(\boldsymbol{\alpha},\boldsymbol{\beta})$ 在 $\boldsymbol{\varepsilon}_1,\boldsymbol{\varepsilon}_2,\cdots,\boldsymbol{\varepsilon}_n$ 及 $\boldsymbol{\eta}_1,\boldsymbol{\eta}_2,\cdots,\boldsymbol{\eta}_n$ 下的度量矩阵分别为 $\boldsymbol{A},\boldsymbol{B}$，则有

$$f(\boldsymbol{\alpha},\boldsymbol{\beta})=\boldsymbol{x}_\varepsilon^{\mathrm{T}}\boldsymbol{A}\boldsymbol{y}_\varepsilon=(\boldsymbol{C}\boldsymbol{x}_\eta)^{\mathrm{T}}\boldsymbol{A}(\boldsymbol{C}\boldsymbol{y}_\eta)=\boldsymbol{x}_\eta^{\mathrm{T}}(\boldsymbol{C}^{\mathrm{T}}\boldsymbol{A}\boldsymbol{C})\boldsymbol{y}_\eta$$

又

$$f(\boldsymbol{\alpha},\boldsymbol{\beta})=\boldsymbol{x}_\eta^{\mathrm{T}}\boldsymbol{B}\boldsymbol{y}_\eta$$

由 $\boldsymbol{\alpha},\boldsymbol{\beta}$ 的任意性知

$$\boldsymbol{B}=\boldsymbol{C}^{\mathrm{T}}\boldsymbol{A}\boldsymbol{C}$$

即 $\boldsymbol{A},\boldsymbol{B}$ 是合同的.

定义11.2.3

设 $f(\boldsymbol{\alpha},\boldsymbol{\beta})$ 是 n 维线性空间 V 上的一个双线性函数，它在某一组基下的度量矩阵 $\boldsymbol{A}$ 的秩 $r(\boldsymbol{A})$ 称为 $f(\boldsymbol{\alpha},\boldsymbol{\beta})$ 的秩. 若 $\boldsymbol{A}$ 是满秩的，即 $r(\boldsymbol{A})=n$，则称 $f(\boldsymbol{\alpha},\boldsymbol{\beta})$ 是**满秩双线性函数**(或称**非退化双线性函数**).

例 11.2.4 已知 $f((x_1,x_2),(y_1,y_2))=2x_1y_1-3x_1y_2+x_2y_2$ 为 $\boldsymbol{R}^2$ 上的双线性函数. 求:

(1) f 在基 $\boldsymbol{\alpha}_1=(1,0)^{\mathrm{T}}$，$\boldsymbol{\alpha}_2=(1,1)^{\mathrm{T}}$ 下的矩阵 $\boldsymbol{A}$；

(2) f 在基 $\boldsymbol{\beta}_1=(2,1)^{\mathrm{T}}$，$\boldsymbol{\beta}_2=(1,-1)^{\mathrm{T}}$ 下的度量矩阵 $\boldsymbol{B}$；

(3) 从 $\boldsymbol{\alpha}_1,\boldsymbol{\alpha}_2$ 到 $\boldsymbol{\beta}_1,\boldsymbol{\beta}_2$ 的过渡矩阵 $\boldsymbol{P}$，并验证 $\boldsymbol{P}^{\mathrm{T}}\boldsymbol{AP}=\boldsymbol{B}$.

解 (1) 由定义,

$$\boldsymbol{A}=\begin{pmatrix} f(\boldsymbol{\alpha}_1,\boldsymbol{\alpha}_1) & f(\boldsymbol{\alpha}_1,\boldsymbol{\alpha}_2) \\ f(\boldsymbol{\alpha}_2,\boldsymbol{\alpha}_1) & f(\boldsymbol{\alpha}_2,\boldsymbol{\alpha}_2) \end{pmatrix}=\begin{pmatrix} 2 & -1 \\ 2 & 0 \end{pmatrix}$$

(2) 同样由定义,

$$\boldsymbol{B}=\begin{pmatrix} f(\boldsymbol{\beta}_1,\boldsymbol{\beta}_1) & f(\boldsymbol{\beta}_1,\boldsymbol{\beta}_2) \\ f(\boldsymbol{\beta}_2,\boldsymbol{\beta}_1) & f(\boldsymbol{\beta}_2,\boldsymbol{\beta}_2) \end{pmatrix}=\begin{pmatrix} 3 & 9 \\ 0 & 6 \end{pmatrix}$$

(3) 由已知

$$\boldsymbol{\beta}_1=\boldsymbol{\alpha}_1+\boldsymbol{\alpha}_2,\quad \boldsymbol{\beta}_2=2\boldsymbol{\alpha}_1-\boldsymbol{\alpha}_2$$

所以 $\boldsymbol{\alpha}_1,\boldsymbol{\alpha}_2$ 到 $\boldsymbol{\beta}_1,\boldsymbol{\beta}_2$ 的过渡矩阵 $\boldsymbol{P}$ 是

$$\begin{pmatrix} 1 & 2 \\ 1 & -1 \end{pmatrix}$$

于是

$$\boldsymbol{P}^{\mathrm{T}}\boldsymbol{AP}=\begin{pmatrix} 1 & 1 \\ 2 & -1 \end{pmatrix}\begin{pmatrix} 2 & -1 \\ 2 & 0 \end{pmatrix}\begin{pmatrix} 1 & 2 \\ 1 & -1 \end{pmatrix}=\begin{pmatrix} 3 & 9 \\ 0 & 6 \end{pmatrix}=\boldsymbol{B}$$

11.2.2 对称双线性函数及反对称双线性函数

定义11.2.4

$f(\boldsymbol{\alpha},\boldsymbol{\beta})$ 是线性空间 V 上的一个双线性函数, 如果对 V 上任意两个向量 $\boldsymbol{\alpha},\boldsymbol{\beta}$ 都有

$$f(\boldsymbol{\alpha},\boldsymbol{\beta})=f(\boldsymbol{\beta},\boldsymbol{\alpha})$$

那么称 $f(\boldsymbol{\alpha},\boldsymbol{\beta})$ 为对称双线性函数. 如果对 V 中任意两个向量 $\boldsymbol{\alpha},\boldsymbol{\beta}$ 都有

$$f(\boldsymbol{\alpha},\boldsymbol{\beta})=-f(\boldsymbol{\beta},\boldsymbol{\alpha})$$

那么称 $f(\boldsymbol{\alpha},\boldsymbol{\beta})$ 为反对称双线性函数.

不难验证在例11.2.1～例11.2.3中给出的三个函数都是对称的双线性函数.

例 11.2.5 在线性空间 $\mathbf{R}^2$ 中, 任取 $\boldsymbol{\alpha}=(x_1,x_2)^{\mathrm{T}},\boldsymbol{\beta}=(y_1,y_2)^{\mathrm{T}}$，令

$$f(\boldsymbol{\alpha},\boldsymbol{\beta})=x_1y_2-x_2y_1$$

则可以验证 f 是 $\mathbf{R}^2$ 上的反对称双线性函数.

定理11.2.2

设 $f(\boldsymbol{\alpha},\boldsymbol{\beta})$ 是线性空间 V 上的一个双线性函数, 则 $f(\boldsymbol{\alpha},\boldsymbol{\beta})$ 是对称的(或者反对称的)充分必要条件是它在任一组基下的度量矩阵是对称的(或者反对称的).

证明　设 $f(\boldsymbol{\alpha},\boldsymbol{\beta})$ 是线性空间 V 上的一个对称双线性函数，对 V 的任一组基 $\boldsymbol{\varepsilon}_1,\boldsymbol{\varepsilon}_2,\cdots,\boldsymbol{\varepsilon}_n$，由于

$$f(\boldsymbol{\varepsilon}_i,\boldsymbol{\varepsilon}_j)=f(\boldsymbol{\varepsilon}_j,\boldsymbol{\varepsilon}_i)$$

故其度量矩阵是对称的，另一方面，如果双线性函数 $f(\boldsymbol{\alpha},\boldsymbol{\beta})$ 在 $\boldsymbol{\varepsilon}_1,\boldsymbol{\varepsilon}_2,\cdots,\boldsymbol{\varepsilon}_n$ 下的度量矩阵是对称的，那么对 V 中任意两个向量 $\boldsymbol{\alpha}=(\boldsymbol{\varepsilon}_1,\boldsymbol{\varepsilon}_2,\cdots,\boldsymbol{\varepsilon}_n)\boldsymbol{x}$ 及 $\boldsymbol{\beta}=(\boldsymbol{\varepsilon}_1,\boldsymbol{\varepsilon}_2,\cdots,\boldsymbol{\varepsilon}_n)\boldsymbol{y}$ 都有

$$f(\boldsymbol{\alpha},\boldsymbol{\beta})=\boldsymbol{x}^{\mathrm{T}}\boldsymbol{A}\boldsymbol{y}=\boldsymbol{y}^{\mathrm{T}}\boldsymbol{A}^{\mathrm{T}}\boldsymbol{x}=\boldsymbol{y}^{\mathrm{T}}\boldsymbol{A}\boldsymbol{x}=f(\boldsymbol{\beta},\boldsymbol{\alpha})$$

因此 $f(\boldsymbol{\alpha},\boldsymbol{\beta})$ 是对称的. 这就是说，双线性函数是对称的，当且仅当它在任一组基下的度量矩阵是对称的.

同样可以证明双线性函数是反对称的充要条件是它在任一组基下的度量矩阵是反对称矩阵.

根据第6章中对称矩阵在合同变换下的标准型理论，可得到如下定理:

定理11.2.3

设 V 是数域 P 上 n 维线性空间，$f(\boldsymbol{\alpha},\boldsymbol{\beta})$ 是 V 上对称双线性函数，则存在 V 的一组基 $\boldsymbol{\varepsilon}_1,\boldsymbol{\varepsilon}_2,\cdots,\boldsymbol{\varepsilon}_n$，使 $f(\boldsymbol{\alpha},\boldsymbol{\beta})$ 在这组基下的度量矩阵为对角矩阵.

证明　任取 V 的一组基 $\boldsymbol{\alpha}_1,\boldsymbol{\alpha}_2,\cdots,\boldsymbol{\alpha}_n$，设 $f(\boldsymbol{\alpha},\boldsymbol{\beta})$ 在这组基下的度量矩阵为 $\boldsymbol{A}$，则 $\boldsymbol{A}$ 是对称矩阵，于是 $\boldsymbol{A}$ 合同于对角矩阵 $\boldsymbol{B}$，即存在可逆矩阵 $\boldsymbol{C}$ 使得 $\boldsymbol{C}^{\mathrm{T}}\boldsymbol{A}\boldsymbol{C}=\boldsymbol{B}$. 令

$$(\boldsymbol{\beta}_1,\boldsymbol{\beta}_2,\cdots,\boldsymbol{\beta}_n)=(\boldsymbol{\alpha}_1,\boldsymbol{\alpha}_2,\cdots,\boldsymbol{\alpha}_n)\boldsymbol{C}$$

则 $\boldsymbol{\beta}_1,\boldsymbol{\beta}_2,\cdots,\boldsymbol{\beta}_n$ 也是 V 的一组基，且 $f(\boldsymbol{\alpha},\boldsymbol{\beta})$ 在 $\boldsymbol{\beta}_1,\boldsymbol{\beta}_2,\cdots,\boldsymbol{\beta}_n$ 下的度量矩阵就是对角矩阵 $\boldsymbol{B}$.

反过来，如果 $f(\boldsymbol{\alpha},\boldsymbol{\beta})$ 在 $\boldsymbol{\varepsilon}_1,\boldsymbol{\varepsilon}_2,\cdots,\boldsymbol{\varepsilon}_n$ 下的度量矩阵为对角矩阵 $\mathrm{diag}\{d_1,d_2,\cdots,d_n\}$，那么对 $\boldsymbol{\alpha}=\sum\limits_{i=1}^{n}x_i\boldsymbol{\varepsilon}_i$，$\boldsymbol{\beta}=\sum\limits_{i=1}^{n}y_i\boldsymbol{\varepsilon}_i$，$f(\boldsymbol{\alpha},\boldsymbol{\beta})$ 有表示式

$$f(\boldsymbol{\alpha},\boldsymbol{\beta})=d_1x_1y_1+d_2x_2y_2+\cdots+d_nx_ny_n$$

这个表示式也是 $f(\boldsymbol{\alpha},\boldsymbol{\beta})$ 在 $\boldsymbol{\varepsilon}_1,\boldsymbol{\varepsilon}_2,\cdots,\boldsymbol{\varepsilon}_n$ 下的度量矩阵为对角形的充分条件.

根据定理11.2.3，对复数域和实数域上的 n 维线性空间 V，可以给出 V 上的对称双线性函数的简单表示.

推论11.2.1

设 V 是复数域上 n 维线性空间，$f(\boldsymbol{\alpha},\boldsymbol{\beta})$ 是 V 上对称双线性函数，则存在 V 的一组基 $\boldsymbol{\varepsilon}_1,\boldsymbol{\varepsilon}_2,\cdots,\boldsymbol{\varepsilon}_n$，对 V 中任意向量 $\boldsymbol{\alpha}=\sum\limits_{i=1}^{n}x_i\boldsymbol{\varepsilon}_i,\boldsymbol{\beta}=\sum\limits_{i=1}^{n}y_i\boldsymbol{\varepsilon}_i$，有

$$f(\boldsymbol{\alpha},\boldsymbol{\beta})=x_1y_1+x_2y_2+\cdots+x_ry_r\quad(0\leqslant r\leqslant n)$$

推论11.2.2

设 V 是实数域上 n 维线性空间，$f(\boldsymbol{\alpha},\boldsymbol{\beta})$ 是 V 上对称双线性函数，则存在 V 的一组基 $\boldsymbol{\varepsilon}_1,\boldsymbol{\varepsilon}_2,\cdots,\boldsymbol{\varepsilon}_n$，对 V 中任意向量 $\boldsymbol{\alpha}=\sum\limits_{i=1}^{n}x_i\boldsymbol{\varepsilon}_i,\boldsymbol{\beta}=\sum\limits_{i=1}^{n}y_i\boldsymbol{\varepsilon}_i$，有

$$f(\boldsymbol{\alpha},\boldsymbol{\beta})=x_1y_1+\cdots+x_py_p-x_{p+1}y_{p+1}-\cdots-x_ry_r\quad(0\leqslant p\leqslant r\leqslant n)$$

定义11.2.5

设 V 是数域 P 上线性空间，$f(\boldsymbol{\alpha},\boldsymbol{\beta})$ 是 V 上双线性函数．当 $\boldsymbol{\alpha}=\boldsymbol{\beta}$ 时，V 上函数 $f(\boldsymbol{\alpha},\boldsymbol{\alpha})$ 称为与 $f(\boldsymbol{\alpha},\boldsymbol{\beta})$ 对应的**二次齐次函数**.

给定 V 上一组基 $\boldsymbol{\varepsilon}_1,\boldsymbol{\varepsilon}_2,\cdots,\boldsymbol{\varepsilon}_n$，设 $f(\boldsymbol{\alpha},\boldsymbol{\beta})$ 的度量矩阵为 $\boldsymbol{A}=(a_{ij})_{n\times n}$．对 V 中任意向量 $\boldsymbol{\alpha}=\sum_{i=1}^{n}x_i\boldsymbol{\varepsilon}_i$，有

$$f(\boldsymbol{\alpha},\boldsymbol{\alpha})=\sum_{i=1}^{n}\sum_{j=1}^{n}a_{ij}x_ix_j \tag{11.2.1}$$

式中 x_ix_j 的系数为 $a_{ij}+a_{ji}$．因此如果两个双线性函数的度量矩阵分别为

$$\boldsymbol{A}=(a_{ij})_{n\times n} \quad 及 \quad \boldsymbol{B}=(b_{ij})_{n\times n}$$

只要

$$a_{ij}+a_{ji}=b_{ij}+b_{ji},\quad i,j=1,2,\cdots,n$$

那么它们对应的二次齐次函数就相同，因此有很多双线性函数对应于同一个二次齐次函数，但是如果要求 $\boldsymbol{A}$ 为对称矩阵，即要求双线性函数为对称的，那么一个二次齐次函数只对应一个对称双线性函数．从式(11.2.1)看出二次齐次函数的坐标表达式就是以前学过的二次型．它与对称矩阵是一一对应的，而这个对称矩阵就是唯一的与这个二次齐次函数对应的对称双线性函数的度量矩阵.

下面引入关于反对称双线性函数的结论.

设 f 是数域 P 上的 n 维线性空间 V 上的反对称双线性函数，则对于任意的 $\boldsymbol{\alpha}\in V$，都有

$$f(\boldsymbol{\alpha},\boldsymbol{\alpha})=-f(\boldsymbol{\alpha},\boldsymbol{\alpha})$$

从而有 $f(\boldsymbol{\alpha},\boldsymbol{\alpha})=0$.

定理11.2.4

设 f 是数域 P 上的 n 维线性空间 V 上的反对称双线性函数，则存在 V 的一组基

$$\delta_1,\delta_{-1},\cdots,\delta_r,\delta_{-r},\eta_1,\eta_2,\cdots,\eta_s,\quad 2r+s=n$$

使 f 在这组基下的度量矩阵具有形式

$$\mathrm{diag}\left\{\begin{pmatrix}0&1\\-1&0\end{pmatrix},\cdots,\begin{pmatrix}0&1\\-1&0\end{pmatrix},0,\cdots,0\right\}$$

证明 对线性空间的维数 n 作数学归纳法.

当 $n=1$ 时，f 在 V 的一组基 $\boldsymbol{\alpha}_1$ 下的度量矩阵为 $(f(\boldsymbol{\alpha}_1,\boldsymbol{\alpha}_1))=\boldsymbol{O}$.

假设维数小于 n 时命题为真，现在来看 n 维的情形.

若 $f=0$，则 V 的任一组基都可以取 $\boldsymbol{\eta}_1,\boldsymbol{\eta}_2,\cdots,\boldsymbol{\eta}_t$ 而满足定理需求.

现设 $f\neq 0$，则必存在线性无关的 $\boldsymbol{\delta}_1$，$\boldsymbol{\alpha}_2$ 使得 $f(\boldsymbol{\delta}_1,\boldsymbol{\alpha}_2)\neq 0$．实际上，如果对一切线性无关的向量 $\boldsymbol{\alpha},\boldsymbol{\beta}$，都有 $f(\boldsymbol{\alpha},\boldsymbol{\beta})=0$，又由于对所有线性相关的向量 $\boldsymbol{\alpha},k\boldsymbol{\alpha}$，有

$$f(\boldsymbol{\alpha},k\boldsymbol{\alpha})=kf(\boldsymbol{\alpha},\boldsymbol{\alpha})=0$$

于是，$f=0$，矛盾.

令

$$\boldsymbol{\delta}_{-1}=f(\boldsymbol{\delta}_1,\boldsymbol{\alpha}_2)^{-1}\boldsymbol{\alpha}_2$$

则

$$f(\boldsymbol{\delta}_1,\boldsymbol{\delta}_{-1})=f(\boldsymbol{\delta}_1,f(\boldsymbol{\delta}_1,\boldsymbol{\alpha}_2)^{-1}\boldsymbol{\alpha}_2)=f(\boldsymbol{\delta}_1,\boldsymbol{\alpha}_2)^{-1}f(\boldsymbol{\delta}_1,\boldsymbol{\alpha}_2)=1$$

显然$\boldsymbol{\delta}_1,\boldsymbol{\delta}_{-1}$仍线性无关. 把$\boldsymbol{\delta}_1,\boldsymbol{\delta}_{-1}$扩充成为$V$的一组基$\boldsymbol{\delta}_1,\boldsymbol{\delta}_{-1},\boldsymbol{\beta}_3,\cdots,\boldsymbol{\beta}_n$，令

$$\tilde{\boldsymbol{\beta}}_i=\boldsymbol{\beta}_i-f(\boldsymbol{\beta}_i,\boldsymbol{\delta}_{-1})\boldsymbol{\delta}_1+f(\boldsymbol{\beta}_i,\boldsymbol{\delta}_1)\boldsymbol{\delta}_{-1},\quad i=3,4,\cdots,n \tag{11.2.2}$$

则

$$\begin{aligned}f(\boldsymbol{\delta}_1,\tilde{\boldsymbol{\beta}}_i)&=f(\boldsymbol{\delta}_1,\boldsymbol{\beta}_i)-f(\boldsymbol{\beta}_i,\boldsymbol{\delta}_{-1})f(\boldsymbol{\delta}_1,\boldsymbol{\delta}_1)+f(\boldsymbol{\beta}_i,\boldsymbol{\delta}_1)f(\boldsymbol{\delta}_1,\boldsymbol{\delta}_{-1})\\&=f(\boldsymbol{\delta}_1,\boldsymbol{\beta}_i)-f(\boldsymbol{\delta}_1,\boldsymbol{\beta}_i)=0\end{aligned} \tag{11.2.3}$$

同样可得

$$f(\boldsymbol{\delta}_{-1},\tilde{\boldsymbol{\beta}}_i)=0 \tag{11.2.4}$$

从式(11.2.2)可以看出$\boldsymbol{\delta}_1,\boldsymbol{\delta}_{-1},\tilde{\boldsymbol{\beta}}_3,\cdots,\tilde{\boldsymbol{\beta}}_n$与$\boldsymbol{\delta}_1,\boldsymbol{\delta}_{-1},\boldsymbol{\beta}_3,\cdots,\boldsymbol{\beta}_n$等价，因此$\boldsymbol{\delta}_1,\boldsymbol{\delta}_{-1},\tilde{\boldsymbol{\beta}}_3,\cdots,\tilde{\boldsymbol{\beta}}_n$仍是$V$的一组基. 于是，$V$可以写成如下两个子空间的直和:

$$V=L(\boldsymbol{\delta}_1,\boldsymbol{\delta}_{-1})\oplus L(\tilde{\boldsymbol{\beta}}_3,\cdots,\tilde{\boldsymbol{\beta}}_n)$$

显然f也是$L(\tilde{\boldsymbol{\beta}}_3,\cdots,\tilde{\boldsymbol{\beta}}_n)$上的反对称双线性函数. 根据前面的假设可知，$L(\tilde{\boldsymbol{\beta}}_3,\cdots,\tilde{\boldsymbol{\beta}}_n)$存在一组基$\boldsymbol{\delta}_2,\boldsymbol{\delta}_{-2},\cdots,\boldsymbol{\delta}_r,\boldsymbol{\delta}_{-r},\boldsymbol{\eta}_1,\boldsymbol{\eta}_2,\cdots,\boldsymbol{\eta}_s$使得$f$在$L(\tilde{\boldsymbol{\beta}}_3,\cdots,\tilde{\boldsymbol{\beta}}_n)$的这组基下的度量矩阵为

$$\boldsymbol{H}=\operatorname{diag}\left\{\begin{pmatrix}0&1\\-1&0\end{pmatrix},\cdots,\begin{pmatrix}0&1\\-1&0\end{pmatrix},0,\cdots,0\right\}$$

从式(11.2.3)和式(11.2.4)得，$\forall\boldsymbol{\beta}\in L(\tilde{\boldsymbol{\beta}}_3,\cdots,\tilde{\boldsymbol{\beta}}_n)$，有

$$f(\boldsymbol{\delta}_1,\boldsymbol{\beta})=f(\boldsymbol{\delta}_{-1},\boldsymbol{\beta})=0$$

从而f在V的基$\boldsymbol{\delta}_1,\boldsymbol{\delta}_{-1},\boldsymbol{\delta}_2,\boldsymbol{\delta}_{-2},\cdots,\boldsymbol{\delta}_r,\boldsymbol{\delta}_{-r},\boldsymbol{\eta}_1,\boldsymbol{\eta}_2,\cdots,\boldsymbol{\eta}_s$下的度量矩阵为

$$\begin{pmatrix}0&1&\\-1&0&\\&&\boldsymbol{H}\end{pmatrix}$$

即

$$\operatorname{diag}\left\{\begin{pmatrix}0&1\\-1&0\end{pmatrix},\cdots,\begin{pmatrix}0&1\\-1&0\end{pmatrix},0,\cdots,0\right\}$$

由数学归纳法知，此命题对一切正整数n都成立.

从定理11.2.4知，如果V上的反对称双线性函数f是满秩的，那么V中必存在一组基，使得f在此组基下的度量矩阵为

$$\operatorname{diag}\left\{\begin{pmatrix}0&1\\-1&0\end{pmatrix},\begin{pmatrix}0&1\\-1&0\end{pmatrix},\cdots,\begin{pmatrix}0&1\\-1&0\end{pmatrix}\right\}$$

从而线性空间V的维数一定是偶数.

11.3 应用实例

多智能体系统是最近十几年发展起来的新兴复杂性科学，同时它也是一门涉及生物、物理、数学、计算机、控制、通信以及人工智能的综合性交叉学科. 与传统的控制系统相比，多

智能体系统是一类更加复杂的、开放的分布式系统，具有自组织能力、学习能力和推理能力. 系统中的单个智能体能力有限，但是个体之间通过信息交流和协作就能完成个体无法或者难以实现的复杂任务，并能对周围环境的变化迅速作出反应. 多智能体系统利用单个简单智能体之间相互影响和作用来取代复杂昂贵的系统完成复杂的任务，对单个智能体的功能要求比较简单，这样就大大降低了系统的设计难度，同时也提高了系统整体的自适应性、灵活性和鲁棒性. 鉴于此，越来越多的学者开始关注多智能体系统的协作控制问题.

多智能体系统的拓扑结构常用赋权无向图 $G=(V,E,\boldsymbol{A})$ 表示，其中节点集 $V=\{v_1,v_2,\cdots,v_n\}$ 代表了系统中所有的智能体，边集 $E=\{e_1,e_2,\cdots,e_m\}$ 代表了各智能体之间的连接方式，$\boldsymbol{A}=(a_{ij})_{n\times n}$ 则是图 G 的赋权邻接矩阵（定义见5.7节）. 如果 $(v_i,v_j)\in E$，则 $a_{ij}>0$，反之 $a_{ij}=0$. 这里假设图 G 中不包含自环，即 $a_{ii}=0$，也就是图 G 是简单图. 在无向图 G 中，若从节点 v_i 到节点 v_j 存在轨道，则称节点 v_i 和 v_j 是连通的. 若图 G 中的任意两个节点都是连通的，则称图 G 是连通图，否则称为非连通图. 赋权无向图 G 的拉普拉斯矩阵 $\boldsymbol{L}=(l_{ij})_{n\times n}$ 定义如下

$$l_{ij}=\begin{cases}-a_{ij}, & i\neq j,\\ \sum\limits_{k=1}^{n}a_{ik}, & i=j\end{cases}$$

下面不加证明地列举一些赋权无向图的拉普拉斯矩阵的性质.

引理11.3.1

若无向图 $G=(V,E,\boldsymbol{A})$ 是连通的，则与之对应的拉普拉斯矩阵 $\boldsymbol{L}$ 具有如下性质:

(1) $\boldsymbol{L}$ 是半正定矩阵;

(2) 0是 $\boldsymbol{L}$ 的特征值且代数重数为1，$1_n=(1,1,\cdots,1)^{\mathrm{T}}$ 是 $\boldsymbol{L}$ 对应0特征值的特征向量;

(3) $\boldsymbol{x}^{\mathrm{T}}\boldsymbol{L}\boldsymbol{x}\geqslant\lambda_2(\boldsymbol{L})\boldsymbol{x}^{\mathrm{T}}\boldsymbol{x}$，其中 $\lambda_2(\boldsymbol{L})$ 是 $\boldsymbol{L}$ 的最小正特征值，n 维列向量 $\boldsymbol{x}^{\mathrm{T}}\boldsymbol{1}_n=\boldsymbol{0}$.

多智能体系统的协作控制问题常可以转化成常微分方程平衡点的稳定性问题. 而李雅普诺夫(Lyapunov)稳定性理论是研究这一问题的常用理论. 需要指出的是，在利用李雅普诺夫稳定性理论进行论证分析时一些基于不等式的放缩技巧是必需的. 下面介绍一个常用的不等式——类柯西-施瓦茨不等式.

定理11.3.1

设无向图 $G=(V,E,\boldsymbol{A})$ 是连通的，$\boldsymbol{L}$ 为其对应的拉普拉斯矩阵，则实 n 维向量空间上的双线性函数 $f=\boldsymbol{x}^{\mathrm{T}}\boldsymbol{L}\boldsymbol{y}$ 满足

$$\boldsymbol{x}^{\mathrm{T}}\boldsymbol{L}\boldsymbol{y}\leqslant(\boldsymbol{x}^{\mathrm{T}}\boldsymbol{L}\boldsymbol{x})^{\frac{1}{2}}(\boldsymbol{y}^{\mathrm{T}}\boldsymbol{L}\boldsymbol{y})^{\frac{1}{2}},\quad\forall\boldsymbol{x}=(x_1,x_2,\cdots,x_n)^{\mathrm{T}},\boldsymbol{y}=(y_1,y_2,\cdots,y_n)^{\mathrm{T}}$$

证明 由引理11.3.1知 $\boldsymbol{L}$ 为半正定矩阵，所以对于任意的 t 有如下不等式成立:

$$(\boldsymbol{x}+t\boldsymbol{y})^{\mathrm{T}}\boldsymbol{L}(\boldsymbol{x}+t\boldsymbol{y})=\boldsymbol{x}^{\mathrm{T}}\boldsymbol{L}\boldsymbol{x}+2t\boldsymbol{x}^{\mathrm{T}}\boldsymbol{L}\boldsymbol{y}+t^2\boldsymbol{y}^{\mathrm{T}}\boldsymbol{L}\boldsymbol{y}\geqslant 0.\tag{11.3.1}$$

当 $\boldsymbol{y}^{\mathrm{T}}\boldsymbol{L}\boldsymbol{y}>0$ 时，式(11.3.1)为一个二次函数，此时有

$$\varDelta=4(\boldsymbol{x}^{\mathrm{T}}\boldsymbol{L}\boldsymbol{y})2-4(\boldsymbol{x}^{\mathrm{T}}\boldsymbol{L}\boldsymbol{x})(\boldsymbol{y}^{\mathrm{T}}\boldsymbol{L}\boldsymbol{y})\leqslant 0$$

即

$$\boldsymbol{x}^{\mathrm{T}}\boldsymbol{L}\boldsymbol{y}\leqslant(\boldsymbol{x}^{\mathrm{T}}\boldsymbol{L}\boldsymbol{x})^{\frac{1}{2}}(\boldsymbol{y}^{\mathrm{T}}\boldsymbol{L}\boldsymbol{y})^{\frac{1}{2}}.$$

当 $\boldsymbol{y}^{\mathrm{T}}\boldsymbol{L}\boldsymbol{y}=0$ 时, 令 $\boldsymbol{M}=\boldsymbol{I}_n-\frac{1}{n}\boldsymbol{1}_n\boldsymbol{1}_n^{\mathrm{T}}$.易知, $\boldsymbol{ML}=\boldsymbol{LM}=\boldsymbol{L}$, 且 $\boldsymbol{1}_n^T\boldsymbol{M}=\boldsymbol{0}$.

于是,

$$0=\boldsymbol{y}^{\mathrm{T}}\boldsymbol{L}\boldsymbol{y}=\boldsymbol{y}^{\mathrm{T}}\boldsymbol{M}^{\mathrm{T}}\boldsymbol{L}\boldsymbol{M}\boldsymbol{y}=(\boldsymbol{M}\boldsymbol{y})^{\mathrm{T}}\boldsymbol{L}(\boldsymbol{M}\boldsymbol{y})\geqslant\lambda_2(\boldsymbol{L})(\boldsymbol{M}\boldsymbol{y})^{\mathrm{T}}(\boldsymbol{M}\boldsymbol{y})$$

故

$$\boldsymbol{M}\boldsymbol{y}=\left(\boldsymbol{I}_n-\frac{1}{n}\boldsymbol{1}_n\boldsymbol{1}_n^{\mathrm{T}}\right)\boldsymbol{y}=\boldsymbol{0}$$

即

$$\boldsymbol{y}=\left(\frac{1}{n}\sum_{i=1}^{n}y_i\right)\boldsymbol{1}_n$$

由引理11.3.1知,

$$\boldsymbol{L}\boldsymbol{y}=\boldsymbol{0}$$

因此

$$\boldsymbol{x}^{\mathrm{T}}\boldsymbol{L}\boldsymbol{y}=0$$

综上所述, 可知定理得证.

习　题　11

(A)

1. 设 V 是数域 P 上的 n 维线性空间, 取定数 $b\in P$, 问映射

$$f(\boldsymbol{\alpha})=b,\quad \forall\ \boldsymbol{\alpha}\in V$$

是不是线性函数?

2. 设 $\boldsymbol{\varepsilon}_1,\boldsymbol{\varepsilon}_2,\boldsymbol{\varepsilon}_3$ 是数域 P 上线性空间 V 的一组基, f 是 V 上一个线性函数, 且

$$f(\boldsymbol{\varepsilon}_1+\boldsymbol{\varepsilon}_3)=1,\quad f(\boldsymbol{\varepsilon}_2-2\boldsymbol{\varepsilon}_3)=-1,\quad f(\boldsymbol{\varepsilon}_1+\boldsymbol{\varepsilon}_2)=-3$$

求 $f(x_1\boldsymbol{\varepsilon}_1+x_2\boldsymbol{\varepsilon}_2+x_3\boldsymbol{\varepsilon}_3)$.

3. 设 V 是数域 P 上的 n 维线性空间, f 是 V 上一个非零线性函数. 证明

$$f^{-1}(0)=\{\boldsymbol{\alpha}\in V\,|\,f(\boldsymbol{\alpha})=0\}$$

是 V 的一个 $n-1$ 维子空间.

4. 求 P^3 的基 $\boldsymbol{\varepsilon}_1=(1,1,-1)^{\mathrm{T}}$, $\boldsymbol{\varepsilon}_2=(1,1,0)^{\mathrm{T}}$, $\boldsymbol{\varepsilon}_3=(1,0,0)^{\mathrm{T}}$ 的对偶基 f_1,f_2,f_3.

5. 设 $V=P[x]_n$ 为实数域 $\mathbf{R}$ 上的 n 维线性空间, 对任意取定的 n 个不同实数 $a_1,a_2,\cdots,a_n$, 根据拉格朗日插值公式, 得到 n 个多项式

$$p_i(x)=\frac{(x-a_1)\cdots(x-a_{i-1})(x-a_{i+1})\cdots(x-a_n)}{(a_i-a_1)\cdots(a_i-a_{i-1})(a_i-a_{i+1})\cdots(a_i-a_n)},\quad i=1,2,\cdots,n$$

它们满足

$$p_i(a_j)=\begin{cases}1, & j=i,\\ 0, & j\neq i,\end{cases}\quad i,j=1,2,\cdots,n$$

(1) 证明 $p_1(x),p_2(x),\cdots,p_n(x)$ 是 V 的一组基;

(2) 求 $p_1(x),p_2(x),\cdots,p_n(x)$ 的对偶基 $\boldsymbol{L}_1,\boldsymbol{L}_2,\cdots,\boldsymbol{L}_n$.

6. 设 $\boldsymbol{\alpha}_1,\boldsymbol{\alpha}_2,\boldsymbol{\alpha}_3$ 是数域 $\mathbf{P}$ 上线性空间 V 的一组基, f_1,f_2,f_3 是 $\boldsymbol{\alpha}_1,\boldsymbol{\alpha}_2,\boldsymbol{\alpha}_3$ 的对偶基, 令

$$\boldsymbol{\beta}_1=\boldsymbol{\alpha}_1+\boldsymbol{\alpha}_2+\boldsymbol{\alpha}_3,\quad \boldsymbol{\beta}_2=\boldsymbol{\alpha}_2+\boldsymbol{\alpha}_3,\quad \boldsymbol{\beta}_3=\boldsymbol{\alpha}_3$$

(1) 证明: $\boldsymbol{\beta}_1,\boldsymbol{\beta}_2,\boldsymbol{\beta}_3$ 是 V 的一组基;

(2) 求 $\boldsymbol{\beta}_1,\boldsymbol{\beta}_2,\boldsymbol{\beta}_3$ 的对偶基, 并用 f_1,f_2,f_3 表示 $\boldsymbol{\beta}_1,\boldsymbol{\beta}_2,\boldsymbol{\beta}_3$ 的对偶基.

7. 在 P^4 中定义函数如下: 若 $\boldsymbol{\alpha}=(x_1,x_2,x_3,x_4)^{\mathrm{T}}$, $\boldsymbol{\beta}=(y_1,y_2,y_3,y_4)^{\mathrm{T}}$, 令

$$f(\boldsymbol{\alpha},\boldsymbol{\beta})=3x_1y_2-5x_2y_1+x_3y_4-4x_4y_3$$

(1) 证明 $f(\boldsymbol{\alpha},\boldsymbol{\beta})$ 是一个双线性函数;

(2) 在 P^4 中给定一组基

$$\boldsymbol{\varepsilon}_1=(1,2,-1,0)^{\mathrm{T}},\ \boldsymbol{\varepsilon}_2=(1,-1,1,1)^{\mathrm{T}},\ \boldsymbol{\varepsilon}_3=(-1,2,1,1)^{\mathrm{T}},\ \boldsymbol{\varepsilon}_4=(-1,-1,0,1)^{\mathrm{T}}$$

求 $f(\boldsymbol{\alpha},\boldsymbol{\beta})$ 在这组基下的度量矩阵;

(3) 在 P^4 中另给一组基 $\boldsymbol{\eta}_1,\boldsymbol{\eta}_2,\boldsymbol{\eta}_3,\boldsymbol{\eta}_4$, 且 $(\boldsymbol{\eta}_1,\boldsymbol{\eta}_2,\boldsymbol{\eta}_3,\boldsymbol{\eta}_4)=(\boldsymbol{\varepsilon}_1,\boldsymbol{\varepsilon}_2,\boldsymbol{\varepsilon}_3,\boldsymbol{\varepsilon}_4)\boldsymbol{T}$, 其中

$$\boldsymbol{T}=\begin{pmatrix}1&1&1&1\\1&1&-1&-1\\1&-1&1&-1\\1&-1&-1&1\end{pmatrix}$$

求 $f(\boldsymbol{\alpha},\boldsymbol{\beta})$ 在基 $\boldsymbol{\eta}_1,\boldsymbol{\eta}_2,\boldsymbol{\eta}_3,\boldsymbol{\eta}_4$ 下的度量矩阵.

8. 设 $\boldsymbol{A}=(a_{ij})$ 是数域 P 上的一个二阶方阵, 定义 $P^{2\times2}$ 上的一个二元函数

$$f(\boldsymbol{X},\boldsymbol{Y})=\operatorname{tr}(\boldsymbol{X}^{\mathrm{T}}\boldsymbol{A}\boldsymbol{Y}),\quad \forall \boldsymbol{X},\boldsymbol{Y}\in P^{2\times2}$$

(1) 证明 $f(\boldsymbol{X},\boldsymbol{Y})$ 是 $P^{2\times2}$ 上的双线性函数;

(2) 求 $f(\boldsymbol{X},\boldsymbol{Y})$ 在 $P^{2\times2}$ 的基

$$\boldsymbol{E}_{11}=\begin{pmatrix}1&0\\0&0\end{pmatrix},\quad \boldsymbol{E}_{12}=\begin{pmatrix}0&1\\0&0\end{pmatrix},\quad \boldsymbol{E}_{21}=\begin{pmatrix}0&0\\1&0\end{pmatrix},\quad \boldsymbol{E}_{22}=\begin{pmatrix}0&0\\0&1\end{pmatrix}$$

下的度量矩阵;

(3) $f(\boldsymbol{X},\boldsymbol{Y})$ 何时非退化.

9. 定义在 $P^{2\times2}$ 上的双线性函数

$$f(\boldsymbol{A},\boldsymbol{B})=a_1b_2+a_2b_1-a_3b_4-a_4b_3$$

其中 $\boldsymbol{A}=\begin{pmatrix}a_1&a_2\\a_3&a_4\end{pmatrix},\boldsymbol{B}=\begin{pmatrix}b_1&b_2\\b_3&b_4\end{pmatrix}$.

(1) 证明 f 是 $P^{2\times2}$ 上的一个对称双线性函数;

(2) 求 f 在 $P^{2\times2}$ 的基

$$\boldsymbol{C}_1=\begin{pmatrix}1&-1\\-1&-1\end{pmatrix},\boldsymbol{C}_2=\begin{pmatrix}0&1\\-1&-1\end{pmatrix},\boldsymbol{C}_3=\begin{pmatrix}0&0\\1&-1\end{pmatrix},\boldsymbol{C}_4=\begin{pmatrix}0&0\\0&1\end{pmatrix}$$

下的度量矩阵.

10. 在 $\mathbf{R}^4$ 中定义函数如下: 若 $\boldsymbol{\alpha}=(x_1,x_2,x_3,x_4)^{\mathrm{T}}$, $\boldsymbol{\beta}=(y_1,y_2,y_3,y_4)^{\mathrm{T}}$, 令

$$f(\boldsymbol{\alpha},\boldsymbol{\beta})=x_1y_1+x_2y_2+x_3y_3-x_4y_4$$

(1) 证明 $f(\boldsymbol{\alpha},\boldsymbol{\beta})$ 是一个对称双线性函数;

(2) 求 $f(\boldsymbol{\alpha},\boldsymbol{\beta})$ 在基

$$\boldsymbol{\varepsilon}_1=(1,0,0,0)^{\mathrm{T}},\quad \boldsymbol{\varepsilon}_2=(0,1,0,0)^{\mathrm{T}},\quad \boldsymbol{\varepsilon}_3=(0,0,1,0)^{\mathrm{T}},\quad \boldsymbol{\varepsilon}_4=(0,0,0,1)^{\mathrm{T}}$$

下的度量矩阵;

(3) 在 $\mathbf{R}^4$ 中另给一组基

$$\boldsymbol{\eta}_1=(2,1,-1,1)^{\mathrm{T}},\ \boldsymbol{\eta}_2=(0,3,1,0)^{\mathrm{T}},\ \boldsymbol{\eta}_3=(5,3,2,1)^{\mathrm{T}},\ \boldsymbol{\eta}_4=(6,6,1,3)^{\mathrm{T}}$$

求 $f(\boldsymbol{\alpha},\boldsymbol{\beta})$ 在 $\boldsymbol{\eta}_1,\boldsymbol{\eta}_2,\boldsymbol{\eta}_3,\boldsymbol{\eta}_4$ 下的度量矩阵;

(4) 证明 $f(\boldsymbol{\alpha},\boldsymbol{\beta})$ 是满秩的.

(B)

1. 设 V 是实数域 $\mathbf{R}$ 上的 n 维线性空间, f 为 V 上的正定的对称双线性函数, W 是 V 的子空间. 令 $W^{\perp}=\{\boldsymbol{\alpha}\in V\,|\,f(\boldsymbol{\alpha},\boldsymbol{\beta})=0,\forall\boldsymbol{\beta}\in W\}$. 证明:

(1) $W^{\perp}$ 是 V 的子空间;

(2) $V=W^{\perp}\oplus W$.

2. 设 V 是复数域上的线性空间, 其维数 $n\geqslant 2$, $f(\boldsymbol{\alpha},\boldsymbol{\beta})$ 是 V 上的一个对称双线性函数.

(1) 证明 V 中有非零元素 $\boldsymbol{\xi}$, 使 $f(\boldsymbol{\xi},\boldsymbol{\xi})=0$;

(2) 如果 $f(\boldsymbol{\alpha},\boldsymbol{\beta})$ 是非退化的, 则存在线性无关的元素 $\boldsymbol{\xi},\boldsymbol{\eta}$ 满足 $f(\boldsymbol{\xi},\boldsymbol{\eta})=1$, $f(\boldsymbol{\xi},\boldsymbol{\xi})=f(\boldsymbol{\eta},\boldsymbol{\eta})=0$.

3. 证明线性空间 V 上双线性函数 $f(\boldsymbol{\alpha},\boldsymbol{\beta})$ 为反对称的充分必要条件是: 对任意 $\boldsymbol{\alpha}\in V$ 都有 $f(\boldsymbol{\alpha},\boldsymbol{\alpha})=0$.

本章小结　　　　习题答案 11

第 12 章

数学实验

本章介绍运用 MATLAB 数学软件解决高等代数中相关计算问题的方法和实例. 主要包括行列式的计算及应用、矩阵生成及其运算、向量组的线性相关性、线性方程组的求解、矩阵的对角化和二次型.

第 12 章知识导图

12.1 行列式的计算及应用

例 12.1.1 计算行列式 $A=\begin{vmatrix}2 & -1\\ 4 & -3\end{vmatrix}$ 的值.

解 在 MATLAB 命令窗口，输入以下命令:

```
>>A = [2 -1; 4 -3];
>>det(A)                                  %计算行列式 A 的值
ans =                                     %行列式 A 的返回值
     -2
```

由以上程序运行结果可知，行列式的值为 -2 .

例 12.1.2 计算行列式 $A=\begin{vmatrix}x & a & a & a\\ a & x & a & a\\ a & a & x & a\\ a & a & a & x\end{vmatrix}$ 的值.

解 在 MATLAB 命令窗口，输入以下命令:

```
>>syms a x                                   %定义 a 和 x 为符号变量
>>A = [x a a a; a x a a; a a x a; a a a x];
>>det(A)
ans =
-3*a^4 + 8*a^3*x-6*a^2*x^2 + x^4
```

由以上程序运行结果可知，行列式的值为 $x^4-6a^2x^2+8a^3x-3a^4$.

例 12.1.3 用克拉默法则解线性方程组 $\begin{cases}x_1+x_2+x_3+x_4=1,\\ 2x_1+3x_2+4x_3+5x_4=1,\\ 4x_1+9x_2+16x_3+25x_4=1,\\ 8x_1+27x_2+64x_3+125x_4=1.\end{cases}$

解 解法 1:

在 MATLAB 命令窗口，输入以下命令:

```
>>D = [1 1 1 1; 2 3 4 5; 4 9 16 25; 8 27 64 125]     %输入系数行列式 D
D =                                                    %行列式 D 的返回值

     1     1     1     1
     2     3     4     5
     4     9    16    25
     8    27    64   125
>>D1 = D;                                              %令 D1 = D
>>D1(:, 1) = [1 1 1 1]'                                %将行列式 D1 的第一
                                                       列用常数项代替

D1 =
```

```
        1      1      1      1

        1      3      4      5

        1      9      16     25

        1      27     64     125
>>D2 = D;                     %令 D2 = D
>>D2(: , 2) = [1 1 1 1]'      %将行列式 D2 的第二列用常数项代替
D2 =
        1      1      1      1

        2      1      4      5

        4      1      16     25

        8      1      64     125
>>D3 = D;                     %令 D3 = D
>>D3(: , 3) = [1 1 1 1]'      %将行列式 D3 的第三列用常数项代替
D3 =
        1      1      1      1

        2      3      1      5

        4      9      1      25

        8      27     1      125
>>D4 = D;                     %令 D4 = D
>>D4(: , 4) = [1 1 1 1]'      %将行列式 D4 的第四列用常数项代替
D4 =
        1      1      1      1
        2      3      4      1
        4      9      16     1
        8      27     64     1
>>det(D)                      %计算系数行列式 D 的值
ans =                         %D 的值不为零，由克拉默法则，方程组有唯一解.
    12.0000
>>x1 = det(D1)/det(D)                 %计算 x1 的值
x1 =
    4.0000
>>x2 = det(D2)/det(D)                 %计算 x2 的值
x2 =
    -6.0000
```

```
>>x3 = det(D3)/det(D)                              %计算 x3 的值
x3 =
    4.0000
>>x4 = det(D4)/det(D)                                %计算 x4 的值
x4 =
    -1.0000
```

解法 2:

在 MATLAB 命令窗口，输入以下命令:

```
>>syms x1 x2 x3 x4                                      %定义符号变量 x1 x2 x3 x4
>>eq1 = sym('x1 + x2 + x3 + x4 = 1');                %定义第一个符号表达式 eq1
>>eq2 = sym('2*x1 + 3*x2 + 4*x3 + 5*x4 = 1');  %定义第二个符号表达式 eq2
>>eq3 = sym('4*x1 + 9*x2 + 16*x3 + 25*x4 = 1'); %定义第三个符号表达式 eq3
>>eq4 = sym('8*x1 + 27*x2 + 64*x3 + 125*x4 = 1');%定义第四个符号表达式 eq4
>>[x1 x2 x3 x4] = solve(eq1, eq2, eq3, eq4)    %解方程组
x1 =
4
x2 =
-6
x3 =
4
x4 =
-1
```

由以上程序运行结果可知，方程组的解为 $x_1 = 4, x_2 = -6, x_3 = 4, x_4 = -1$.

例 12.1.4 设齐次线性方程组 $\begin{cases} \lambda x_1 + x_2 = 0, \\ x_1 + \lambda x_2 = 0 \end{cases}$ 有非零解，求 λ 的值.

解 在 MATLAB 命令窗口，输入以下命令:

```
>>syms lambda;                                          %定义符号变量λ
>>D = [lambda 1; 1 lambda]                              %输入方程组系数行列式 D
D =
[ lambda,      1]
[      1,  lambda]
>>det(D)                                                %计算系数行列式 D 的值
ans =
lambda^2 - 1
>>solve('lambda^2-1 = 0')                               %解方程 det(D) = 0
ans =
-1
1
```

由以上程序运行结果可知，当 $\lambda=-1$ 或 $\lambda=1$ 时，齐次线性方程组有非零解.

12.2 矩阵生成及其运算

例 12.2.1 利用 MATLAB 生成矩阵 $\boldsymbol{A}=\begin{pmatrix}2 & -1\\ -4 & 0\\ 3 & 1\end{pmatrix}$.

解 在 MATLAB 命令窗口，输入以下命令:

```
>>A = [2 -1; -4 0; 3 1]        %利用 MATLAB 生成的值放入方括号内，同行中各元素
                                以空格或逗号隔开，不同行元素以分号隔开

A =

     2    -1
    -4     0
     3     1
```

例 12.2.2 利用 MATLAB 生成以下特殊的矩阵：单位矩阵、对角矩阵、零矩阵和全 1 矩阵.

解 在 MATLAB 命令窗口，输入以下命令:

```
>>eye(2, 3)                          %产生 2 行 3 列的单位矩阵

ans =

     1     0     0
     0     1     0
>>v = [1 2 3];
>>A = diag(v)                        %产生以 v 中元素为主对角线的对角矩阵

A =

     1     0     0
     0     2     0
     0     0     3
>>zeros(3, 4)                        %产生 3 行 4 列的零矩阵

ans =

     0     0     0     0
     0     0     0     0
     0     0     0     0
>>ones(4, 5)                         %产生 4 行 5 列的全 1 矩阵

ans =

     1     1     1     1     1

     1     1     1     1     1

     1     1     1     1     1

     1     1     1     1     1
```

例 12.2.3 已知矩阵 $\boldsymbol{A}=\begin{pmatrix}1&2\\3&4\end{pmatrix}$，$\boldsymbol{B}=\begin{pmatrix}5&6\\7&8\end{pmatrix}$，计算下列各表达式: (1) $\boldsymbol{A}+\boldsymbol{B}$；(2) $\boldsymbol{A}-\boldsymbol{B}$；(3) $\boldsymbol{AB}$；(4) $\boldsymbol{A}^2$；(5) $|\boldsymbol{A}|$；(6) $r(\boldsymbol{A})$；(7) $\boldsymbol{A}^{-1}$；(8) $\boldsymbol{A}^{\mathrm{T}}$；(9) $\boldsymbol{A}^*$.

解 在 MATLAB 命令窗口，输入以下命令:

```
>>A = [1 2; 3 4];
>>B = [5 6; 7 8];
>>A + B                                          %矩阵的加法
ans =
      6     8
      10    12
>>A-B                                            %矩阵的减法
ans =
      -4    -4
      -4    -4
>>A*B                                            %矩阵的乘法
ans =
      19    22
      43    50
>>A^2                                            %矩阵 A 的 2 次幂
ans =
      7     10
      15    22
>>det(A)                                         %矩阵 A 的行列式的值
ans =
      -2
>>rank(A)                                        %矩阵 A 的秩
ans =
      2
>>inv(A)                                         %矩阵 A 的逆矩阵
ans =
      -2.0000  1.0000
      1.5000   -0.5000
>>A'                                             %矩阵 A 的转置
ans =
      1     3
      2     4
>>inv(A)*det(A)                                  %矩阵 A 的伴随矩阵
ans =
```

```
    4.0000   -2.0000
   -3.0000   1.0000
```

例 12.2.4　通过初等行变换将矩阵 $\boldsymbol{A}=\begin{pmatrix}1&4&-1&0\\0&0&-1&-1\\-1&-4&2&-1\\2&8&1&1\end{pmatrix}$ 化为行最简形矩阵.

解　在 MATLAB 命令窗口，输入以下命令:

```
>>A = [1 4 -1 0; 0 0 -1 -1; -1 -4 2 -1; 2 8 1 1];
>>rref(A)                                    %对矩阵 A 进行初等行变换
ans =
      1    4    0    0
      0    0    1    0
      0    0    0    1
      0    0    0    0
```

由以上程序运行结果可知，矩阵 $\boldsymbol{A}$ 的行最简形为 $\begin{pmatrix}1&4&0&0\\0&0&1&0\\0&0&0&1\\0&0&0&0\end{pmatrix}$.

12.3　向量组的线性相关性

例 12.3.1　判断下列向量组是否线性相关:

(1) $\boldsymbol{a}_1=\begin{pmatrix}1\\2\\-1\\3\end{pmatrix},\boldsymbol{a}_2=\begin{pmatrix}0\\4\\-1\\3\end{pmatrix},\boldsymbol{a}_3=\begin{pmatrix}0\\0\\5\\4\end{pmatrix},\boldsymbol{a}_4=\begin{pmatrix}0\\0\\0\\1\end{pmatrix}$;

(2) $\boldsymbol{\beta}_1=\begin{pmatrix}3\\-1\\2\end{pmatrix},\boldsymbol{\beta}_2=\begin{pmatrix}1\\5\\-7\end{pmatrix},\boldsymbol{\beta}_3=\begin{pmatrix}7\\-13\\20\end{pmatrix},\boldsymbol{\beta}_4=\begin{pmatrix}-2\\6\\1\end{pmatrix}$.

解　在 MATLAB 命令窗口，输入以下命令:

```
>>a1 = [1 2 -1 3]';                          %输入列向量 a1
>>a2 = [0 4 -1 3]';                          %输入列向量 a2
>>a3 = [0 0 5 4]';                           %输入列向量 a3
>>a4 = [0 0 0 1]';                           %输入列向量 a4
>>A = [a1 a2 a3 a4]                          %输入由列向量 a1, a2, a3,
                                             a4 组成的矩阵 A
A =
```

```
        1    0    0    0
        2    4    0    0
        -1   -1   5    0
        3    3    4    1
>>rref(A)                                          %对矩阵 A 进行初等行变换
ans =
        1    0    0    0
        0    1    0    0
        0    0    1    0
        0    0    0    1
>>b1 = [3 -1 2]';                                  %输入列向量 b1
>>b2 = [1 5 -7]';                                  %输入列向量 b2
>>b3 = [7 -13 20]';                                %输入列向量 b3
>>b4 = [-2 6 1]';                                  %输入列向量 b4
>>B = [b1 b2 b3 b4]                                %输入由列向量 b1, b2, b3,
                                                   b4 组成的矩阵 B
B =

        3    1    7    -2

        -1   5    -13  6

        2    -7   20   1
>>rref(B)                                          %对矩阵 B 进行初等行变换
ans =
        1    0    3    0

        0    1    -2   0

        0    0    0    1
```

由以上程序运行结果可知，向量组 $r(\boldsymbol{a}_1,\boldsymbol{a}_2,\boldsymbol{a}_3,\boldsymbol{a}_4)=4$，$r(\boldsymbol{\beta}_1,\boldsymbol{\beta}_2,\boldsymbol{\beta}_3,\boldsymbol{\beta}_4)=3$，从而向量组 $\boldsymbol{a}_1,\boldsymbol{a}_2,\boldsymbol{a}_3,\boldsymbol{a}_4$ 线性无关，向量组 $\boldsymbol{\beta}_1,\boldsymbol{\beta}_2,\boldsymbol{\beta}_3,\boldsymbol{\beta}_4$ 线性相关.

例 12.3.2 求向量组 $\boldsymbol{a}_1=\begin{pmatrix}1\\4\\1\\0\end{pmatrix},\boldsymbol{a}_2=\begin{pmatrix}2\\1\\-1\\-3\end{pmatrix},\boldsymbol{a}_3=\begin{pmatrix}1\\0\\-3\\-1\end{pmatrix},\boldsymbol{a}_4=\begin{pmatrix}0\\2\\-6\\3\end{pmatrix}$ 的秩和一个极大无关组.

解 在 MATLAB 命令窗口，输入以下命令:

```
>>a1 = [1 4 1 0]';
>>a2 = [2 1 -1 -3]';
>>a3 = [1 0 -3 -1]';
>>a4 = [0 2 -6 3]';
```

```
>>A = [a1 a2 a3 a4]              %输入由列向量 a1, a2, a3, a4 组成的矩阵 A
A =
        1    2    1    0
        4    1    0    2
        1   -1   -3   -6
        0   -3   -1    3
>>[R, jb] = rref(A)              %R 为矩阵 A 的行最简形矩阵, jb 中元素表示基向量
                                 所在的列
R =
        1    0    0    1
        0    1    0   -2
        0    0    1    3
        0    0    0    0
jb =
        1    2    3
>>A(: , jb)                       %A(: , jb)为矩阵 A 的列向量组的一个基
ans =
        1    2    1
        4    1    0
        1   -1   -3
        0   -3   -1
```

由以上程序运行结果可知，向量组 $\boldsymbol{a}_1,\boldsymbol{a}_2,\boldsymbol{a}_3,\boldsymbol{a}_4$ 的秩为 3, $\boldsymbol{a}_1,\boldsymbol{a}_2,\boldsymbol{a}_3$ 为向量组的一个极大无关组.

12.4　线性方程组的求解

例 12.4.1　求解下列齐次线性方程组，并用二维图形表示解的情况:

(1) $\begin{cases} x_1+x_2=2, \\ x_1+2x_2=3; \end{cases}$　　(2) $\begin{cases} x_1+2x_2=2, \\ 2x_1+4x_2=4; \end{cases}$

(3) $\begin{cases} x_1+x_2=1, \\ 2x_1+2x_2=3; \end{cases}$　　(4) $\begin{cases} x_1-2x_2=3, \\ 2x_1+x_2=2, \\ x_1+3x_2=5. \end{cases}$

解　在 MATLAB 命令窗口，输入以下命令:

```
>>syms x1 x2                         %定义符号变量 x1, x2
>>A1 = [1 1 2; 1 2 3];               %A1 为方程组(1)的增广矩阵
>>rref(A1)                           %对矩阵 A1 进行初等行变换
```

```
ans =
        1    0    1
        0    1    1
>>subplot(2, 2, 1)                        %准备绘制2×2个图形中的第一个图形
>>ezplot('x1 + x2 = 2')                   %绘制x1 + x2 = 2的直线方程
>>hold on                                 %保留当前的图形
>>ezplot('x1 + 2*x2 = 3')                 %绘制x1 + 2*x2 = 3的直线方程
>>title('方程组(1)')                      %把标题“方程组(1)”显示在图上方
>>A2 = [1 2 2; 2 4 4];                    %A2为方程组(2)的增广矩阵
>>rref(A2)                                %对矩阵A2进行初等行变换
ans =
        1    2    2
        0    0    0
>>subplot(2, 2, 2)                        %准备绘制2×2个图形中的第二个图形
>>ezplot('x1 + 2*x2 = 2')                 %绘制x1 + 2*x2 = 2的直线方程
>>hold on
>>ezplot('2*x1 + 4*x2 = 4')               %绘制2*x1 + 4*x2 = 4的直线方程
>>title('方程组(2)')
>>A3 = [1 1 1; 2 2 3];                    %A3为方程组(3)的增广矩阵
>>rref(A3)                                %对矩阵A3进行初等行变换
ans =
        1    1    0
        0    0    1
>>subplot(2, 2, 3)                        %准备绘制2×2个图形中的第三个图形
>>ezplot('x1 + x2 = 1')%绘制x1 + x2 = 1的直线方程
>>hold on
>>ezplot('2*x1 + 2*x2 = 3')               %绘制2*x1 + 2*x2 = 3的直线方程
>>title('方程组(3)')
>>A4 = [1 -2 3; 2 1 2; 1 3 5];            %A4为方程组(4)的增广矩阵
>>rref(A4)                                %对矩阵A4进行初等行变换
ans =
```

```
     1    0    0

     0    1    0

     0    0    1
>>subplot(2, 2, 4)                          %准备绘制2×2个图形中
                                             的第四个图形
>>ezplot('x1-2*x2 = 3')                     %绘制 x1-2*x2 = 3 的直
                                             线方程

>>hold on
>>ezplot('2*x1 + x2 = 2')                   %绘制 2*x1 + x2 = 2 的
                                             直线方程

>>hold on
>>ezplot('x1 + 3*x2 = 5')                   %绘制 x1 + 3*x2 = 5 的
                                             直线方程

>>title('方程组(4)')
>>hold off
```

由以上程序运行结果可知，方程组(1)有唯一解$\begin{cases}x_1=1,\\x_2=1;\end{cases}$方程组(2)有无穷解，其通解为$\begin{pmatrix}x_1\\x_2\end{pmatrix}=k\begin{pmatrix}-2\\1\end{pmatrix}+\begin{pmatrix}2\\0\end{pmatrix}$；方程组(3)和(4)系数矩阵的值与增广矩阵的秩不相等，所以无解.

由图 12.4.1 可以看出，方程组(1)对应的两条直线相交于一点，从而有唯一解；方程组(2)对应的两条直线重合，从而有无穷解；方程组(3)对应的两条直线平行，没有交点，从而无解；方程组(4)对应的三条直线没有公共交点，从而无解.

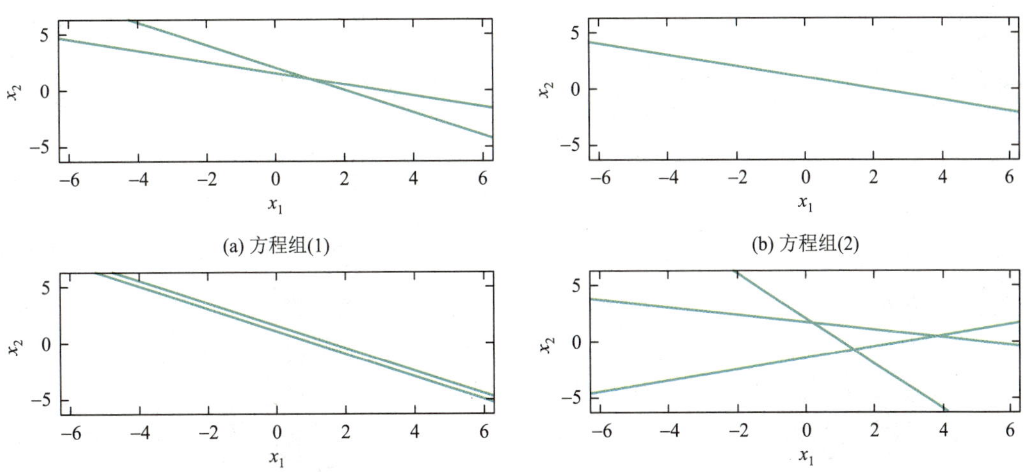

(a) 方程组(1)　(b) 方程组(2)　(c) 方程组(3)　(d) 方程组(4)

图 12.4.1　例 12.4.1 的方程解的几何表示

例 12.4.2 求齐次线性方程组$\begin{cases}x_1+x_2+x_3+x_4=0,\\2x_1+2x_2+x_3+3x_4=0,\\x_1+x_2+2x_3=0\end{cases}$的通解.

解 在 MATLAB 命令窗口, 输入以下命令:

```
>>A = [1 1 1 1; 2 2 1 3; 1 1 2 0]                     %A 为系数矩阵
A =
        1     1     1     1
        2     2     1     3
        1     1     2     0
>>rref(A)                                               %对 A 进行初等行变换
ans =
        1     1     0     2
        0     0     1    -1
        0     0     0     0
```

由以上程序运行结果可知, 原方程组等价为方程组$\begin{cases}x_1=-x_2-2x_4,\\x_3=x_4.\end{cases}$

故方程组的通解为$\boldsymbol{x}=k_1\begin{pmatrix}-1\\1\\0\\0\end{pmatrix}+k_2\begin{pmatrix}-2\\0\\1\\1\end{pmatrix}$, 其中$k_1,k_2\in\mathbf{R}$.

例 12.4.3 求线性方程组$\begin{cases}x_1+x_2-3x_3-x_4=1,\\3x_1-x_2-3x_3+4x_4=4,\\x_1+5x_2-9x_3-8x_4=0\end{cases}$的一个特解.

解 在 MATLAB 命令窗口, 输入以下命令:

```
>>B = [1 1 -3 -1 1; 3 -1 -3 4 4; 1 5 -9 -8 0]         %B 为增广矩阵
B =
        1     1    -3    -1     1
        3    -1    -3     4     4
        1     5    -9    -8     0
>>rref(B)
ans =
     1.0000        0     -1.5000    0.7500    1.2500
          0   1.0000     -1.5000   -1.7500   -0.2500
          0        0           0         0         0
```

由以上程序运行结果可知, rref(B) 的最后一列为特解, 故$\boldsymbol{x}=\begin{pmatrix}1.25\\-0.25\\0\\0\end{pmatrix}$为原方程组的一个特解.

12.5　矩阵的对角化

例 12.5.1　求矩阵 $A=\begin{pmatrix}-3 & 4\\ 2 & -1\end{pmatrix}$ 的特征多项式.

解　解法 1:

在 MATLAB 命令窗口，输入以下命令:

```
>>A = [-3 4; 2 -1];
>>p = poly(A)                        %矩阵 A 的特征多项式的向量表示形式
p =
     1     4    -5
>>f = poly2str(p, 'x')               %矩阵 A 的特征多项式
f =
   x^2 + 4*x - 5
```

解法 2:

在 MATLAB 命令窗口，输入以下命令:

```
>>A = [-3 4; 2 -1];
>>E = eye(2);                        %E 为二阶单位矩阵
>>syms x
>>f = det(x*E-A)                     %矩阵 A 的特征多项式
f =
x^2 + 4*x - 5
```

由以上程序运行结果可知，矩阵 A 的特征多项式为 x^2+4x-5.

例 12.5.2　求矩阵 $A=\begin{pmatrix}-1 & 1 & 0\\ -4 & 3 & 0\\ 1 & 0 & 2\end{pmatrix}$ 的特征值.

解　在 MATLAB 命令窗口，输入以下命令:

```
>>A = [-1 1 0; -4 3 0; 1 0 2];
>>eig(A)                             %求矩阵 A 的特征值
ans =
     2
     1
     1
```

由以上程序运行结果可知，矩阵 A 的特征值为 $2,1,1$.

例 12.5.3　求矩阵 $A=\begin{pmatrix}-1 & 1 & 0\\ -4 & 3 & 0\\ 1 & 0 & 2\end{pmatrix}$ 的特征值和特征向量.

解　在 MATLAB 命令窗口，输入以下命令:

```
>>A = [-1 1 0; -4 3 0; 1 0 2];
>>[V, D] = eig(A)                         %求矩阵A的特征值和特征向量
V =                                       %返回值V的每一列为A的特征向量

         0    0.4082    0.4082

         0    0.8165    0.8165

    1.0000   -0.4082   -0.4082
D =                                       %返回值D的主对角线上的元素为
                                           A的特征值

     2     0     0

     0     1     0

     0     0     1
```

由以上程序运行结果可知，矩阵 $\boldsymbol{A}$ 的特征值为 2,1,1，对应的特征向量分别为 $\begin{pmatrix}0\\0\\1.0000\end{pmatrix},\begin{pmatrix}0.4082\\0.8165\\-0.4082\end{pmatrix},\begin{pmatrix}0.4082\\0.8165\\-0.4082\end{pmatrix}$.

例 12.5.4 设实对称矩阵 $\boldsymbol{A}=\begin{pmatrix}4&0&0\\0&3&1\\0&1&3\end{pmatrix}$，求一个正交矩阵 $\boldsymbol{P}$，使 $\boldsymbol{P}^{-1}\boldsymbol{A}\boldsymbol{P}=\boldsymbol{\varLambda}$ 为对角阵.

解 在 MATLAB 命令窗口，输入以下命令：

```
>>A = [4 0 0; 0 3 1; 0 1 3];
>>[VA, DA] = schur(A)                     %VA为所求的正交矩阵，DA为
                                           所求的对角阵

VA =

         0         0    1.0000

   -0.7071    0.7071         0

    0.7071    0.7071         0

DA =

     2     0     0

     0     4     0

     0     0     4
>>VA = sym(VA)                            %以符号的形式输出矩阵VA
VA =
[           0,           0, 1]
[ -2^(1/2)/2,  2^(1/2)/2,  0]
```

```
[  2^(1/2)/2,  2^(1/2)/2,  0]
```

由以上程序运行结果可知，正交矩阵 $\boldsymbol{P}=\begin{pmatrix} 0 & 0 & 1 \\ -\frac{\sqrt{2}}{2} & \frac{\sqrt{2}}{2} & 0 \\ \frac{\sqrt{2}}{2} & \frac{\sqrt{2}}{2} & 0 \end{pmatrix}$，对角阵 $\boldsymbol{\Lambda}=\begin{pmatrix} 2 & 0 & 0 \\ 0 & 4 & 0 \\ 0 & 0 & 4 \end{pmatrix}$.

12.6 二 次 型

例 12.6.1　求一个正交变换，把二次型 $f(x_1,x_2,x_3)=x_1^2+4x_2^2+x_3^2-4x_1x_2-8x_1x_3-4x_2x_3$ 化为标准形.

解　在 MATLAB 命令窗口，输入以下命令:

```
>>A = [1 -2 -4; -2 4 -2; -4 -2 1];                     %输入二次型矩阵 A
>>[V, D] = eig(A)
V =
        0.6667  -0.4609  -0.5858
        0.3333   0.8873  -0.3188
        0.6667   0.0172   0.7452
D =
        -4.0000       0         0
           0      5.0000        0
           0          0      5.0000
>>syms y1 y2 y3
>>f = [y1 y2 y3]*D*[y1; y2; y3]                        %f 为原二次型的标准形
f =
-4*y1^2 + 5*y2^2 + 5*y3^2
```

由以上程序运行结果可知，令 $\boldsymbol{V}=\boldsymbol{P}$ 原二次型经正交变换 $\boldsymbol{x}=\boldsymbol{P}\boldsymbol{y}$ 化为标准形 $f=-4y_1^2+5y_2^2+5y_3^2$.

例 12.6.2　判定二次型 $f(x_1,x_2,x_3)=5x_1^2+x_2^2+5x_3^2+4x_1x_2-8x_1x_3-4x_2x_3$ 是否正定.

解　解法 1:

在 MATLAB 命令窗口，输入以下命令:

```
>>A = [5 2 -4; 2 1 -2; -4 -2 5];                       %输入二次型矩阵 A
>>A1 = A(1, 1)                                          %输入矩阵 A 的一阶主子式
A1 =
    5
>>A2 = A(1: 2, 1: 2)                                    %输入矩阵 A 的二阶主子式
A2 =
```

```
        5       2
        2       1
>>A3 = A(1: 3, 1: 3)                              %输入矩阵 A 的三阶主子式
A3 =
        5       2      -4
        2       1      -2
       -4      -2       5
>>det(A1)                                         %求矩阵 A 的一阶主子式的行
                                                  列式的值
ans =
     5
>>det(A2)                                         %求矩阵 A 的二阶主子式的行
                                                  列式的值
ans =
     1.0000
>>det(A3)                                         %求矩阵 A 的三阶主子式的行
                                                  列式的值
ans =
     1.0000
```

由以上程序运行结果可知，二次型对应的矩阵 $\boldsymbol{A}$ 的各阶主子式均为正，所以 f 是正定的.

解法 2:

在 MATLAB 命令窗口，输入以下命令:

```
>>A =[5 2 -4; 2 1 -2; -4 -2 5];
>>eig(A)                                          %求矩阵 A 的特征值
ans =
      0.1010
      1.0000
      9.8990
```

由以上程序运行结果可知，二次型对应的矩阵 $\boldsymbol{A}$ 的特征值均为正，所以 f 是正定的.

例 12.6.3 在直角坐标系下，曲线方程为 $5x_1^2-4x_1x_2+5x_2^2=48$，试确定该曲线的类型.

解 在 MATLAB 命令窗口，输入以下命令:

```
>>A = [5 -2; -2 5];                               %输入二次型矩阵 A
>>[V, D] = eig(A)                                 %求矩阵 A 的特征值
V =
      -0.7071  -0.7071
      -0.7071   0.7071
D =
```

```
        3       0
        0       7
>>syms y1 y2
>>[y1 y2]*D*[y1; y2] =  = 48
ans =
3*y1^2 + 7*y2^2 =  = 48
```

由以上程序运行结果可知，该曲线的类型为中心点在原点的椭圆 $3y_1^2+7y_2^2=48$.

习 题 12

1. 求下列行列式的值.

(1) $\begin{vmatrix} 3 & 2 & 1 & 0 \\ 2 & 0 & -1 & 4 \\ 1 & -1 & 1 & -2 \\ -1 & 2 & -1 & 2 \end{vmatrix}$； (2) $\begin{vmatrix} a & 0 & 0 & b \\ 0 & a & b & 0 \\ 0 & b & a & 0 \\ b & 0 & 0 & a \end{vmatrix}$.

2. 用克拉默法则解线性方程组 $\begin{cases} x_1+x_2+x_3=1, \\ x_1+2x_2+x_3-x_4=8, \\ 2x_1-x_2-3x_4=3, \\ 3x_1+3x_2+5x_3-6x_4=5 \end{cases}$ 的值.

3. 问 λ 为何值时，齐次线性方程组 $\begin{cases} (1-\lambda)x_1-2x_2+4x_3=0, \\ 2x_1+(3-\lambda)x_2+x_3=0, \\ x_1+x_2+(1-\lambda)x_3=0 \end{cases}$ 有非零解.

4. 已知 $\boldsymbol{A}=\begin{pmatrix} 2 & 0 & 3 \\ -1 & 1 & 0 \end{pmatrix}$，$\boldsymbol{B}=\begin{pmatrix} 1 & 2 & 5 \\ 4 & 0 & 1 \end{pmatrix}$，求 $\boldsymbol{A}+\boldsymbol{B}$，$\boldsymbol{A}-\boldsymbol{B}$.

5. 已知 $\boldsymbol{A}=\begin{pmatrix} 2 & 0 & -1 \\ 1 & 0 & 1 \end{pmatrix}$，$\boldsymbol{B}=\begin{pmatrix} 1 & -1 & 2 \\ 0 & 2 & 1 \\ -1 & -1 & 0 \end{pmatrix}$，求 $(\boldsymbol{AB})^{\mathrm{T}}$.

6. 求矩阵 $\boldsymbol{A}=\begin{pmatrix} 2 & 2 & 1 \\ 3 & 1 & 5 \\ 3 & 2 & 3 \end{pmatrix}$ 的逆矩阵.

7. 已知矩阵 $\boldsymbol{A}=\begin{pmatrix} 2 & -1 & -1 & 1 & 2 \\ 1 & 1 & -2 & 1 & 4 \\ 4 & -6 & 2 & -2 & 4 \\ 3 & 6 & -9 & 7 & 9 \end{pmatrix}$，将 $\boldsymbol{A}$ 化为行最简形，并求出其秩.

8. 判断向量组 $\boldsymbol{a}_1=\begin{pmatrix} 1 \\ 1 \\ 0 \end{pmatrix}$，$\boldsymbol{a}_2=\begin{pmatrix} 2 \\ -1 \\ 1 \end{pmatrix}$，$\boldsymbol{a}_3=\begin{pmatrix} 3 \\ 0 \\ 1 \end{pmatrix}$，$\boldsymbol{a}_4=\begin{pmatrix} 1 \\ 2 \\ -1 \end{pmatrix}$ 的线性相关性.

9. 求向量组 $\boldsymbol{a}_1=\begin{pmatrix}2\\1\\4\\3\end{pmatrix},\boldsymbol{a}_2=\begin{pmatrix}-1\\1\\-6\\6\end{pmatrix},\boldsymbol{a}_3=\begin{pmatrix}-1\\-2\\2\\-9\end{pmatrix},\boldsymbol{a}_4=\begin{pmatrix}1\\1\\-2\\7\end{pmatrix}$ 的一个极大无关组.

10. 求齐次线性方程组 $\begin{cases}x_1-x_2-x_3+x_4=0,\\x_1-x_2+x_3-3x_4=0,\\x_1-x_2-2x_3+3x_4=0\end{cases}$ 的通解.

11. 求线性方程组 $\begin{cases}x_1-x_2-x_3+x_4=0,\\x_1-x_2+x_3-3x_4=1,\\x_1-x_2-2x_3+3x_4=-\dfrac{1}{2}.\end{cases}$

12. 求下列矩阵的特征值和特征向量:

(1) $\boldsymbol{A}=\begin{pmatrix}-2&1&1\\0&2&0\\-4&1&3\end{pmatrix}$; (2) $\boldsymbol{A}=\begin{pmatrix}3&-1&-2\\2&0&-2\\2&-1&-1\end{pmatrix}$.

13. 设实对称矩阵 $\boldsymbol{A}=\begin{pmatrix}2&-1&-1&1\\-1&2&1&-1\\-1&1&2&-1\\1&-1&-1&2\end{pmatrix}$, 求一个正交矩阵 $\boldsymbol{P}$, 使 $\boldsymbol{P}^{-1}\boldsymbol{AP}=\boldsymbol{\Lambda}$ 为对角阵.

14. 用正交变换把二次型 $f(x_1,x_2,x_3)=2x_1x_2+2x_1x_3+2x_2x_3$ 化为标准形.

15. 判定下列二次型是否正定.

(1) $f(x_1,x_2,x_3)=5x_1^2+6x_2^2+4x_3^2-4x_1x_2-4x_2x_3$;

(2) $f(x_1,x_2,x_3)=10x_1^2+2x_2^2+x_3^2+8x_1x_2+24x_1x_3-28x_2x_3$.

本章小结

习题答案 12

参 考 文 献

北京大学数学系几何与代数教研室代数小组, 1988. 高等代数. 2 版. 北京: 高等教育出版社.
卜长江, 罗跃生, 2003. 矩阵论. 哈尔滨: 哈尔滨工程大学出版社.
樊启斌, 2021. 高等代数典型问题与方法. 北京: 高等教育出版社.
华中科技大学数学系, 2008. 线性代数. 3 版. 北京: 高等教育出版社.
华中理工大学数学系, 1999. 线性代数. 北京: 高等教育出版社; 柏林: 施普林格出版社.
吉米多维奇 Б Д, 1980. 数学分析习题集题解 1. 费定晖, 周学圣, 编演. 济南: 山东科学技术出版社.
居余马, 胡金德, 林翠琴, 等, 1997. 线性代数. 北京: 清华大学出版社.
蓝以中, 2007. 高等代数简明教程. 上册. 2 版. 北京: 北京大学出版社.
蓝以中, 2007. 高等代数简明教程. 下册. 2 版. 北京: 北京大学出版社.
李富民, 白黎, 2011. 线性代数实验. MATLAB 版. 西安: 西安电子科技大学出版社.
李宏伟, 李星, 李志明, 2014. 工程高等代数. 2 版. 北京: 科学出版社.
李晓奇, 王晓敏, 王书田, 2005. 高等代数学习方法与解题指导. 沈阳: 东北大学出版社.
蔺大正, 陈宝根, 2001. 高等代数. 重庆: 重庆大学出版社.
刘昌堃, 叶世源, 叶家琛, 等, 1995. 高等代数. 上海: 同济大学出版社.
刘丁酉, 2004. 高等代数习题精解. 合肥: 中国科学技术大学出版社.
罗文强, 赵晶, 彭放, 等, 2009. 高等代数. 武汉: 武汉大学出版社.
牛凤文, 杜现昆, 原永久, 2006. 高等代数. 北京: 高等教育出版社.
钱吉林, 2002. 高等代数题解精粹. 北京: 中央民族大学出版社.
丘维声, 1996. 高等代数. 上册. 北京: 高等教育出版社.
丘维声, 1996. 高等代数. 下册. 北京: 高等教育出版社.
丘维声, 2017. 高等代数学习指导书. 2 版. 北京: 清华大学出版社.
丘维声, 2019. 高等代数. 2 版. 北京: 清华大学出版社.
邱森, 2012. 高等代数. 2 版. 武汉: 武汉大学出版社.
史俊贤, 滕勇, 梁希泉, 2003. 数学一 11 考研题集. 沈阳: 东北大学出版社.
苏金明, 阮沈勇, 2008. MATLAB 实用教程. 北京: 电子工业出版社.
孙平, 李征宇, 罗英语, 2013. 线性代数及其实验. 哈尔滨: 哈尔滨工程大学出版社.
孙清华, 孙昊, 李金兰, 2006. 高等代数内容、方法与技巧. 武汉: 华中科技大学出版社.
孙优贤, 王慧, 2011. 自动控制原理. 北京: 化学工业出版社.
滕加俊, 2006. 高等代数辅导与习题精解. 大连: 大连理工大学出版社.
滕加俊, 许扬灵, 李世锴, 等, 2006. 高等代数辅导及习题精解. 上册. 西安: 陕西师范大学出版社.
滕加俊, 许扬灵, 李世锴, 等, 2006. 高等代数辅导及习题精解. 下册. 西安: 陕西师范大学出版社.
同济大学数学系, 2007. 线性代数. 北京: 清华大学出版社.
王萼芳, 1997. 高等代数教程. 上册. 北京: 北京大学出版社.
王萼芳, 1997. 高等代数教程. 下册. 北京: 北京大学出版社.
王萼芳, 丘维声, 1984. 高等代数讲义. 上册. 北京: 清华大学出版社.
王萼芳, 丘维声, 1984. 高等代数讲义. 下册. 北京: 清华大学出版社.

王萼芳，石生明, 2003. 高等代数. 3 版. 北京：高等教育出版社.
王文省，赵建立，于增海，等, 2004. 高等代数. 济南：山东大学出版社.
王心介, 2002. 高等代数与解析几何. 北京：科学出版社.
魏献祝, 1990. 高等代数. 上海：华东师范大学出版社.
吴传生, 2009. 经济数学：线性代数. 2 版. 北京：高等教育出版社.
西北工业大学高等代数编写组，2016. 高等代数. 2 版. 西安：西北工业大学出版社.
谢彦红，吴茂全，韩世迁，等, 2017. 线性代数及其 MATALB 应用. 2 版. 北京：化学工业出版社.
熊全淹，叶明训, 1987. 线性代数. 3 版. 北京：高等教育出版社.
徐仲，陆全，张凯院, 2004. 高等代数(北大・第三版)导教・导学・导考. 西安：西北工业大学出版社.
徐仲，陆全，张凯院，等, 2008. 高等代数考研教案. 2 版. 西安：西北工业大学出版社.
许甫华，张贤科, 2005. 高等代数解题方法. 2 版. 北京：清华大学出版社.
阳庆节, 2015. 高等代数简明教程. 2 版. 北京：中国人民大学出版社.
杨金远，金玉子, 2013. 线性代数与上机实验. 北京：化学工业出版社.
杨子胥, 2007. 高等代数. 2 版. 北京：高等教育出版社.
杨子胥, 2012. 高等代数习题解上册，下册. 修订版. 济南：山东科学技术出版社.
姚慕生，吴泉水, 2008. 高等代数学. 2 版. 上海：复旦大学出版社.
张禾瑞，郝鈵新, 2007. 高等代数. 5 版. 北京：高等教育出版社.
张贤科，许甫华, 2004. 高等代数学. 2 版. 北京：清华大学出版社.
张学元, 2000. 线性代数能力试题题解. 武汉：华中理工大学出版社.
赵建立，王文省, 2016. 高等代数. 北京：高等教育出版社.
周伯壎, 1978. 高等代数. 北京：人民教育出版社.
庄瓦金, 2013. 高等代数教程. 北京：科学出版社.
Hanselman D, Littlefield B, 2005. 精通 MATLAB 6. 张航，黄攀，译. 北京：清华大学出版社.